W9-BWG-911

LA RESTAURATION

Il a été tiré de cet ouvrage :
trente exemplaires sur papier Alfa
dont vingt-cinq numérotés de 1 *à* 25
et cinq numérotés de I *à* V

G. DE BERTIER DE SAUVIGNY
Professeur à l'Institut catholique de Paris.

LA RESTAURATION

Collection "L'Histoire"

FLAMMARION

PREMIÈRE PARTIE

LA PREMIÈRE RESTAURATION ET LES CENT-JOURS

CHAPITRE PREMIER

LA FRANCE AU DÉBUT DE 1814

Le choc en retour : l'invasion. — Dispositions des paysans, des ouvriers, de la bourgeoisie, du clergé, des hauts fonctionnaires, de l'armée. — Le Corps Législatif exprime la volonté générale de paix. — Dispositions des diverses provinces. — Le réveil de l'idée royaliste. — Fondation des Chevaliers de la Foi en 1810. — Extension de la société secrète en 1813 ; ses possibilités d'action.

1814... la France épuisée par vingt années de fièvre révolutionnaire et conquérante subit le choc en retour des forces qu'elle a déchaînées. Elle a connu, la première, l'ivresse et l'élan du sentiment national qui unit toutes les classes de la société, toutes les populations d'un pays dans une communauté librement consentie. Cette nouvelle énergie, captée, disciplinée par un chef génial, a permis à la nation de franchir ses frontières linguistiques, ses frontières naturelles ; le drapeau français a été planté sur les rives de la Baltique et de l'Adriatique, de la Vistule et du Danube ; il a flotté sur Vienne, sur Berlin et sur Moscou. Sous l'humiliation de la défaite, sous l'aiguillon de l'occupation étrangère, tous ces peuples jadis endormis, qui n'avaient connu d'autre patriotisme que l'attachement à leurs souverains, ces peuples de l'Europe continentale se sont éveillés à leur tour à la conscience nationale ; le feu qui animait les volontaires français brûle maintenant dans les cœurs espagnols, autrichiens, prussiens, russes. Les Valmy et les Jemmapes de 1812 et de 1813 s'appellent Malo-Jaroslavetz, Vittoria, Dennewitz, Leipzig.

La France avait aussi inauguré un nouveau type d'armées ; fondées sur la conscription nationale, elles avaient débordé, bousculé de leurs masses enthousiastes les vieilles armées de mercenaires automates. Napoléon s'était emparé de ce nouveau métal, l'avait forgé, l'avait utilisé d'une manière nouvelle et déconcertante : plus de ces lentes et savantes manœuvres de la guerre en dentelles, de ces places prises comme des pièces d'un jeu d'échec, mais des coups rapides, foudroyants, qui tendaient moins à saisir des gages pour la diplomatie qu'à anéantir l'adversaire et à le livrer exsangue et pantelant à la merci du vainqueur. Dans ce domaine encore, l'Europe, d'abord étourdie, avait appris sa leçon. Des Jomini, des Moreau, des Bernadotte avaient démonté, pour ses généraux le mécanisme de la tactique napoléonienne ; la Prusse, l'Autriche avaient organisé à leur tour la conscription, et pour les soutenir, le réservoir d'hommes de la Moscovie, imprudemment mis en perce, déversait un flot inépuisable de chair à canon robuste et docile.

Ainsi, au début de cette année 1814, l'heure de la rétribution avait sonné, et sur toutes les frontières de la France, des masses ennemies, plus d'un million d'hommes, donnaient l'assaut. Sous le commandement du prudent Schwartzenberg et du fougueux Blücher, la première vague de 250.000 hommes a franchi le Rhin dans les premiers jours de janvier et a commencé à submerger les provinces du Nord-Est. A leur droite, la Hollande s'est soulevée contre la domination française et a accueilli dans l'enthousiasme le prince d'Orange ; elle est protégée par l'armée du Nord, commandée par Bernadotte, prince-royal de Suède, qui s'attarde en Belgique, mais fait peser la menace de ses 159.000 hommes. La Suisse a abrogé, le 29 décembre, l'acte de médiation qui la liait à l'Empereur. En Italie, Murat, beau-frère de Napoléon, le trahit sans vergogne, dans l'espoir de sauver son royaume de Naples, et il joint ses forces à celles des Autrichiens de Bellegarde qui repoussent vers les Alpes le fidèle Eugène de Beauharnais. Sur la frontière des Pyrénées, enfin, Wellington, avec une armée de moins de 100.000 hommes, mais solide, aguerrie, lourdement équipée, bien en main, a, dès le mois d'octobre 1813, forcé le passage de la Bidassoa ; lentement, méthodiquement, il grignote le territoire national, malgré les efforts de Soult, aussi fin manœuvrier que lui.

Napoléon ne peut opposer à cette inondation que des débris de la Grande Armée, des conscrits hâtivement ramassés, des [illegible] de dépôts. Cela peut représenter 400.000 hommes, mais uniquement sur le papier, et c'est avec 60.000 seulement qu'il entrera en campagne à la fin de janvier et accomplira les prodiges que l'on sait.

Mais son meilleur atout encore, était, aurait dû être, l'ennemi sur le sol français ; avec l'envahisseur, le patriotisme, l'instinct de la conservation, l'esprit de la défense nationale, auraient dû rentrer dans le camp français. Alors, ses ressources matérielles devaient lui permettre de soutenir la résistance assez longtemps pour lasser l'adversaire, sinon le repousser.

Mais, contrairement à sa réaction de 1793, la nation restait inerte. Le culte impérial avait absorbé, énervé le patriotisme. Du moins le danger pouvait serrer les Français autour du chef qu'ils avaient si souvent acclamé. « Si la France m'abandonne, je ne puis rien », avait dit Napoléon à la fin de 1813. Le doute que révèle ce conditionnel est déjà, par lui-même, une réponse. Louis XIV, à la veille de la bataille de Denain, ne pensait pas, n'écrivait pas : « Si mon peuple m'abandonne » ; ni François II lorsque Napoléon campait à Schoenbrunn, ni Frédéric-Guillaume III réfugié à Kœnigsberg.

Qu'y avait-il de différent dans la situation de Napoléon ? Sa défaite militaire devait-elle entraîner la chute de son régime ? Si l'on veut comprendre le pourquoi et le comment de la restauration du trône des Bourbons, il est indispensable de sonder les dispositions de la nation française à cette heure décisive de son destin.

Que pensait,que voulait la France en 1814 ? Personne alors ne lui a posé la question, sous forme de consultation électorale ou de référendum. A défaut de telles données, on est trop facilement porté à se baser sur des échantillonnages fallacieux de témoignages individuels, dont le choix arbitraire est plus révélateur de l'opinion de l'enquêteur que de celle du pays dans son ensemble. Par leur variété, ces témoignages nous livrent du moins un fait certain : la nation n'est pas unanime derrière l'Empereur.

Il faut pourtant chercher à préciser un peu. Et pour cela, au lieu de parler de la France, parlons des Français, des Français que divisent en classes bien différentes les conditions et les intérêts. Si l'idéal peut inspirer la conduite d'un individu, les réactions des masses sont commandées avant tout par leurs intérêts, et il est relativement facile de discerner où se trouvaient, au début de 1814, ceux des différentes catégories de Français.

Rappelons-nous d'abord que plus de la moitié de la nation est illettrée, ignorante de la politique, profondément indifférente à tout ce qui dépasse les soucis matériels immédiats. Pour cette masse, tout gouvernement est bon pourvu qu'il assure l'ordre et la sécurité des existences ; elle n'a point l'habitude d'émettre des opinions et on ne lui en demande pas. Essentiellement passive, elle est prête à suivre avec docilité ou résignation toute impulsion qui lui sera donnée d'en haut.

La paysannerie, toutefois, qui représente les quatre cinquième de l'ensemble de la nation, renferme des éléments déjà politiquement conscients qui entraînent l'opinion des autres. Elle a accepté avec satisfaction l'Empire qui consolidait à la fois contre les excès de l'anarchie et les menaces de réaction les principaux résultats de la Révolution : l'abolition des droits féodaux, des dîmes, des corvées, de la fiscalité absurde et tracassière, le partage des terres de l'Eglise et de la noblesse. Par contre, elle a vu renaître sous d'autres noms les aides et la gabelle : l'administration des droits réunis, créée en 1804, a pénalisé le Français au point le plus sensible en taxant les boissons à tous les stades, depuis la fabrication jusqu'à la consommation ; l'impôt sur le sel a été rétabli en 1806 et le monopole des tabacs en 1810. Surtout, à mesure que la guerre s'est prolongée et s'est étendue, la conscription s'est faite plus exigeante ; à peine les fils ont-ils l'âge de pousser la charrue que les plus solides d'entre eux sont appelés et disparaissent à jamais, quand ils ne reviennent pas estropiés ; en 1813, dans plusieurs provinces les femmes et les enfants travaillent seuls dans les champs. Et puis, lorsque la guerre se rapproche, l'armée, habituée à vivre largement sur les pays conquis, se rabat sur la campagne française ; les réquisitions se succèdent : chevaux, bestiaux, fourrages, grains, vins, l'intendance insatiable et impitoyable demande toujours plus. Dans les Landes, écrit le préfet, en novembre 1813, « les ressources sont anéanties à tel point qu'il ne restera plus bientôt ni bestiaux pour la culture des terres, ni fourrages pour les nourrir. ni maïs pour les ensemencements et la nourriture », et pourtant le maréchal Soult écrit à ce fonctionnaire : « Vous devez nous aider... quand bien même l'armée consommerait le dernier grain de maïs, le dernier brin de fourrage du département. »

Est-il difficile d'imaginer quelles peuvent être, dans ces conditions, les réactions de Jacques Bonhomme ? Pas de révolte ouverte, pas même de résistance à visage découvert, mais une désaffection croissante, la même force d'inertie et la même ruse qu'on savait opposer jadis aux gabelous et collecteurs de tailles. Plutôt que d'endosser l'uniforme les gars « prennent le maquis », se font sauter la phalange qui doit actionner la gâchette du fusil, les dents qui doivent mordre la cartouche, entretiennent des plaies sur leurs jambes, ou encore, expédient moins douloureux, se marient en hâte. Mais à la fin de 1813, ce dernier moyen ne protégera plus de la conscription ; sous le nom de gardes nationaux, l'Empereur prétend armer tous les hommes valides ; on leur dit bien d'abord qu'il ne s'agit que de défendre leurs foyers, mais une fois embrigadés, on prétend les faire marcher comme les contingents de la conscription. Cette fois, c'en est trop ; çà et là on se révolte ouvertement, et les préfets sont obligés d'atermoyer, de suspendre sous divers prétextes l'exécution des ordres impériaux ; c'est à peine si, à la fin de janvier, on aura pu mettre 20.000 gardes nationaux en campagne.

La classe ouvrière est peu nombreuse encore et ne compte pas dans la vie publique. On ne voit pas qu'elle ait eu à se féliciter du régime impérial ; les lois napoléoniennes qui la concernent sont presque purement policières ; il est interdit aux ouvriers de se coaliser, de changer librement de résidence et de patron. Le maître a toujours raison, ainsi le veut la discipline. La pauvreté, même involontaire, est assimilée à un crime ; qui tombe dans la misère doit être interné dans un « dépôt de mendicité », imité du hideux *workhouse* anglais. Pourtant, sous l'Empire, les ouvriers n'ont pas témoigné de mécontentement ; jusqu'aux dernières années, les industries prospères, les grands travaux d'Etat, employaient à plein une main-d'œuvre que la conscription limitait ; les salaires ont monté plus rapidement que le prix de la vie. Plus que le paysan, isolé dans sa campagne, l'ouvrier des villes reçoit les impressions de la gloire militaire ; son patriotisme élémentaire est sensible au prestige des revues et des fêtes triomphales, et il crie volontiers « Vive l'Empereur ! ».

Pourtant, à la fin de 1813, la prospérité industrielle n'est plus qu'un souvenir ; le chômage s'est installé en permanence, et, avec lui, la misère et le mécontentement.

Cette crise économique atteint aussi la bourgeoisie industrielle et commerciale ; celle-ci en souffre moins, à vrai dire, que l'ouvrier, mais son désenchantement est plus dangereux pour l'avenir du régime. Le système continental, les dépenses somptuaires de la cour impériale et de milliers de parvenus, ont donné d'abord un élan merveilleux à l'industrie. Mais à la fin de 1810, et en 1811, une crise profonde a secoué tout l'édifice : crise de matières premières, crise de débouchés, crise de crédit ; les efforts tentés pour y remédier ont été annihilés en grande partie par une crise de subsistances en 1812; les récoltes ont été meilleures en 1813, mais la perte des marchés européens n'a pas permis à l'industrie de se relever. La confiance des capitalistes est atteinte par les revers militaires : au début de 1814, le 5 % consolidé, « baromètre de la bourse », est tombé à 50 francs, contre 80 au début de 1813, et le cours des actions de la Banque de France est passé, dans le même temps, de 1.180 à 690 francs.

Plus que tous, sont atteints les négociants et les armateurs des ports de mer, que le blocus et la guerre maritime réduisent à l'inaction : Marseille, en dix ans, a vu sa population tomber de 101.000 à 96.000 habitants ; Bordeaux, en vingt ans, a perdu 30.000 âmes, un tiers des maisons y sont vides ; le prix du tonneau de 906 litres de vin rouge est tombé de 2.850 francs en 1801, à 850 francs en 1813 : cela dit tout !

Dans la classe qui pense et qui parle, on souffre enfin du despotisme militaire et policier, qui étouffe toute velléité d'expression indépendante, et censure jusqu'aux vers de Corneille et de Racine.

Le clergé aussi a ses griefs, qu'il est à peine besoin de rappeler. Le « nouveau Constantin », restaurateur du culte, s'est conduit plutôt, depuis 1809, comme un nouveau Constance. Le Pape a été emprisonné, traîné de Rome à Savone et de Savone à Fontainebleau ; des cardinaux, des évêques, des prêtres ont été jetés en prison pour avoir manifesté plus d'attachement au chef de l'Eglise qu'au chef de l'Etat. A la fin de janvier 1814, l'Empereur se décidera à libérer Pie VII et à le renvoyer dans ses Etats, mais cette tardive réparation ne saurait effacer le souvenir des sévices passés, et les odieux « articles organiques » du Concordat ne desserrent pas pour autant leur carcan.

Au sommet de l'édifice social, la nouvelle noblesse des hauts fonctionnaires, largement payés, active et puissante, devrait être d'autant plus fidèle à l'Empereur que sa fortune est étroitement liée à la sienne. Mais là même se dissimulent des faiblesses qui deviendront le cas échéant, des trahisons. Il y a, d'un côté, les anciens républicains, qui ont bien pu accepter les prébendes sénatoriales et autres que leur a offertes l'Empereur pour prix de leur ralliement ou de leur silence, mais qui n'ont pas oublié les temps où ils pouvaient parler haut, où les généraux tremblaient devant les représentants du peuple. Il y a, d'autre part, toute cette fraction de l'ancienne noblesse que Napoléon a réussi à s'attacher, surtout depuis qu'il est entré, par son mariage, dans la famille des rois légitimes ; sans doute, ils sont fidèles, ces préfets, ces conseillers d'Etat, ces chambellans qui portent de beaux noms ; « ils savent servir », dit, avec satisfaction, leur nouveau maître ; mais il ne faudrait pas que leur fidélité trop récente eût à subir la concurrence du dévouement atavique à l'ancienne race des rois ; entre les deux, le choix ne sera pas douteux.

Et puis, tous, qu'ils soient anciens sans-culottes anoblis, anciens nobles encanaillés, hommes nouveaux sortis de la bourgeoisie ou du peuple, tous sont rongés d'une inquiétude commune : elle est belle leur situation, mais combien de temps tout cela peut-il durer ? A quoi riment ces guerres continuelles, ces expéditions gigantesques et lointaines ? « cette partie toujours gagnée et jouée toujours » (Chateaubriand) ? Déjà, en 1809, Decrès, ministre de la Marine, disait à Marmont : « Voulez-vous que moi je vous dise la vérité ? L'Empereur est fou, tout à fait fou, et nous jettera tous, tant que nous sommes, cul par-dessus tête, et tout cela finira par une épouvantable catastrophe. » Et qu'arrivera-t-il lorsque l'Empereur disparaîtra ? Est-il raisonnable que tant de situations acquises restent pour ainsi dire suspendues au fil d'une existence aussi menacée ? L'aventure stupéfiante d'un certain général Malet, en octobre 1812, constitue pour tous un thème de réflexions. Déjà, les plus habiles, les Talleyrand et les Fouché se sont à moitié dégagés du système : n'est-ce pas un signe inquiétant pour sa stabilité ?

Reste l'armée, origine et soutien de la dictature impériale. Sans doute, le simple conscrit, celui qui vient à peine d'être arraché à sa famille, se transforme facilement en déserteur, mais le dévouement des corps d'élite, des cadres subalternes, est sans bornes. Dévouement à un homme plutôt qu'à un système politique ; c'est le même sentiment qui attachait mille ans plus tôt les « antrustions » au roi mérovingien et, à ce moment même, les émigrés au roi en exil. Mais il n'en va pas tout à fait de même chez les maréchaux et les généraux les plus anciens qui se souviennent d'avoir coudoyé et tutoyé familièrement le petit général Bonaparte. Et dans la mesure même où ils ont été comblés, leur fidélité s'est pourrie. C'est ce qu'exprimera brutalement le vieux Lefebvre au lendemain de l'abdication: « Croit-il que lorsque nous avons des titres, des hôtels, des terres, nous nous ferons tuer pour lui ? C'est aussi sa faute, il nous a ôté trop tôt la besace de sur le dos. »

La France de 1814 n'est donc plus celle de 1804. Elle

suit son chef, pourtant, entraînée par la crainte ou par l'habitude, mais sans enthousiasme et sans confiance. Les vœux de l'homme ne sont plus tout à fait les vœux de la nation. Que souhaite-t-elle ? Une seule chose : la paix, la paix immédiate, la paix à tout prix. C'est ce qu'affirment d'une voix les grands corps constitués qui sont censés la représenter à Paris, c'est ce que répètent sous des formes diverses les commissaires envoyés par l'Empereur dans les départements.

En décembre 1813, Napoléon a cru devoir faire appel au Sénat et au Corps législatif pour obtenir une approbation de son attitude en face des propositions que lui a faites la Coalition et qui n'ont pas eu de suites. « La paix, a répondu le Sénat, est le vœu de la France et le besoin de l'humanité... Sire, obtenez la paix par un dernier effort digne de vous et des Français. » L'adresse du Corps législatif est plus remarquable. Pour lui donner tout son sens, il faut se rappeler qu'elle émane d'hommes soigneusement choisis par l'autorité pour leur dévouement à l'Empire en des temps meilleurs, et que sa voix s'élève à une époque où le ton de rigueur est celui de l'adulation prosternée. « Nos maux sont à leur comble, dit-elle. La patrie est menacée sur tous les points de nos frontières ; nous éprouvons un dénuement qui est sans exemple dans notre histoire de l'Etat. Le commerce est anéanti... l'industrie expire... Quelles sont les causes de ces ineffables misères ? Une administration vexatoire, l'excès des contributions, le déplorable mode adopté pour la perception des droits, et l'excès, plus cruel encore, du régime pratiqué pour le recrutement des armées... La conscription est devenue pour toute la France un odieux fléau, parce que cette mesure a toujours été outrée dans son exécution. Depuis deux ans, on moissonne les hommes trois fois l'année ; une guerre barbare et sans but engloutit périodiquement une jeunesse arrachée à l'éducation, à l'agriculture, au commerce et aux arts. » Il importe de « nous renfermer dans les limites de notre territoire et de refréner l'élan, l'activité ambitieuse si fatale depuis vingt ans à tous les peuples de l'Europe ».

L'auteur de cet audacieux réquisitoire était Joachim Lainé, député de Bordeaux, depuis 1810, et l'on sait que cette ville avait plus de raisons que d'autres pour être hostile à l'Empire ; mais ce qu'il y a de gravement significatif, c'est que ce rapport a été approuvé par ses collègues, qui en ont voté l'impression par 223 voix contre 51. Napoléon pourra bien exiler l'audacieux, ajourner le Corps législatif, défendre la reproduction du document accusateur, il constitue le témoignage le plus impressionnant du fossé qui s'était élargi entre la nation et lui.

D'autres témoignages concordants, et dont l'expression, on peut le croire, restait le plus souvent en-deçà de la vérité, nous viennent de ces vingt-trois commissaires extraordinaires envoyés par Napoléon, à la fin de décembre 1813, dans toutes les provinces, afin de coordonner et de stimuler l'activité des autorités locales. Leurs correspondances ont été publiées intégralement, et elles permettent de dessiner les nuances d'opinion et de dispositions qui se manifestent d'une province à l'autre.

Le Nord et le Pas-de-Calais comptent de nombreux réfractaires qui forment des rassemblements armés dans plusieurs arrondissements. A Lille, la garde nationale est complètement apathique et sans esprit militaire. Pas le moindre élan patriotique, non plus, en Picardie ni en Normandie. A Caen, le commissaire extraordinaire, Latour-Maubourg, a même dû suspendre l'organisation de la garde nationale. « La paix, dit-il, est le plus grand bienfait que l'Empereur puisse accorder au peuple et je ne doute pas que tous les commissaires de Sa Majesté ne vous tiennent le même langage : elle est un besoin général. »

L'Alsace, la Lorraine, la Champagne sont mieux disposées, mais les moyens matériels font défaut pour organiser une résistance efficace. Au contraire, la Franche-Comté et la Bourgogne sont inertes ; la garde nationale de Dijon a même hautement proclamé son intention de rendre la ville sans combattre, afin de ne pas risquer un pillage. Dans tout le pays entre Chaumont et Langres, on remarque une « apathie inconcevable, un découragement complet ». A Lyon, où toutes les industries sont en chômage, les autorités locales ont fort à faire pour contenir et nourrir les milliers d'ouvriers désœuvrés. Les montagnards de l'Auvergne se réservent et attendent les événements, tandis que les municipalités sont hésitantes et timorées. Les Savoyards espèrent voir revenir leurs anciens souverains ; çà et là on arbore la croix de Saint-Maurice. En Dauphiné, par contre, toutes les classes de citoyens s'unissent avec énergie pour organiser la défense contre l'envahisseur.

Contraste complet au sud de la Durance : du Leberon à la Sainte-Baume, toute la montagne est farcie de « maquis » de réfractaires qui se livrent à des incursions et à des coups de main jusqu'aux abords de Marseille. Même situation dans l'Ardèche, le Gard, l'Hérault, où la résistance aux autorités s'enhardit de jour en jour. Dans tout le bassin Aquitain, particulièrement à Toulouse et à Bordeaux, la désaffection à l'égard du régime impérial est à son comble : les impôts ne rentrent plus, le nombre des réfractaires atteint, dans certains départements, le tiers ou même la moitié du contingent appelé ; les populations sont exaspérées par les réquisitions impitoyables de l'armée de Soult. « On ne respire que pour la paix, écrit le sénateur Lapparent, commissaire en Périgord et Quercy ; c'est un cri général qui retentit de toutes parts. »

Le Limousin et le Berry sont calmes, mais épuisés ; la vie économique y est paralysée. Les pays de l'ancienne Vendée s'agitent ; au nord comme au sud de la Loire, les organisations royalistes se reforment, des bandes de réfractaires enlèvent les caisses publiques, les dépôts d'armes, terrorisent les fonctionnaires. Pour éviter une insurrection générale, le commissaire, Boissy d'Anglas, est obligé de suspendre les opérations de la conscription. En Bretagne aussi, l'insoumission fait des progrès effrayants, sauf sur les côtes, où le vieil antagonisme à l'égard des Anglais maintient les populations dans le devoir.

Tel est, vu par les yeux de l'administration impériale, l'inquiétant tableau que représente la France au début de 1814. Les Alliés n'étaient pas sans ignorer les difficultés et leur diplomatie astucieuse saurait les exploiter à fond pour assurer le succès de leur campagne. Pourtant, que la France fût lasse de la guerre, qu'elle acceptât à l'avance une défaite qui lui rendît la paix, cela ne signifiait pas pour autant qu'elle voulût avec le même ensemble un changement de régime. « La masse de la population ne connaissait que l'Empire et l'Empereur », écrit Mollien. En 1812 encore, si l'on en croit Joseph de Maistre, le nom des Bourbons était aussi ignoré que celui des Héraclides ou des Ptolémées ; au moins dans la jeune génération : au lycée, en effet, l'enseignement de l'histoire se donnait d'une manière fort sommaire ; on parlait bien un peu de Henri IV et de Louis XIV, mais il n'était pas permis de dire qu'ils étaient des Bourbons ni que leurs héritiers légitimes vivaient en Angleterre. En 1814, toutefois, la situation avait évolué ; il y avait maintenant, en France, un parti royaliste peu nombreux, il est vrai, et presque invisible, mais passionné et entreprenant. Son action serait décisive dans la crise politique qu'allait ouvrir la défaite militaire ; aussi importe-t-il de savoir comment il était né et quels étaient ses moyens d'action.

Depuis le coup d'Etat de brumaire, et jusqu'en 1810 environ, l'idée royaliste n'avait cessé de perdre du terrain dans la nation. Les principes d'ordre social et d'autorité qu'elle incarnait par opposition à l'anarchie républicaine se trouvaient aussi bien réalisés dans la nouvelle monarchie impériale ; après tout, ce n'était pas la première fois, dans l'histoire de France, qu'une dynastie nouvelle avait succédé à une race usée : entre l'usurpation et la légitimité c'était seulement une question de durée.

Chez la plupart des royalistes d'hier, qui seraient aussi ceux d'après 1815, le regret sentimental d'un vieil ordre périmé, pouvait se concilier avec le loyalisme pratique à l'Etat nouveau. Le royalisme pur n'était représenté que par un petite nombre d'individus qui se refusaient à toute compromission avec le régime, à toute fonction officielle pour n'avoir pas à prêter serment à « l'usurpateur » ; quelques familles nobles du faubourg Saint-Germain, quelques écrivains comme Chateaubriand, quelques châtelains exilés volontairement dans leurs terres, quelques prêtres tenants de la « Petite Eglise », qui n'admettaient pas le Concordat de 1802, quelques anciens chouans.

Mais à partir de 1810 et surtout de 1812, ce petit noyau de fidèles allait faire boule de neige. C'était, d'une part, le résultat de la politique religieuse de l'Empereur, qui lui faisait perdre auprès des catholiques le terrain gagné par le Concordat ; l'Eglise persécutée dans la personne de son chef et le Roi très-chrétien exilé se retrouvaient solidaires dans l'adversité. Napoléon fut stupéfait de découvrir, en 1809, le petit groupe de jeunes gens formés par la Congrégation, qui osait conspirer en faveur du Pape. D'un horizon opposé venaient au royalisme des alliés que lui amenait l'excès du despotisme impérial. De 1790 à 1800 il y avait toujours eu en France des libéraux sincères, dont l'idéal politique était une monarchie constitutionnelle joignant à la stabilité monarchique les vertus d'une liberté sagement limitée par des lois, comme en Angleterre. On se rappelait que « le gros Monsieur », qui se faisait appeler maintenant

Louis XVIII, avait jadis manifesté quelque faveur à ces idées constitutionnelles. Ne serait-on pas plus tranquille avec lui qu'avec le tyran qui prétendait gouverner la France à la turque ? Cet esprit inspire deux illustres exilés qui sont allés chercher à l'étranger la possibilité de s'exprimer, déniée à leurs amis restés en France : Benjamin Constant, qui a publié, en novembre 1813, son ouvrage *De l'esprit de conquête et de l'usurpation dans leurs rapports avec la civilisation européenne*, et Germaine de Staël.

Le royalisme, toutefois, ne pouvait devenir un parti, constituer un danger pour l'Empire, tant qu'il restait une opinion académique. Pour sortir de l'état de nébuleuse, il lui fallait une organisation, un programme d'action. On ne peut certes pas considérer comme des ébauches de partis les « agences » des princes qui avaient fonctionné à Paris sous le Directoire et le Consulat, ni même les organisations royalistes vendéennes, purement militaires et limitées géographiquement aux provinces de l'Ouest. Il y avait là pourtant un réseau de relations hiérarchisées, depuis le capitaine de paroisse jusqu'au chef d'armée, réseau qui était en sommeil, mais qui pouvait se ranimer à l'occasion. Ce qui, dans le passé, se rapprochait davantage d'un parti royaliste, au sens moderne du mot, c'était la curieuse organisation secrète, dénommée *Institut philanthropique*, créée en 1796 par le chevalier Despomelles, dans le but de ramener la monarchie en France par le jeu des institutions existantes. Grâce au travail de ses comités d'affidés, agissant dans la plupart des départements, elle avait réussi à amener dans les Conseils du Directoire une majorité monarchiste. Mais elle fut brisée, on le sait, par le coup d'État de fructidor (septembre 1797). L'institut philanthropique, découragé par cet échec, désorganisé par l'arrestation de plusieurs de ses chefs, s'était survécu dans le Midi de la France, où il avait suscité, en l'an VII une fort dangereuse insurrection dans le Toulousain. Depuis 1800, il était, lui aussi, en sommeil, mais là encore subsistait un réseau de dévouements et de complicités qui pouvait renaître éventuellement.

Mais il fallait une impulsion nouvelle pour ranimer, pour fédérer ces anciennes organisations, pour donner un point de ralliement, un programme d'action aux royalistes de Paris et de province. Cette impulsion aurait dû venir des Princes eux-mêmes, mais la police de Fouché avait patiemment éventé et étranglé toutes les filières secrètes par où pouvaient passer leurs instructions. Le renouveau et l'impulsion allaient venir, finalement, en 1810, de l'intérieur.

Ferdinand de Bertier, le plus jeune des fils du dernier intendant de la généralité de Paris, était du petit nombre de ces intransigeants qui n'avaient jamais courbé la tête devant l'usurpateur et repoussé toutes ses avances. La mort atroce de son père, le 22 juillet 1789, avait allumé en son âme une haine sans nuances pour la Révolution, et dès lors il n'avait vécu que pour conspirer. La Congrégation l'avait reçu en 1807, et il avait participé, en 1809, avec ses amis Mathieu de Montmorency et Alexis de Noailles, à la diffusion de la bulle d'excommunication fulminée par Pie VII contre Napoléon. Depuis longtemps, il cherchait avec son frère Bénigne-Louis, incorrigible conspirateur comme lui, le moyen de grouper toutes les forces royalistes en un seul faisceau de résistance. L'idée leur vint de transposer, au service de l'Eglise et du Roi, l'organisation maçonnique qui avait été le principal instrument du succès des idées révolutionnaires, telle était du moins l'opinion qui avait été accréditée dans les milieux de l'émigration par les *Mémoires pour servir à l'histoire du jacobinisme*, de l'abbé Barruel, publiés à Hambourg en 1798 et réédités en 1803 à Paris. Les deux frères n'hésitèrent point à se faire initier momentanément à la franc-maçonnerie pour en étudier le fonctionnement. En 1807, Bénigne-Louis avait été emprisonné par la police impériale, évitant de justesse le peloton d'exécution. Il devait revenir à Ferdinand de Bertier, seul, de réaliser leur projet, après lui avoir donné forme.

L'institution, telle qu'il la créa au milieu de 1810, tenait à la fois de la maçonnerie et des ordres militaires et chevaleresques du Moyen-Age ; de la première elle avait la hiérarchie secrète qui laissait ignorer aux grades inférieurs l'existence des degrés supérieurs et les desseins réels des dirigeants ; aux seconds elle avait emprunté les dénominations et l'idéal chrétien et monarchique qui le mettait au service de l'Autel et du Trône.

Le premier grade de l'Ordre était celui des *Associés de Charité* qui contribuaient seulement par leurs prières et par leurs cotisations à ce qu'ils croyaient n'être qu'une pieuse association destinée aux bonnes œuvres et à la propagation des idées chrétiennes et monarchiques. Le second grade était celui d'*écuyer* à qui l'on donnait connaissance du rétablissement de la chevalerie ; le *chevalier* était reçu dans une cérémonie simple et impressionnante : à genoux devant un crucifix entouré de luminaires, il jurait sur les Evangiles le secret, l'obéissance, la fidélité à Dieu, à l'honneur, au Roi et à la Patrie ; il recevait sur l'épaule un coup de plat d'épée et l'accolade des chevaliers présents ; on lui passait au doigt un anneau bénit, à l'intérieur duquel était gravé le mot *caritas* ; on lui donnait le mot d'ordre et les signes de reconnaissance. Ensuite venait le grade de *chevalier hospitalier* consacré plus spécialement aux soins des prisonniers et des hôpitaux ; son insigne consistait en un chapelet avec une croix d'ébène. Le grade suprême était celui des *chevaliers de la Foi*, qui seuls connaissaient toute l'étendue de l'Ordre et son double but politique et religieux ; leur signe de reconnaissance était un chapelet à croix d'argent. Ils gouvernaient la société par un conseil supérieur de neuf membres qui donnait ses instructions aux « sénéchaux », responsables chacun d'une division militaire ; l'unité de base était la « bannière », contrepartie de la loge maçonnique, dont la zone d'influence correspondait normalement à un département.

Les premiers adhérents recrutés par Bertier furent ses frères Anne-Pierre et Bénigne-Louis, ses amis de la Congrégation et du faubourg Saint-Germain : Alexis de Noailles, Armand et Jules de Polignac, Eugène et Mathieu de Montmorency, Victor de Vibraye, Fitz-James. Presque aussitôt, Bertier qui n'avait que 28 ans, avait cru devoir céder la « grande-maîtrise » de l'Ordre à Mathieu de Montmorency, qui, par son âge, le prestige de son nom et de ses vertus, ses relations, était plus propre à inspirer confiance et à donner des directives autorisées. Des indices sérieux donnent à penser que Chateaubriand aussi fut membre de l'Ordre.

A la fin de 1813, la « bannière » de Paris était présidée par le comte de Clermont-Mont-Saint-Jean, et son secrétaire très actif était Louis de Gobineau, le père du célèbre auteur de l'*Essai sur l'inégalité des races humaines* ; ce personnage aurait même réussi à enrôler des éléments populaires parmi les forts de la halle au blé. L'Ordre s'étendit en province, au cours des années suivantes, avec un succès inégal, évidemment. Dans l'Ouest et dans le Midi aquitain, il lui avait suffi de ranimer les organisations anciennes et de se les affilier à travers leurs chefs. Il avait trouvé aussi un terrain favorable en Franche-Comté, dans les anciennes provinces de Flandre et d'Artois, en Auvergne, dans toute la vallée du Rhône, en Provence, et surtout en Aquitaine ; à Toulouse bon nombre d'éléments populaires étaient au service de la « bannière » locale, où l'on relève les noms des Mac-Carthy, de Villèle, de Montbel, de Saint-Géry, de Cantalause, etc. Entre ces groupes plus importants, et un peu partout, dans les châteaux, dans les presbytères, un réseau ténu d'affidés, dont la principale fonction était de transmettre les ordres et les nouvelles.

Toutes ces communications étaient orales ; rien, absolument rien, ne devait être écrit : l'expérience avait inculqué la crainte de la police impériale. Les lignes du réseau d'information étaient organisées de façon que le porteur n'eût pas à faire plus de dix ou douze lieues ; à l'arrivée d'un émissaire, le chevalier correspondant montait immédiatement à cheval pour transmettre le message à la station suivante ; ainsi s'explique le fait, plusieurs fois noté avec étonnement par les fonctionnaires de l'Empire, que les nouvelles des succès des Alliés et des événements de Paris, fussent répandues dans des villes lointaines de province bien avant qu'elles ne leur parvinssent par les courriers officiels.

Que pouvait une telle organisation, au recrutement trop exclusivement aristocratique ? Un royaliste libéral, Bruno de Boisgelin, initié à ses projets au début de 1814, jugeait assez bien que ses moyens ne lui donnaient « ni force d'action ni résistance », mais par contre qu'elle était parfaitement outillée, avec ses petits groupes de correspondants dans toutes les provinces, pour « étendre sur la surface des choses comme un léger nuage... une surface de royalisme qui pût en imposer en cas de besoin ». Autrement dit, tant que l'Empire était debout, une action insurrectionnelle, un coup de main « à la Malet », étaient hors de question. Mais en attendant que les circonstances fissent naître une occasion, on pouvait se livrer à un utile travail de propagande : rappeler l'existence des princes légitimes, susciter, réchauffer les dévouements par des conversations, encadrer les bonnes volontés, saisir toutes les occasions pour exciter le mécontentement contre le régime impérial et en souligner les faiblesses. Le résultat de ce travail de sape pouvait déjà se voir au début de 1814 ; alors que, deux ans plus tôt, l'existence des Bourbons était pratiquement ignorée et que l'idée de les rappeler paraissait « un sophisme insoutenable », les rapports des préfets, des commissaires extraordinaires, signalent presque partout à cette époque les « menées du parti bourbonien ».

Ainsi, à l'heure où l'édifice impérial se lézardait, à l'heure où la nation française par lassitude ou par instinct de conservation, s'éloignait du chef qu'elle avait accepté quelques années plus tôt, à l'heure où les Alliés hésitaient sur les conséquences politiques à tirer de leur victoire militaire, la carte royaliste allait pouvoir être jetée sur la table, non seulement par des princes isolés et sans prestige, mais par une minorité organisée, agissant au sein même de la nation. Là se trouvait sans doute, au début de 1814, la meilleure chance d'une restauration des Bourbons.

CHAPITRE II

« LA FORCE DES CHOSES »

Le maître atout : la paix. — Attitude des Alliés. — Projets des Princes. — Efforts infructueux des royalistes et du comte d'Artois dans les provinces de l'Est. — Avortement de la première tentative des Chevaliers de la Foi à Rodez. — La révolution du 12 mars à Bordeaux. — Elle décide les ministres Alliés en faveur des Bourbons. — Manœuvres préparatoires des royalistes à Paris. — Arbitrage final du Tsar Alexandre ; le journal des derniers jours de crise. — Conclusion.

« On s'est généralement réuni à penser que la nécessité de voir la France réduite au territoire qu'elle avait en 1792 doit être acceptée plutôt que d'exposer la capitale. Tout l'art donc... serait de faire signer un traité définitif qui restreignît la France aux limites de la monarchie du dernier Bourbon, mais qui la délivrât sur-le-champ de la présence de ses ennemies... La paix prochaine, quelle qu'elle soit, est indispensable ; mais bonne ou mauvaise, il faut la paix. »

Quel est le défaitiste, le traître qui parle ainsi ? C'est le propre frère de l'Empereur, Joseph Bonaparte, et en qualité de chef du conseil de Régence qu'il vient de présider, le 4 mars ; il exprime donc ici l'opinion des plus hauts fonctionnaires de l'Empire. Et, le 11 mars, il récidive, avec une clairvoyance certes plus remarquable que le caractère dont il témoigne : « Le jour où l'on serait convaincu que votre Majesté a préféré la prolongation de la guerre à une paix même désavantageuse, il n'est pas douteux que la lassitude tournera les esprits d'un autre côté. Je ne puis pas me tromper parce que ma manière de voir est conforme à celle de tous. Nous sommes à la veille d'une dissolution totale ; il n'y a d'autre salut que dans la paix. »

Retenons ces lignes ; elles nous donnent en effet le sens profond de la partie compliquée, aux cent actes divers, que nous avons à faire revivre. Dans cette partie, on ne saurait trop le redire, il est un atout maître : la paix. C'est la paix que veut éperdument la nation française, la paix avec Napoléon si possible ; sans lui, s'il la refuse. Les Alliés aussi veulent la paix : avec Napoléon, s'il accepte leurs conditions, sans lui, s'il les repousse. Si l'Empereur avait pu, avait osé jouer cette carte, dès le début et avec décision, tout porte à croire qu'il eût pu garder son trône ; mais il avait aussi en main la carte de la guerre, et pour son malheur il l'avait trop souvent jouée et gagnée pour y renoncer. Louis XVIII, lui, n'avait pas le choix ; il n'avait qu'une carte, mais heureusement pour lui c'était la bonne. La France, les Alliés n'ont point paru disposés d'abord à y prêter attention ; mais finalement l'évidence s'imposera : la paix immédiate que désire la première, la paix avantageuse et stable que cherchent les autres, elle se trouve dans les mains débiles de l'exilé de Hartwell.

L'histoire de la crise du printemps de 1814 est, en somme, celle de cette découverte progressive. Mais à travers combien d'hésitations, combien de fausses manœuvres !

Il faut d'abord préciser la position des Alliés devant le problème politique soulevé par l'invasion de France.

Ils se sont rendus compte assez tôt de l'intérêt qu'il pouvait y avoir, pour le succès de leur campagne, à détacher de son chef la nation française, en spéculant sur son désir de paix. La manœuvre avait été amorcée par Metternich, au début de novembre, sous la forme d'ouvertures de paix, faites à Francfort, au diplomate français Saint-Aignan : on se déclarait prêt à négocier un traité qui laisserait à la France les conquêtes de la Révolution, c'est-à-dire ses limites naturelles. Un mois plus tard, Napoléon ayant hésité à donner une réponse immédiate et positive, et sa situation ayant empiré dans l'intervalle, ces concessions étaient déjà considérées comme caduques. Toutefois, les Alliés se gardèrent de le signifier clairement ; la manœuvre de dissociation fut poursuivie par un manifeste, daté du 1er décembre, et dont 20.000 exemplaires devaient être répandus en France. « Les Souverains alliés déclarent qu'ils ne font pas la guerre à la France, qu'ils désirent qu'elle soit forte et heureuse... que son territoire conserve une étendue qu'elle n'a jamais connue sous ses rois... C'est à l'Empereur seul qu'ils font la guerre, ou plutôt à cette prépondérance qu'il a trop longtemps exercée hors de son empire pour le malheur de la France et de l'Europe. »

Dans tout cela, c'est clair, il n'est pas question d'un changement de dynastie ; on fait la guerre à l'Empereur, mais on est prêt à s'entendre avec lui s'il veut bien renoncer à son hégémonie. Ce n'est pas qu'on ait oublié l'existence des Bourbons ; Louis XVIII a multiplié les démarches auprès des souverains ; mais sa dynastie paraît si étrangère à la France, sa cause si impopulaire, qu'on craindrait de réveiller contre soi le sentiment national, si on lui témoignait quelque faveur.

Pratiquement, l'attitude des Alliés à l'égard des Bourbons sera celle qu'a définie le tzar, à la date du 18 janvier : « Les Puissances ne se prononceront pas pour les Bourbons, mais elles laisseront aux Français l'initiative sur cette question... Elles conserveront un rôle passif.

Elles n'empêcheront pas les Bourbons d'agir hors des lignes occupées par leurs troupes, mais ne les encourageront pas et éviteront même jusqu'aux apparences d'avoir pris la moindre part à leur démarche. »

En marge de ces dispositions communes, chacun des Alliés nourrissait des desseins particuliers qu'il faut connaître pour comprendre les discordances qui se manifesteront.

L'Autriche imaginait avec complaisance une France vaincue, tenue en tutelle par l'intermédiaire de l'Impératrice Marie-Louise, régente au nom du Roi de Rome. N'avait-elle pas dans la place, avec Talleyrand, l'homme qu'il fallait, et qui devait préférer cette solution à toute autre ? Le tzar Alexandre, personnellement hostile aux Bourbons, se voyait entrant à Paris en libérateur, y convoquant une assemblée représentative qui placerait sur un trône national et libéral un autre soldat français, son client Bernadotte. Quant au Prussien, tout prêt à suivre l'opinion du tzar, il brûlait seulement du désir d'exercer sa vengeance sur Paris et sur Napoléon.

Et l'Angleterre ? Sa politique avait été définie par Pitt dès 1800 : « Je considère, disait-il alors, la restauration de la monarchie française comme un objet des plus désirables, car je pense qu'elle assurerait à notre pays et à l'Europe la meilleure, la plus solide sécurité... mais pour que l'on puisse prendre une initiative en ce sens, il faudrait qu'à la suite de grands succès des Alliés, on pût apercevoir en France *a strong and prevailing disposition for the return of the Monarch.* » Telle sera très exactement la ligne de conduite suivie par Castlereagh, secrétaire d'Etat aux Affaires Etrangères de Sa Majesté Britannique, qui a rejoint ses collègues sur le continent, au début de janvier, afin d'observer de plus près le développement des événements. « Les Bourbons, écrit-il, le 30 décembre 1813, sur le bateau qui l'amène à Hambourg, devront jouer leur propre jeu, à leurs risques et périls, et à leur manière. Quant à nous, nous n'y mettrons point obstacle. »

Pourtant, il travaillera indirectement pour eux, lorsqu'il s'efforcera de faire écarter les solutions envisagées par les Russes et les Autrichiens. Contre l'idée d'une régence, trop avantageuse à l'Autriche, il n'était pas difficile de dresser la Prusse et la Russie ; contre Bernadotte, qui ne semblait pas du reste avoir en France beaucoup de partisans, il n'était pas moins facile d'exciter l'Autriche, fort peu désireuse de voir une hégémonie russe se substituer à celle de Napoléon. Ces deux solutions neutralisées l'une par l'autre, la voie restait libre pour celle que préférait secrètement l'Angleterre. Mais encore fallait-il, pour que cette solution s'imposât aux partenaires, la réalisation de deux conditions qui ne dépendaient pas du gouvernement britannique : il fallait d'abord que fût bien démontrée l'impossibilité de négocier avec Napoléon une paix acceptable ; il fallait aussi que se manifestât, au sein de la nation française, un mouvement spontané en faveur des Bourbons. La première de ces conditions se trouverait posée par l'échec des pourparlers tenus à Châtillon du 4 février au 19 mars, et dont il ne nous revient pas de retracer la pénible histoire. Comment se trouverait réalisée la seconde, qui n'était pas moins indispensable ? Voilà ce qui doit nous intéresser davantage.

Le comte François des Cars, un des fidèles du comte d'Artois en Angleterre, écrivait, en décembre 1813, à son ami Semallé : « Notre salut ne peut venir que de la France. » A ce moment, en effet, Louis XVIII avait pu se convaincre, par l'accueil fait à ses émissaires, que les souverains alliés ne lèveraient pas le petit doigt pour sa cause. Il fallait donc, à tout prix, susciter quelque manifestation royaliste sur un point du territoire français. Malheureusement, les communications entre le roi et ses partisans en France étaient terriblement précaires. On connaissait pourtant, par Alexis de Noailles, arrivé en

Angleterre au printemps de 1812, l'existence de l'organisation secrète des Chevaliers de la Foi. Au mois d'octobre 1813, Louis XVIII leur avait fait passer ses instructions formulées en termes volontairement vagues ; « Le temps de se montrer plus efficacement était arrivé »; et il leur donnait pour cela carte blanche. Le conseil supérieur de l'Ordre, réuni le 9 octobre chez Mathieu de Montmorency, élabora aussitôt un plan d'action qui témoignait d'un certain manque d'imagination. On demandait un débarquement anglo-royaliste en Bretagne, et l'on se faisait fort de le soutenir de l'intérieur. C'était ignorer complètement les véritables dispositions de l'Angleterre sans l'aide active de laquelle une telle opération était impossible. Ce plan ne devait du reste jamais parvenir au Roi, le porteur ayant été arrêté près d'Auray, alors qu'il tentait de s'embarquer pour l'Angleterre.

Les princes pourtant ne pouvaient rester inactifs. A grand-peine, le gouvernement anglais leur permit, à la mi-janvier, de tenter leur chance. Le comte d'Artois, frère du Roi, s'embarqua pour la Hollande, d'où il devait gagner la Suisse et la Franche-Comté, sur les pas des armées autrichiennes. Son fils aîné, le duc d'Angoulême, était autorisé à se rendre auprès de Wellington dans le Midi. Le duc de Berry, enfin, le plus ardent et le plus audacieux, se rendit à Jersey. De là, il espérait pouvoir se jeter sur les côtes normandes, où son arrivée, pensait-on, pourrait donner le signal d'un soulèvement général des provinces de l'Ouest.

Quelle désillusion ! A peine arrivé à Jersey, le 6 février, le prince recevait un vieux soldat de Frotté, Michelot Moulin, qui lui assurait que la Basse-Normandie n'était pas le moins du monde prête à prendre les armes. Le duc de Berry hésite ; il consent à ce que l'un de ses compagnons, le chevalier de Bruslart, retourne sur le continent avec Michelot pour tâter le terrain. Les deux hommes partent le 11 février, et, au milieu de mille dangers, établissent quelques contacts décevants. A son retour, Bruslart conclut : « Il n'y a vraiment, sur la côte, que les gendarmes qui soient prêts à recevoir M. le duc de Berry ! » Et le bouillant Charles-Ferdinand devra ronger son frein, inutile et désœuvré dans son île, en attendant que les choses se décident sans lui.

Son père ne sera pas beaucoup plus heureux dans les provinces de l'Est. Les chances y avaient paru pourtant meilleures, dans les premiers moments de l'invasion. Les royalistes avaient répandu le bruit que les Alliés étaient décidés à ramener les Bourbons sur le trône ; cela devait encourager, pensaient-ils, les populations à manifester au moins un royalisme intéressé qui pourrait, par contrecoup, impressionner les envahisseurs et les décider à adopter en fait l'attitude qu'on leur supposait. Calcul machiavélique, ou peut-être même naïve illusion, dont la Restauration devait longtemps porter le poids avec la flétrissante légende des « fourgons de l'étranger », dont on saisit ici la première origine.

Au début, tout paraissait marcher à souhait. Les Autrichiens étaient accueillis en Franche-Comté comme des libérateurs. Le lieutenant-colonel comte de Thurn écrivait, le 1er janvier, au généralissime Schwarzenberg : « L'esprit des populations me surprend et dépasse nos espérances. Fatigués par un gouvernement honni et détesté, les habitants avouent qu'ils attendent avec impatience l'heure de la délivrance. » Les armées russes rencontraient le même état d'esprit en Lorraine. De Vesoul, le 20 janvier, le ministre Nesselrode écrivait à sa femme : « Le peuple... est très bien disposé pour nous, et ici, comme partout ailleurs, on nous reçoit à bras ouverts. » Pas de trace d'une résistance nationale : Epinal se rendait à cinquante cosaques, Reims à un peloton, Nancy aux éclaireurs de Blücher, Chaumont à un seul cavalier, Langres capitulait au deuxième coup de canon et Dijon au deuxième parlementaire.

Mais la cause royale ne s'en trouvait pas plus avancée, car les chefs alliés appliquaient à la lettre le mot d'ordre qu'on leur avait donné, d'ignorer les Bourbons. En Franche-Comté, où ces derniers comptaient le plus de partisans, les Autrichiens nommaient un gouverneur militaire qui s'efforçait de susciter un mouvement séparatiste en faveur de la maison d'Autriche et défendait expressément de prononcer le nom des Bourbons. A Dijon, la « bannière » locale, une soixantaine de partisans, avaient tenté d'arborer la cocarde blanche, mais le commandant autrichien les avait sévèrement réprimandés et avait même fait arrêter l'un des meneurs.

En vain, Alexis de Noailles, secondé par un petit groupe d'affidés, se démenait auprès des hautes autorités autrichiennes et russes pour les amener à une attitude plus bienveillante. Avec l'aide de l'émigré Rochechouart, général russe, une démarche fut faite auprès du tzar Alexandre, par un petit groupe de « chevaliers ». « Comment se fait-il, répondit froidement l'autocrate, qu'ayant déjà occupé un tiers de la France, le peuple n'ait pas encore acclamé l'ancienne dynastie ? » Quelques jours plus tard, à Troyes, il refuserait purement et simplement de recevoir deux « chevaliers », le marquis de Widranges et le chevalier de Gouault, qui avaient réussi à provoquer une petite manifestation royaliste à l'arrivée des troupes prussiennes dans leur ville.

A ce moment, du reste, les relations entre les troupes alliées et les populations françaises avaient complètement changé de caractère. L'envahisseur n'avait pas tardé à montrer son vrai visage : les réquisitions et les contributions forcées s'abattaient sur les villes. Pourquoi se serait-on gêné ? Les Français faisaient de même dans les pays qu'ils occupaient quelques années, quelques mois plus tôt. Un seul exemple : Troyes était taxé de 150.000 francs par le prince de Hohenlohe et devait fournir aux Prussiens 18.000 quintaux de farine, 1.000 bœufs, 344.000 rations d'avoine, 3.000 pièces d'eau-de-vie, 12.000 pièces de vin ! Dans les campagnes, c'était bien pire ; la soldatesque, les cosaques surtout, loin des yeux des grands chefs, se livrait au pillage le plus brutal. Le paysan, alors, retrouve sa volonté de combattre ; tant qu'il ne s'était agi que du sort de l'Empereur, grand mangeur d'hommes et d'impôts, il était resté froid ; mais quand il a vu brûler sa maison, violer sa femme et ses filles, alors c'est différent ; il trouve un fusil, s'associe avec les hommes décidés, et fait la chasse au cosaque. C'est la « guerre des blouses bleues » qui commence et que redoute l'ennemi. Et lorsque soudain, devant Napoléon, miraculeusement victorieux, fuit l'ennemi, on crie « Vive l'Empereur ! » de meilleur cœur qu'on ne l'avait jamais fait ; on est prêt maintenant à se serrer autour de lui, à se battre pour lui.

L'extraordinaire redressement militaire opéré par Napoléon en février, était aussi de nature à refroidir l'ardeur des royalistes et à diminuer leurs chances auprès des Alliés. L'Empereur, rentré à Troyes, le 27 février, faisait fusiller l'imprudent Gouault, et lançait, de Fismes, le 5 mars, un décret qui menaçait de mort quiconque aurait été tenté d'arborer la cocarde blanche. Les Alliés, à Châtillon, étaient profondément déconcertés et divisés. Après tout, il faudrait peut-être bien s'accommoder avec Napoléon, lui laisser plus qu'on ne l'avait envisagé. Castlereagh y paraissait lui-même résigné, et il rabrouait rudement le Prince-Régent qui, en Angleterre, avait publiquement pris position en faveur des Bourbons. Nesselrode écrivait le 10 mars : « Pour les malheureux (royalistes), il n'y a plus d'espoir, je le crains fort. Je ne vois aucun parti réel en leur faveur, et ce serait nous plonger dans une guerre sans fin que d'épouser la cause des Bourbons. »

C'est dans ces conditions que l'infortuné comte d'Artois arrive sur le lieu des opérations : à Bâle le 6 février, à Vesoul le 21. Quelle réception ! Le commandant autrichien du département lui envoie insolemment un officier subalterne pour lui réclamer ses passeports. Comme il a cru pouvoir se passer de l'assentiment des Puissances pour rentrer dans son pays, on parle de le refouler. On le tolérera pourtant, à condition que ni lui ni personne de sa suite ne porte ni cocarde blanche, ni uniforme, ni armes, et s'abstienne de toute manifestation publique. Autour de lui, c'est un véritable blocus, un parti pris de l'humilier.

Pourtant, de Paris, de différentes provinces, arrivent des émissaires qui apportent des suggestions contradictoires : tantôt on pousse le prince à s'avancer hardiment sur la capitale, tantôt on le supplie de rétrograder ; tantôt il est question d'aller en Auvergne où l'appellent ses partisans, tantôt on parle de se jeter à tout risque dans la Vendée ; tantôt on s'adresse à Augereau, dont l'attitude extraordinairement molle, à Lyon, a éveillé la colère de l'Empereur, et, en même temps, l'espoir des royalistes ; tantôt on cherche à amadouer Bernadotte, qui a fait des promesses, mais à qui n'en a-t-il pas fait ? Finalement, Monsieur ira s'établir à Nancy ; là, du moins, une poignée de royalistes ont réussi à donner quelque éclat à son entrée ; le gouverneur russe Alopeus ne permet pas l'affichage des proclamations ni le port de la cocarde blanche, ni aucun acte de gouvernement.

Décidément, il faudrait autre chose pour ébranler les Alliés. Vitrolles, envoyé de Paris par Talleyrand, et arrivé le 12 mars à Troyes, auprès des ministres alliés, voit ses efforts d'éloquence méridionale se heurter à un mur de glace. « Que la France se prononce, dit Metternich, c'est son affaire et non la nôtre. »

Or, justement, le 12 mars, la France, ou, du moins une grande ville française, s'est prononcée, avec un éclat qui allait enfin donner à la cause des Bourbons l'argument et l'élan qui lui manquaient jusque-là.

Pour comprendre la genèse de cet événement si important, il faut remonter un peu en arrière. Les pays de la Garonne étaient, on l'a dit, un terrain d'élection pour les organisations secrètes des « chevaliers de la Foi ». Ferdinand de Bertier, mandaté par le conseil supérieur de l'Ordre, s'y était rendu à la fin de novembre 1813, pour y prendre la direction du mouvement, et il avait établi son quartier général chez sa sœur, madame de Solages, au château de Mézens, à la limite des deux départements du Tarn et de la Haute-Garonne. De là, il donnait une vive impulsion au travail de propagande destiné à saper le moral des autorités impériales et à préparer la population à un changement de régime. L'attitude de l'armée anglaise servait singulièrement cette propagande. Wellington avait su maintenir dans ses troupes une ferme discipline ; non seulement il n'y avait pas de pillage, mais les vivres réquisitionnés étaient immédiatement et largement payés. Cette conduite habile et généreuse du général anglais contrastait avec celle des soldats de Soult qui lui étaient opposés ; « brigands courageux mais sans discipline », comme les qualifie un contemporain, ils saignaient à blanc le pays, par leurs réquisitions, pillaient et brutalisaient sans retenue les populations qu'ils étaient censés défendre. Le résultat ne devait pas manquer ; partout, dans le Midi, les Anglais seraient accueillis en vrais libérateurs.

Mais pas plus que les Autrichiens, les Prussiens ou les Russes, ils ne devaient prendre ouvertement parti pour les Bourbons. Wellington, sans doute, leur était personnellement favorable, mais il avait les instructions que l'on sait et il s'y tiendrait loyalement, fermement.

Bertier avait compris, d'ailleurs, qu'un mouvement royaliste, pour prendre toute sa valeur de témoignage, devait se produire indépendamment de toute intervention étrangère et au cœur même du pays encore soumis au gouvernement impérial. Il résolut donc de tenter un coup de main sur Rodez, ville relativement isolée, où les autorités ne disposaient que de quelques gendarmes et d'une garde nationale peu sûre. Vers le milieu de février, par les sentiers de montagne, convergèrent sur la capitale de l'Aveyron, des petits groupes de « chevaliers » et de conscrits réfractaires enrôlés par eux. Le lieu de rassemblement était le château de la Coudalie, à quelques kilomètres au nord de la ville. Quand Ferdinand de Bertier y arriva avec son frère Bénigne, tout était prêt pour tenter l'aventure dans la nuit du 16 au 17 février. Au dernier moment, cependant, les dirigeants de la « sénéchaussée » de Toulouse, qui devait prendre part au mouvement, eurent peur et arrêtèrent les contingents déjà en marche ; d'autre part, on fit savoir de Rodez que les autorités avaient éventé le complot et étaient sur leurs gardes. Bertier n'osa pas risquer les deux cents hommes qu'il avait sous la main et il les dispersa rapidement. Défaillance fatale, où l'on reconnaît le conspirateur de salon qui n'avait pas été à la rude école de la chouannerie. Sans doute, le drapeau blanc une fois arboré à Rodez, le mouvement n'avait aucune chance de se généraliser, et il eût suffi de quelques bataillons détachés de l'armée de Soult pour écraser l'insurrection, mais l'affaire eût gardé sa valeur symbolique.

Dès lors, les royalistes du Midi ne pouvaient plus espérer réussir une manifestation qu'à l'abri des baïonnettes anglaises. Tout était prêt à Bordeaux pour une telle éventualité. Nulle part l'opinion de toutes les classes de la société n'était plus hostile à l'Empire. Comme il arrive dans la nuit de l'action clandestine, trois organisations s'étaient développées parallèlement parmi les royalistes de Bordeaux : l'ancien *Institut philanthropique*, présidé par le comte de Lur-Saluces, une bannière des « chevaliers de la Foi », dirigée par le chevalier de Gombault, et enfin la « Garde royale », créée au cours de l'année 1813, par un certain Taffard, qui se faisait appeler « de Saint-Germain ». Ce dernier pouvait seul se prévaloir de « pouvoirs », en bonne et due forme, de Louis XVIII, que lui avait fait envoyer son ami, le négociant bordelais Rollac, réfugié en Angleterre. Ferdinand de Bertier, lors de son passage à Bordeaux, au milieu de novembre 1813, était parvenu à fédérer ces trois organisations, en formant un comité composé de deux membres de chacune.

Les Chevaliers de la Foi avaient réussi en outre à s'assurer la complicité de la municipalité. Le maire de Bordeaux, Jean-Baptiste Lynch, ancien conseiller au parlement de Bordeaux, était venu à Paris, à la fin de 1813. Son compatriote Louis de Gobineau le mit en rapports avec les Polignac, membres du conseil supérieur de l'Ordre secret. Dès son retour, en janvier, Lynch établit le contact avec la « bannière » locale ; il promit qu'à la première occasion il prendrait la cocarde blanche; trois de ses adjoints étaient d'accord avec lui.

L'occasion, ce serait l'arrivée d'un prince royal, coïncidant avec celle des Anglais. On se rappellera que le fils aîné du comte d'Artois, le duc d'Angoulême, était allé rejoindre au début de février l'armée de Wellington. Le général anglais, fidèle à ses instructions, l'avait reçu assez fraîchement et ne le tolérait qu'à condition qu'il restât, à peu près inactif et confiné, à Saint-Jean-de-Luz. Le pauvre prince, timide et irrésolu par nature, désappointé du peu d'enthousiasme que provoquait sa présence, songeait à regagner l'Angleterre, lorsque lui arrivèrent simultanément deux « chevaliers » envoyés de Toulouse par Bertier, et Louis de la Rochejaquelein, représentant la bannière de Bordeaux. Les notions qu'ils apportaient sur l'organisation secrète et ses moyens d'action dans les deux grandes villes étaient de nature à ranimer les espoirs. Rien à faire, pour le moment, du côté de Toulouse, dont Soult avait fait sa base d'opérations et qui regorgeait de troupes, mais Bordeaux était découvert par la retraite de l'armée française vers le Haut-Languedoc, à la suite de la sanglante bataille d'Orthez (27 février). Wellington se décida à envoyer sur Bordeaux un petit corps anglo-portugais de 10.000 hommes, sous le commandement du général Beresford. Ses instructions reflètent le désir du général en chef d'éviter qu'on pût lui reprocher plus tard d'avoir pris une initiative contraire à la politique alors suivie par son gouvernement ; elles fixent en même temps le caractère véritablement français et national du mouvement. « En détachant des troupes sur Bordeaux, j'ai pour but de soustraire cette ville à l'ennemi et de devenir maître de la navigation de la Gironde, ce qui sera très avantageux pour notre armée... Si l'on vous demande votre consentement pour proclamer Louis XVIII... répondez que là où sont nos troupes, tant que la tranquillité publique ne sera pas troublée, nous n'interviendrons nullement pour empêcher ce parti de faire ce qu'il jugera utile et convenable pour ses intérêts..., que néanmoins le but des Alliés dans cette guerre est par-dessus tout... la paix et qu'il est bien constaté qu'en ce moment ils s'occupent de négocier un traité avec Bonaparte, et que quelque disposé que je fusse à accorder aide et assistance à une portion quelconque contre Bonaparte, cette assistance cesserait à l'instant même où cette paix serait conclue ; et je prie les habitants de mûrement peser ce point avant de lever l'étendard contre le gouvernement de Bonaparte... Si la municipalité prétend ne proclamer Louis XVIII qu'en vertu de vos ordres, alors refusez de les donner. »

Beresford se mit aussitôt en marche, le 8 mars. Derrière lui, à quelque distance, s'avançait le duc d'Angoulême. Les autorités impériales de Bordeaux, prises de panique à l'approche des Anglais, évacuaient la ville et se mettaient à l'abri sur la rive droite de la Gironde. Le terrain était libre pour les royalistes. Certains hésitaient à franchir le Rubicon ; Gombault et La Rochejaqulein, rentrés secrètement à Bordeaux, les entraînèrent en affirmant que la « bannière » agirait seule au besoin.

Le 12 mars, au matin, tandis que Lynch convoque le conseil municipal, l'avant-garde anglaise se présente à l'entrée de la ville, vivement acclamée par la population. Vers 10 heures, Lynch monte en calèche et va au-devant du général anglais, escorté par un escadron de jeunes royalistes et une grande foule de curieux, adroitement truffée d'affidés. Il échange avec Beresford les compliments d'usage et reçoit de lui l'assurance que les Anglais entrent dans la ville en amis. Il se dresse alors dans sa voiture, et d'un geste théâtral arrache son écharpe tricolore, sous laquelle apparaît une écharpe blanche, il place une cocarde blanche à son chapeau, en criant : « Vive le Roi ! Vivent les Bourbons ! » Le geste et le cri sont imités à l'instant par ceux qui l'entourent ; la foule est entraînée. « C'est le bruit d'une population innombrable et des cris de *Vive le Roi !* à fendre les nues », rapporte un témoin peu sympathique à la cause ; un grand drapeau blanc se déploie sur la tour Saint-Michel.

On rentre en ville ; une réception s'improvise à l'Hôtel de ville. Lynch et Lur-Saluces demandent à Beresford l'autorisation de remplacer les insignes impériaux par ceux du roi. Les malheureux ! ils ne se rendent pas compte que leur demande incongrue ne tend à rien moins qu'à faire sortir la Restauration « des fourgons de l'étranger » ! Heureusement pour eux, Beresford sait ce qu'il a à faire ; rouge et rogue, il les foudroie de son œil unique : « Les Anglais, dit-il, sont venus à Bordeaux pour protéger le *people*, ses propriétés et ses opinions. Je n'ordonne ni défends ; faites comme il vous plaira. » Le maire est donc acculé à prendre ses responsabilités et il signe les ordres pour faire prendre la cocarde blanche à la garde nationale et faire disparaître les emblèmes impériaux.

Vers trois heures de l'après-midi, enfin, arrive le duc d'Angoulême ; il est accueilli par des manifestations délirantes d'un enthousiasme qui paraît unanime ; sur le parvis de la cathédrale, l'attend le vieil archevêque, d'Aviau du Bois de Sanzay, un de ceux qui avaient osé résister en face de l'Empereur, lors du malheureux concile de 1811. Les jours suivants, le prince organisera un semblant de gouvernement royal, avec l'aide de Lainé et de l'archevêque, et il prétendra étendre son autorité sur toute la région.

Il a semblé bon d'insister d'autant plus sur cet épisode que son importance a été trop souvent méconnue par les historiens français, hypnotisés par les événements de Paris. Les historiens anglais, eux, ne s'y sont point trompés et ils y voient généralement un des faits les plus déterminants pour la restauration des Bourbons ; Louis XVIII non plus, et c'est en souvenir du « miracle » du 12 mars 1814, qu'il donnera à l'héritier de sa couronne, « l'enfant du miracle » de 1820, le titre de duc de Bordeaux.

La nouvelle de la journée du 12 mars produisit d'abord dans toute la région l'effet d'une commotion électrique. De partout les fonctionnaires impériaux écrivaient leur désarroi devant l'excitation de l'opinion. La Vendée se ranimait et fixait au 11 avril la date d'un soulèvement général.

Mais plus encore, la révolution de Bordeaux allait peser sur les événements au nord de la Loire. Si elle fut connue à Paris le 18 mars au plus tard, éveillant les espoirs des uns et les inquiétudes des autres, dans le camp des Alliés, il semble qu'on l'ignorait encore, lorsque les pourparlers de Châtillon furent rompus, le 19 mars. A Londres, on en reçut la nouvelle le 22 mars, et aussitôt le premier ministre, lord Liverpool, qui ne connaissait pas encore l'échec du congrès de Châtillon, écrit à Castlereagh : même s'il a déjà signé quelque protocole, il devra refuser de le ratifier ; par contre, il devra entrer immédiatement en contact avec le comte d'Artois. A Dijon, où se trouvent réunis, le 26, les ministres alliés, la nouvelle de l'événement de Bordeaux cause la même sensation. Avant d'avoir reçu la dépêche de Liverpool, Castlereagh marche à fond dans le même sens ; Metternich, pressé par lui, reconnaît que les Bourbons sont maintenant inévitables, et il envoie au comte d'Artois l'invitation de venir conférer avec les ministres alliés. Deux jours plus tard, ils se trouvent confirmés dans leur nouvelle ligne par l'arrivée d'un délégué de la « bannière » de Paris, Gain-Montagnac, qui leur apporte enfin des précisions sur les forces et les plans des royalistes de Paris, chose que Vitrolles n'avait pu faire ; ce soir-là, 28 mars, chez Castlereagh, tous les diplomates rassemblés, Hardenberg, Metternich, Razumowski, et les moindres seigneurs, boivent pour la première fois au succès des Bourbons.

C'est d'ailleurs tout ce qu'ils peuvent faire pour eux, à ce moment-là, car la décision finale n'est plus en leurs mains ; elle se trouve entre celles du tzar qui s'est séparé d'eux et marche sur Paris avec Schwartzenberg. Que fera-t-il ? Que décidera-t-il ? Les événements militaires et l'attitude de la capitale pourront-ils fixer ses hésitations ? Au départ, il n'est résolu que sur un seul point : ne plus négocier avec Napoléon ; au reste, il cherche encore une solution qui écarterait ces Bourbons antipathiques. Quoi donc ? Bernadotte ? Eugène de Beauharnais ? Le duc d'Orléans ? Voire même une République « sagement organisée ». Telles sont les hypothèses qu'il a remuées encore devant Vitrolles, le 14 mars.

A Paris, les royalistes se préparent fiévreusement à faire leur « 12 mars ». La situation se présente évidemment sous des auspices moins favorables. Il faut compter avec la présence du gouvernement impérial à Paris, et la proximité terrifiante de l'Empereur et de son armée. D'autre part, les royalistes ne sont qu'une poignée, au milieu d'une population hostile ou indifférente ; le conseil supérieur de l'Ordre des chevaliers de la Foi s'est affaibli par le départ des éléments les plus énergiques vers les provinces qu'ils ont été chargés de soulever. Enfin l'unité du mouvement a été compromise par une intervention malencontreuse ; le comte de

Semallé, un brave homme de royaliste, prodigieusement naïf et brouillon, mais entreprenant et dévoué, s'est jeté en travers des prudentes manœuvres des chevaliers de la Foi ; il a réussi à joindre, à Vesoul, le comte d'Artois, et à obtenir de lui des pouvoirs en bonne forme ; il arrive à Paris, le 16 mars, et il prétend prendre la direction des opérations. Montmorency n'aura d'autre ressource que d'aller lui-même auprès du prince pour chercher à éclaicir la situation, mais de ce fait il se trouvera absent de Paris au moment décisif.

Ainsi qu'à Bordeaux, le succès d'une opération politique suppose la complicité des autorités locales. On est assuré d'une majorité royaliste dans le conseil municipal de Paris et dans le conseil général de la Seine. Le préfet de police, Pasquier, et le préfet de la Seine, Chabrol, tous deux membres de vieilles familles parlementaires, n'ont rien promis, mais on ne peut douter de leur sympathie ; la garde nationale a été soigneusement noyautée : le duc de Fitz-James et d'autres conspirateurs décidés ont réussi à se faire placer à la tête des légions ou des compagnies. Enfin, le contact est établi avec l'opposition sénatoriale. Des avances secrètes, des promesses ont été faites, de la part du Roi, à un certain nombre de personnalités, et surtout on a travaillé Talleyrand, le seul homme qui fût en position de jouer auprès des souverains alliés, comme auprès des grands corps de l'Etat, le rôle de médiateur ou de catalyseur. A vrai dire, il n'était pas facile de s'assurer du prince de Bénévent. « Vous ne connaissez pas ce singe, disait de lui son ami Dalberg, il ne risquerait pas de brûler le bout de sa patte, lors même que les marrons seraient pour lui tout seul. » On avait donc délégué auprès de lui une femme intrigante, Aimée de Coigny, qui lui avait arraché des assurances de dévouement qu'on était autorisé à transmettre au Prétendant. Pour lui il se chargeait de faire miroiter aux yeux des opposants du sénat les perspectives d'une monarchie constitutionnelle et de gagner « ces patriarches de révolution, qui savent si bien démolir les trônes avec les mots de *patrie, tyrannie, liberté.* S'ils les prononcent, ajoutait-il, nous sommes sauvés ».

Par une curieuse ironie de la Providence, le meilleur complice des royalistes serait encore Napoléon lui-même. En effet, le déclenchement d'une opération analogue à celle de Bordeaux restait subordonné à plusieurs conditions préalables, que seul l'Empereur pouvait réaliser. Il fallait d'abord que les Alliés cessassent de faire peser sur les entreprises royalistes la terrible menace d'une entente *in extremis* avec le tyran, entente qui livrerait à ses vengeances les imprudents qui se seraient compromis. C'est avant tout pour obtenir des assurances sur ce point que Talleyrand a envoyé Vitrolles auprès des souverains alliés et que le conseil supérieur des Chevaliers de la Foi leur a dépêché, de son côté, Gain-Montagnac. Leurs vœux se sont trouvés réalisés à l'avance par la rupture des pourparlers de Châtillon qui est bien due aux tergiversations de Napoléon. Mais, pour que l'on pût jeter le masque, il fallait encore que les armées alliées fussent à Paris, que l'autorité de l'Empereur ne pût s'y exercer. Ici encore, Napoléon a précipité sa perte ; son mouvement vers l'Est, sur les lignes de communications de ses adversaires, pour justifié qu'il fût, du point de vue militaire, ouvrait la route de Paris aux Alliés ; ceux-ci, après avoir hésité un moment, allaient s'y engager résolument, au matin du 25 mars, au risque d'un désastre, si Paris résistait assez longtemps pour que Napoléon pût revenir sur eux et les prendre entre deux feux. Mais Paris — ils le savaient par les dépêches des ministres de l'Empereur qu'ils avaient saisies— Paris était hors d'état d'opposer une longue résistance, matériellement et surtout moralement.

Une troisième condition devait être remplie pour que le terrain fût libre aux efforts des royalistes. Il fallait que le gouvernement de la régente Marie-Louise fût écarté. Or, cette condition, elle aussi, se trouverait posée par la volonté de Napoléon. Le 28 mars au soir, s'est tenu un dernier conseil de Régence, avec tous les ministres et tous les grands dignitaires, Talleyrand compris. Tous, ou presque tous, sont d'accord pour estimer que l'Impératrice et le Roi de Rome peuvent et doivent rester à Paris. Ils n'ont rien à craindre des Alliés et leur présence peut galvaniser la résistance hésitante. Ce qu'on ne dit pas, mais qu'on pense, à coup sûr, c'est qu'en cas de défaite, au cas où l'Empereur devrait s'éloigner, la présence de l'Impératrice à Paris, peut encore sauver le régime impérial ; autour d'elle peuvent se rallier tous ceux qui sont fatigués de la tyrannie impériale et des aventures, mais qui ont quelque chose à craindre d'un retour des Bourbons. Cette dernière chance va être perdue ; quand tous se sont prononcés, Joseph exhibe une lettre de Napoléon, datée du 16 mars: « Mon frère, conformément aux instructions verbales que je vous ai données et à l'esprit de toutes mes lettres, vous ne devez pas permettre dans aucun cas que l'Impératrice et le Roi de Rome tombent entre les mains de l'ennemi. Si l'ennemi s'avançait sur Paris avec des forces telles que toute résistance devînt impossible, faites partir dans la direction de la Loire la Régente, mon fils, les grands dignitaires, les officiers du Sénat, les présidents du conseil d'Etat, les grands officiers de la Couronne, le baron de la Bouillerie et le trésor. Ne quittez pas mon fils et rappelez-vous que je préférerais le savoir dans la Seine que dans les mains des ennemis de la France... » Les assistants stupéfaits se regardent en silence. L'habitude de l'obéissance passive paralyse les réflexes ; personne n'osera se mettre en travers. Le sort en est jeté : l'Impératrice quittera Paris le lendemain, emportant avec elle la dernière chance du régime.

Au sortir de ce mémorable conseil, à 2 heures du matin, Talleyrand s'est approché de Savary : « Eh bien ! voilà donc la fin de tout ceci, n'est-ce pas aussi votre opinion ? Ma foi, c'est perdre une partie à beau jeu... Maintenant quel parti prendre ? Il ne convient pas à tout le monde de se laisser engloutir sous les ruines de l'édifice. Allons, nous verrons ce qui arrivera... Nous verrons. » Talleyrand, c'est manifeste, a pris définitivement son parti à ce moment-là, et dès lors c'est lui qui mènera le jeu.

Compliqué en apparence, ce jeu se déroulera pendant une semaine à travers tant d'épisodes secondaires que ses grandes lignes s'en trouvent estompées, et que le résultat, pourtant inévitable, paraît rester en suspens jusqu'au bout. Mais c'est la bille qui tourne dans la roulette : à tous les yeux sa course paraît incertaine, mais c'est une illusion : à peine est-elle lancée que la place où elle ira se loger est déjà déterminée par les lois physiques de la pesanteur, de la vitesse, de la résistance au frottement. Quant à ces multiples interventions extérieures qui se produiront et qui tenteront d'influer en tous sens sur le cours de l'événement, elles s'annuleront par leur nombre même.

Il ne reste plus qu'à enregistrer jour par jour, heure par heure, le déroulement du film. L'histoire peut adopter ici le style du journalisme.

30 *mars*. — Au lever du jour, cent mille hommes des troupes alliées abordent les faubourgs de Paris, que défendent les maréchaux Marmont et Mortier avec 39.000 hommes et 154 canons. Bataille acharnée et indécise.

— 12 h. Le roi Joseph autorise les maréchaux à entrer en pourparlers avec l'ennemi. Peu après, il quitte la capitale.

— 16 h. Marmont arrête le combat et engage une négociation avec le colonel Orloff, aide de camp du tzar.

— 17 h. Talleyrand, qui a reçu l'ordre de partir pour Rambouillet, s'arrange pour se faire arrêter à la barrière d'Enfer et regagne son hôtel de la rue Saint-Florentin.

31 *mars*, 2 h. du matin. — La capitulation de Paris est signée, tandis que les troupes françaises évacuent déjà la capitale en se dirigeant vers Fontainebleau.

Leurs têtes de colonnes rencontrent, près de Juvisy, Napoléon qui revenait en hâte sur Paris. « Quelle lâcheté ! Capituler ! Joseph a tout perdu ! Quatre heures plus tôt, tout était sauvé ! »

— 5 h. Napoléon, renonçant à attaquer immédiatement, envoie Caulaincourt en parlementaire, et va s'établir à Fontainebleau.

— 6 h. A Bondy, le tzar Alexandre reçoit le conseil municipal de Paris conduit par Chabrol et Pasquier. Schwartzenberg lance une proclamation : « Les souverains alliés cherchent de bonne foi une autorité salutaire en France qui puisse cimenter l'union de toutes les nations et de tous les gouvernements avec elle. C'est à la ville de Paris qu'il appartient dans les circonstances actuelles d'accélérer la paix du monde. Son vœu est attendu avec l'intérêt que doit inspirer un si immense résultat... Parisiens, vous connaissez la situation de votre patrie, la conduite de Bordeaux, l'occupation amicale de Lyon, les maux attirés sur la France et les dispositions véritables de vos concitoyens. »

— 10 h. Les rues de Paris sont noires de monde. Sur les boulevards, un petit groupe de Chevaliers de la Foi essaient sans grand succès de provoquer une manifestation royaliste.

— 11 h. Les souverains alliés et leurs troupes font leur entrée par la porte Saint-Denis et remontent les boulevards. A mesure qu'ils avancent, les acclamations et les cris de *Vive le Roi* se font plus nombreux. Le défilé se termine par une grande revue sur les Champs-Elysées.

— 17 h. Alexandre arrive chez Talleyrand, où il a décidé de prendre ses quartiers. Dans le grand salon sont rassemblés autour de lui le roi de Prusse, Schwartzenberg, Nesselrode, Pozzo di Borgo et quelques autres. Le tzar déclare qu'il ne voit que trois solutions possibles : faire la paix avec Napoléon en prenant toutes ses sûretés, établir une régence avec l'Impératrice Marie-Louise, rétablir les Bourbons. Talleyrand écarte les deux premiers partis : point de paix possible avec Napoléon ; la régence, c'est, comme l'a dit Nesselrode, « l'Empire avec l'Empereur derrière le rideau ». « Pour établir une chose durable..., il faut agir d'après un principe... et un principe, il n'y en a qu'un : Louis XVIII est un principe, c'est le roi légitime de la France. »

— Comment puis-je savoir, reprend le tzar, que la France désire la maison de Bourbon ?

— Par une délibération, Sire, que je me charge de faire prendre au Sénat...

— Vous en êtes sûr ?

— J'en réponds, Sire.

Le roi de Prusse et Schwartzenberg se prononcent aussi pour les Bourbons. « Eh bien, conclut Alexandre, je déclare que je ne traiterai plus avec l'empereur Napoléon... ni avec aucun membre de sa famille. » Sans désemparer, une proclamation est rédigée, imprimée, affichée : les Alliés déclarent qu'ils ne traiteront plus avec l'Empereur, et « qu'ils respecteront l'intégrité de l'ancienne France telle qu'elle a existé sous ses rois légitimes... Ils reconnaîtront la constitution que la nation française se donnera. Ils invitent par conséquent le Sénat à désigner sur-le-champ un gouvernement provisoire qui puisse pourvoir aux besoins de l'administration et à préparer la constitution qui conviendra au peuple français ».

— 19 h. Les royalistes tiennent une réunion tumultueuse chez Lepelletier de Mortefontaine. Ils décident d'envoyer au tzar une députation : Ferrand, César de Choiseul, Chateaubriand, Sosthènes de la Rochefoucauld. Ceux-ci reçoivent de Nesselrode l'assurance que le tzar favorisera le retour des Bourbons.

1er *avril*. — Les journaux de Paris, passés sous la direction des royalistes, publient des articles en faveur des Bourbons. Une affiche annonce en gros caractères la publication imminente d'un ouvrage intitulé *De BONAPARTE, des BOURBONS, et de la nécessité de se rallier à nos princes légitimes, pour le bonheur de la France et celui de l'Europe*, par Fr.-Aug. de Chateaubriand, auteur du *Génie du Christianisme*, etc.

« Le conseil général du département de la Seine, le conseil municipal de Paris, spontanément réunis, déclarent à l'unanimité de leurs membres présents : qu'ils renoncent formellement à toute obéissance envers Napoléon Bonaparte.

« Expriment le vœu le plus ardent pour que le gouvernement monarchique soit rétabli dans la personne de Louis XVIII et de ses successeurs légitimes.

« Arrêtent que la présente déclaration et la proclamation qui l'explique seront imprimées et affichées à Paris, notifiées à toutes les autorités restées à Paris et dans le département et envoyées à tous les conseils généraux de départements. »

— 17 h. Les sénateurs présents à Paris — 64 sur 140 — se réunissent sous la présidence de Talleyrand, vice-grand-électeur. Ils nomment un gouvernement provisoire de cinq membres : « M. de Talleyrand, prince de Bénévent, M. le Sénateur comte de Beurnonville, M. le Sénateur comte de Jaucourt, M. le duc de Dalberg, conseiller d'Etat, M. de Montesquiou, ancien membre de l'Assemblée constituante. »

— Le gouvernement provisoire nomme des « commissaires délégués » à l'administration des divers ministères. Le général Dessolle, ancien chef d'état-major de Moreau, est placé à la tête de la garde nationale de Paris.

— A Fontainebleau, Napoléon concentre ses troupes pour une contre-offensive.

2 *avril*. — Le gouvernement provisoire adresse une proclamation à l'armée : « Vous n'êtes plus les soldats de Napoléon. Le Sénat, la France entière vous dégagent de vos serments. »

— Alexandre déclare à Caulaincourt qu'il pourrait encore accepter une régence de Marie-Louise, si Napoléon se décidait à abdiquer sans attendre. Cette ouverture est immédiatement transmise à l'Empereur.

— Le Sénat, sur la proposition de Lambrechts, décide de proclamer la déchéance de Napoléon. Il va en corps communiquer cette résolution au tzar Alexandre.

3 *avril.* — Le maréchal Marmont reçoit un émissaire du gouvernement provisoire et du généralissime allié Schwartzenberg. Il se déclare prêt à quitter avec ses troupes l'armée de Napoléon, pour « prévenir toute chance de guerre civile et arrêter l'effusion du sang français », à condition qu'on lui permette de se retirer librement vers la Normandie et qu'une situation convenable soit assurée à Napoléon.

— Le Sénat adopte le texte définitif de l'acte de déchéance, avec une longue série de considérants, constituant un réquisitoire contre le gouvernement de l'Empereur.

— Le Corps législatif s'associe au Sénat en votant la déchéance de Napoléon par 77 voix sur 79 présents.

— Vitrolles, arrivé de Nancy, dans la nuit précédente, muni des pouvoirs du comte d'Artois, prend contact avec Talleyrand et avec les royalistes de Paris.

Dans la soirée, Talleyrand réunit chez lui les principales têtes du Sénat avec les membres du gouvernement provisoire pour discuter les bases d'une constitution.

4 *avril.* — Vitrolles règle avec Talleyrand les conditions dans lesquelles le frère du Roi, lieutenant-général du royaume, sera accueilli à Paris.

— Une commission sénatoriale travaille à la constitution.

— Le gouvernement provisoire apprend avec le plus grand soulagement la décision de Marmont. Les généraux alliés prennent leurs dispositions pour faciliter le mouvement prévu de ce corps français qui couvre la route de Fontainebleau.

— Les maréchaux déclarent à Napoléon qu'ils se refusent à exposer Paris au sort d'une nouvelle bataille. Ils souhaitent qu'il abdique en faveur de son fils. Napoléon s'incline ; il décide d'envoyer à Paris Ney, Caulaincourt et Macdonald, porteurs de la déclaration suivante : « Les puissances étrangères ayant déclaré que l'empereur Napoléon était un obstacle au rétablissement de la paix et de l'intégrité du territoire français, fidèle à ses principes, à ses serments de tout faire pour le bonheur et la gloire du peuple français, l'empereur Napoléon déclare qu'il est prêt à abdiquer en faveur de son fils et à en faire remettre l'acte en due forme au Sénat par un message, aussitôt que Napoléon II sera reconnu par les puissances ainsi que la Régence constitutionnelle de l'Impératrice. A cette condition l'Empereur se retirera sur-le-champ dans le lieu qui sera convenu. »

— 16 h. Les trois plénipotentiaires de l'Empereur rencontrent à Essonnes Marmont qui venait de régler sa défection avec ses généraux divisionnaires. Le maréchal leur avoue l'accord conclu avec Schwartzenberg. Mais l'abdication de Napoléon modifie sa résolution ; il leur promet de se faire dégager de ces arrangements et décide d'aller avec eux à Paris pour faire reconnaître le Roi de Rome.

5 *avril*, 3 h. du matin. — Les plénipotentiaires de Napoléon sont reçus par Alexandre. Le tzar est ébranlé : « Je ne tiens nullement aux Bourbons. Je ne les connais pas. Il sera impossible, je le crains, d'obtenir la régence. L'Autriche y est la plus opposée : pour moi, j'y consentirais volontiers, mais je dois agir de concert avec mes alliés. Enfin... je vais faire connaître à mes alliés vos propositions et je les appuierai. Il me tarde aussi d'en finir. Revenez à 9 heures. Nous terminerons. »

— 4 h. Le tzar s'entretient avec les membres du gouvernement provisoire, leur propose d'accepter le Roi de Rome. Ils protestent qu'il est impossible de revenir en arrière après les faits accomplis à Bordeaux et à

Paris. Trop de gens se sont compromis en faisant confiance aux précédentes déclarations des Alliés.

— Dans le même temps, les généraux du corps de Marmont mettent leurs troupes en marche pour passer dans les lignes ennemies. Elles arrivent à Versailles dans la matinée.

— Le tzar, à son réveil, apprend cette nouvelle. « Vous voyez, dit-il à Pozzo di Borgo, c'est la Providence qui le veut... plus de doute, plus d'hésitation. » Il reçoit les maréchaux à 9 h. et leur déclare que décidément la Régence est impossible. La restauration des Bourbons est « une conséquence nécessaire, imposée par la force des choses ». Il faut que l'Empereur abdique sans condition. On lui fera une existence. Et, en attendant, il conclut avec les maréchaux un armistice de quarante-huit heures.

— A Versailles, les troupes de Marmont se mutinent en faveur de l'Empereur. Le maréchal, d'abord consterné d'apprendre leur mouvement qu'il pensait avoir suspendu, se décide, sur les instances de Talleyrand, à en prendre son parti. Il court à Versailles, où il réussit à calmer ses soldats et à leur faire accepter ses ordres.

— A Fontainebleau, Napoléon apprend avec stupeur la défection de Marmont. Il regroupe son armée avec l'intention de se porter sur la Loire.

— 23 h. Les maréchaux rentrés de Paris réveillent l'Empereur pour lui notifier l'échec de leur mission. Il leur déclare qu'il continuera donc la lutte.

6 *avril*, 6 h. du matin. — Napoléon confie à Caulaincourt qu'il est résigné à abdiquer.

— Les maréchaux, de leur côté, sont résolus à forcer la main à l'Empereur, et ils enjoignent au major-général Berthier de ne plus transmettre les ordres de Napoléon.

— Napoléon essaie une dernière fois de ramener ses maréchaux à l'idée de combattre. Devant leur refus inébranlable, il se décide à remettre à Caulaincourt son abdication inconditionnelle en le chargeant d'instructions détaillées pour régler ses intérêts et ceux de sa famille. Ney envoie aussitôt la nouvelle à Talleyrand.

— 20 h. Le Sénat adopte à l'unanimité le projet de constitution élaboré par sa commission :

ARTICLE PREMIER. — Le gouvernement français est monarchique et héréditaire de mâle en mâle par ordre de primogéniture.

ART. 2. — Le peuple français appelle librement au trône de France, Louis-Stanislas-Xavier de France, frère du dernier Roi et après lui les autres membres de la maison de Bourbon, dans l'ordre ancien.

Etc., etc...

Arrêtons là ces éphémérides. Les jeux sont faits... Un coup d'œil pourtant sur la page financière :

Cours de la Bourse de Paris :

Rente 5 % consolidée....	29 mars :	45 fr.
	1er avril :	49 »
	4 avril :	58 »
	6 avril :	66 »

Actions de la Banque de France :

29 mars :	550-520 »
1er avril :	640-680 »
4 avril :	760-785 »
6 avril :	980-920 »

Peut-on maintenant dire à qui revient la responsabilité ou l'honneur de la restauration des Bourbons ? Ont-ils été rappelés « librement » par le peuple français, comme le proclame l'acte du Sénat ? Ou bien, comme le répéteront plus tard à satiété les ennemis de la monarchie, ont-ils été imposés par les Alliés ?

L'intervention des étrangers fut nécessaire, certes, pour briser le régime napoléonien, et non moins nécessaire leur consentement pour qu'à l'Empereur succédât

Louis XVIII ; ils y ont consenti parce qu'ils ont finalement aperçu que c'était la solution qui pouvait le mieux assurer la reprise durable des conquêtes de la France révolutionnaire et impériale, la stabilité des trônes et la paix de l'Europe. Mais il n'est pas moins certain qu'ils ne l'avaient pas envisagée au début de leur campagne, et qu'ils n'auraient jamais voulu l'imposer à une nation récalcitrante ; pareille tentative était vouée à l'avance à un échec et aurait trop sûrement compromis les intérêts qu'ils défendaient.

La nation française ne pensait pas davantage, au début de 1814, à un changement de régime. Pour triompher de ses habitudes, de ses ignorances, de ses défiances, il a fallu que cette solution lui fût présentée avec insistance par une minorité hardie et décidée qu'ont servie les circonstances ; il a fallu l'obstination de Napoléon pour l'obliger à reconnaître qu'il n'y avait d'autre moyen de recouvrer, avec son indépendance et sa dignité, le suprême objet de son aspiration du moment : la paix.

Mais encore, dans cette chaîne d'actes obscurs ou éclatants, héroïques ou abjects, à travers lesquels s'est progressivement dégagée cette décision, quels furent les gestes déterminants ? Les conciliabules secrets des premiers conspirateurs ? Les démarches des princes ? La révolution de Bordeaux ? Les manœuvres de Talleyrand ? La décision du Sénat ? La trahison de Marmont ? La défection des maréchaux ? C'était là une question intéressante à débattre, en 1814, lorsqu'il y avait des mérites à faire valoir et des récompenses à revendiquer. Aujourd'hui, on est plus à l'aise pour avouer qu'elle est tout simplement oiseuse parce qu'insoluble. Mieux vaut reconnaître que chacune de ces interventions, prise isolément, n'était pas décisive, que c'est leur masse et leur enchaînement qui ont fait pencher la balance. Mieux vaut conclure que l'événement dépassait les hommes et que la restauration des Bourbons fut, comme le constatait sans enthousiasme le tzar Alexandre, « une conséquence nécessaire imposée par la force des choses ».

CHAPITRE III

LOUIS, PAR LA GRACE DE DIEU, ROI DE FRANCE ET DE NAVARRE

La constitution sénatoriale. — Arrivée du comte d'Artois à Paris (12 avril). — Transaction avec le Sénat. — La Restauration acceptée par le pays. — La convention d'armistice du 23 avril. — Louis XVIII rentre en France. — La déclaration de Saint-Ouen. — Entrée du Roi à Paris (3 mai).

Le rétablissement de l'ancienne dynastie, solution raisonnable, solution nécessaire, bien loin de résoudre tous les problèmes de l'heure, en soulevait de nouveaux. Le plus grave était celui du caractère que prendrait le pouvoir royal restauré. Il ne pouvait être question pour Louis XVIII de « se coucher dans le lit de Napoléon », autrement dit d'adopter purement et simplement les instruments et les méthodes du despotisme impérial. « Les libertés naturelles, écrit Chateaubriand, se redressant dans l'absence du bras qui les contenait, auraient repris leur ligne verticale. » A la lumière des derniers événements, la Révolution et l'Empire apparaissaient comme une parenthèse malheureuse dans l'évolution historique de la nation. On venait de la clore, et il s'agissait de reprendre les choses au point où elles avaient dévié. Mais jusqu'où convenait- il de remonter ? 1789 ou 1792 ?

La monarchie absolue de droit divin ou la monarchie constitutionnelle, contractuelle, issue de la volonté nationale ?

Ces deux conceptions s'étaient déjà heurtées avant même l'abdication de l'Empereur, à travers les deux groupes de Français qui avaient coopéré à la restauration des Bourbons : d'une part les royalistes « purs », ceux qui n'avaient jamais accepté la Révolution et l'Empire, d'autre part les hauts fonctionnaires du régime déchu, qui avaient opéré la révolution légale. Pour les premiers, le roi devait reprendre d'une main ferme « le sceptre des Louis et des Henri », quitte à faire les quelques concessions rendues nécessaires par « le malheur des temps ». Prétention inacceptable pour les hommes de la Révolution qui avaient successivement déposé et guillotiné un roi, fait et défait un empereur. L'occasion leur était donnée maintenant de fonder une monarchie constitutionnelle à l'anglaise, de faire « un 1688 légitime », comme l'écrivait alors Mounier, le fils du constituant de 1789, et ils entendaient en profiter. Moins d'ailleurs par amour de cette liberté qu'ils avaient si facilement sacrifiée, que par souci de sauvegarder les situations acquises. « Les garanties constitutionnelles étaient réclamées par eux comme des places de sûreté contre un pouvoir ennemi et non point comme des moyens d'établir un gouvernement libre et pondéré. » (Barante.)

Tout parut d'abord favoriser leurs desseins. Le roi était loin, son frère, nommé par lui « lieutenant général du royaume », se morfondait à Nancy dans l'impuissance. A Paris, les royalistes purs, représentés par les Chevaliers de la Foi et le gouvernement fantôme de Semallé, n'avaient aucun titre pour intervenir et Talleyrand les avait facilement évincés avec quelques bonnes paroles. Surtout, le parti sénatorial était appuyé à fond par le tzar Alexandre ; déçu d'avoir vu ses projets déjoués par la rapidité des événements, l'autocrate entendait du moins donner à la France, selon ses propres expressions,

« des institutions fortes et libérales, en rapport avec les lumières actuelles ». Louis XVIII ne devrait remonter sur le trône qu'après avoir signé une capitulation en bonne et due forme, qui lui lierait les mains pour l'avenir.

Il fallait faire vite ; tandis que se déroulaient les événements que l'on a rapportés, une commission sénatoriale avait hâtivement rédigé la constitution désirée par Alexandre. Adopté à l'unanimité par les sénateurs, dans la soirée du 6 avril, ratifié le lendemain, à l'unanimité également, par le Corps législatif, ce texte est le meilleur témoignage qu'ait pu fournir sur ses aspirations et ses craintes cette caste des profiteurs de la Révolution, mués en dignitaires de l'Empire. L'organisation des pouvoirs y est si rapidement esquissée qu'elle ne paraît être là que pour servir de prétexte à une série d'articles destinés à garantir pêle-mêle tous les intérêts, toutes les situations nées de la Révolution et de l'Empire : biens nationaux, titres de noblesse, décorations, grades, pensions, rentes. La clef de voûte du système gouvernemental est la subordination du roi à la nation, c'est-à-dire au Sénat qui s'arroge le droit de parler en son nom, et toutes les expressions sont choisies de manière à en affirmer l'idée. « Le peuple français appelle *librement* au trône » ; il appelle non pas Louis XVIII, *mais Louis-Stanislas-Xavier, frère du dernier roi ; frère*, et non pas *oncle*, car Louis XVII n'existe pas aux yeux de la nation qui a déposé Louis XVI aussi librement et aussi légalement qu'elle rappelle aujourd'hui son frère. L'article vingt-neuvième et dernier affirme encore le caractère contractuel de la monarchie : « La présente constitution sera soumise à l'acceptation du peuple français dans la forme qui sera réglée. Louis-Stanislas-Xavier sera proclamé Roi des Français aussitôt qu'il aura juré et signé un acte portant : *J'accepte la Constitution ; je jure de l'observer et de la faire observer*. Ce serment sera réitéré dans une solennité où il recevra le serment de fidélité des Français. »

C'était beaucoup demander à un descendant de Louis XIV. Comment croire qu'il se serait soumis à ces exigences de légistes ? « Monsieur de Talleyrand, dira plus tard Louis XVIII, si je jurais la constitution, vous seriez assis et je serais debout. » Pourtant, Louis XVIII n'eût-il pas été obligé d'en passer par là, si le Sénat avait pu s'assurer, en plus de l'approbation du tzar, l'adhésion unanime d'une opinion prête à accepter n'importe quel régime, pourvu qu'il lui garantît la paix extérieure et la stabilité intérieure. Heureusement pour le roi, les sénateurs, aveuglés par leur égoïsme, avaient dépassé la mesure. L'article 6 de leur constitution disait : « Il y a cent cinquante sénateurs au moins, et deux cents au plus. Leur dignité est inamovible et héréditaire... Les sénateurs actuels... sont maintenus et font partie de ce nombre. La dotation actuelle du Sénat et des sénatoreries leur appartient. Les revenus en sont partagés également entre eux, et passent à leurs successeurs... Les sénateurs qui seront nommés à l'avenir ne peuvent avoir part à cette dotation. » Ce texte se passe de commentaire.

L'opinion publique, orchestrée par les royalistes purs, réagit avec vivacité. Une constitution ? dit-on, ouais ! une constitution de rentes ! Faute de l'adhésion de l'opinion, le Sénat ne représentait que lui-même. Ce sera sa faiblesse dans la partie serrée qui se déroulera dans les coulisses, tandis que l'attention du peuple sera fixée sur les diverses manifestations qui accompagneront le retour des Bourbons.

Dans la première phase de cette partie, Talleyrand allait trouver en face de lui un joueur de première force en la personne de Vitrolles. Le petit gentilhomme provençal qu'il avait envoyé, au début de mars, auprès des Alliés, pour s'assurer de leurs dispositions, s'était acquis en un tournemain une situation hors pair auprès du comte d'Artois. Dès le 4 avril, il était de retour à Paris, en qualité de représentant du prince, et négociait avec le gouvernement provisoire les conditions de l'entrée de Monsieur à Paris. On avait convenu alors que Talleyrand emploierait son influence pour empêcher le Sénat de publier une constitution qui serait de nature à compromettre l'autorité du roi, que Monsieur entrerait à Paris avec l'uniforme de la garde nationale et la cocarde blanche, que les lettres patentes du roi qui le nommaient lieutenant général du royaume seraient portées le lendemain au Sénat pour y être enregistrées.

Lorsque Vitrolles revint à Nancy, le comte d'Artois venait de recevoir de l'empereur d'Autriche l'invitation d'aller à Langres conférer avec les ministres de la coalition. On n'eut pas de peine à lui montrer qu'il était plus important d'arriver sans délai à Paris, alors que la situation était encore fluide. N'était-ce pas déjà trop tard ? A Vitry-le-François, un courrier apporta un pli du gouvernement provisoire : c'était le texte de la constitution sénatoriale votée en dépit des promesses de Talleyrand, avec une lettre de ce dernier, insistant pour l'adoption de la cocarde tricolore. Vitrolles fut atterré. Du moment que le Sénat subordonnait le rappel de Louis XVIII à l'acceptation de sa constitution, les pouvoirs du comte d'Artois tombaient d'eux-mêmes. Cependant reculer était impossible. Vitrolles se contenta de confirmer l'arrivée du prince en laissant dans le vague ses intentions. Puis, laissant Monsieur à Meaux, il courut à Paris pour tenter de trouver un compromis. Talleyrand était prêt à tout concéder, mais les sénateurs se raidissaient dans leur position : Louis XVIII ne serait roi qu'après avoir juré la constitution, donc jusque-là on ne pouvait reconnaître un lieutenant général nommé par lui. En fin de compte, le gouvernement provisoire proposa au prince d'accepter qu'à son arrivée le Sénat le nommât chef du gouvernement ; ainsi éviterait-on de se heurter sur le titre de lieutenant général. Ce message atteignit le comte d'Artois à Livry, où il devait passer la nuit précédant sa joyeuse entrée ; déjà une foule de gentilhommes et de dignitaires étaient venus l'entourer, avec la garde nationale à cheval ; l'enthousiasme de la foule parisienne, dont ils lui apportaient les premières bouffées enivrantes répondrait, pensa-t-il, aux prétentions du Sénat.

Triomphale, en effet, fut la journée du 12 avril. Un radieux soleil de printemps brillait dans un ciel bleu lorsque le cortège se mit en marche à 11 heures du matin; des deux côtés de la route, les populations des campagnes faisaient la haie, admirant, applaudissant la cavalcade d'uniformes chamarrés qui s'avançait dans un pittoresque désordre. Et le prince ! qu'il avait belle mine sur son cheval blanc, au tapis de selle rouge écussonné de fleurs de lys ! Svelte de taille et jeune de visage sous ses cheveux blancs, il rayonnait de joie et saluait inlassablement avec une grâce inégalable. Il portait, comme convenu, l'uniforme de la garde nationale : veste bleue à parements rouges, culottes blanches, épaulettes dorées, bicorne à plumet avec cocarde blanche.

A la barrière de Bondy, il fut accueilli par le gouvernement provisoire et les autorités de la capitale ; le Sénat s'était abstenu... Talleyrand s'avança, et, s'appuyant avec une grâce nonchalante sur le cheval du prince, lui adressa une courte et insignifiante harangue. Le comte d'Artois, incapable de maîtriser son émotion, répondit d'une voix étouffée de sanglots : « Monsieur de Talleyrand, messieurs, je vous remercie... je suis trop heureux... Marchons, marchons... je suis trop heureux... » (1). On se dirigea ensuite vers Notre-Dame par la rue Saint-Denis : toutes les façades étaient pavoisées, drapées, tapissées, fleuries ; des fenêtres volaient les

(1) Beugnot a raconté dans ses *Mémoires*, comment il fut amené à donner au *Moniteur* une version officielle et toute différente de ce discours : « Plus de divisions : la paix et la France ; je la revois enfin ! et rien n'y est changé, si ce n'est qu'il se trouve un Français de plus ! » Formule heureuse, certes, en sa forme, mais fausse quant au fond ; le comte d'Artois, en la reprenant à son compte, ne s'aperçut pas qu'elle servait les intérêts du parti sénatorial.

acclamations et les mouchoirs ; la garde nationale faisait seule le service d'ordre, à l'exclusion de tout soldat étranger ; elle avait peine à contenir l'enthousiasme de la foule qui, de place en place, rompait les barrages, se précipitait pour toucher le prince et baiser sa main. A la cathédrale, pleine à craquer, on chanta le *Te Deum* et le *Domine, salvum fac Regem*, tandis que Monsieur, agenouillé, priait avec ardeur, la figure illuminée par un rayon de soleil tombé des hautes verrières. Quand il sortit dans le tumulte des acclamations, le maréchal Ney, dont on avait remarqué plus tôt l'air renfrogné, ne put contenir son étonnement : « Comprenez-vous un tel enthousiasme, dit-il à Vitrolles, qui aurait pu le croire? » Les plus endurcis, les plus cyniques se trouvaient entraînés dans cette explosion de la vieille religion monarchique.

Aux Tuileries, le prince, brisé d'émotion, éprouva une légère défaillance sur les premières marches de l'escalier et fut obligé de s'appuyer sur les bras des maréchaux qui l'entouraient. Beugnot l'introduisit dans ses appartements et s'excusa de le fatiguer en lui demandant ses ordres : « Comment voulez-vous que je sois fatigué ? dit-il, c'est le seul jour de bonheur que j'aie goûté depuis trente ans ! Ah ! Monsieur, quelle belle journée ! Dites que je suis heureux et satisfait de tout le monde. Voilà mes ordres pour aujourd'hui ! »

Mais le lendemain ? On se retrouvait devant le même dilemme : le Sénat avait montré, par son absence, qu'il n'entendait pas reconnaître une autorité qui n'émanait pas de lui ; d'autre part, l'accueil triomphal dont il avait été l'objet encourageait plus que jamais le comte d'Artois à ne pas transiger. Dans la journée du 13, tandis que le prince se dépensait en réceptions, Vitrolles reprit la discussion avec le gouvernement provisoire. Celui-ci ne pourrait-il se démettre purement et simplement de son autorité entre les mains du prince ? Impossible, lui opposa-t-on, le gouvernement n'était que l'émanation du Sénat, ses membres ne pouvaient disposer sans son consentement de l'autorité qu'ils en avaient reçue. Alors, un personnage que Vitrolles ne connaissait pas et qui avait assisté silencieusement à la discussion, interrompit brutalement : « Ce que vous dites ne signifie rien. — Vous avez donc quelque chose de mieux à proposer ? — Certainement, il n'y a qu'une manière de lever cette difficulté, c'est que le Sénat défère lui-même à M. le comte d'Artois la lieutenance générale du royaume. » C'était Fouché, arrivé depuis peu d'Illyrie. « Mais qui nous garantirait l'acceptation ?, dit enfin Vitrolles. — Moi, répondit vivement Fouché, si M. le comte d'Artois consent à faire une déclaration de principe qui satisfasse les esprits. — Mais enfin, quelle déclaration ? » Fouché prit alors une feuille de papier et se mit à écrire rapidement sur un guéridon. Selon ce projet, le prince déclarerait qu'ayant pris connaissance de l'acte constitutionnel qui rappelait son frère, il ne craignait pas d'être désavoué en jurant en son nom d'en observer les bases et de les faire observer. Les principales garanties incluses dans la constitution étaient ensuite énumérées.

Le comte d'Artois se refusa d'abord à accepter ce projet qui revenait à lier les mains au roi. Mais que pouvait-il faire ? Tenter un coup d'Etat, comme le suggéra Vitrolles, ou bien se retirer dans une ville de province ? L'opinion, certes, ne soutenait pas les prétentions du Sénat, mais par contre, celui-ci avait à son service la force des armées alliées. Alexandre Ier fit clairement entendre qu'au besoin « toutes les baïonnettes étrangères qui étaient en France se réuniraient pour le soutien du Sénat et de sa Constitution, envers et contre tous ». Il fallut s'incliner. Mais Vitrolles remania adroitement les termes de la déclaration prévue pour en éliminer les expressions qui pouvaient porter atteinte à la liberté et aux droits du roi.

Le 14 avril, sur la proposition de Talleyrand, chaudement appuyée par Fouché, le Sénat adopta le décret suivant : « Le Sénat défère le gouvernement provisoire de la France à S. A. R. Monsieur le comte d'Artois sous le titre de lieutenant général du royaume, en attendant que Louis-Stanislas-Xavier de France, appelé au trône des Français, ait accepté la charte constitutionnelle. » A huit heures du soir, le Sénat se rendit aux Tuileries pour donner officiellement au prince communication de ce décret. Le comte d'Artois, dissimulant la déception que lui avait causée le libellé du texte, répondit : « Messieurs, j'ai pris connaissance de l'acte qui rappelle au trône le roi, mon auguste frère. Je n'ai pas reçu de lui le pouvoir d'accepter une constitution ; mais je connais ses sentiments et ses principes, et je ne crains pas d'être désavoué en assurant en son nom qu'il en admettra les bases. » Après quoi il énuméra brièvement ces bases selon le projet de Fouché.

En somme, chacun des deux adversaires avait marqué un point : le Sénat en obligeant le représentant du roi à accepter le pouvoir de ses mains ; le comte d'Artois en prenant ce pouvoir sans avoir compromis par une parole ou un engagement précis le principe du droit divin préexistant de la monarchie. Mais, au fond, le conflit restait entier, et il faudrait attendre le retour de Louis XVIII pour lui donner une solution définitive.

Le lendemain, 15 avril, le gouvernement provisoire vint remettre ses pouvoirs au lieutenant général ; rien ne devait être changé, du reste, car ses membres étaient appelés à former un conseil de gouvernement, et les commissaires provisoires qu'il avait nommés, restaient à la tête des différents départements ministériels. Toutefois, pour se concilier l'armée, on adjoignit au conseil de gouvernement les maréchaux Moncey et Oudinot, qui avaient été les premiers à se rallier, ainsi que le général

Dessolle, commandant de la garde nationale de Paris.

Un des premiers actes du lieutenant général fut d'envoyer dans les provinces des commissaires royaux investis des pouvoirs les plus étendus pour faire reconnaître le nouvel ordre et remettre en marche les rouages de l'administration. A vrai dire leur tâche serait surtout d'informer exactement les autorités locales du sens des événements et de rassurer ceux qui auraient pu craindre quelques représailles de la monarchie restaurée, et en particulier les acquéreurs de biens nationaux. « Il n'y a ni vainqueurs ni vaincus. » Tel devait être, selon leurs instructions, le *leit-motiv* de leurs propos.

Quant au fait même du changement de régime, l'acceptation avait été générale, avec les seuls délais nécessaires, assez longs parfois, pour que parvinssent les nouvelles officielles. Rien n'illustre mieux cette lenteur des communications que la bataille livrée devant Toulouse par Wellington contre les troupes du maréchal Soult solidement retranchées dans des redoutes improvisées, bataille qui devait coûter près de 12.000 vies humaines. Or, cette terrible hécatombe, la plus sanglante de toute la campagne de France, eut lieu le 10 avril, quatre jours après l'abdication de Napoléon ! Le surlendemain, lorsque Wellington fit son entrée dans Toulouse, on ignorait encore les événements de Paris. Comme à Bordeaux, un mois plus tôt, les royalistes, encadrés par les Chevaliers de la Foi, firent leur révolution locale sous leur propre responsabilité, et ce ne fut quo dans la soirée du 12 avril que Wellington, ayant reçu des nouvelles officielles, put se départir de la réserve dont il s'était fait un devoir et s'associer aux manifestations de joie délirante des habitants.

Sauf dans le Midi, où la chute du régime impérial donna occasion à quelques manifestations tumultueuses mais non sanglantes, le changement de régime s'opéra presque partout dans le calme, et avec le concours de toutes les autorités. Quinze ans de soumission passive avaient habitué tout le monde à suivre sans discussion le mot d'ordre venu de Paris. On ne saurait citer un seul préfet, ni même un seul commandant militaire important qui ait refusé son concours. Tous volaient au secours du succès et bientôt on les verrait, pour ainsi dire, faire la queue pour protester de leur dévouement au roi ; les colonnes du *Moniteur* sont pleines de ces déclarations où l'on épuise en faveur du soleil levant tout l'arsenal d'expressions laudatives créées pour le culte impérial... avec quelques autres en plus.

La presse, démuselée pour la première fois depuis de longues années, donnait libre cours aux rancunes rentrées, se livrait à des attaques d'une ignoble violence à l'égard de l'Empereur déchu. On peut en imaginer le ton, lorsque Chateaubriand, flétrissant « le fils de l'huissier d'Ajaccio » et « sa famille demi-africaine », écrivait de son régime : « Les crimes, l'oppression, l'esclavage marchèrent d'un pas égal avec la folie. » Napoléon, sous la plume des pamphlétaires, devient Nicolas, Jupiter-Scapin, Attila, Ghangis-Khan. Les bons royalistes écrivent *Bonaparte, Buonaparte, Buona-parte,* et même, suprême raffinement, *Buon'a parte !*

Les seuls sursauts de fidélité venaient naturellement de l'élément militaire. Non pas tellement des simples soldats, qui, trop heureux de l'arrêt des hostilités, désertaient en masse — 180.000 en deux mois ! — mais des officiers subalternes et des sous-officiers, exaspérés de la défaite de leurs armes et de la chute de leur idole. A Clermont, par exemple, les 11 et 12 avril, des éléments du 8e de ligne malmenèrent le préfet aux cris de *Vive l'Empereur !* Des officiers entrèrent à cheval dans la cathédrale, brisèrent à coups de hache la porte conduisant au clocher, arrachèrent le drapeau blanc pour le fouler aux pieds et le traîner dans la boue.

Le plus délicat fut de leur faire accepter la cocarde blanche. Le comte d'Artois y tenait essentiellement : c'était l'emblème sous lequel tant de braves avaient versé leur sang pour la cause royale dans les guerre de l'Ouest, et, dans les derniers événements, la cocarde blanche avait été le signe de ralliement des partisans des Bourbons. L'opinion publique, celle du moins qui avait le moyen de s'exprimer, se prononçait dans le même sens. Benjamin Constant lui-même adjurait les Bourbons « de ne pas faire l'immoral abandon de l'oriflamme de leurs pères pour prendre un drapeau tout sanglant de crimes et dépouillé de l'auréole du succès ». L'armée pourtant restait fortement attachée à l'emblème glorieux, et même dans le cortège princier du 12 avril les deux cocardes s'étaient trouvées mêlées. Eclairés aujourd'hui par l'histoire nous nous étonnons que les responsables d'alors n'aient pas cherché à tout prix un compromis qui eût dépouillé les ennemis de la monarchie d'un puissant levier sentimental. Mais comment aurait-on pu mesurer la gravité de cette question du drapeau, avant les événements des années suivantes, qui contribueraient à la charger de toute sa force explosive ? L'homme que l'on s'accorde à considérer comme l'un des plus perspicaces de ce temps, Talleyrand, fut celui-là même qui trouva le moyen de contraindre l'armée d'abandonner ses couleurs. Il fit écrire au maréchal Jourdan, qui commandait à Rouen la 15e Division militaire, que le maréchal Marmont venait de faire arborer la cocarde blanche par son corps, ce qui était faux. Le brave Jourdan, croyant suivre l'exemple, le donna, et personne ne pouvant mettre en doute le patriotisme du vainqueur de Fleurus, peu à peu tous les généraux firent accepter le drapeau blanc à leurs troupes.

Parmi toutes les fautes que commit la Restauration, à ses débuts, ce médiocre succès d'escamoteur nous apparaît comme une des plus irritantes, parce qu'elle pouvait le plus facilement être évitée.

« Jusqu'à l'arrivée du roi, il faut faire ce qui est indispensable mais rien de plus », écrivait Talleyrand, le 17 avril. Et, en effet, l'action du gouvernement provisoire du lieutenant général devait se borner, pour une grande part, à la remise en marche de la machine gouvernementale et à l'expédition des affaires courantes. Sur deux points seulement elle allait engager l'avenir : le sort fait à Napoléon et les préliminaires de paix avec les Alliés.

A vrai dire, en ce qui concernait Napoléon, le gouvernement provisoire n'avait eu qu'à entériner la volonté des Alliés, et surtout du tzar Alexandre. C'est à lui, notamment, qu'était due l'installation de l'Empereur à l'île d'Elbe, en dépit des inquiétudes trop fondées qu'avaient manifestées l'Angleterre et l'Autriche. Le traité signé le 11 avril comportait entre autres dispositions le paiement par la France d'une rente annuelle de 2 millions à Napoléon et de 3 millions et demi aux différents membres de sa famille, qui conservaient, du reste, tous leurs biens possédés à titre particulier. Par ailleurs, le trésor public devait payer les dettes de l'Empereur et mettre à sa disposition 2 millions pour lui permettre de faire les gratifications à ses anciens serviteurs. Il pouvait emmener avec lui, pour sa garde, 400 hommes volontaires. Les Français qui le suivraient seraient tenus, sous peine de perdre leur nationalité, de rentrer en France dans le délai de trois ans, sauf autorisation spéciale du gouvernement.

Talleyrand, au nom du gouvernement provisoire, signa une déclaration par laquelle il adhérait au traité pour autant que besoin était, et en garantissait l'exécution en ce qui concernait la France. L'adhésion de l'Angleterre, limitée aux seules clauses territoriales, se fit attendre jusqu'au 17 avril, et c'est le 20 seulement que Napoléon put quitter Fontainebleau. Nous n'avons pas à raconter ici les étapes de son voyage, marqué tantôt par les témoignages de fidélité de la part de corps de troupes qu'il rencontrait, tantôt par les manifestations de haine de la part des populations du Midi royaliste. C'est avec le plus grand soulagement que le gouvernement provisoire apprit qu'il s'était enfin embarqué le 29 avril pour son nouveau royaume. Faut-il croire qu'il avait songé un moment à se débarrasser de Napoléon par un moyen plus radical ? C'est la question que pose l'étrange affaire Maubreuil ; cet aventurier, pour couvrir un acte de brigandage, perpétré sur la personne de la reine Catherine de Westphalie, prétendit avoir été chargé par Talleyrand d'assassiner l'Empereur. La discussion de cette ténébreuse affaire, qui n'a jamais pu être éclaircie, nous entraînerait trop loin. Elle témoigne du moins du singulier désordre qui régnait alors dans les conseils du gouvernement provisoire.

L'acte le plus important du gouvernement du lieutenant général fut la signature, le 23 avril, d'une convention d'armistice qui mettait fin aux hostilités entre les Alliés et la France. En voici les articles essentiels.

« Art. 2. — Pour constater le rétablissement des rapports d'amitié entre les puissances alliées et la France, et pour la faire jouir à l'avance, autant que possible, des avantages de la paix, les puissances alliées feront évacuer, chacune par leurs armées, le territoire français tel qu'il se trouvait au 1er janvier 1792, à mesure que les places encore occupées hors de ces limites par les troupes françaises seront évacuées et remises aux Alliés.

« Art. 3. — Le lieutenant général du royaume de France donnera en conséquence, aux commandants de ces places, l'ordre de les remettre, de manière à ce que la remise totale puisse être effectuée au 1er juin prochain...

« Art. 7. — De part et d'autre, les prisonniers, officiers et soldats... et particulièrement les otages seront immédiatement renvoyés dans leurs pays respectifs sans rançon et sans échange.

« Art. 8. — Il sera fait remise, par les cobelligérants, après la signature du présent acte, de l'administration des départements ou villes actuellement occupés par leurs forces, aux magistrats nommés par S. A. R. le lieutenant général du royaume de France. Les autorités royales pourvoiront aux subsistances et besoins des troupes jusqu'au moment où elles auront évacué le territoire français, les puissances alliées voulant, par un effet de leur amitié pour la France, faire cesser les réquisitions militaires, aussitôt que la remise au pouvoir légitime aura été effectuée... »

Il est peu d'historiens qui ne se croient obligés de flétrir au passage cet acte comme une irréparable faute, témoignant de la légèreté ou du manque de patriotisme du comte d'Artois. En fait, le seul responsable est Talleyrand, à qui le prince s'en était entièrement remis, comme il était naturel. Cette paternité oblige à y regarder d'un peu plus près. Talleyrand s'en est du reste expliqué lui-même. Au reproche de précipitation, il oppose la nécessité pressante de mettre fin à l'état de guerre dans les pays envahis. Non seulement l'autorité du gouvernement provisoire ne pouvait s'y exercer, mais les commandants alliés y percevaient l'impôt à leur profit, vidaient les magasins de l'Etat, écrasaient les habitants de réquisitions et de contributions forcées, se livraient sans retenue à tous les actes que pouvait inspirer l'arbitraire du régime militaire ; il fallait à tout prix faire cesser cet état violent et donner aux fonctionnaires français le moyen légal de protéger leurs administrés. Mais n'était-ce pas payer trop cher cette délivrance que d'abandonner d'un trait de plume les cinquante-trois places fortes que tenaient encore les troupes françaises au-delà des anciennes frontières, et qui pouvaient être un gage utile dans les négociations de paix ? A cela on peut répondre qu'elles ne représentaient en réalité aucune force réelle. Leurs garnisons dispersées, assiégées, étaient militairement impuissantes, et aussi inutiles pour le roi qu'elles l'avaient été pour l'empereur. Au contraire, ramenées en France et regroupées, elles pouvaient fournir, avec les prisonniers libérés par la même convention, les éléments d'une force bien autrement redoutable. Monnaie d'échange ? Peut-être, mais monnaie fondante, dont chaque jour de blocus diminuait la valeur, et qu'il pouvait donc être sage de négocier au plus haut cours.

Le plus grave reproche qu'on peut faire à Talleyrand, et dont il est difficile de le disculper entièrement, c'est d'avoir préjugé des conditions territoriales du futur traité, en admettant sans discussion les frontières de janvier 1792, en renonçant aux frontières naturelles si chèrement achetées. Mais les Alliés, occupant la capitale et une grande partie du pays, n'étaient-ils pas en mesure d'imposer leur volonté en tout état de cause ? Et cette volonté de ramener la France à ses limites d'autrefois était fermement arrêtée, clairement exprimée. On ne pouvait espérer obtenir quelques atténuations aux clauses territoriales du futur traité, quelques avantages sur les autres clauses, quelque soulagement immédiat, qu'en inspirant confiance aux Alliés, qu'en soignant les sentiments de bonne volonté et de générosité manifestés par le tzar Alexandre. Pour toutes ces raisons, Talleyrand se croyait justifié d'avoir sacrifié des espérances illusoires pour s'assurer des profits sans éclat mais tangibles.

Quoi qu'il en soit, l'opinion publique, plus portée à sentir qu'à raisonner, réagit de façon défavorable. Un bulletin de police rapporte : « Les conditions de l'armistice ont paru dures, elles ne satisfont personne. »

D'autres sujets de mécontentement contribuaient à jeter un voile sur l'euphorie des premiers jours : le chômage qui laissait la classe ouvrière sans ressources, le mécontentement de l'armée, l'inertie et l'anarchie du gouvernement, les craintes des industriels devant la menace de la concurrence des produits anglais, enfin l'explosion, dans la presse, des sentiments anti-révolutionnaires et les prétentions aristocratiques qui faisaient craindre aux anciens jacobins une ère de réaction et de représailles. En Vendée, notamment, les anciennes organisations royalistes s'étaient remises sur le pied de guerre. « Les campagnes, écrit le préfet de la Loire-Inférieure, sont en plein soulèvement. Contre qui ? Elles n'en savent rien, mais prendre un fusil est une manière d'exprimer sa pensée, en Vendée. » Les anciens « bleus », terrorisés, se réfugiaient dans les villes, se plaignaient de n'être pas protégés.

Il était temps que le roi arrivât.

Lorsque le marquis de la Maisonfort était venu annoncer à son maître les événements de Paris, en s'écriant joyeusement : « Sire ! Vous êtes roi de France ! », Louis XVIII avait répondu froidement : « Est-ce que j'ai jamais cessé de l'être ? » La conviction inébranlable de son droit, la conscience de sa dignité, étaient chez lui une seconde nature. « Louis XVIII, dit Chateaubriand, était roi partout, comme Dieu est Dieu partout, dans une crèche ou dans un temple, sur un autel d'or ou d'argile. Jamais son infortune ne lui arracha la plus petite concession ; sa hauteur croissait en raison de son abaissement, son diadème était son nom. » Intransigeant sur les principes, Louis XVIII n'en était pas moins disposé à tenir compte des aspirations nationales, pourvu qu'elles ne portassent point atteinte à son autorité. En 1799 déjà, il écrivait : « Un gouvernement sage doit connaître le vœu du peuple et y déférer quand il est raisonnable, mais toujours agir *proprio motu* : c'est le secret de se concilier l'amour et le respect. » Telle sera très exactement sa ligne de conduite en 1814.

Malgré l'affirmation de Vitrolles, qui, du reste, n'était pas sur place, il est difficile de croire que Louis XVIII ait été sur le point de contresigner la constitution sénatoriale et que le comte de Bruges, envoyé par le comte d'Artois après le 12 avril, fût arrivé juste à temps pour l'en empêcher. En tout cas, le récit qu'il entendit de la réception enthousiaste faite à son frère ne pouvait que l'encourager dans la résistance aux prétentions du Sénat, et il lui fut facile de répondre aux instances épistolaires de Talleyrand qu'il ne voulait pas engager l'avenir de la monarchie avant d'avoir pu se rendre compte par lui-même de la situation.

Le 19 avril seulement, Louis XVIII quitta le château de Hartwell qui avait abrité la morose quiétude de ses huit dernières années d'exil ; avec lui venaient la duchesse d'Angoulême, fille de Louis XVI, le vieux Condé et son fils le duc de Bourbon, les diverses personnes composant sa petite cour. Le prince-régent d'Angleterre avait à cœur de réparer tout ce que les réticences de son ministère avaient pu avoir de désobligeant pour l'hôte illustre ; il lui fit une réception vraiment royale. La population de Londres en délire, acclama Louis XVIII comme le symbole de la paix retrouvée. Aux félicitations et aux vœux du prince, le roi répondit : « C'est aux conseils de Votre Altesse Royale, à ce glorieux pays et à la confiance de ses habitants, que j'attribuerai toujours, après la Providence, le rétablissement de notre maison sur le trône de nos ancêtres. » Ce que ces paroles avaient d'excessif, de faux même, peut s'expliquer, certes, par l'émotion ressentie dans la chaleur inattendue de l'accueil ; mais on peut y voir aussi une intention plus profonde : Louis XVIII, en se déclarant l'obligé de l'Angleterre, diminuait d'autant la reconnaissance qu'il devait au tzar de toutes les Russies et se fortifiait à l'avance contre ses conseils.

Le prince-régent voulut encore accompagner le roi de France jusqu'à Douvres, où il s'embarqua le 24 avril sur le *Royal Sovereign*. Tandis que le navire s'éloignait, escorté de 8 vaisseaux de ligne, au milieu d'une foule d'embarcations pavoisées de blanc, l'artillerie des forts tonnait, répondant aux salves d'honneur de la flotte. A peine avait-on cessé d'entendre leur grondement, que l'on commença, sur le *Royal-Sovereign*, à percevoir le bruit lointain de l'artillerie française qui saluait le retour du roi. Lorsque le navire fut près d'accoster, Louis XVIII, debout sur le pont, souleva son chapeau, tendit les bras vers son pays et ramena sa main sur son cœur. Au milieu des sanglots et des acclamations, le vieux mo narque, lourdement appuyé sur le bras de sa nièce, mit enfin le pied sur le sol natal. D'une voix forte il s'écria : « Après vingt ans d'absence, le ciel me rend mes enfants, le ciel me rend à mes enfants ! Allons dans son temple en remercier Dieu ! » Le soir, après le *Te Deum* et la réception des autorités, la population fut admise, selon le vieil usage, à circuler dans la salle du souper et à constater *de visu* que les émotions n'avaient point compromis le royal appétit.

Les jours suivants, par Boulogne, Abbeville et Amiens, on se dirigea vers la capitale : voyage triomphal, jalonné d'arcs de trimphe, de harangues, de cantates, de salves, de *Te Deum*. Le 29 avril vers six heures du soir, Louis XVIII arrivait à Compiègne, où l'attendait la politique. Presque aussitôt se présentèrent les maréchaux ; à la harangue du prince de Neuchâtel, le roi répondit avec une dignité et une élégance qui les impressionna ; les compliments finement tournés qu'il leur adressa ensuite, à chacun en particulier, achevèrent de les conquérir. Au fond, ces vieux guerriers, pour la plupart d'origine très plébéienne, se trouvaient tout saisis d'être ainsi traités familièrement par ce roi que les souvenirs de leur enfance plaçaient dans une sphère inaccessible. La majesté calme, le langage raffiné du souverain, leur en imposaient plus que les colères et les paroles brutales de l'Empereur qui ne les changeaient pas de l'atmosphère des camps.

Après les maréchaux, le roi reçut une délégation du Corps législatif. Mais de Sénat, point ! Cette absence était un rappel du conflit de principes qui subsistait en son entier. Pourtant la venue spontanée et les témoignages de soumission inconditionnelle apportés par les chefs de l'armée et par les représentants élus de la nation étaient déjà un succès pour la thèse légitimiste.

Le lendemain, le roi marqua de nouveaux points auprès des deux personnes sur lesquelles comptait davantage le parti sénatorial : Talleyrand et le tzar Alexandre. Talleyrand fut reçu après la messe, et non sans avoir dû attendre longtemps au milieu de la foule des courtisans. Personne n'ayant assisté à l'entrevue, on sait seulement ce qu'a bien voulu en livrer Talleyrand à Beugnot. « Monsieur le Prince de Bénévent, lui aurait dit le roi en l'accueillant, je suis bien aise de vous revoir. Il s'est passé bien des choses depuis que nous nous sommes quittés. Vous le voyez, nous avons été les plus habiles. Si c'était vous, vous me diriez : *Asseyons-nous et causons* ; et moi je vous dis : *Asseyez-vous et causons.* » Par ces paroles alambiquées Louis XVIII faisait sentir à son interlocuteur la supériorité de sa position. Quant à la question essentielle, Talleyrand n'a pas révélé ce qui fut dit, mais la suite montre bien que le roi ne se laissa pas impressioner par ses arguments. Il ne fut pas ébranlé davantage par les instances que lui fit le lendemain le tzar, venu tout exprès de Paris. Le mécontentement d'Alexandre s'augmenta des procédés d'étiquette destinés à lui faire sentir qu'il n'appartenait pas à un cadet de la maison de Holstein de faire une leçon de droit royal au descendant de saint Louis et de Louis XIV ; pour se rendre au dîner qui suivit l'entrevue, Louis XVIII passa tranquillement devant son hôte et s'assit dans un fauteuil tandis qu'on avançait une simple chaise pour le tzar.

L'obstination du roi étant bien constatée, ainsi que l'impossibilité de faire machine en arrière, le Sénat se décida à transiger : on renoncerait à imposer au roi l'acceptation de la constitution comme une condition préalable de sa reconnaissance, par contre, le souverain s'engagerait solennellement à donner sans retard une constitution sur les bases admises par le comte d'Artois.

A Saint-Ouen, où le roi se transporta le 2 mai, il reçut enfin les représentants du Sénat, mais sans leur donner autre chose que de bonnes paroles. Dans la nuit, Blacas, Vitrolles et La Maisonfort remanièrent le projet de déclaration royale que Talleyrand avait fait agréer aux sénateurs, afin d'en éliminer certaines expressions que repoussait le roi. A 2 heures du matin, le texte était arrêté, porté à Paris, imprimé. A 7 heures, il était affiché sur les murs de la capitale.

« Louis, par la grâce de Dieu, roi de France et de Navarre, à tous ceux qui verront ces présentes, salut.

« Rappelé par l'amour de notre peuple au trône de nos pères, éclairé par les malheurs de la nation que nous sommes destiné à gouverner, notre première pensée est d'invoquer cette confiance mutuelle si nécessaire à notre repos, à son bonheur.

« Après avoir lu attentivement le projet de constitution proposé par le Sénat dans sa séance du 6 avril dernier, nous avons reconnu que les bases en étaient bonnes, mais qu'un grand nombre d'articles portant l'empreinte de la précipitation avec laquelle ils ont été rédigés, ils ne peuvent, dans leur forme actuelle, devenir lois fondamentales de l'Etat.

« Résolu d'adopter une constitution libérale, voulant qu'elle soit sagement combinée, et ne pouvant en accepter une qu'il est indispensable de rectifier, nous convoquons pour le 10 du mois de juin de la présente année le Sénat et le Corps législatif, en nous engageant à mettre sous leurs yeux le travail que nous aurons fait avec une commission choisie dans le sein de ces deux corps, et à donner pour base à cette constitution les garanties suivantes :

« Le gouvernement représentatif sera maintenu tel qu'il existe aujourd'hui, divisé en deux corps, savoir : le Sénat et la Chambre composée des députés des départements.

« L'impôt sera librement consenti ;

« La liberté publique et individuelle assurée ;

« La liberté de la presse respectée, sauf les précautions nécessaires à la tranquillité publique ;

« La liberté des cultes garantie ;

« Les propriétés seront inviolables et sacrées ; la vente des biens nationaux restera irrévocable.

« Les ministres responsables pourront être poursuivis par une des Chambres législatives, et jugés par l'autre.

« Les juges seront inamovibles et le pouvoir judiciaire indépendant.

« La dette publique sera garantie ; les pensions, grades, honneurs militaires seront conservés, ainsi que l'ancienne et la nouvelle noblesse.

« La Légion d'honneur, dont nous déterminerons la décoration, sera maintenue.

« Tout Français sera admissible aux emplois civils et militaires.

« Enfin nul individu ne pourra être inquiété pour ses opinions et ses votes. »

En somme, si le Sénat avait réussi à empêcher un retour pur et simple à la monarchie absolue, son principe, le droit divin, restait intact. Louis XVIII n'en demandait pas plus pour faire, le front haut, son entrée dans la capitale.

La cérémonie avait été minutieusement préparée, aussi n'y vit-on pas la spontanéité bon enfant, et l'explosion d'enthousiasme qui avaient marqué la joyeuse entrée du comte d'Artois. La personne du roi elle-même, et son entourage, étaient moins faits pour inspirer la sympathie que la curiosité. Ce que vit le peuple ? Dans le fond d'une calèche à huit chevaux, un gros homme, à l'air malade et fatigué, vêtu d'un surtout bleu à épaulettes d'or et coiffé d'un énorme bicorne, insensible en apparence aux cris d'allégresse qui remplissaient l'air sur son passage. Au côté du roi, la duchesse d'Angoulême, raide et guindée dans un corset neuf, avec sa figure naturellement triste. Le vieux Condé, frisé et poudré à l'ancienne mode, était assis, ainsi que son fils, en face du roi, vivants symboles de ce que l'émigration avait eu de plus choquant pour le sentiment national. Le comte d'Artois chevauchait près de la voiture royale, en compagnie de ses deux fils, le duc de Berry et le duc d'Angoulême. Ce dernier, n'ayant eu le temps de s'en faire faire un autre, portait encore l'uniforme de général anglais. Les soldats de la vieille garde impériale, échelonnés sur le passage ou précédant le cortège, témoignaient par leurs expressions l'humiliation et la rage qu'ils ressentaient de participer au triomphe d'une cause honnie.

Malgré tout, les acclamations populaires ne firent pas défaut. Le roi, comme à l'ordinaire, joua son rôle à merveille. La fille de Louis XVI ne résista pas aussi bien que lui aux émotions de la journée ; en arrivant aux Tuileries, qu'elle n'avait pas revues depuis la fatale journée du 10 août 1792, elle s'évanouit. Louis XVIII l'obligea pourtant à paraître avec lui au balcon et, dans un détestable jeu de scène inspiré des bergeries de Trianon, lui mit une couronne de fleurs sur la tête. On a dit aussi — mais le témoin qui rapporte la chose est infiniment suspect — que, tout en envoyant des baisers à la foule, il répétait entre ses dents : « Les scélérats, les jacobins, les monstres ! »

CHAPITRE IV

LE ROI, LA CHARTE ET LA PAIX

Les difficultés de la situation. — Louis XVIII. — Les Princes. — Les ministres. — Le traité de Paris (30 *mai*). — *La Charte. — Sa proclamation* (4 *juin*).

De tous les détails de la cérémonie du 3 mai, celui dont Beugnot, son grand ordonnateur, était le plus fier, fut l'inscription qu'il avait composée pour la statue de Henri IV, replacée sur le Pont-Neuf à cette occasion : *Ludovico reduce, Henricus redivivus* : Par le retour de Louis, c'est Henri qui revit. Que les Bourbons se soient plu alors à placer leur retour sous l'égide populaire du Béarnais, restaurateur du royaume et réconciliateur des partis, rien de plus naturel. Mais Louis XVIII pouvait-il vraiment prétendre recommencer Henri IV ? Hélas, non, pas plus que la statue de plâtre peint, hâtivement dressée par Beugnot, ne pouvait remplacer le bronze de Jean Bologne brisé en août 1792. Henri IV, lui, avait conquis son royaume par l'intérieur, roi par son épée autant que par sa naissance ; Louis XVIII était le roi de la défaite, et il succédait au chef le plus glorieux qui eût jamais conduit des armées françaises. L'autorité d'Henri IV avait bénéficié aussi de l'immense besoin d'ordre qui avait saisi la nation après tant d'années d'anarchie sanglante ; en 1814, au contraire, le pays, fatigué du despotisme napoléonien, aspirait à retrouver ses libertés. Enfin, et surtout, Henri IV n'avait jamais quitté son peuple, et ses années de luttes aventureuses lui avaient permis de le connaître plus intimement qu'aucun autre monarque français, tandis que Louis XVIII était le roi émigré, coupé de la nation par vingt années d'exil, au cours desquelles la France avait connu les plus rapides transformations de son histoire.

Panser les plaies de la guerre, rebâtir la maison France écrasée sous les débris du grand Empire européen, ajuster l'ancienne institution monarchique, patriarcale, théocratique et féodale, au nouvel Etat napoléonien, national, laïque et administratif, équilibrer les intérêts de la société nouvelle issue de la Révolution et ceux des anciennes classes privilégiées qui entendaient reprendre leur place en même temps que le roi : tâche surhumaine et infiniment délicate qui eût demandé, à défaut d'un monarque génial, des ministres hors ligne. Le malheur de la Restauration fut d'avoir dû assumer cette œuvre avec des princes médiocres et une équipe gouvernementale hétérogène et faible.

Louis XVIII n'était pourtant pas dénué de qualités royales. Cloué à son fauteuil par son énorme corpulence et un défaut de conformation des hanches qui lui eût rendu de toute façon la marche difficile, il avait su faire de cette immobilité d'idole un attribut de majesté. Tout à fait royale était sa tête au front large et haut sous des cheveux poudrés, ses yeux bleus qui savaient caresser ou foudroyer, son visage large et coloré aux traits réguliers et pleins, sa voix qui pouvait se faire douce ou éclatante, sa « voix de cloche », comme il disait. Après Louis XIV, il est sans doute, de tous les rois de France, celui qui sut le mieux jouer son rôle de monarque. « Les personnes de notre condition, dit-il, doivent se souvenir de leur rang et ne jamais laisser les autres l'oublier. »

Il aimait la magnificence dans les solennités et l'étiquette fut à ses yeux un moyen de règne, il apportait à son observation une attention minutieuse. Un jour, raconte Cuvillier-Fleury, il tomba rudement par terre ; M. de Nogent, officier des gardes, s'étant empressé auprès de lui, le roi le repoussa en lui disant d'un ton fâché : « Monsieur de Nogent ! » Ce n'était pas à lui, en effet, qu'il appartenait de relever le roi, qui resta le derrière sur le plancher jusqu'à l'arrivée du capitaine des gardes de service.

De bonne heure, il avait cherché dans les divertissements de l'esprit une compensation aux incapacités physiques qui lui interdisaient les plaisirs plus actifs. Il avait acquis une sorte d'érudition à tiroirs, qui lui fournissait des anecdotes et des citations pour chaque circonstance ; malheureusement ses auteurs n'étaient pas seulement Horace et Racine, mais aussi Baculard et Arnaud. Ses mots, soigneusement apprêtés, tombaient souvent dans la préciosité ou l'emphase sentimentale, « des madrigaux politiques », dit Molé. Il ne se gardait pas non plus des plaisanteries inutilement caustiques, voire même scatologiques.

Louis XVIII sut se faire respecter, mais non pas aimer. Il était trop facile de sentir, derrière la façade de bonté paternelle dont il aimait à faire parade, un fond d'égoïsme olympien. Même cette tendresse tyrannique manifestée à ses favoris sonne faux ; c'est comme une sorte de comédie que le monarque se donne à lui-même. Il était difficile d'oublier l'ambition sournoise et inflexible qui avait caractérisé la conduite du comte de Provence sous Louis XVI. Arrivé au terme de ses aspirations, il entendait bien s'y maintenir, et c'est pourquoi, tout jaloux qu'il fût de son autorité, il était prêt à faire les concessions nécessaires, mais il n'y a aucune apparence que son séjour en Angleterre lui eût donné la moindre estime pour le rôle de monarque constitutionnel. Bien au contraire, il tenait à l'ancien régime par toutes ses fibres. Assez réaliste et assez sage pour ménager la France nouvelle et s'en accommoder, il ne pouvait, au fond, ni la comprendre ni l'aimer.

Monsieur, frère du roi, ne cherchait même pas à dissimuler l'antipathie que lui inspirait tout ce qui tenait de près ou de loin à la Révolution. Ce n'est pas ici le lieu de peindre en pied celui qui sera Charles X, et il suffit de marquer quelle fut sa place auprès de Louis XVIII. Si l'on en croit Beugnot, il aurait déclaré, à son arrivée à Paris : « Le roi a une tête admirable, aussi fraîche qu'à trente ans, mais il est impotent, ou à peu près... Eh bien ! il pensera pour nous, et nous agirons pour lui ! » C'était s'illusionner singulièrement. Louis XVIII n'avait jamais donné sa confiance à son frère qu'il jugeait de haut comme un brouillon borné et imprudent. Si l'on ajoute à cela la sourde jalousie que devait inspirer au roi podagre l'élégante allure de son cadet, le fait qu'il avait assuré à la dynastie la descendance dont lui, l'aîné, avait été privé par la nature, on comprend qu'il ait tout fait pour le cantonner dans un rôle purement honorifique. Monsieur avait le caractère trop noble pour en tenir sérieusement rancune ; trop de respect pour la couronne et trop de conscience de la supériorité intellectuelle de son frère pour se mettre dès l'abord en opposition avec lui. Mais il avait gardé du temps de l'émigration l'habitude de s'entourer des éléments les plus excités et les plus réactionnaires du parti royaliste, qui savaient ne rien pouvoir gagner auprès du roi. Comme il ne pouvait se désintéresser tout de même du sort du royaume qui devait lui échoir, et faute d'avoir sa place marquée dans l'appareil gouvernemental, il chercherait à faire prévaloir ses vues par les méthodes obliques et secrètes auxquelles l'avaient habitué vingt années de vaines et parfois puériles conspirations.

Son fils aîné, le duc d'Angoulême, alors âgé de trente-neuf ans, était loin de partager les regrets de son père pour l'ordre ancien qu'il avait à peine connu. Simple de goûts et d'abord, charitable et honnête, pieux et loyal, il modelait scrupuleusement sa conduite sur la volonté du roi. Ces qualités solides étaient malheureusement gâtées par un complexe d'infériorité, tenant à un physique dégénéré : taille chétive, yeux myopes, tics nerveux et ridicules, parole embarrassée, et, suprême disgrâce, impuissance. Le duc de Berry, son cadet, était de ce fait le seul espoir de la dynastie, et l'on pouvait compter sur lui pour travailler avec zèle à lui donner des rejetons. A peine était-il arrivé à Paris que ses frasques amoureuses défrayaient la malignité publique. Elle en riait, d'ailleurs, plus qu'elle ne s'en scandalisait ; c'était, pour ainsi dire, rafraîchissant, d'avoir au moins un « mauvais sujet » dans cette cour par ailleurs compassée, que l'on disait confite en dévotion. Du Vert-Galant, le duc de Berry avait aussi le courage physique et l'esprit prompt en réparties. Lors d'une revue, un grenadier avait crié devant lui : *Vive l'Empereur !* « Vous l'aimiez donc bien ? dit le prince sans s'émouvoir. — Il nous a menés à la victoire. — Le beau mérite avec des soldats tels que vous ! » Il était le seul des princes qui réussit, dans une certaine mesure, à se concilier la sympathie des éléments militaire et populaire, avec sa spontanéité, sa grosse familiarité, sa générosité inépuisable. Son aspect répondait à ses manières ; l'homme était vulgaire : un gros corps sur de courtes jambes, la tête enfoncée dans des épaules de lutteur, le teint rouge, le poil noir et frisé.

La fille de Louis XVI, devenue duchesse d'Angoulême par son mariage avec son cousin, aurait mérité plus qu'aucun membre de la famille royale de rallier sur sa personne les sympathies des Français, par ses touchants malheurs, sa haute vertu, son grand caractère. Malheureusement la blonde et frêle orpheline du Temple était devenue une virago au teint couperosé, aux traits durs et à la voix rude. De son père, elle avait la brusquerie, mais sans la bonhomie, de sa mère, la fierté, mais sans la grâce. La maternité aurait pu atténuer le souvenir de ses malheurs et attendrir son cœur cuirassé par l'adversité ; cette joie lui fut refusée. Dès lors elle ne trouva d'autre consolation que dans l'exercice d'une religion fervente mais un peu étroite et morose, et dans les œuvres de charité. L'horreur naturelle que lui inspirait tout ce qui touchait à la Révolution la rangeait politiquement aux côtés de son beau-père, et son influence s'exerçait en ce sens auprès du roi. Sans jamais lui manquer de respect, elle savait au besoin lui tenir tête. Un petit fait peint au naturel son caractère : c'était au début de 1796, peu après sa libération. Louis XVIII toujours prompt à imaginer des mises en scène pour les besoins de sa propagande, voulait qu'elle écrivît une lettre de remerciements à l'abbé Edgeworth, le confesseur de Louis XVI, lettre qu'elle aurait datée du jour de sa libération et qu'on rendrait publique. La jeune princesse répondit : « Cela se peut pratiquer par des personnes plus âgées et pour des affaires qui l'exigent. Mais il est de mon âge et de mon caractère d'être simple et exacte comme la vérité. » Elle avait alors 18 ans...

Les déficiences des princes ne devaient pas avoir de grands inconvénients dans les premiers moments de la Restauration, et, du reste, on en avait vu bien d'autres avec les Napoléonides. Plus dangereuses étaient les faiblesses des personnages appelés à constituer le ministère. A part deux d'entre eux c'étaient ceux mêmes qui avaient formé le cabinet intérimaire du comte d'Artois, qui avait lui-même hérité du personnel du gouvernement provisoire. Talleyrand en quittant la présidence du gouvernement s'était naturellement réservé le portefeuille des Affaires étrangères ; par indolence ou par cautèle, il allait se cantonner dans ce domaine, trop heureux de n'avoir pas à se commettre dans l'imbroglio de la situation intérieure. A son défaut, l'influence principale aurait dû revenir au ministre de l'intérieur, l'abbé de Montesquiou. Homme d'ancien régime, abbé de cour et de salon, il ne pouvait oublier qu'il avait jadis présidé l'Assemblée constituante ; ses convictions comme ses amitiés le portaient vers la monarchie constitutionnelle, mais il apportait aux affaires une impétuosité, une mobilité, une légèreté, qui n'allaient pas tarder à lui assurer l'inimitié de ses collègues et le dégoût de ses subordonnés.

Les finances, au contraire, ne pouvaient être en meilleures mains. Le baron Louis, encore un ancien ecclésiastique, mais aussi laïcisé que son patron Talleyrand, devait faire preuve d'une admirable clairvoyance dans le choix des moyens pour relever la fortune de la France, et d'une énergie exemplaire pour les imposer à ses collègues et à ses subordonnés. Par contre l'homme était emporté et brutal, fermé à toute considération étrangère à la finance.

Pour présider à l'anéantissement de ce qui restait de la marine, on avait déterré un ancien constituant, le vieux Malouet, lui-même plus qu'à moitié décomposé : il achèverait de se dissoudre en septembre 1814, et serait remplacé par Beugnot qui avait rempli jusque-là les fonctions de directeur de la police, après avoir été quelques jours ministre de l'Intérieur du gouvernement provisoire ; c'était un bon administrateur, mais manquant un peu de caractère et de prestige.

Plus déplorable encore avait été le choix du ministre de la Guerre, le général Dupont, le trop fameux vaincu de Baylen. On peut encore concevoir que dans les premiers moments d'incertitude, le gouvernement provisoire cherchant à Paris un général dont il fût certain qu'il ne pactiserait pas avec Napoléon, ait cru pouvoir se confier, faute de mieux, à Dupont, si injustement traité par l'Empereur. Mais maintenant que toute l'armée était définitivement ralliée, il n'y avait aucune excuse pour lui imposer l'humiliation d'être dirigée par un chef dont le nom évoquait un si pénible souvenir. En outre rien ne préparait le malheureux Dupont à une tâche si différente d'un commandement de division ; il l'allait démontrer amplement.

Deux des nouveaux ministres seulement devaient entièrement leur élévation au roi : le chancelier Dambray et le comte de Blacas, ministre de la Maison du roi. Le premier était un ancien avocat général du Parlement de Paris, qui vivait depuis vingt ans dans ses terres de Normandie. C'était sans doute un honorable et brave homme, mais dont l'horloge s'était arrêtée en 1789 et qui ne connaissait absolument rien des personnes, des institutions et des lois de la France nouvelle. Le seul motif de sa promotion était le fait qu'il était le gendre de Barentin, le dernier Garde des sceaux de Louis XVI ; le roi avait voulu ainsi renouer avec la coutume de l'Ancien régime qui faisait des grandes charges de l'Etat, et notamment de celles de robe, des possessions héréditaires.

Le comte de Blacas d'Aulps était revenu d'Angleterre avec le roi. Depuis le départ du comte d'Avaray, en 1810, il était l'homme indispensable à Louis XVIII, son confident de tous les instants, son œil, son oreille, ses jambes, son favori, en un mot. La faveur du roi et son titre de grand-maître de la garde-robe lui auraient permis de toute façon de régenter la cour des Tuileries comme il avait régenté la petite cour de Hartwell. On avait donc pensé qu'il valait mieux régulariser aux yeux du public l'influence qu'il exerçait en lui confiant un titre ministériel. Le seul fait d'être « le favori » aurait suffi à le rendre impopulaire ; son air hautain, ses préjugés de noble et d'émigré, devaient en faire le bouc émissaire de toutes les fautes de la première Restauration ; pourtant, sous cet extérieur rébarbatif, se cachaient un cœur sensible, un jugement solide et modéré, et un dévouement d'une grandeur féodale, que nulle épreuve, nulle ingratitude ne pourrait altérer.

Quelle unité d'action pouvait-on attendre d'une équipe

aussi disparate ? Aucun des principaux ministres n'avait sur les autres la prépondérance de droit ou l'autorité personnelle qui en eût fait un président du conseil ou un « premier » à la manière anglaise. Le roi prétendait bien en exercer les fonctions, mais son âge, ses infirmités, ses habitudes, le préparaient mal à cette tâche et il apparut bientôt que les détails des affaires le fatiguaient et l'ennuyaient. Dans les premiers conseils tenus sous sa présidence, et auxquels assistèrent les princes du sang et les ministres d'Etat, on parla beaucoup sans avancer les choses ; ce qui donna lieu à un des meilleurs mots de Talleyrand ; on lui demandait : « Le roi est resté trois heures en son conseil. Que s'est-il donc passé ? — Trois heures. » Les ministres prirent donc le parti de traiter directement avec le roi les affaires de leurs départements respectifs qui exigeaient sa signature et qui étaient beaucoup trop nombreuses pour qu'il pût y apporter l'attention nécessaire.

A défaut du roi ou d'un président du conseil, la fonction de coordination aurait pu être occupée par le secrétaire d'Etat qui avait joué sous Napoléon un si grand rôle. Vitrolles, placé à ce poste-clef par le comte d'Artois comptait y exercer une grande influence. L'hostilité déclarée de Montesquiou et des autres ministres le réduisirent au rôle de rédacteur des procès-verbaux des conseils et de directeur du *Moniteur*. La résurrection du Conseil d'En-Haut, réalisée par l'ordonnance du 29 juin 1814, en même temps que celle du conseil des Parties, n'améliora nullement la situation, car, selon l'ancienne coutume, les ministres n'y siégeaient pas de droit et devaient être convoqués à chaque fois.

En somme, c'était le retour à « l'anarchie paternelle » du temps de Louis XVI.

N'est-il pas hautement significatif de cet état de choses que les deux actes les plus importants de cette époque

— le traité de Paris, et la Charte — n'aient pas même été discutés au conseil ?

Les conditions de la paix furent débattues directement entre Talleyrand et les ministres des puissances alliées. Les accords assez rapidement réalisés furent fixés dans quatre traités identiques signés le même jour, 30 mai 1814, avec les « quatre grands », Autriche, Grande-Bretagne, Prusse et Russie. Chacun de ces documents comportait quelques clauses particulières. Les Alliés secondaires devaient avoir également leurs traités particuliers, la Suède le 8 juin, le Portugal le 12 juin, l'Espagne le 20 juillet.

Le préambule affirme qu'il s'agit « de mettre fin aux longues agitations de l'Europe et aux malheurs des peuples par une paix solide, fondée sur une juste répartition des forces entre les Puissances ». On ne veut plus « exiger de la France, aujourd'hui que s'étant replacée sous le gouvernement paternel de ses rois, elle offre ainsi à l'Europe des conditions de stabilité et de sécurité, les conditions qu'elle lui avait demandées sous son précédent gouvernement ». Cette déclaration fait écho à la proclamation lancée par Alexandre, le 31 mars, lors de son entrée à Paris. Les Alliés, avait-il dit, « respecteront l'intégrité de l'ancienne France, celle qui a existé sous ses rois légitimes. Ils peuvent même faire plus, parce qu'ils professent toujours le même principe, que pour le bonheur de l'Europe il faut que la France soit grande et forte ».

Cette phrase avait pu faire espérer à certains que l'on conserverait les limites naturelles du Rhin et des Alpes conquises avant Napoléon. La déception causée par la convention d'armistice du 23 avril n'en avait été que plus amère. Louis XVIII et Talleyrand avaient insisté en vain pour obtenir du côté de la Belgique ce « plus » qu'on avait promis, mais l'Angleterre fut inflexible. Il fallut se contenter, au nord, de quelques minimes rectifications de frontières; quatre cantons du département de Jemmapes, quatre du département de Sambre-et-Meuse;

au nord-est ceux de Sarrelouis, Philippeville, Marienbourg et Landau, plus les anciennes enclaves qui dépendaient autrefois de l'Empire germanique, notamment Montbéliard et Mulhouse. Le plus notable agrandissement était pris sur la Savoie : les arrondissements de Chambéry et d'Annecy qui formeraient le département du Mont-Blanc. Enfin les Alliés reconnaissaient, malgré la protestation du Pape, l'annexion d'Avignon et du Comtat-Venaissin, opérée en septembre 1791. Au bout du compte, la France se retrouvait plus forte de 636.000 habitants. Médiocre avantage, certes, si l'on mettait en regard la perte des territoires que ving années de possession avaient habitué à considérer comme français ; mais les Alliés étaient fondés à s'estimer fort généreux lorsqu'ils se rappelaient les démembrements brutaux dont Napoléon avait fait suivre chacune de ses victoires sur eux.

Six articles « séparés et secrets » prévoyaient que le sort des territoires récupérés sur la France serait réglé dans un congrès et « sur des bases arrêtées par les Puissances entre elles » ; leur distribution était même esquissée à grands traits.

L'Angleterre rendait à la France les colonies qu'elle lui avait prises au cours de la guerre, sauf les îles de Tabago et de Sainte-Lucie dans les Antilles, et l'île de France, dans l'Océan Indien ; de même la Suède restituait la Guadeloupe qu'elle avait reçue de l'Angleterre, et le Portugal, la Guyane française qu'il avait conquise en 1809. Par contre la France rétrocédait à l'Espagne la partie de la grande île de Saint-Domingue qui lui avait été abandonnée par le traité de Bâle en 1795. Quant à l'autre partie, qui lui avait toujours appartenu, et qui n'était plus entre ses mains depuis la grande révolte des noirs, l'Angleterre promettait de ne pas s'opposer aux tentatives que pourrait éventuellement faire la France pour y établir son autorité. Sauf une exception en faveur de la Hollande, le matériel des arsenaux, les vaisseaux de guerre, qui se trouvaient dans les places maritimes remises par la France seraient partagés dans la proportion de deux tiers pour elle et un tiers pour les puissances auxquelles ces places appartenaient. En somme, l'Angleterre se trouvait assez sûre de sa prépondérance navale pour ne pas abuser de sa victoire dans ce domaine.

Les conditions financières du traité étaient particulièrement généreuses. Malgré les instances de la Prusse, la France n'avait à payer aucune indemnité de guerre ; les Puissances « voulant donner au roi de France un nouveau témoignage de leur désir de faire disparaître, autant que possible, les conséquences d'une époque malheureuse « renonçaient » à la totalité des sommes qu'elles auraient à réclamer à la France, à raison de contrats, de fournitures ou d'amendes quelconques imposées par le gouvernement français dans les différentes guerres qui ont eu lieu depuis 1792 ». Le gouvernement du roi s'engageait seulement à régler les dettes contractées envers des particuliers « en vertu de contrats et autres engagements formels, tant pour fournitures qu'à raison d'obligations légales ».

Le traité comportait aussi un certain nombre d'articles destinés à garantir la liberté de choix et les propriétés des populations qui changeaient de maîtres ; ainsi la vente des biens nationaux situés dans les pays annexés momentanément par la France était déclarée irrévocable. Enfin, sur les instances de Talleyrand — qui se montra en cela singulièrement en avance sur les conceptions de son temps — un article prévoyait la liberté de navigation du Rhin et l'extension d'un régime international à tous les grands fleuves européens. Il y voyait une compensation à la perte de la Belgique. « Savez-vous où est ma Belgique ? Elle est dans la liberté des fleuves ! »

Tel était le premier traité de Paris. Son principal auteur, Talleyrand, a toujours soutenu qu'il n'était pas possible d'obtenir davantage dans les circonstances ; il faut reconnaître au moins que les Alliés se montraient plus généreux dans leur victoire que ne l'avait été jadis la France à leur égard. Talleyrand et Louis XVIII, en acceptant de bonnes grâces les sacrifices inévitables, en répudiant hautement l'esprit de conquête qui avait inspiré Napoléon, replaçaient la politique étrangère du pays sur les bases définies par Vergennes. Après avoir trop facilement cédé à l'enivrement de la puissance militaire, la France pourrait encore regagner son prestige et son rang de grande nation, si elle pouvait devenir, au lieu d'un facteur de bouleversement et de guerre, un facteur de stabilité et de paix. Alors les petites nations menacées par l'appétit de leurs puissants voisins se tourneraient encore vers elle, elle deviendrait à nouveau l'arbitre du continent au nom de la justice et du droit. Cette grande et féconde politique, Talleyrand allait tenter de la développer au congrès de Vienne, en attendant que la malheureuse aventure des Cent-Jours la relègue dans le mélancolique musée des grandes occasions perdues.

Presque en même temps que la paix entre la France et l'Europe, Louis XVIII pouvait proclamer un autre traité dont les hautes parties contractantes n'étaient rien moins que la monarchie de saint Louis et la Révolution française. A vrai dire, si la Charte constitutionnelle était bien, en fait, un compromis, elle se présentait comme un acte unilatéral de la couronne et constituait par cela seul une importante victoire pour elle. On a dit comment Louis XVIII avait réussi à écarter la prétention du Sénat de lui imposer, comme condition préalable à son investiture, une constitution qui aurait subordonné son autorité à celle de la nation. Peut-être aurait-il été sage de faire participer tout de même le pays à l'élaboration de l'acte constitutionnel, en convoquant une assemblée plus représentative que le Sénat impérial ou le Corps législatif. Cette idée ne paraît pas avoir arrêté un instant la pensée de Louis XVIII et de ses conseillers. On était pressé d'en finir et les Alliés eux-mêmes avaient laissé entendre qu'ils ne quitteraient la France qu'après avoir vu le gouvernement assis sur des bases constitutionnelles. Mais surtout le roi était bien décidé à ne pas recommencer 1789 ; il entendait fixer lui-même les bornes de son pouvoir.

Il avait toutefois promis de prendre les conseils d'une commission composée de sénateurs et de députés ; elle ne fut constituée que le 18 mai ; avec neuf membres de chacune des assemblées, y siégeaient, en qualité de commissaires du roi, Montesquiou, Beugnot et Ferrand ; ce dernier était un ancien parlementaire, fort écouté du roi, et qui avait une réputation surfaite de penseur politique. Le chancelier Dambray présiderait les débats. Lorsque ceux-ci s'ouvrirent enfin le 22 mai, les commissaires du roi présentèrent un projet déjà entièrement rédigé par les soins de Montesquiou, et la discussion put s'engager immédiatement sur les articles. Par suite de la hâte des souverains alliés, qui avaient décidé de quitter Paris le 3 juin, la plus grande partie du projet primitif devait être adoptée presque sans discussion. Quant à ceux des articles qui donnèrent lieu à des objections, quant aux additions et aux suppressions demandées, le roi devait avoir aussi le dernier mot, car, chaque soir, le chancelier lui rapportait le travail de la journée et rien n'était adopté sans qu'il y eût formellement adhéré. La Charte de 1814 est bien l'œuvre de Louis XVIII.

Il est nécessaire d'examiner de près ce texte capital. A première vue, le style lapidaire et limpide des 74 articles, leur distribution en sept parties, donnent l'impression d'un monument soigneusement construit. Mais que l'on y regarde d'un peu plus près, et les disparates apparaissent, les questions se posent.

La première partie, intitulée *Droit public des Français* reprend d'abord, pour les consacrer, les grands principes de liberté et d'égalité inscrits dans la *Déclaration des droits de l'homme* de 1789 ; mais on y trouve aussi d'autres articles qui répondent de façon fort concrète aux préoccupations diverses de ceux qui ont fait la Restauration au printemps de 1814.

« Art. 5. — Chacun professe sa religion avec une égale liberté et obtient pour son culte la même protection. »

Voilà pour rassurer les protestants qui ne peuvent oublier si facilement le régime d'intolérance dont ils ont été victimes depuis la fin du XVIIe siècle.

« Art. 6. — Cependant la religion catholique, apostolique et romaine est la religion de l'Etat. »

Le roi très-chrétien repousse donc le principe de la neutralité de l'Etat et il efface la formule restrictive — « religion de la grande majorité des Français » — inscrite par le Premier Consul au Concordat de 1801.

« Art. 8. — Les Français ont le droit de publier et de faire imprimer leurs opinions en se conformant aux lois qui doivent réprimer les abus de cette liberté. »

On sent ici le désir de trouver une voie moyenne entre la liberté totale expérimentée au début de la Révolution et la totale servitude imposée par l'Empire. On soupçonne qu'il ne sera possible d'y arriver que par tâtonnements et c'est pourquoi on évite sagement de se lier les mains à l'avance. Mais on ne se doute certes pas que la Restauration va s'épuiser quinze ans durant à résoudre ce problème et finalement y succomber.

« Art. 9. — Toutes les propriétés sont inviolables, sans exception de celles qu'on appelle *nationales*, la loi ne mettant aucune différence entre elles. »

La loi, peut-être. Mais l'opinion ? Encore un douloureux problème qui n'est pas résolu. Louis XVIII a compris dès avant son retour la nécessité de rassurer les acquéreurs de biens nationaux. Mais pouvait-il empêcher les réclamations des anciens propriétaires, dépouillés pour l'avoir suivi en exil ? Et voici qui évoque les années tragiques :

« Art. 11. — Toutes recherches des opinions et des votes émis jusqu'à la restauration sont interdites. Le même oubli est commandé aux tribunaux et aux citoyens. »

Les quatre parties suivantes de la Charte, intitulées

Formes du gouvernement du roi, De la Chambre des Pairs, De la Chambre des députés des départements, Des Ministres, s'attachent à définir la forme du nouveau régime. Lisons d'abord les articles essentiels :

« ART. 13. — La personne du roi est inviolable et sacrée. Ses ministres sont responsables. Au roi seul appartient la puissance exécutive.

« ART. 14. — Le roi est le chef suprême de l'Etat, il commande les forces de terre et de mer, déclare la guerre, fait les traités de paix, d'alliance et de commerce, nomme à tous les emplois d'administration publique, et fait les règlements et ordonnances nécessaires pour l'exécution des lois et la sûreté de l'Etat.

« ART. 15. — La puissance législative s'exerce collectivement par le roi, la Chambre des pairs et la Chambre des députés des départements.

« ART. 16. — Le roi propose la loi.

« ART. 17. — La proposition de la loi est portée, au gré du roi, à la Chambre des pairs ou à celle des députés, excepté la loi de l'impôt qui doit être adressée d'abord à la Chambre des députés.

. . . .

« ART. 19. — Les Chambres ont la facilité de supplier le roi de proposer une loi sur quelque objet que ce soit, et d'indiquer ce qu'il leur paraît convenable que la loi contienne.

. . . .

« ART. 22. — Le roi seul sanctionne et promulgue la loi.

. . . .

« ART. 24. — La Chambre des pairs est une portion essentielle de la puissance législative.

. . . .

« ART. 27. — La nomination des pairs appartient au roi. Leur nombre est illimité ; il peut en varier les dignités, les nommer à vie ou les rendre héréditaires selon sa volonté.

« ART. 28. — Les pairs ont entrée dans la Chambre

à vingt-cinq ans, et voix délibérative à trente ans seulement.

. . . .

« Art. 33. — La Chambre des pairs connaît des crimes de haute trahison et des attentats à la sûreté de l'Etat qui seront définis par la loi.

. . . .

« Art. 35. — La Chambre des députés sera composée des députés élus par les collèges électoraux dont l'organisation sera déterminée par des lois.

. . . .

« Art. 37. — Les députés seront élus pour cinq ans, et de manière que la chambre soit renouvelée chaque année par cinquième.

« Art. 38. — Aucun député ne peut être admis dans la Chambre s'il n'est âgé de quarante ans, et s'il ne paie une contribution directe de mille francs.

. . . .

« Art. 40. — Les électeurs qui concourent à la nomination des députés ne peuvent avoir le droit de suffrage s'ils ne paient une contribution directe de trois cents francs, et s'ils n'ont au moins trente ans.

. . . .

« Art. 46. — Aucun amendement ne peut être fait à une loi, s'il n'a été proposé ou consenti par le roi, et s'il n'a été renvoyé et discuté dans les bureaux.

. . . .

« Art. 48. — Aucun impôt ne peut être établi ni perçu, s'il n'a été consenti par les deux Chambres et sanctionné par le roi.

« Art. 49. — L'impôt foncier n'est consenti que pour un an. Les impositions indirectes peuvent l'être pour plusieurs années.

« Art. 50. — Le roi convoque chaque année les deux Chambres ; il les proroge, et peut dissoudre celle des députés des départements ; mais, dans ce cas, il doit en convoquer une nouvelle dans le délai de trois mois.

. . . .

« Art. 54. — Les ministres peuvent être membres de la Chambre des pairs ou de la Chambre des députés. Ils ont en outre leur entrée dans l'une ou l'autre Chambre, et doivent être entendus quand ils le demandent.

« Art. 55. — La Chambre des députés a le droit d'accuser les ministres et de les traduire devant la Chambre des pairs, qui seule a celui de les juger.

« Art. 56. — Ils ne peuvent être accusés que pour fait de trahison ou de concussion... »

Comment caractériser le régime que tentent de définir ces articles ? On remarquera d'abord qu'il n'est plus question, comme en 1789, de la séparation des pouvoirs. A l'instar du Premier Consul dans la constitution de l'an VIII, le roi, qui possède la plénitude du pouvoir exécutif, détient encore une bonne partie du législatif. Que reste-t-il alors aux Chambres qui se trouvent pour ainsi dire coincées entre l'initiative et la sanction du roi ? Mais dans leur faiblesse apparente elles possèdent néanmoins le moyen d'intervenir très efficacement jusque dans le domaine de l'exécutif. En effet, si les Chambres ont le droit absolu de consentir ou refuser chaque année l'impôt, n'ont-elles pas le moyen d'exercer une pression irrésistible sur le gouvernement ? D'autre part, le droit d'initiative, qui leur est refusé en principe par l'article 16, leur est rendu par le biais de l'article 19, dont on devine qu'il a été rajouté au projet primitif.

On ne voit pas clairement comment pourrait se dénouer un conflit éventuel entre les Chambres et le gouvernement. Les ministres sont responsables dit l'article 13. Mais il ne s'agit pas ici de ce que nous appelons aujourd'hui responsabilité parlementaire, c'est-à-dire le droit, pour le parlement, de renverser des ministres qui ne lui plaisent pas ; l'article 56 précise en effet qu'il ne s'agit que d'une responsabilité pénale. Les ministres ne sont que les agents du roi, et c'est donc le roi qui serait atteint par un refus de collaborer. Tout conflit politique est ainsi fatalement destiné à mettre en cause la couronne. Quel risque ! Le roi est certes bien armé ; sa personne est inviolable, il peut changer la majorité de la Chambre des pairs par des nominations, il peut dissoudre la Chambre. Et après ? Ne se retrouvera-t-il pas devant une caisse vide ? Comment gouverner sans lever d'impôts et sans pouvoir légiférer ? L'article 14, par lequel Charles X croira trouver une solution, était bien loin d'autoriser, dans l'esprit des auteurs de la Charte, l'établissement d'une dictature royale. C'était, nous dit Beugnot, une simple formule empruntée sans réflexion aux précédentes constitutions, et il ne comportait pas, dans leur pensée, l'exercice d'un pouvoir législatif autonome ; cette interprétation était en effet directement écartée par les articles suivants.

Il est presque superflu de souligner le caractère peu démocratique de la représentation nationale. La création de la Chambre des pairs ne soulevait aucune discussion ; l'utilité d'une Chambre haute paraissait démontrée par l'expérience de la Révolution et par l'exemple anglais ; elle offrait un moyen pratique de satisfaire les anciens dignitaires de l'Empire. Quant à la Chambre des députés, elle ne représentait qu'une toute petite minorité de citoyens ; le cens électoral de 300 francs écartait de la vie politique près de 99 % des Français majeurs et à peine y aurait-il 10.000 éligibles. On croyait qu'il serait plus facile ainsi d'avoir un corps électoral docile et sage, mais on livrait en fait l'influence politique à la haute bourgeoisie, qui était, de toutes les classes, la moins disposée à supporter le joug d'un pouvoir fort et la renaissance de la noblesse. Le privilège de l'argent succédait au privilège de la naissance ; était-il plus justifié ? En tout cas, une telle Chambre ne pourrait vraiment se prétendre l'organe de la nation.

Les dispositions de la sixième partie de la Charte, *De l'ordre judiciaire*, assurent l'indépendance du pouvoir judiciaire par l'inamovibilité des juges (art. 58), et le maintien de la hiérarchie de tribunaux établie par le consulat (art. 59 à 61), en même temps qu'ils écartent le retour des abus de la tyrannie par la suppression des juridictions d'exception (art. 63), par la publicité des débats (art. 64) et par l'institution du jury (art. 65). Remarquons aussi l'article 68 :

« Le code civil et les lois actuellement existantes qui ne sont pas contraires à la présente Charte restent en vigueur jusqu'à ce qu'il y soit légalement dérogé. »

En trois lignes, c'est toute l'œuvre sociale et administrative de la Révolution et de l'Empire, qui se trouve ainsi entérinée par la monarchie restaurée.

La dernière partie de la Charte, intitulée *Droits particuliers garantis*, est une sorte de fourre-tout, au caractère fort peu constitutionnel, où l'on retrouve les promesses faites par le comte d'Artois et par le roi dans la déclaration de Saint-Ouen : le maintien des grades, honneurs et pensions accordés par le précédent gouvernement, celui de la Légion d'honneur, la reconnaissance des rentes et des créances sur l'Etat.

Telle est cette Charte, compromis hâtivement bâclé, et qui devait néanmoins avoir une si longue fortune. « Ce ne fut que peu à peu, dit Barante, à force d'en parler ou d'y réfléchir, qu'on se forma de la Charte une idée systématique, qu'on lui assigna un esprit fondamental. Mais au premier moment, c'était pour tous comme une formalité exigée par les circonstances et destinée à ne pas durer davantage. » Sans doute cette paradoxale fortune s'explique par les conjonctures extérieures : le fait que la Charte, bonne ou mauvaise, apparut aux hommes dont la condition était due à la Révolution, comme leur édit de Nantes, leur sauvegarde contre un retour de l'ancien régime politique et social. Mais l'acte en lui-même avait bien ses mérites. Précisément parce qu'il était un compromis, issu des circonstances, il était plus apte à traduire en formules constitutionnelles l'équilibre réel des forces politiques en présence. Son imprécision même lui assurait une certaine souplesse. Enfin on peut observer que ses auteurs, hommes politiques chevronnés, un peu désabusés, mais réalistes, étaient bien préparés à exprimer en principes simples et pratiques ce qui restait de meilleur de la pensée politique du XVIIIe siècle après qu'elle eût passé au creuset de l'expérience.

Sur le moment, le roi pouvait être content de son œuvre. Les principales revendications de l'opinion publique avaient été satisfaites, et néanmoins son autorité de droit divin, le principe de la légitimité, restaient intacts. Mais n'eut-il pas tort de vouloir souligner trop fortement sa victoire sur ce point ? Etait-il bien nécessaire, ce long préambule où l'on expliquait laborieusement, à grand renfort d'exemples historiques, que de telles concessions ne pouvaient altérer en rien l'ancienne constitution d'après laquelle l'autorité, en France, résidait tout entière dans la personne des rois ? Etait-il nécessaire de rappeler les « funestes écarts » de la Révolution ? Et cette accumulation de formules désuètes et blessantes pour souligner le caractère gracieux de l'acte : « Nous avons volontairement, et par le libre exercice de notre autorité royale, accordé et accordons, fait concession et octroi à nos sujets... » Enfin, ce dernier soufflet à tous ceux qui avaient reconnu et servi entre temps un autre souverain : « Donné à Paris, l'an de grâce 1814, et de notre règne le dix-neuvième. » On comprend fort bien que Louis XVIII ne pouvait, sans se démentir, donner d'autre date au commencement de son règne que celle où était mort — officiellement — le petit prisonnier du Temple ; mais ne pouvait-on omettre tout simplement cette double datation ?

Une caricature courut alors sous le manteau ; on y voyait le roi, l'air réjoui, recevant d'un écrivain famélique la dédicace d'un ouvrage richement relié. Son titre : *Histoire des dix-neuf glorieuses années du règne de Louis XVIII*. Le livre est très gros, les feuillets sont blancs. Le bon sens blessé se vengeait par l'ironie. Il eût mieux valu ne pas lui en fournir l'occasion.

***

Le 4 juin, le roi se rendit en grand appareil au

Palais-Bourbon. Là se trouvaient réunis les membres du Sénat appelés à faire partie de la nouvelle Chambre des pairs, les membres du Corps législatif qui devenait automatiquement la première Chambre des députés du nouveau régime, les représentants des grands corps de l'Etat, la Cour, les princes et les ambassadeurs étrangers, etc., etc. Le roi ayant pris place sur son trône prononça un bref discours qu'il avait lui-même rédigé ; cette allocution, habile dans ses termes et admirablement débitée, suscita le plus grand enthousiasme. Le chancelier Dambray le refroidit un peu en expliquant ensuite l'esprit qui avait inspiré les rédacteurs de la Charte, en insistant lourdement sur la prépondérance qu'elle donnait à l'autorité royale. Enfin, le doyen des commissaires royaux, le comte Ferrand, donna lecture de l'acte lui-même. Le plus grand nombre des auditeurs, qui n'avaient pas eu connaissance des travaux de la commission, furent heureusement surpris d'y retrouver la plupart des garanties libérales inscrites dans la première constitution sénatoriale ; aussi les marques d'approbation parurent-elles sincères et générales.

Après cela, le chancelier donna lecture de la liste des nouveaux pairs. L'ancien régime y était représenté par 29 anciens pairs ecclésiastiques et laïcs, auxquels le roi avait encore adjoint 17 membres de l'ancienne noblesse. Le personnel de la Révolution et de l'Empire obtenait la part du lion, avec 93 anciens sénateurs, auxquels s'ajoutaient 10 maréchaux. Sur les 51 sénateurs écartés, 20 appartenaient aux territoires séparés de la France, 12 étaient d'anciens conventionnels — Fouché, Sièyès, Grégoire, Garat, Roederer, etc. — 8 étaient des membres de la famille impériale ou de l'entourage immédiat de l'Empereur, Cambacérès par exemple. Les « victimes » n'étaient pas trop à plaindre : elles conservaient, à titre de pension viagère, leur traitement de 36.000 francs. Louis XVIII pouvait bien se montrer bon prince : n'était-il pas le grand vainqueur de la journée ?

CHAPITRE V

LES PREMIERS FAUX PAS

Réductions dans l'administration et dans l'armée. — La Maison militaire et la cour; réaction nobiliaire. — Réaction religieuse. — La question des biens nationaux. — La politique financière du baron Louis. — L'opposition se réveille dans la presse et dans le pays.

Avec la proclamation de la Charte et le traité du 30 mai, Louis XVIII avait heureusement liquidé les deux grands problèmes posés par la chute de l'Empire. Mais une fois franchis ces obstacles majeurs, son gouvernement se trouva investi par une broussaille de difficultés secondaires où il allait trébucher et rapidement épuiser le crédit que lui avait fait la nation.

« Le premier article des droits de l'homme en France, c'est la nécessité pour tout Français d'occuper un emploi public. » Mme de Staël nous livre en ce bon mot une des principales difficultés du moment. Le gouvernement royal se trouva à cet égard devant un problème insoluble : avec deux fois moins de places à donner, satisfaire deux ou trois fois plus de solliciteurs. L'écroulement de l'édifice impérial européen avait rejeté sur la France une foule de fonctionnaires exportés qui se croyaient en droit de retrouver des emplois correspondants ; d'autre part, les émigrés rentrés avec le roi, et privés, pour la plupart, de moyens de subsistance, les royalistes qui avaient refusé de servir Napoléon, ceux qui avaient eu quelque part à la Restauration, tous estimaient le moment venu de voir récompenser leur dévouement, et ils assiégeaient les princes et les ministres de leurs sollicitations. Comment satisfaire tout ce monde ? Créer des postes nouveaux ? La situation critique des finances ne permettait pas d'y penser. Au contraire, le baron Louis obtenait dans le même temps la suppression de 15.000 emplois civils. Un autre procédé eût été de licencier les partisans avérés du régime déchu et les anciens jacobins pour faire place à des hommes dévoués. Louis XVIII ne voulut point s'engager dans cette voie. « Union et oubli » était son mot d'ordre, et Blacas lui-même, accusé à tort d'être le pilier de la réaction, déclarait : « Quiconque a servi Bonaparte dans l'intérêt de la France, a servi le roi. »

De tous les changements de régime que la France devait connaître au XIXe siècle, celui de 1814 est le seul, peut-être, qui ne fut pas accompagné d'épurations massives. Sous les Cent-Jours, Napoléon, cherchant à prouver que la première Restauration avait été le règne des émigrés, fit faire la statistique du mouvement du personnel des préfectures ; le résultat constitue au contraire un témoignage impressionnant de la modération du gouvernement royal : sur 43 nominations de préfets opérées depuis le retour du roi jusqu'en mars 1815, on relève seulement 7 anciens émigrés et 2 royalistes déclarés, contre 29 anciens fonctionnaires impériaux et 2 amis personnels de Guizot ; la position de ce dernier, secrétaire général du ministère de l'intérieur, est elle-même intéressante à souligner, puisqu'il était protestant. Sur 147 nouveaux sous-préfets et secrétaires généraux de préfectures, on ne comptait que 25 émigrés, dont la plupart, du reste, étaient rentrés en France sous le consulat et avaient servi dans l'administration impériale. Le même esprit prévalait dans les autres départements ministériels ; au témoignage de Barante, le chancelier Dambray avait une telle répugnance à destituer, qu'au bout de neuf mois il n'avait encore pu se résoudre à révoquer un magistrat.

L'armée, malheureusement, fut beaucoup moins ménagée. Il ne pouvait être question, en effet, de conserver 500.000 hommes sur le pied de guerre alors que l'on venait de signer la paix. Mais les restrictions inévitables furent aggravées par la hâte et la maladresse avec lesquelles opéra le malheureux général Dupont. Par une série d'ordonnances rendues au mois de juin, plus de 300.000 hommes furent renvoyés dans leurs foyers. L'armée permanente réorganisée comprit 105 régiments d'infanterie, 8 d'artillerie, 3 du génie : au total 223.000 hommes. On mit à la retraite tous ceux des officiers qui étaient susceptibles d'être atteints par cette mesure en vertu des règlements en vigueur. Mais cela laissait encore un excédent important d'officiers inutilisables ; on les mit en non-activité en leur attribuant un traitement égal à la moitié de leur solde : 73 francs par mois pour un capitaine, 44 pour un lieutenant. Que pourraient faire ces onze à douze mille « demi-soldes » oisifs et faméliques, sinon maudire le roi et rêver au retour du Petit Caporal ? Quant à la garde impériale, Napoléon avait donné cet avertissement : « Si j'étais Louis XVIII, je ne conserverais pas ma garde. Il n'y a que moi qui puisse la mener... Je la licencierais en donnant de bonnes retraites aux sous-officiers et soldats, de l'avancement dans la ligne à ceux qui voudraient encore servir. » Le roi aurait pu tenter aussi de faire appel à leur amour-propre et à leur loyauté en leur confiant le soin de veiller sur sa personne. Il ne fit ni l'un ni l'autre et prit le plus mauvais parti qui était de les humilier sans les réduire à l'impuissance. Les régiments, rebaptisés grenadiers et chasseurs de France, furent dispersés dans diverses garnisons de province ; les officiers conservèrent le privilège d'avoir le grade supérieur à leur rang, mais la solde fut diminuée d'un tiers.

D'autres économies qui blessaient l'armée dans sa fierté autant que dans ses intérêts furent réalisées par des coupes sombres dans le budget de la Légion d'honneur et des Invalides, par la suppression des écoles militaires de Saint-Cyr, de Saint-Germain et de La Flèche. Pour les remplacer, le roi rétablissait l'unique école militaire de Paris, afin de « faire jouir la noblesse de notre royaume des avantages qui lui ont été accordés par l'édit de notre aïeul du mois de janvier 1751 ». Ces expressions malheureuses étaient bien de nature à confirmer les officiers de l'armée impériale dans l'idée que les raisons d'économie invoquées n'étaient que des prétextes pour les dépouiller au profit des éléments d'ancien régime.

Dans le même temps, en effet, que l'on procédait à ces licenciements, le général Dupont, soucieux de faire sa cour aux princes, réintégrait dans les cadres de l'armée une quantité d'officiers d'ancien régime qui avaient combattu dans les armées royales de Vendée, dans l'armée de Condé, voire même sous des drapeaux ennemis. Et tous ces braves gens prétendaient bien être replacés dans un grade correspondant à leur ancienneté. Vitrolles raconte qu'un jour Malouet, ministre de la Marine, apporta au conseil la pétition d'un ancien officier de la marine royale qui n'avait pas servi depuis 1789, date à laquelle il était aspirant ; il n'en réclamait pas moins le grade de contre-amiral en arguant que telle eût été sa position si sa carrière s'était normalement poursuivie. « Répondez, lui dit Vitrolles, en reconnaissant la logique de son raisonnement, mais en ajoutant qu'il a oublié seulement un fait essentiel, c'est qu'il a été tué à la bataille de Trafalgar. »

Une circonstance futile, et qui pour cela a souvent échappé aux historiens, explique l'ardeur avec laquelle les courtisans aspiraient aux grades militaires. En rétablissant les usages de l'ancienne cour, on n'avait cependant pas repris l'habit à la française et les cheveux poudrés ; l'habit de ville faisait trop bourgeois ; la mode fut donc à l'uniforme militaire, plus brillant et plus flatteur, qu'avait mis à l'honneur la cour impériale et que les Princes eux-mêmes portaient. Chacun, donc, à l'envie, voulut avoir un grade pour être en droit de porter un uniforme, et naturellement on ne se contentait pas de l'épaulette de sous-lieutenant. En moins d'un an, la Restauration fit donc 387 officiers généraux, dont beaucoup n'avaient jamais commandé à deux hommes. La plupart, il est vrai, n'avaient ces grades qu'à titre honoraire, « pour tenir rang », mais plusieurs obtinrent ensuite la solde correspondante.

Cela était plus ridicule qu'onéreux. La reconstitution de la Maison militaire du roi était plus grave de conséquences. C'était une idee fixe de Louis XVIII et de beaucoup de royalistes que la monarchie n'aurait pas succombé devant la Révolution si Louis XVI avait su s'entourer d'une garde nombreuse et fidèle. Puisqu'on avait écarté l'ancienne garde impériale, il fallait créer une garde royale nouvelle ; la décision en fut prise, mais non exécutée, et, en attendant, on ressuscita les anciens corps de parade de la Maison du roi, aux noms divers comme leurs uniformes chamarrés. C'était du reste un moyen pratique de reconnaître les services de ces milliers de solliciteurs qui investissaient les princes et les ministres, sans trop désorganiser les cadres de l'armée de ligne et de l'administration. Ainsi l'on vit renaître successivement les quatre anciennes compagnies de gardes du corps auxquelles s'ajoutèrent deux autres afin de satisfaire l'amour-propre des maréchaux Berthier et Marmont, la compagnie des gardes de la porte, les quatre compagnies rouges — chevau-légers, mousquetaires gris et noirs, gendarmes de la garde — les gardes de la prévôté de l'hôtel, les Cent-Suisses, les gardes du corps de Monsieur. A la fin de septembre, un traité fut signé avec les autorités bernoises pour lever cinq régiments suisses. Tout cela formait une petite armée privilégiée de 6.000 hommes qui tous avaient le grade et la solde d'officiers ; coût : 20.390.000 francs.

En même temps que la Maison militaire, et même plus rapidement, Louis XVIII avait voulu reconstituer sa Maison civile et celles des princes, avec leurs divisions traditionnelles, et leurs appellations anachroniques : le capitaine de l'équipage des mulets, le porte-arquebuse, le pousse-fauteuil, les écuyers cavalcadours, les paumiers, les maîtres pour enseigner les pages, etc. Le seul service de la bouche comptera 140 personnes. Tous ces offices étaient réservés à la noblesse d'ancien régime et par priorité à ceux qui avaient suivi le roi en exil. On avait même remis en place les survivants des anciennes charges; ainsi le vieux marquis de Dreux-Brézé qui allait s'efforcer, avec l'aide de Blacas, de ressusciter dans les moindres détails l'étiquette de Versailles.

Tout ce beau monde était naturellement trop porté à faire sentir aux parvenus de la cour impériale, qui se risquaient aux Tuileries et dans les salons du Faubourg Saint-Germain, la distance incommensurable qui séparait le noble de naissance et le noble de la façon de Bonaparte. Et l'on devine à quels raffinements de méchanceté pouvaient se livrer les femmes en ce genre d'exercice. La maréchale Ney, dit-on, en fut victime, au point d'en pleurer d'humiliation.

La noblesse de province n'avait pas attendu l'exemple de Paris pour tenter de ressaisir les privilèges. Dès le 23 avril, Barante, préfet de la Loire-Inférieure, écrit à Montlosier : « Il n'y a pas un prétendu gentilhomme qui ne croit le roi de France rentré en France pour son bénéfice particulier. Il leur faut à tous des places, des pensions, des cordons. Il n'y en aura que pour eux, leur temps est arrivé, etc... » Rien n'était plus capable d'irriter et d'inquiéter la bourgeoisie que ce retour offensif de l'ancien régime social. Barante l'explique encore : « Qu'un gentilhomme de campagne qui a deux ou trois mille francs de rente, ne sait pas l'orthographe, n'est agréable en rien, et n'est même pas officier de l'armée, traite de haut en bas un propriétaire, un avocat, un médecin, c'est ce qui les révolte et leur inspire un effroyable sentiment de rage, quand ils sont de mauvais naturel. »

L'impression d'un retour à l'ancien régime se retrouvait également dans le domaine de la religion. Ce n'était pas assez aux yeux du roi d'avoir rendu au catholicisme sa position prédominante de religion d'Etat, il entendait annuler les effets du Concordat de 1801 qui avait suscité, en ce temps, sa protestation solennelle. La direction des affaires ecclésiastiques fut enlevée au ministère de l'Intérieur pour être confiée à une commission ecclésiastique de neuf membres où dominait la tendance hostile au Concordat. En même temps était envoyé à Rome Mgr Cortois de Pressigny, ancien évêque de Saint-Malo, chargé d'obtenir le retour au Concordat de 1516. En attendant le résultat de ces négociations qui laissaient prévoir de grands changements dans la situation du clergé, le gouvernement augmentait les traitements du clergé, rendait la liberté aux congrégations, affranchissait les écoles ecclésiastiques du contrôle de l'Université. Celle-ci devait être elle-même démembrée en dix-sept universités locales, et le conseil de l'Université remplacé par un « Conseil royal de l'Instruction publique » présidé par un évêque. Cette dernière mesure, prise par une ordonnance du 17 février 1815, ne devait pas être appliquée.

Cette nouvelle tendance du gouvernement fut accusée par le zèle malentendu de Beugnot, directeur de la police. Le 7 juin, de sa propre autorité, il interdit sous peine d'amende de travailler ou de faire travailler le dimanche ; toutes les boutiques devaient être closes, et les cafés eux-mêmes devaient être fermés de 8 h. du matin à midi. Une autre ordonnance de police enjoignit à tous les particuliers d'avoir à décorer leurs façades sur le passage des processions du Saint-Sacrement, ce qui ne manqua pas de soulever les récriminations des protestants. Les processions de la Fête-Dieu se déroulèrent en effet dans les rues de Paris, ce qu'on avait pas vu depuis longtemps ; les gendarmes faisaient le service d'ordre et invitaient les gens à se découvrir. Le 15 août, date à laquelle Napoléon avait imaginé d'attacher sa fête, fut marqué par le rétablissement de l'antique procession du vœu de Louis XIII ; tous les membres de la famille royale et les grands corps de l'Etat la suivirent à pied et cierge à la main.

C'étaient aussi des manifestations religieuses autant que politiques, ces nombreuses cérémonies funèbres ou expiatoires qui se succédaient au fil du calendrier révolutionnaire, en souvenir de Louis XVI, de Marie-Antoinette, de Madame Elisabeth, de Louis XVII, du duc d'Enghien et d'autres victimes de la Révolution ; il y en eut même en l'honneur de Pichegru, de Cadoudal et de Moreau. La piété envers les morts était certes louable, mais toutes ces manifestations par leur publicité, paraissaient contredire les intentions officiellement proclamées du roi, de jeter un voile sur tout ce triste passé; elles inquiétaient tous ceux qui avaient de près ou de loin trempé dans la Révolution. La plus éclatante démonstration en ce genre fut la cérémonie organisée à l'occasion du transfert à Saint-Denis des restes de Louis XVI et de la reine, retrouvés dans le cimetière de la Madeleine. Cette translation eut lieu le 21 janvier 1815, date anniversaire du régicide, qui fut déclarée journée de deuil national. Toutes les pompes civiles et militaires avaient été mises en œuvre ; dans la morne atmosphère d'un jour sinistre et froid, le char funèbre monumental et surchargé d'emblèmes passait avec peine à travers les rues étroites. A un moment les décorations qui le couronnaient se trouvèrent accrochées aux cordes d'un réverbère ; on entendit alors au milieu de la foule s'élever le cri : « A la lanterne ! » On n'avait que trop bien réussi à réveiller les souvenirs révolutionnaires.

Un sujet d'inquiétude plus général et plus durable était la question des biens nationaux. La Charte avait bien garanti le caractère irrévocable des ventes, mais il aurait fallu aux anciens propriétaires une abnégation plus qu'héroïque pour se résigner en silence à leur spoliation. Dans les journaux et dans de multiples brochures, ils revendiquaient hautement justice. Çà et là, des acquéreurs intimidés se résignaient à des transactions.

La question fut portée devant le Parlement, en septembre, par l'initiative du gouvernement lui-même. Louis XVIII n'avait pas pu rester indifférent au sort malheureux de ces émigrés qui avaient tout perdu à son service. S'il avait cru devoir consacrer les faits accomplis, il pouvait du moins rendre aux anciens propriétaires ceux de leurs biens nationalisés qui n'avaient pas encore été aliénés à des particuliers ; Napoléon en avait déjà usé ainsi envers les émigrés rentrés sous le Consulat; mais il en avait alors excepté les bois et forêts qui formaient maintenant la grande masse des biens nationaux aux mains de l'Etat : 350.000 hectares environ. Un projet de loi fut déposé le 13 septembre, prévoyant la restitution de tous les biens nationaux à leurs anciens propriétaires. Le comte Ferrand, ministre d'Etat, chargé de le défendre à la Chambre, passionna malheureusement le débat, en faisant sur un ton provocant l'apologie de l'émigration, en opposant ceux qui avaient « suivi la ligne droite sans jamais en dévier » à ceux qui s'étaient laissés entraîner plus ou moins à suivre les phases révolutionnaires. Ceci atteignait la majorité des députés, et ils ripostèrent avec vigueur. Finalement la loi fut votée, mais non sans peine.

La question des biens d'Eglise se trouvait liée à celle des biens d'émigrés. Beaucoup d'ecclésiastiques et même de laïques, comme Bonald, n'admettaient pas la validité de leur aliénation, bien qu'elle eût été ratifiée par le Pape au Concordat de 1801. D'ailleurs, ce Concordat lui-même était caduc à leurs yeux. En bien des endroits les curés, par leurs déclarations, assimilaient aux receleurs de biens volés les acquéreurs de « biens noirs », leur refusaient même parfois l'absolution. Cette question vint aussi à la tribune de la Chambre, mais par le biais du budget.

A la fin de juillet, le baron Louis présenta à la Chambre le projet de budget de 1814, en même temps que celui de 1815. A la différence des budgets de l'Empire, ils donnaient pour la première fois un tableau sincère et complet de toutes les charges et de toutes les ressources du pays, sans rien dissimuler dans des comptes spéciaux ou extraordinaires. Le budget de 1815 devait être largement équilibré, mais celui de 1814 se trouvait en déficit de 307 millions, à quoi s'ajoutait l'arriéré de l'Empire qui se pouvait monter à plus de 700 millions. Le ministre des Finances avait en effet posé en principe que toutes les dettes seraient intégralement reconnues : c'était la condition nécessaire pour restaurer au plus vite le crédit de l'Etat.

L'équilibre du budget ordinaire devait être obtenu par le maintien et la perception rigoureuse des impôts existants ; quant à l'arriéré, il serait liquidé au moyen de l'emprunt. Cet emprunt, toutefois, ne prendrait pas la forme d'une émission nouvelle de rentes perpétuelles à 5 % ; le cours de ce titre, alors coté aux environs de 65 francs, était trop au-dessous de sa valeur réelle et de celle qu'on pouvait espérer lui voir reprendre rapidement. En payant les créanciers de l'Etat avec du 5 %, compté au taux du jour, on leur eût assuré au détriment du Trésor un bénéfice par trop considérable, sans parler de la charge que l'on aurait imposée aux budgets de l'avenir pour le paiement des intérêts de cette dette accrue. Louis proposait donc d'émettre une nouvelle sorte d'effets à court terme, baptisés « reconnaissances de liquidation » et qui porteraient un intérêt de 8 %. Le paiement et l'amortissement rapide de ces obligations seraient assurés par la vente de 300.000 hectares de bois nationaux ayant appartenu au clergé.

Cette dernière disposition souleva les plus vives critiques de la part des royalistes. Néanmoins l'ensemble des projets du baron Louis fut adopté par les Chambres sans avoir subi autre chose que des aménagements de détail. Dès le lendemain, le 5 % était remonté à 78 fr., signe non équivoque de la restauration du crédit de l'Etat.

Ce succès indiscutable ne doit pas faire oublier les défauts du système du baron Louis, et il faut d'autant plus les souligner qu'il est de tradition de porter aux nues la capacité du ministre des Finances pour accabler par contraste l'ineptie de ses collègues. En fait, tout se tient, et nulle part on ne voit mieux qu'ici cette fatalité de circonstances où se trouva engagée la Restauration : elle ne pouvait supprimer une cause de mécontentement et de trouble sans par là même en susciter une ou plusieurs autres.

Ainsi, pour satisfaire les anciens fournisseurs de l'Empire, dont les créances étaient souvent abusives, on alourdissait le poids des impôts, on privait les localités de leurs centimes additionnels, on faisait naître le mécontentement dans les populations qui avaient espéré que l'avènement de la monarchie se traduirait par un allègement de leurs charges. Rien ne fut plus impopulaire à cet égard que le maintien des droits réunis, dont le comte d'Artois et le duc d'Angoulême avaient imprudemment promis la suppression, lors de leur arrivée en France : « Plus de conscription, plus de droits réunis ! »

Le ministre des Finances exigea leur maintien, en montrant que l'Etat ne pouvait se priver d'une recette dont le produit était estimé à 86 millions. Mais comment chiffrer le détriment moral fait à la monarchie qui violait ainsi dès le début une des promesses qui avaient provoqué le plus de joie dans le peuple ? Par cette décision, on inaugurait, selon le mot de Beugnot, « la guerre des cabaretiers contre le gouvernement », et il y en avait alors 260 à 280.000. C'était là, au cabaret, et non dans les salons ou les journaux que se formait l'opinion du peuple. Il ne suffisait pas de proclamer niaisement, comme ce préfet des Bouches-du-Rhône : « Le nom des droits réunis nous était devenu odieux par les abus auxquels on avait pu se livrer, mais il est aujourd'hui sanctifié, maintenant que Louis XVIII l'a prononcé. » En beaucoup d'endroits, le rétablissement de cet impôt éminemment impopulaire devait donner lieu à des désordres et même à des émeutes sanglantes.

Quand on admire aussi le système d'économies rigoureuses imposées par Louis au gouvernement, on oublie ses répercussions sur l'armée et sur l'administration, où il se traduisit, comme on l'a vu, par des réductions de personnel et de traitements, génératrices de mécontentements. On oublie la paralysie qu'il imposa aux travaux publics, et le chômage qui s'ensuivit dans une partie de la classe ouvrière. On oublie enfin que ce même système d'économies servit à justifier la violation des clauses financières du traité du 11 avril, par lesquelles Napoléon et les siens devaient recevoir du gouvernement français une rente de 5 millions et demi, et que ce fut là un des motifs qui poussèrent l'Empereur dans sa funeste entreprise.

Ainsi, l'on pourrait soutenir, sans trop forcer le paradoxe, que l'œuvre du baron Louis, représentée souvent comme le seul aspect heureux de la première Restauration, fut, en dernière analyse, à la racine de la plupart des maladresses qui lui ont été reprochées.

Quoi qu'il en soit, l'esprit public ne cessa de se dégrader au cours des derniers mois de 1814, pour devenir franchement inquiétant au début de 1815.

La presse, brusquement libérée du despotisme impérial, n'avait pas tardé à se montrer dangereuse pour la tranquillité publique. Les attaques violentes, lancées dans les premiers temps par les royalistes contre les souvenirs de la Révolution et de l'Empire, suscitaient des réponses sur le même ton. Comme on n'osait encore s'attaquer au roi, la noblesse et ses prétentions firent d'abord l'objet des railleries des pamphlétaires et des caricaturistes : les aventures de M. de la Jobardière, de M. de la Rodomontade, de M. de Fiérenville, et autres « voltigeurs de Louis XIV », alimentèrent l'imagerie populaire. Puis, avec l'ouverture de la session parlementaire, les questions vinrent sur le tapis ; théories constitutionnelles, biens nationaux, droits réunis, conditions de paix, etc. Les anciens antagonismes, éteints par le Premier Consul, se réveillaient avec violence.

Le gouvernement chercha à limiter les dégâts en restreignant la liberté de la presse par la voie législative, comme l'y autorisait la Charte. Une loi fut donc déposée en ce sens au début d'août. Elle suscita elle-même un torrent de discussions passionnées, et ne fut acquise à la fin du mois qu'à une très faible majorité, après que le gouvernement eut consenti à plusieurs amendements et en eut limité expressément l'application à la fin de la session de 1816. La censure était rétablie pour tous les écrits de moins de vingt feuilles d'impression.

Cela ne mit pas fin aux polémiques, qui purent continuer à s'exprimer soit en développant leurs arguments au-delà des limites prévues, soit en s'entourant de certaines précautions de forme. Carnot publia, fictivement à Bruxelles, le texte d'un *Mémoire adressé au Roi en juillet* 1814 ; il s'en vendit, dit-on, plus de 60.000 exemplaires. C'était un réquisitoire violent et audacieux contre toute l'œuvre de la Restauration. « Si vous voulez aujourd'hui paraître à la cour avec distinction, gardez-vous bien de dire que vous êtes un de ces vingt-cinq millions de citoyens qui ont défendu leur patrie avec quelque courage contre l'invasion des ennemis, car on vous répondra que ces vingt-cinq millions de prétendus citoyens sont vingt-cinq millions de révoltés, et que ces prétendus ennemis sont et furent toujours des amis ; mais il faut dire que vous avez eu le bonheur d'être chouan, ou vendéen, ou transfuge, ou cosaque, ou anglais, ou enfin qu'étant resté en France, vous n'avez sollicité de places auprès des gouvernements éphémères qui ont précédé la Restauration qu'afin de les mieux trahir et de les faire plus tôt succomber. » ... « Un trait de plume a suffi pour nous faire quitter ces superbes contrées (la Belgique) que toutes les forces de l'Europe n'avaient pu nous arracher en dix ans... On s'est empressé d'exiger la restitution de toutes nos conquêtes de peur qu'il ne restât quelque trace de la gloire que nous avions pu acquérir avant la Restauration. » D'autres anciens révolutionnaires élevaient aussi la voix ; ainsi Méhée de la Touche, ancien secrétaire-greffier de la Commune de Paris dans une « *Dénonciation au roi des actes et procédés par lesquels les ministres de Sa Majesté ont violé la constitution, dénaturé l'esprit et la lettre des ordonnances et détruit l'excellent esprit qui avait accueilli le retour des Bourbons* (15 septembre). Les bonapartistes reprenant courage, firent paraître, à partir de janvier 1815, un petit journal, *le Nain Jaune* ; très spirituellement rédigé, il imagina, par exemple, de ridiculiser les hommes au pouvoir en leur décernant des diplômes de *l'Ordre de la Girouette*, auquel vint s'ajouter *l'Ordre de l'Eteignoir*, pour les partisans du clergé ; cette plaisanterie eut un succès durable : on devait la retrouver sous la seconde Restauration.

Un général avait déclaré à Blacas que le repos dont jouissait l'armée était « une halte dans la boue ». L'hostilité de principe de l'élément militaire se répandait, grâce aux conversations de café, dans une partie de la classe populaire. A l'imitation des soldats, les ouvriers s'amusaient à crier : « Vive le roi... de Rome et son papa ! » Dans ces manifestations verbales, les imprécations contre le clergé étaient souvent associées à celles contre le gouvernement. A Nancy, par exemple, au début d'août, la populace se soulève aux cris de « A bas les droits réunis ! A bas les prêtres ! » En juillet on affiche sur la porte d'une église à Saint-Etienne : *Maison à vendre — Prêtre à pendre — Louis* 18 *pour trois jours — Napoléon toujours.*

Deux sérieux incidents manifestèrent, au début de janvier 1815, l'exaspération des esprits. A Rennes, le roi avait envoyé une commission d'enquête pour examiner les titres que pouvaient avoir les anciens combattants des guerres de l'Ouest à obtenir des pensions ou des décorations. Le président de cette commission, Piquet de Boisguy, ancien chouan, fut pris à partie par une foule furieuse ; pour éviter une collision sanglante, il dut s'enfuir nuitamment. Quelques jours plus tard, une émeute d'un autre genre eut lieu contre le curé de Saint-Roch qui avait refusé des obsèques religieuses à une actrice nommée Raucourt. Une foule de plusieurs centaines de personnes s'empara du cercueil aux cris de « Les prêtres à la lanterne ! » Les portes de l'église furent forcées, et le curé, pour éviter de plus graves désordres, dut déléguer un vicaire qui expédia une rapide cérémonie.

Le roi avait envoyé son frère et ses neveux en tournée dans les provinces : on ne retint que les mots maladroits qui leur échappaient. Le gouvernement, déconcerté et découragé, ne savait comment ressaisir l'opinion. D'un côté, les libéraux, comme Benjamin Constant, Mme de Staël, La Fayette, Lanjuinais, l'exhortaient à se placer résolument sur le terrain constitutionnel, afin de faire oublier par les avantages de la liberté les gloires militaires et les réalisations matérielles de l'Empire. De l'autre côté, les absolutistes, comme Bonald et Fiévée, encouragés par Monsieur, l'engageaient à revenir au gouvernement autoritaire et à mettre en sommeil la Charte. Leur tendance gagna du terrain au sein du conseil vers le début de décembre, lorsque le général Dupont fut remplacé au ministère de la Guerre par le maréchal Soult, qui s'était composé un personnage d'homme à poigne, en faisant grand étalage de zèle royaliste. Dans le même temps Beugnot, passant à la Marine, était remplacé à la direction de la police par Dandré, ancien conspirateur sous le Consulat, qui n'était rentré en France qu'avec le roi. Son incapacité laissa libre champ aux conspirateurs républicains, bonapartistes, orléanistes.

Au centre de toutes ces intrigues, Fouché, syndic des mécontents, tissait sa toile. Ce qui ne l'empêchait pas pour autant de faire passer des avertissements aux ministres et aux princes. Sentant venir une tentative bonapartiste, il désirait la prévenir par un « pronunciamento » militaire qui renverserait Louis XVIII au profit du roi de Rome ou du duc d'Orléans. Il s'assura le concours du général Drouet d'Erlon, commandant à Lille la 16e Division militaire. Sitôt connu par lui le débarquement de Napoléon, il fit avertir Drouet par un complice, le général Lallemand. Les troupes de Lille se mirent en marche le 7 mars. En même temps le général Lefebvre-Desnouettes amenait les chasseurs de Cambrai et le général Lallemand les troupes dispersées dans l'Aisne. Soult apprit ces mouvements qui se faisaient sans son ordre, et le maréchal Mortier fut envoyé hâtivement à leur rencontre ; sans peine, il ramena dans le devoir les officiers qui avaient été trompés sur le but de cette prise d'armes ; ceux-ci envoyèrent même au roi une adresse pour protester de leur fidélité. Les généraux conspirateurs s'enfuirent.

Cet étrange épisode, que les circonstances ne devaient pas permettre d'éclaircir entièrement, prouve au moins deux choses. D'abord qu'en ce printemps de 1815, la situation intérieure était assez tendue pour que certains éléments hostiles aient cru le moment venu de se préparer à passer de l'opposition verbale à l'action directe. Son pitoyable avortement montre d'autre part que de telles tentatives avaient fort peu de chances de réussir. Ainsi se confirme l'impression où l'on reste, après avoir étudié dans le détail l'histoire intérieure de la première Restauration : malgré tous les faux pas du gouvernement royal, malgré tous les efforts de l'opposition, le régime aurait pu se maintenir vaille que vaille d'abord, et puis se consolider même, grâce à l'expérience acquise par les uns et au découragement des autres, si l'audacieuse action de Napoléon n'avait provoqué sa chute.

CHAPITRE VI

LE CONGRÈS DE VIENNE

Espérances et objectifs de Talleyrand. — Les dissensions des Alliés. — Talleyrand s'impose. — Il croit avoir brisé la coalition. — La fin du Congrès.

Le retour de Napoléon compromit aussi les avantages acquis par les patientes manœuvres de Talleyrand au congrès de Vienne. A vrai dire, ces avantages étaient beaucoup moins brillants que le ministre ne le croyait et n'a réussi à en persuader ses contemporains comme la postérité. Il y a une légende du congrès de Vienne, transmise pieusement parmi les diplomates français, et à laquelle beaucoup d'historiens, à la suite d'Albert Sorel, ont accordé trop facile créance. Il sera permis d'être d'autant plus bref sur ce chapitre que les faits ont été racontés et amplifiés à satiété.

Au lendemain du traité de Paris, Talleyrand entretenait de grandes espérances. La France, pensait-il, était dans une position meilleure qu'il n'apparaissait. Les autres Puissances auraient besoin d'elle pour organiser un ordre stable en Europe ; comme elle n'était pas appelée — et pour cause — à prendre part aux distributions de territoires contestés, elle pourrait plus facilement jouer le rôle d'arbitre ; son désintéressement lui permettrait de grouper autour d'elle les petits Etats menacés par l'appétit des « quatre Grands ». Ces atouts lui donneraient le moyen d'obtenir que dans les arrangements territoriaux on tienne compte de ses intérêts, et, en tout cas, de reprendre sa place dans le concert européen sur un pied d'égalité.

Ces vues optimistes et les moyens qui devaient être mis en œuvre furent incorporés dans les *Instructions* délivrées par le roi à son plénipotentiaire, et rédigées par Talleyrand lui-même. Ce document a été considéré à juste titre comme un des chefs-d'œuvre de la diplomatie française, qui continua à s'inspirer, non seulement jusqu'en 1830, mais jusqu'à la fin de la monarchie constitutionnelle, des principes qu'il formulait. Les nations de l'Europe, disait Talleyrand, devaient se conformer, dans leurs rapports, au droit public international consacré par l'usage et par les nombreuses conventions passées entre elles : « Or il y a dans ce droit deux principes fondamentaux : l'un que la souveraineté ne peut être acquise par le simple fait de la conquête, ni passer au conquérant, si le souverain ne la cède ; l'autre qu'aucun titre de souveraineté et, conséquemment, le droit qu'il suppose, n'ont de réalité pour les autres Etats qu'autant qu'ils l'ont reconnu. » L'équilibre européen ne peut être seulement un équilibre de forces matérielles, mais il doit reposer sur des principes moraux, sur le droit et la justice. « La France est dans l'heureuse situation de n'avoir point à désirer que la justice et l'utilité soient divisées et à chercher son utilité particulière hors de la justice qui est l'utilité de tous. »

Quant aux objectifs concrets et immédiats que devait poursuivre le représentant de Louis XVIII, ils étaient ainsi résumés : 1° qu'il ne soit laissé à l'Autriche aucune chance de pouvoir faire tomber entre les mains d'un prince de sa maison, c'est-à-dire entre les siennes, les Etats du roi de Sardaigne. — 2° que Naples soit restitué à Ferdinand IV. — 3° que la Pologne entière ne passe point et ne puisse point passer sous la souveraineté de la Russie. — 4° que la Prusse n'acquière ni le royaume de Saxe, du moins en totalité, ni Mayence.

Ces deux derniers points devaient être le nœud des difficultés qui paralyseraient longtemps les travaux du congrès. Le tzar Alexandre, en effet, entendait reconstituer à son profit le royaume de Pologne, et la Prusse prétendait annexer la Saxe, dont le roi, pour être resté trop longtemps fidèle à Napoléon, ne méritait aux yeux des Alliés aucun ménagement ; les territoires des anciennes principautés ecclésiastiques de la rive gauche du Rhin pourraient servir à le dédommager en partie. Les deux souverains se seraient facilement mis d'accord sur ces bases, l'annexion de la Saxe devant amplement compenser l'abandon que ferait la Prusse à la Russie de sa part de la Pologne. Mais ni l'Autriche, ni l'Angleterre ne l'entendaient ainsi ; la première craignait un accroissement territorial de la Prusse qui aurait menacé sa sécurité et son hégémonie en Allemagne ; elle n'était pas davantage disposée à abandonner les territoires polonais que lui avaient donnés les anciens partages de la fin du XVIIIe siècle ; d'autre part, elle nourrissait des ambitions sur l'Italie, et à cet égard elle devait se heurter aux inquiétudes de l'Angleterre. Celle-ci n'était pas davantage disposée à faciliter l'accroissement d'influence en Europe centrale que procurerait à la Russie l'annexion déguisée de la Pologne ; que la Prusse installée en Saxe menaçât l'Autriche, cela ne pouvait lui faire de peine, mais cet arrangement contrariait sa politique parce qu'il supposait l'installation en Rhénanie d'un monarque faible qui risquait de tomber sous le protectorat français ; elle tenait au contraire à y placer la Prusse, comme un gendarme soupçonneux, qui ferait échec à toutes les tentatives de la France pour retrouver la frontière du Rhin.

Cette opposition de points de vue s'était manifestée

dès les premières conversations qu'avaient eues les souverains et les ministres alliés, au mois de mai à Paris et ensuite à Londres. Faute de pouvoir s'entendre, ils avaient décidé, le 20 juin, d'ajourner jusqu'au 1er octobre, l'ouverture du congrès prévu. Sur un point cependant ils étaient bien d'accord : tenir la France en dehors du règlement des questions essentielles ; ils avaient, le 29 juin, renouvelé entre eux le pacte de Chaumont qui fixait les contingents militaires qu'ils auraient à maintenir pour faire exécuter les arrangements à venir.

Comment rompre ce front hostile ? Talleyrand ne pouvait plus compter sur le tzar qu'avaient profondément déçu les circonstances de la restauration. Il reporta ses espérances sur l'Angleterre, et lorsque Castlereagh passa à Paris, à la fin d'août, il lui fit constater la communauté d'intérêts qui existait entre leurs deux pays sur la question de Pologne et sur l'Italie. Le ministre anglais lui signifia néanmoins qu'il ne devait pas attendre qu'il se séparât de ses alliés.

En effet, les représentants des « quatre grands » se réunissaient officieusement à Vienne au mois de septembre pour reprendre entre eux les conversations de Paris et de Londres. Leurs divergences toujours plus accusées ne leur permettant pas l'espoir de trouver un accord avant l'ouverture officielle du congrès, ils décidèrent, le 23 septembre, dans un protocole sur la procédure à suivre, que la France serait exclue des conversations préliminaires sur « les grands intérêts de l'Europe ». Toutefois, sur les instances de Castlereagh, on admit que la France et l'Espagne seraient « invitées à faire connaître leurs opinions et leurs vœux ». C'était peu, mais, par cette fissure, Talleyrand allait réussir à forcer la porte qu'on lui fermait au nez.

Il arriva à Vienne ce même 23 septembre. Tout autre que lui eût été déconcerté par les difficultés de la situation et par la froideur du premier accueil. Mais le prince n'était pas de ceux qui se laissent traiter en quantité négligeable ; les diplomates qui entretenaient depuis si longtemps avec lui des relations amicales ne pouvaient le tenir complètement à l'écart sans que cette exclusion prît le caractère d'un affront personnel. Ainsi, on le convoqua, le 30 septembre, avec Labrador, le représentant de l'Espagne, à une conférence préliminaire qui eut lieu chez Metternich. On lui donna connaissance du protocole du 23 septembre. A peine le mot de « Puissances alliées » eut-il été prononcé que Talleyrand éclata: « *Alliés*, dit-il, et contre qui ? Ce n'est plus contre Napoléon : il est à l'île d'Elbe ; ce n'est sûrement pas contre le roi de France : il est garant de la durée de la paix. Messieurs, parlons franchement, s'il y a encore des puissances alliées, je suis de trop ici ! » Les autres, déconcertés par cette sortie, restaient cois. « Et cependant, reprit Talleyrand, si je n'étais pas ici, je vous manquerais essentiellement. Je suis peut-être le seul qui ne demande rien. De grand égards, c'est là tout ce que je veux pour la France... Je ne veux rien, je vous le répète, et je vous apporte immensément. La présence d'un ministre de Louis XVIII consacre ici le principe sur lequel repose tout l'ordre social. Le premier besoin de l'Europe est de bannir à jamais l'opinion qu'on peut acquérir des droits par la seule conquête et de faire revivre le principe sacré de la légitimité d'où découlent l'ordre et la stabilité... Si, comme déjà on le répand, quelques puissances privilégiées voulaient exercer sur le congrès un pouvoir dictatorial, je dois dire que je ne pourrais consentir à reconnaître, dans cette réunion, aucun pouvoir suprême dans les questions qui sont de la compétence du congrès et que je ne m'occuperais d'aucune proposition qui viendrait de sa part. »

Les diplomates, embarrassés, finirent par déclarer qu'ils ne tenaient pas au protocole et qu'ils consentaient à le détruire. Les jours suivants, ils décidèrent d'ajourner au 1er novembre l'ouverture du congrès ; en attendant, les solutions aux questions en litige seraient préparées « par des communications libres et confidentielles » entre les représentants des grandes puissances. Cette décision fut présentée le 8 octobre à Talleyrand ; ce fut pour lui l'occasion d'une autre grande scène. En acceptant le principe de l'ajournement, il demanda qu'on ajoutât que l'ouverture du congrès serait faite « conformément aux principes du droit public ». « Que fait ici le droit public ? », s'écria Humbolt, représentant de la Prusse. « Il fait que vous y êtes », répliqua Talleyrand. Et, comme son collègue Hardenberg, insistait, furibond : « Pourquoi dire que nous agirons selon le droit public ? cela va sans dire. — Si cela va sans dire, répondit Talleyrand, cela ira encore mieux en le disant. » Et il obtint gain de cause.

Par ses interventions bien placées, ses répliques écrasantes, le représentant de la France s'était imposé comme un rude jouteur, mais la procédure adoptée allait justement permettre aux Alliés d'éviter de l'affronter de nouveau à visage découvert. Talleyrand pouvait bien se vanter d'avoir forcé la porte du conseil de l'Europe, mais c'était pour se trouver en définitive dans une salle vide, pendant que les conversations utiles se déroulaient dans les couloirs. C'est en vain qu'il allait multiplier les suggestions, les notes, les memorandums : les décisions essentielles devaient être prises sans lui.

L'obstination des Alliés et leur désaccord croissant allaient pourtant lui permettre une rentrée en scène. A la fin de décembre, les choses étaient venues au point que Hardenberg, soutenu par la Russie, déclarait qu'un refus persistant opposé par l'Autriche à ses revendications sur la Saxe équivaudrait à une déclaration de guerre. Dans cette impasse, Castlereagh se décida brusquement, le 2 janvier, à donner suite aux avances que lui faisait depuis longtemps Talleyrand. Il lui proposa une alliance militaire à trois, avec l'Autriche. Talleyrand, enchanté, accéda aussitôt, et dès le lendemain l'acte était signé. Les trois Puissances s'engageaient à se soutenir mutuellement, au cas où elles seraient attaquées « en haine des propositions qu'elles auraient cru de leur devoir de faire et de soutenir d'un commun accord », pour l'exécution complète du traité de Paris. Elles mettraient chacune sur pied 150.000 hommes, et elles inviteraient la Bavière, le Hanovre et la Hollande à se joindre à elles.

Talleyrand exultait. Sa lettre du 4 janvier à Louis XVIII est un hymne de triomphe : « Maintenant, Sire, la coalition est dissoute, et elle l'est pour toujours. Non seulement la France n'est plus isolée en Europe, mais Votre Majesté a déjà un système fédératif tel que cinquante ans de négociations ne sembleraient pas pouvoir parvenir à le lui donner... Elle sera véritablement le chef et l'âme de cette union, formée pour la défense des principes qu'Elle a été la première à proclamer... Un changement si grand et si heureux ne saurait être attribué qu'à cette protection de la Providence, si visiblement marquée par le retour de Votre Majesté ! »

En fait, on était loin du compte. Le fameux traité, dans l'esprit du ministre anglais, n'était qu'un expédient, un moyen de chantage, pour obliger la Prusse et la Russie à relâcher leur intransigeance. A cet égard, il eut plein succès. Le bruit répandu d'une entente secrète entre l'Angleterre, l'Autriche et la France, d'autant plus redoutable qu'on n'en connaissait pas les termes, amena sans retard un compromis. Le tzar se contenta d'une Pologne diminuée, tant du côté prussien que du côté autrichien, et la Prusse accepta de laisser au roi de Saxe la partie méridionale de son royaume, moyennant l'annexion des territoires rhénans qui avaient été réservés comme monnaie d'échange. Le principe une fois admis, il ne restait à faire que les dosages de territoires et de populations ; c'est à quoi travailla une « commission de statistiques », où la France se trouva représentée. Ensuite il ne fut plus question du traité d'alliance à trois. Talleyrand, croyant avoir dissous la coalition, lui avait effectivement permis de surmonter une crise qui aurait pu lui être fatale. Bien plus, il avait servi les desseins de l'Angleterre les plus contraires aux véritables intérêts de la France, puisqu'il l'avait aidée à installer sur le Rhin, au lieu du débonnaire roi de Saxe, parent et allié du roi de France, les Prussiens, nos plus acharnés ennemis. Sa seule consolation était d'avoir empêché la spoliation complète du roi de Saxe, et sauvegardé ainsi, non sans blessures, le principe de la légitimité.

Les affaires d'Europe centrale étant réglées, Talleyrand porta son effort sur la question de Naples. Détrôner Murat, rétablir la dynastie des Bourbons, rien ne tenait plus à cœur à Louis XVIII, et il demandait seulement aux puissances qu'elles le laissassent libre d'agir. La Prusse et la Russie étaient disposées à y consentir. « Cette canaille qui nous a trahis », disait Alexandre en parlant de Murat. L'Angleterre aurait été heureuse aussi d'éliminer d'Italie ce dangereux napoléonide. Metternich, certes, n'avait aucune tendresse spéciale pour Murat, mais il avait les mains liées par un traité signé le 11 janvier 1814, traité d'alliance et d'amitié qui garantissait au beau-frère de Napoléon l'intégrité de son royaume ; il était aussi contraire à la politique permanente de l'Autriche de permettre à la France d'intervenir activement dans les affaires d'Italie. Metternich signifia donc à Talleyrand, le 25 février 1815, qu'il ne tolérerait pas le passage de troupes françaises dans la péninsule. Murat devait se perdre lui-même. A la nouvelle du débarquement de Napoléon, il lança un appel à l'indépendance à toute l'Italie, et envahit les États pontificaux. L'Autriche se considéra comme dégagée de ses obligations par cette action ; ses troupes prirent aussitôt l'offensive contre Murat. En quelques semaines tout se trouvait réglé et Ferdinand IV recouvrait son trône. La France obtenait ainsi satisfaction, mais Talleyrand n'y avait été pour rien.

Depuis le retour de Napoléon à Paris, il ne représentait plus qu'un gouvernement fantôme réfugié dans une ville de Belgique. De quel poids aurait pu être sa voix ? Dès l'annonce du débarquement de l'empereur, le représentant de Louis XVIII avait pris l'initiative d'une déclaration virulente qui mettait hors la loi le « perturbateur du repos du monde ». A ce moment-là encore, les Alliés croyaient pouvoir compter sur une action énergique du gouvernement royal. Lorsque celui-ci se fut effondré, et qu'ils se retrouvèrent dans la situation du printemps de 1814, ils mirent de côté leurs ressentiments et firent bloc à nouveau contre la France. Le 25 mars fut renouvelé le pacte de Chaumont, et les Alliés s'engagèrent à ne pas déposer les armes tant que Napoléon n'aurait pas été mis hors d'état de nuire. Leur irritation était grande contre les Bourbons qu'ils rendaient responsables d'avoir facilité, par leur mauvaise politique, le succès du « vol de l'Aigle ». Aussi, malgré les instances de Talleyrand, ils refusèrent de prendre aucun engagement précis en faveur de Louis XVIII.

Talleyrand fut cependant admis à apposer sa signature à l'*Acte final du Congrès*, du 9 juin 1815. Il ne nous appartient pas d'analyser ici ce document capital qui allait, le canon de Waterloo aidant, fonder l'ordre européen pour près d'un demi-siècle. Il suffira de dresser le bilan de ses résultats du point de vue de la France et de marquer à quelle distance ils restaient des grandes ambitions développées par Talleyrand en septembre 1814. A la colonne des profits, on peut d'abord inscrire un avantage négatif : le maintien du morcellement de l'Allemagne et de l'Italie ; dans la péninsule, Naples a fait retour à un Bourbon et une Sardaigne indépendante a été reconstituée ; mais, par contre, les ambitions de l'Autriche, appuyée sur le royaume lombard-vénitien, sur les principautés vassales de Parme, de Toscane, de Lucques et de Modène, pourront s'y développer dangereusement. La reconstitution d'une Suisse couvre heureusement la frontière française de ce côté. La Prusse a dû renoncer à engloutir toute la Saxe, et Mayence lui échappe, mais on a vu comment elle avait été installée sur le Rhin. La constitution du royaume des Pays-Bas, donné à la famille d'Orange, était également dirigée contre la France. Ainsi les résultats territoriaux du congrès de Vienne ont plutôt aggravé les conséquences du traité de Paris, en dressant autour de la France des barrières solides qui devaient être un obstacle aux tentatives éventuelles d'expansion vers les frontières naturelles.

Sur le plan moral, Talleyrand avait remporté quelques succès de prestige ; l'appel fait à la France par l'Angleterre, pour intimider la Russie et la Prusse, était en lui-même un hommage à la force qu'elle continuait à représenter. Mais cet avantage avait été éphémère, et, après comme avant, le front hostile des quatre Puissances se dressait en face de la France. Talleyrand n'avait même pas pu, comme il l'espérait, grouper autour de lui les petits Etats, puisque tout s'était décidé dans les coulisses entre les quatre « Grands ». En somme, le grand vainqueur du congrès n'était pas Talleyrand, mais Castlereagh.

Il reste que si l'on se place dans le domaine de l'art pur, où les actes sont d'autant plus beaux qu'ils apportent moins de profits, on ne peut manquer d'admirer le jeu de Talleyrand au congrès de Vienne comme un exemple remarquable de ce que peuvent la ténacité et l'habileté d'un homme d'Etat contre une accumulation accablante de conjonctures contraires.

CHAPITRE VII

LES CENT-JOURS

Premières réactions lors du débarquement de Napoléon. — Le comte d'Artois à Lyon. — Désarroi du gouvernement royal. — Le départ du roi. — La duchesse et le duc d'Angoulême sauvent l'honneur. — A Gand. — Difficultés intérieures de Napoléon. — La résistance royaliste se réveille. — Après Waterloo, Fouché mène le jeu. — La convention militaire du 3 juillet livre Paris aux Alliés. — Le retour du roi.

C'est seulement le dimanche 5 mars, au début de l'après-midi, que parvint à Paris la nouvelle du débarquement de Napoléon. Quand on se rappelle que l'empereur était déjà en France depuis le 1er mars, et qu'il allait entrer à Grenoble le 6, on se rend compte de quelle importance fut pour son succès la lenteur des communications. La ligne télégraphique ne commençait qu'à Lyon ; la nouvelle avait dû être portée jusque-là par des courriers, et ceux-ci étaient passés par Marseille. De ce fait, quand le gouvernement put agir, Napoléon avait déjà surmonté la phase la plus difficile de son entreprise, celle où il n'aurait fallu qu'une poignée d'hommes décidés et quelques ponts coupés pour la faire échouer ; déjà il était maître d'une importante place forte et plusieurs régiments s'étaient ralliés à lui. Les autorités royalistes des petites villes alpines où il était passé, déconcertées, ahuries, n'avaient su que se replier devant lui. Les troupes de la garnison de Marseille, tardivement mises en marche par Masséna, commandant de la région militaire, n'avaient rien fait pour le rattraper en temps utile.

Le roi reçut le coup avec le plus grand sang-froid. L'entreprise vue de loin, pouvait apparaître comme insensée ; les ministres aussi étaient pleins de confiance et plusieurs se félicitaient de l'occasion fournie par Napoléon d'en finir une bonne fois avec la menace que constituait sa présence à l'île d'Elbe. « Vraiment, Sire, s'était écrié Dandré, ce coquin de Bonaparte aurait été assez insensé pour débarquer ! Il faut en remercier Dieu; on le fusillera et nous n'en entendrons plus parler. »

Dans la nuit du 5 au 6, le comte d'Artois partit pour Lyon où il devait être rejoint par le maréchal Macdonald. Ils allaient y prendre le commandement des troupes qu'ils trouveraient sur place et de celles qu'on y dirigerait. D'autres mesures furent décidées le lendemain, afin d'enfermer Napoléon dans le périmètre compris entre le Rhône, la Saône, le Doubs et la frontière des Alpes : les troupes de la région de l'Est se concentreraient en Franche-Comté sous le commandement du duc de Berry, tandis que son frère, le duc d'Angoulême, qui se trouvait alors en visite officielle à Bordeaux, était chargé d'aller organiser dans la vallée du Rhône les forces du Midi royaliste.

Une proclamation royale annonçant l'événement convoqua d'urgence les Chambres qui étaient en vacances depuis le 30 décembre ; le roi espérait ainsi opposer à la fascination des gloires impériales le prestige des institutions constitutionnelles et l'appui moral des représentants de la nation, ceux-là même qui avaient, un an plus tôt, proclamé la déchéance de l'empereur. Une autre ordonnance déclara Napoléon Bonaparte « traître et rebelle », et enjoignit à toutes les autorités de lui « courir sus » et de lui appliquer, sur simple constatation de son identité, les peines prévues par la loi ; tous ceux de ses adhérents qui ne l'auraient pas abandonné dans les huit jours étaient compris dans la même proscription. La violence de ces mesures et le langage suranné dont on les enveloppait évoquaient plutôt le délire d'une colère sénile et impuissante qu'une force calme et sûre de son droit.

A cet appel firent écho, dans le même ton, des milliers d'adresses, de proclamations, d'ordres du jour : les municipalités, les conseils généraux, les tribunaux, les corps constitués de toute nature, les chefs militaires, d'innombrables particuliers, et même des demi-soldes, renouvelaient au roi leur serment de fidélité et rivalisaient de recherche dans les expressions de haine contre l'Usurpateur. Jamais il ne fut question d'honneur et de fidélité plus qu'à cette époque, où l'honneur et la fidélité devaient recevoir de si profondes atteintes. Tous les jours des foules se pressaient sous les fenêtres des Tuileries guettant des nouvelles, épiant les allées et venues, acclamant sans fin le roi lorsqu'il se montrait ; c'était, observe Vitrolles, comme le chœur des tragédies antiques dont les gémissements et les mouvements rythment le déroulement inexorable de la fatalité. De nombreux volontaires se faisaient inscrire pour participer à la défense du trône, mais on ne savait que les fatiguer par des rassemblements interminables et sans objet ; les armes manquaient, et aussi les chefs capables. On vit aussi se rapprocher du gouvernement un bon nombre des libéraux sincères qui avaient fait de l'opposition au cours des mois précédents ; La Fayette lui-même se montrait aux Tuileries avec la cocarde blanche ; Benjamin Constant tonnait, dans le *Journal des Débats*, contre le nouvel Attila, et il ajoutait : « Je n'irai pas, misérable transfuge, me traîner d'un pouvoir à l'autre, couvrir l'infamie par le sophisme. »

... Quinze jours plus tard, il se rendrait aux ordres de Napoléon pour l'aider à fabriquer une constitution.

Tout cela n'était qu'agitation verbale. L'action, l'action décisive viendrait d'ailleurs. Le comte d'Artois arriva à Lyon le 8 mars dans la matinée. Les 30.000 hommes que Soult voulait y concentrer n'étaient pas encore arrivés ; la garnison, composée de deux régiments de ligne et d'un régiment de dragons, se montrait inquiète et ébranlée. La garde nationale, qui pouvait réunir au maximum 1.500 fusils, n'était pas moins hésitante. Le prince put s'en rendre compte : lorsqu'il demanda aux volontaires de s'inscrire, la plupart se déclarèrent prêts à marcher si on leur fixait un lieu et une heure pour se rassembler, mais refusèrent de donner leurs noms de crainte de se désigner ainsi à des proscriptions éventuelles. On connaissait les événements de Grenoble, et l'impression générale était que cet exemple serait suivi à Lyon.

Le comte d'Artois donnait le secret de l'extraordinaire succès de Napoléon en écrivant à son frère : « L'attitude pacifique de Bonaparte fait tomber les bras levés. On n'attaque guère ce qui passe auprès de vous sans vous heurter. » L'empereur agissait comme un dompteur qui sait que tout geste brutal peut jeter sur lui les fauves ; les yeux dans les yeux de ses adversaires, il les fascinait l'un après l'autre ; chaque jour, chaque heure, chaque minute gagnée sans avoir tiré un coup de feu lui ralliait des partisans, créait une sorte de prescription morale en sa faveur, rendait plus difficile le déclanchement de la guerre civile.

Le 9 mars, le maréchal Macdonald rejoignit le comte d'Artois à Lyon ; il fit rassembler la garnison sur la place Bellecour pour la passer en revue. Aux officiers réunis autour de lui, il dépeignit les maux qu'entraînerait pour la France un succès de Napoléon et les supplia d'être fidèles à leurs serments ; lorsqu'il leur demanda en conclusion de témoigner de leurs sentiments en criant après lui *Vive le Roi !* un silence de mort fut la réponse. Le comte d'Artois qui vint ensuite ne fut pas plus heureux. Dans ces conditions la résistance était impossible ; d'heure en heure on apprenait l'approche de Napoléon et la défection de toutes les troupes de la région ; la population ouvrière entrait en ébullition. Le maréchal supplia le prince de se mettre en sûreté ; le comte d'Artois se laissa convaincre sans trop de peine et monta en voiture le 10 mars à cinq heures du matin. Macdonald avec un courage et une fermeté remarquables, resta sur place jusqu'au dernier moment, cherchant même à défendre seul, le fusil à la main, l'entrée du pont de la Guillotière. Finalement débordé, il se jeta à cheval pour évité d'être écharpé, au moment où les troupes bonapartistes pénétraient dans la ville. Napoléon n'arriva lui-même qu'à sept heures du soir ; une foule en délire l'accompagnait à la lueur des flambeaux et aux cris de « Vive l'Empereur ! A bas les prêtres ! A bas les nobles ! Mort aux royalistes ! A l'échafaud les Bourbons ! » A ce réveil des anciennes passions révolutionnaires, Napoléon devait répondre par toute une série de décrets proscrivant les émigrés, abolissant les anciens titres de noblesse, rétablissant tous les privilèges de l'armée, dissolvant les Chambres.

La nouvelle des événements de Lyon provoqua naturellement à Paris la plus grande consternation, et l'on chercha d'abord à en retarder la diffusion. La confiance excessive où l'on s'était complu fit place sans transition à un extrême affolement. Les succès miraculeux de Napoléon, joints aux nouvelles de la tentative des généraux Drouet d'Erlon et Lefebvre-Desnouettes, firent croire à un complot généralisé dans l'armée. Soult fut accusé d'y avoir prêté la main ; toutes les mesures qu'il avait prises, par ordre du roi, pour rassembler des troupes sur le passage de Napoléon, furent interprétées comme des preuves de sa trahison. Blacas parla de lui imposer sa démission sous la menace du pistolet. Soult, comprenant qu'il ne pouvait plus rien, se retira de lui-même. Il fut remplacé par le général Clarke, duc de Feltre, qui était loin de jouir du même prestige auprès du militaire. Peu après, Dandré fut remplacé à la direction de la police par Bourrienne, ancien secrétaire de Napoléon devenu son ennemi personnel. Un de ses premiers actes fut d'ordonner l'arrestation de Fouché ; avec une audace incroyable, le duc d'Otrante berna les agents qui en étaient chargés, se dérobant presque sous leurs yeux par une porte secrète.

Le gouvernement, comme saisi de vertige, paraissait vouloir suppléer à l'inefficacité de ses gestes par leur multiplicité : ordre à tous les militaires de rejoindre leurs corps ; ordre de former dans tous les départements des bataillons de réserve ; ordre de mettre sur pied tous les gardes nationaux du royaume ; création de conseils de guerre chargés de réprimer l'embauchage et la désertion, etc. Mais le seul espoir sérieux qui restât à la cause royale était le maréchal Ney ; il avait été chargé du commandement des troupes rassemblées en Franche-Comté, que l'on avait d'abord songé à placer sous les ordres du duc de Berry ; une action énergique menée par ce corps sur le flanc de l'avance de Napoléon pouvait arrêter sa marche ; l'audace et la résolution de Ney pouvaient obtenir que fussent enfin tirés les premiers coups de fusils qui feraient crever l'orage. On sait qu'en prenant congé du roi, le maréchal avait promis de lui ramener Napoléon dans une cage de fer : « Nous ne lui en demandions pas tant », bougonna Louis XVIII. On connaît aussi le dénouement dramatique de l'histoire : Ney arriva à Lons-le-Saunier, le 11 mars au soir, très décidé à tenir ses promesses ; dans la nuit du 13 au 14 le joignirent les émissaires chargés de lettres de Napoléon et du général Bertrand ; le matin, son parti était pris et il l'annonça lui-même dans une proclamation aux troupes rassemblées pour être passées en revue.

« Il s'élança dans l'abîme, dit Houssaye, comme il s'élançait naguère à la gueule du canon. »

Cependant, à Paris, les Chambres avaient ouvert leur session. Le 16 elles se réunirent en séance royale pour entendre un discours du roi : « Je ne crains pas pour moi, leur dit Louis XVIII, mais je crains pour la France » ; et il leur demandait de s'unir autour de lui pour la défense de la Charte. Cette allocution électrisa l'assistance, spécialement le passage où le vieux monarque, après avoir rappelé ce qu'il avait fait pour le pays, disait : « Pourrais-je, à soixante ans, mieux terminer ma carrière qu'en mourant pour sa défense ? » De l'enceinte législative l'enthousiasme se propagea au dehors, et les jours suivants connurent une recrudescence des manifestations de fidélité.

Hélas, ce même 16 mars, au soir, on apprit la défection de Ney, et il fut clair que Napoléon allait arriver sous peu à Paris. Quel parti prendre ? Blacas proposa que le roi, accompagné de toutes les autorités, se rendît au-devant de Napoléon pour l'interpeller sur ce qu'il venait faire. « Dans le cortège, ironisa Vitrolles, vous avez oublié l'archevêque de Paris avec le Saint-Sacrement. » Et qui assurait que Napoléon se prêterait à cette rencontre ? Il lui suffirait de changer de route et d'envoyer un escadron de hussards encadrer la voiture royale. Chateaubriand aurait voulu que le roi restât aux Tuileries, entouré des Chambres et de sa Maison militaire ; Marmont se faisait fort de transformer le château en une forteresse que Napoléon ne pourrait prendre qu'au prix d'une longue et sanglante bataille ; l'héroïsme du vieux roi soulèverait l'enthousiasme de la France et de l'Europe : « Que le dernier exploit de Napoléon soit l'égorgement d'un vieillard, Louis XVIII en sacrifiant sa vie gagnera la seule bataille qu'il aura livrée. » Si l'on en croit Chateaubriand, ce plan aurait séduit un moment

Louis XVIII par sa grandeur louisquatorzienne, mais les ministres et les courtisans appelés à prendre part à l'holocauste furent beaucoup moins enthousiastes. Comment laisser, dirent-ils, un pareil otage entre les mains de l'Usurpateur ? Et puis le roi, comme son frère Louis XVI, hésitait à exposer ses fidèles et la ville de Paris aux horreurs de la guerre civile. Il oublia donc ses belles déclarations à la Chambre et se décida à la retraite. Mais pour aller où ?

Vitrolles, qui depuis le début de la crise avait repris au conseil une grande influence, par son activité audacieuse et fertile en projets, développa un plan de résistance à l'intérieur : le roi irait s'établir à La Rochelle, ville fortifiée, d'où il pourrait encore au besoin s'embarquer pour l'Espagne ; là il serait le centre de la vaste levée qui se préparait d'une part sous la direction du duc de Bourbon, envoyé en Vendée quelques jours auparavant, et d'autre part à Bordeaux et en Languedoc autour du duc et de la duchesse d'Angoulême. Montesquiou s'éleva avec violence contre ce plan ; Louis XVIII, dit-il, en suivant ce parti, se ferait le roi de la Vendée ; à quoi Vitrolles répondit non sans raison qu'il valait mieux encore être le roi de la Vendée que le roi de l'étranger. L'avis du maréchal Macdonald décida finalement Louis XVIII à une retraite vers le Nord ; il devait y trouver des populations d'un royalisme aussi éprouvé que dans l'Ouest, il pourrait s'y enfermer dans la place de Lille, d'où il serait à portée de recevoir plus facilement l'assistance des Anglais.

La décision arrêtée fut tenue aussi secrète que possible ; le 19 mars à midi, le roi passa encore en revue sa Maison militaire, rassemblée sur le Champ-de-Mars. Vers minuit, une petite foule de fidèles se trouvait réunie en silence sur le palier et l'escalier des Tuileries ; l'angoisse et la tristesse étreignaient les cœurs ; on songeait au 6 octobre 1789, au retour de Varennes, au 10 août 1792. La porte des petits appartements s'ouvrit : derrière l'huissier porteur d'un flambeau, le roi parut, appuyé sur les ducs de Blacas et de Duras. Les assistants tombèrent à genoux en pleurant. « Je l'avais prévu, dit Louis XVIII, je ne voulais pas les voir. On aurait dû m'épargner cette émotion. » Puis se frayant un passage, et descendant lourdement les marches : « Mes enfants, votre attachement me touche. Mais j'ai besoin de forces. De grâce épargnez-moi... Retournez dans vos familles... Je vous reverrai bientôt. » Dehors, la pluie tombait en rafales, éteignant les lumières. La berline royale s'éloigna dans la nuit, accompagnée de quelques cavaliers seulement...

D'autre part, le maréchal Macdonald et le duc de Berry avaient mis en route vers le nord la Maison militaire et quelques bataillons de volontaires parisiens. Rien de plus lamentable que cette pénible retraite de trois jours, sous une pluie continuelle, par des routes transformées en bourbiers. Comme il était à prévoir, les dispositions de la garnison de Lille, où le roi arriva presque seul, le 22 mars, ne lui permirent pas de s'y attarder, et, le lendemain après-midi, il franchit la frontière en direction d'Ostende, avec l'intention de se rendre à Dunkerque ; il y avait donné rendez-vous au comte d'Artois et à son neveu avec ce qui leur restait de troupes. Monsieur apprit le départ du roi avant d'avoir reçu cet ordre, et il se décida à franchir à son tour la frontière, en rendant leur liberté aux fidèles qui l'avaient accompagné. Dès lors Louis XVIII se résigna à un exil qu'il espérait court, et il alla finalement s'installer à Gand, le 30 mars.

L'arrivée de Napoléon aux Tuileries ne mit pas fin immédiatement aux tentatives de résistance royalistes. Le duc de Bourbon, on l'a vu, avait été envoyé en Vendée. Il se trouva tiraillé entre deux partis ; ou bien provoquer le soulèvement des organisations royalistes des campagnes, et alors, les « bleus » des villes entraînés par leur vieux réflexe de défense, et appuyés par les troupes régulières, rallieraient d'autant plus vite le parti de l'empereur ; ou bien s'appuyer uniquement sur les autorités et les forces régulières, et alors il ne serait pas possible d'exciter le zèle des paysans et la région n'offrirait pas plus de ressources qu'une autre à la cause royale. Le prince perdit son temps en vains pourparlers, à Angers d'abord, puis à Beaupreau. Au bout du compte, sur les conseils des chefs vendéens, qui se déclaraient incapables de provoquer une mobilisation immédiate de leurs anciennes organisations, il s'embarqua clandestinement, le 31 mars, pour l'Angleterre.

Finalement, l'honneur de la famille serait sauvé par la duchesse d'Angoulême et son mari, assistés par Vitrolles. Ce dernier avait reçu du roi, quelques moments avant son départ de Paris, la mission de se rendre dans le Midi, avec pleins pouvoirs pour y organiser la résistance. Avec un courage et une activité incroyables, Vitrolles se lança dans l'aventure. Il alla s'établir à Toulouse, où il chercha vainement à centraliser la correspondance et les ressources des départements de la région. Il s'était concerté au passage, à Bordeaux, avec la duchesse d'Angoulême.

La princesse se trouvait dans cette ville, depuis le 5 mars, pour y célébrer, avec son époux, l'anniversaire de la journée du 12 mars 1814. Les festivités se déroulaient au milieu d'une allégresse générale lorsque la nouvelle fatale était arrivée, avec l'ordre pour le prince d'aller prendre le commandement des forces royalistes de la région du Rhône. La duchesse avait décidé de rester à Bordeaux, où sa présence pouvait galvaniser les bonnes volontés. Mais si la population, dans sa grande majorité, était pleine d'enthousiasme pour la cause royale, là comme ailleurs, les troupes régulières étaient acquises d'avance à l'empereur. Seul le respect inspiré par la fille de Louis XVI maintenait encore les chefs dans l'expectative. L'approche du général Clausel, chargé par Napoléon de prendre le commandement de la région, précipita la crise. La princesse somma le général Decaen, qui commandait les troupes régulières à Bordeaux, de lui dire si oui ou non ses hommes étaient prêts à lui obéir, et comme le général refusait de prendre un engagement, elle décida d'aller se rendre compte par elle-même de leurs dispositions. Decaen se récria sur le danger d'une pareille tentative : « Je ne force personne à me suivre, dit-elle ; c'est assez, j'ai donné un ordre, je veux être obéie. » Et elle partit visiter les trois casernes où les régiments de la garnison s'étaient renfermés dans une attitude menaçante. A chaque fois, ses exhortations pressantes se heurtèrent à un silence gêné ou à des cris hostiles. A la dernière épreuve, au Château-Trompette, le commandant ne voulut même pas laisser entrer son escorte et elle se présenta seule devant les troupes rangées en bataille. Comme sa parole, devant leur obstination, devenait insultante, ils éclatèrent en cris furieux. Decaen cherchait à l'entraîner, elle le repoussa du geste et resta immobile et hautaine en face de cette tempête, jusqu'au moment où ces hommes, dominés par cette fermeté et honteux d'avoir menacé une femme, se turent. Alors seulement elle se retira à pas lents tandis qu'un long roulement de tambour saluait le courage malheureux.

En sortant de la caserne, elle dit à Martignac : « Tout est fini, les troupes ont refusé formellement de combattre. J'en remercie Dieu. Si elles avaient fait des promesses, elles ne les auraient pas tenues et Bordeaux eût été victime de ma confiance. » Elle ordonna alors à la garde nationale de déposer les armes et quitta peu après Bordeaux pour Pauillac, où elle s'embarqua sur un navire anglais qui devait la conduire en Espagne, puis en Angleterre.

« C'est le seul homme de la famille », aurait dit Napoléon en apprenant les détails de l'action. Il n'était pas juste, car, dans le même temps, le duc d'Angoulême montrait une résolution et un courage qu'on n'eût pas attendus de sa chétive personne.

Parti de Bordeaux dans la nuit du 9 au 10 mars, le

duc d'Angoulême avait établi son quartier général à Nîmes, mais quinze jours précieux s'étaient écoulés avant qu'il eût réussi à rassembler des forces suffisantes. A la tête d'un petit corps de 4.000 hommes, il prit l'offensive vers le nord, tandis qu'un autre corps, sous le commandement du général Ernouf, se portait vers Gap et Grenoble. Animée par la présence du prince qui payait bravement de sa personne, la petite armée royaliste repoussa les bonapartistes commandés par le général Debelle, pénétra à Montélimar, le 30 mars, força le passage de la Durance à Loriol, entra à Valence, le 3 avril, et saisit le pont de Romans qui devait lui permettre de marcher sur Lyon. Dans la nuit du 4 au 5 arrivèrent toute une série de nouvelles catastrophiques : les troupes du général Ernouf s'étaient ralliées à l'empereur et marchaient contre les royalistes par la vallée de l'Isère ; une autre armée commandée par Grouchy se préparait à les attaquer de front, venant de Lyon ; enfin, comble d'infortune, les troupes qu'on avait laissées à Nîmes s'étaient soulevées à l'appel du général Gilly et cherchaient à passer le Rhône pour couper la retraite ; en même temps, le prince apprenait l'entrée de Napoléon à Paris, la fin de la résistance à Bordeaux et à Toulouse... Une seule chose restait à faire : tenter de gagner Marseille où flottait encore le drapeau blanc. A son arrivée à Montélimar, le 8 avril, le prince apprit que le général Gilly avait passé le Rhône à Pont-Saint-Esprit et qu'il coupait ainsi la seule voie de retraite. Alors le duc d'Angoulême, soucieux avant tout d'assurer le salut de ses dévoués partisans, décida d'entrer en pourparlers avec Gilly ; une capitulation fut signée le soir même à La Palud, petit bourg situé à 7 km environ au nord de Pont-Saint-Esprit : le prince irait s'embarquer à Sète, les volontaires royaux seraient licenciés et rentreraient chez eux sans être inquiétés ; enfin, les troupes de ligne feraient leur soumission au nouveau gouvernement et l'on passerait l'éponge sur la conduite des officiers.

Ces dispositions devaient être en plusieurs points violées. Ainsi, un certain nombre de volontaires royaux qui rentraient chez eux désarmés, furent horriblement massacrés par les protestants fanatiques des Cévennes. Le duc d'Angoulême lui-même fut en danger, Grouchy ayant suspendu, en ce qui le concernait, l'exécution de la convention. Napoléon, après avoir songé un moment à le retenir en otage, se décida à le faire conduire à Sète. En Espagne, le prince devait, sur les ordres du roi, chercher à organiser les volontaires venus de France, pour tenter, avec l'aide des Espagnols, de reprendre l'offensive à la première occasion.

A Gand, cependant, Louis XVIII s'était remis avec sérénité à jouer le rôle de souverain en exil, dont il avait la longue pratique, et maintenait autant que possible l'immuable étiquette des Tuileries et la régularité solaire de ses journées. La plupart de ses ministres l'avaient rejoint ; toutefois, Montesquiou étant allé se fixer à Londres, Chateaubriand avait été nommé ministre de l'Intérieur par intérim. Son principal travail était la rédaction du *Journal Universel* publié à Gand en guise de *Moniteur* afin de répondre aux publications officielles du gouvernement impérial de Paris. Il publia notamment, le 12 mai, un grand *Rapport au roi* qu'il avait rédigé au nom de tous les ministres. C'était, en son style incomparable, non seulement une apologie du gouvernement royal et une virulente attaque contre l'empereur, mais aussi un acte politique d'une grande portée : le gouvernement du roi, en se prononçant hautement pour les institutions constitutionnelles et libérales, détruisait les allégations de Napoléon qui mettait en avant, comme motif de son action, la défense de la liberté ; il donnait aussi un démenti à certains éléments de la petite cour de Gand, qui, inspirés ou encouragés par Monsieur, soutenaient que l'expérience du gouvernement constitutionnel avait échoué et qu'il conviendrait, en rentrant en France, d'écarter la Charte ou de l'amender dans un sens autoritaire.

Les nouvelles venues de France étaient de nature à réchauffer l'espoir des exilés. Napoléon, après l'enivrement des premiers jours, se trouvait en face d'une situation intérieure insolite à laquelle s'adaptait mal son génie. Un an de régime constitutionnel avait transformé les habitudes de la nation. « Il avait laissé la France muette et prosternée, il la trouvait debout et parlante. » (Chateaubriand.) Lui-même avait cru, dans les premiers moments, devoir recourir au langage révolutionnaire ; les passions qu'il avait soulevées lui échappaient maintenant et il se trouvait incapable de les brider. Il s'était donc résigné à jouer provisoirement le rôle de monarque constitutionnel et à se faire bâcler par Benjamin Constant une constitution libérale ; sous le titre fallacieux d'*Acte additionnel aux constitutions de l'Empire*, ce n'était qu'un décalque de la Charte de Louis XVIII. Elle devait mécontenter aussi bien les bonapartistes purs que les républicains ; les registres ouverts pour l'acceptation plébiscitaire ne recueillaient qu'un peu plus d'un million de signatures sur cinq à six millions de citoyens inscrits, et encore l'armée comptait-elle pour plus d'un quart de ce chiffre. Aux élections pour la nouvelle Chambre, les électeurs s'abstenaient aussi en masse ; ainsi à Marseille, quatre députés se trouvaient élus par treize votants ! Cette Chambre se trouvait finalement composée d'une majorité écrasante de libéraux, dont La Fayette devait être le porte-parole et le porte-drapeau ; elle serait pour l'empereur un embarras et un danger. En vain essayait-il de réveiller l'enthousiasme par la grande manifestation du Champ-de-mai qui devait être une nouvelle fête de la Fédération ; cette cérémonie théâtrale et creuse tombait à plat.

La trahison était installée au sein même de son ministère avec Fouché. Le duc d'Otrante redevenu ministre de la Police mesurait avec une clairvoyance cynique la fragilité de la position de l'Empereur : « Il s'agite beaucoup, disait-il à Pasquier, mais il n'en n'a pas pour trois mois... Je veux qu'il gagne une ou deux batailles, il perdra la troisième, et alors notre rôle commencera. » En attendant, il travaillait à se faire des amis dans tous les camps. Auprès des républicains et des libéraux, il se présentait comme le défenseur des libertés ; il protégeait les royalistes et sauvait Vitrolles que Napoléon aurait voulu faire fusiller. En sortant du cabinet de l'empereur, il correspondait avec Metternich et Talleyrand à Vienne, avec le duc d'Orléans à Londres, avec le comte d'Artois à Gand, et, livrant ce qu'il jugeait bon de ces correspondances à l'empereur, il cachait sa trahison à force de l'étaler et de s'en faire un mérite.

Les royalistes, encouragés par cette tolérance intéressée, relevaient la tête. Un peu partout les organisations clandestines de 1814 se remettaient en activité ; la tactique était la même : pas de résistance ouverte, mais une guerre sourde dans le domaine de l'opinion publique, au moyen de placards, de chansons, de caricatures, de nouvelles fausses ou alarmantes. On conseillait la résistance passive aux ordres de conscription, le refus de l'impôt, l'abstention des fonctions publiques. Dans les provinces du Midi, les partisans du régime impérial et les anciens jacobins, se trouvaient en minorité au milieu d'un peuple hostile, recouraient à la violence et à l'arbitraire, se préparant ainsi de sanglantes représailles pour l'avenir.

Les provinces de l'Ouest, qui étaient restées inertes lors de la chute du roi, s'ébranlaient finalement, au milieu du mois d'avril, lorsque Napoléon prétendait y appliquer la conscription. Quelque cinquante mille insurgés allaient tenir la campagne, depuis le nord de la Bretagne jusqu'au marais vendéen. Napoléon qui avait d'abord sous-estimé le péril, était obligé de détacher contre eux vingt mille hommes, sous le commandement du général Lamarque, vingt mille hommes qui devaient cruellement lui manquer sur les champs de bataille de Belgique. Cette chouannerie de 1815 serait, du reste, du point de vue militaire, un fiasco pour les royalistes. Contrairement au grand mouvement de 1793, la question religieuse ne jouait pas ; la sage modération des chefs impérialistes évitait autant que possible les atrocités de guerres civiles ; de Paris, Fouché faisait tenir aux chefs royalistes des assurances pacifiques qui énervaient leur volonté de combattre ; on manquait d'armes, malgré tous les efforts que l'on faisait, à Gand, pour obtenir des Anglais qu'ils débarquassent des fusils et des munitions ; enfin les chefs royalistes étaient paralysés par leurs querelles. Le général Lamarque sut exploiter cette situation pour battre séparément ses adversaires, au cours de plusieurs combats dont l'enjeu était généralement quelque chargement d'armes venues d'Angleterre. Le général en chef des armées royales, Louis de la Rochejaquelein, fut tué le 4 juin. Lamarque offrit une suspension d'armes : « Je ne rougis point de vous demander la paix, écrivait-il, car la seule gloire qu'on puisse acquérir dans une guerre civile, c'est de la terminer. » Finalement, le 26 juin, un accord de pacification devait être signé à Cholet. Les hostilités furent plus acharnées et durèrent plus longtemps en Basse-Bretagne, où le vieux chef chouan Desol de Grisolles se heurtait au général Bigarré, aussi capable militairement que Lamarque, mais moins patient que lui.

En définitive, ce soulèvement royaliste de l'Ouest, même s'il avait été mieux conduit et mieux soutenu, n'aurait pas permis au roi, comme il l'espérait, de recouvrer son trône indépendamment des armées étrangères. Louis XVIII n'avait pas hésité un instant à accéder, comme l'y invitaient les Alliés, au traité du 25 mars, conclu par eux à Vienne contre Napoléon. Mais tandis que les Puissances précisaient que cette adhésion n'entraînait pas de leur part un engagement inconditionnel à replacer le roi sur son trône, Louis XVIII s'appuyait sur cette fiction d'alliance pour tenter d'obtenir que les armées alliées se présentassent en libératrices et non pas en ennemies, qu'elles suivissent l'exemple donné par Wellington en 1814.

C'était parler à des sourds. Les Alliés, les Prussiens surtout, étaient bien décidés à faire regretter aux Français d'avoir embrassé le parti de Bonaparte. Que cela dût nuire par la suite à Louis XVIII, ils n'en avaient cure. N'était-ce pas de sa faute, après tout, si Napoléon avait pu si facilement ressaisir le pouvoir ? Et l'on tenait en réserve un autre roi possible : le duc d'Orléans. Celui-ci s'était désolidarisé ouvertement du chef de la famille en se réfugiant à Londres sans sa permission, et il ne se privait pas de dire « que si on l'avait écouté, on n'aurait pas commis tant de bêtises ». Le tzar demanda même au congrès de Vienne d'examiner sérieusement les avantages de cette solution.

Dans ces conditions, la défaite et même l'abdication de Napoléon ne signifiaient pas automatiquement le rétablissement de Louis XVIII ; pas plus qu'en 1814. Deux autres solutions étaient possibles, en dehors de la république, à laquelle personne ne songeait sérieusement : Napoléon II ou le duc d'Orléans. La première avait pour elle une bonne partie des membres de l'ancien personnel impérial, ceux qui avaient adhéré ouvertement au régime des Cent-Jours et qui ne pouvaient donc plus espérer conserver leurs situations dans le cas d'une deuxième restauration de Louis XVIII ; elle avait aussi l'appui enthousiaste de l'armée et d'une partie du petit peuple de Paris, qui manifestait bruyamment son attachement à la dynastie impériale. L'avènement du duc d'Orléans aurait satisfait davantage la majorité libérale de la Chambre des représentants, qui craignait autant un maintien du despotisme impérial, sous le couvert d'une régence pour Napoléon II, que le retour du roi légitime. Sa cause, on l'a vu, éveillait des sympathies dans le camp des Alliés, et les intrigues de Fouché, autant qu'il est possible d'en discerner le sens, paraissaient s'orienter d'abord dans cette direction.

Louis XVIII devait néanmoins l'emporter, car il était fort d'un droit consolidé par un an de possession, et il ne faut pas oublier que ses partisans étaient assez nombreux et excités pour créer des difficultés à tout autre gouvernement. Enfin, Wellington, à qui la fortune des armes donnait le rôle de chef des armées coalisées en France, était décidé fermement à rétablir le roi.

Dieu sait, pourtant, au prix de quelles convulsions, de quelles nouvelles hécatombes, cette solution inévitable se fût imposée, s'il ne s'était trouvé là, au centre du drame, l'homme qu'il fallait pour orienter les événements en les suivant, et leur assurer un dénouement pacifique. Fouché, avec son incomparable coup d'œil, devait reconnaître sans tarder la solution qui avait le plus de chances de l'emporter ; et dès lors, son but fut d'agir de telle sorte qu'elle parût l'emporter grâce à lui ; ainsi pourrait-il s'imposer comme ministre au roi restauré, et en même temps lui imposer la politique la plus favorable aux intérêts qu'il représentait. Pendant les trois semaines de la crise, du 20 juin au 8 juillet, Fouché a joué la plus grande partie politique de sa vie, avec une clairvoyance, un sang-froid, une fécondité machiavéliques, qui en font un des spectacles les plus passionnants de notre histoire... mais non des plus édifiants.

La première chose à faire était d'éliminer l'empereur. Pour cela, Fouché se servit des deux partis opposés : les libéraux et les impérialistes. Aux premiers, il fit craindre que Napoléon ne voulût se débarrasser de la Chambre et revenir à une dictature militaire que les circonstances critiques pouvaient justifier ; pour éviter le retour du despotisme, insinua-t-il, il appartenait à la Chambre de prendre ses responsabilités, de se montrer digne des grandes assemblées révolutionnaires ; aux seconds, et notamment au ministre d'Etat Regnault de Saint-Jean-d'Angely, qui était le porte-parole de l'empereur dans les assemblées, il fit admettre que Napoléon pourrait sauver la dynastie par une abdication spontanée en faveur de son fils, et pour mieux les enferrer, il laissa entendre que ses intelligences dans le camp des Alliés lui donnaient la certitude que cette solution leur agréerait.

La mine était prête lorsque l'empereur rentra à Paris le 21 juin, à 8 heures du matin, dans un état de fatigue physique qui devait diminuer beaucoup sa faculté de décision au cours des heures suivantes. La Chambre manifesta aussitôt ses dispositions hostiles, et, après vingt-quatre heures de pourparlers, elle fit savoir qu'elle était prête à prononcer la déchéance de l'empereur s'il n'abdiquait pas. Lucien Bonaparte exhortait son frère à recommencer un Dix-huit brumaire, en s'appuyant sur l'élément populaire ; Napoléon s'y refusa par crainte d'allumer la guerre civile : « Je ne veux pas être le roi de la jacquerie. » Ses plus fidèles serviteurs, Regnault, Caulaincourt, son frère Joseph, le conjuraient de sauver la couronne pour le roi de Rome. Le 22 juin, vers midi, il signa sa deuxième abdication.

Aussitôt, Fouché porta l'acte à la Chambre et proposa la nomination d'une commission exécutive de cinq membres ; grâce à des manœuvres de couloir, il réussit à en faire écarter La Fayette, et le gouvernement provisoire se trouva composé de lui-même, de Carnot, de Caulaincourt, d'un obscur général nommé Grenier, et d'un ancien régicide, Quinette. Par un deuxième tour de passe-passe, le duc d'Otrante souffla la présidence à Carnot et dès lors il agit en chef du pouvoir exécutif, traitant ses collègues avec désinvolture.

La partie, pourtant, était loin d'être gagnée. La majorité des députés étaient violemment hostiles aux

Bourbons, et ils étaient appuyés par l'armée et par la population parisienne. Dans la commission de gouvernement elle-même, Fouché était le seul à envisager le retour de Louis XVIII ; Carnot et Quinette, tous deux conventionnels et régicides, se seraient plutôt ralliés au duc d'Orléans, tandis que Caulaincourt et Grenier restaient fidèles à la dynastie impériale.

Pour amuser les Chambres, Fouché les invita à rédiger une constitution libérale, qui serait imposée à l'acceptation du futur souverain, quel qu'il dût être. Il se débarrassa adroitement de La Fayette et des principaux chefs libéraux en leur faisant confier la mission d'aller négocier auprès des Alliés un armistice et la reconnaissance de Napoléon II. La Fayette crut naïvement qu'il allait jouer le rôle glorieux de médiateur entre l'Europe et la France ; en fait, comme l'escomptait Fouché, il serait renvoyé de général en général, sans rien obtenir.

Fouché réussit à éloigner Napoléon, qui, retiré à la Malmaison, pouvait encore revenir sur son abdication, si les Alliés refusaient de reconnaître son fils. Le 29 juin, il offrit au gouvernement de reprendre le commandement des armées, en qualité de général : « Est-ce qu'il se moque de nous ? », dit Fouché. Et sous prétexte d'éviter qu'il tombât entre les mains des ennemis, il le persuada de se diriger vers Rochefort, où l'attendaient deux frégates mises à sa disposition.

Dans le même temps, Fouché avait engagé des pourparlers avec les royalistes, par l'entremise de Vitrolles qu'il avait fait libérer. Il s'en servait, d'autre part, pour donner à Louis XVIII des assurances de dévouement, et, d'autre part, pour freiner l'action des royalistes parisiens qui voulaient déclancher un mouvement dans la capitale, et y faire proclamer la restauration avant l'arrivée des Alliés. C'était là une éventualité que le duc d'Otrante redoutait par-dessus tout ; en effet, si le mouvement réussissait, la restauration se faisait sans lui, contre lui ; s'il échouait, il serait obligé de diriger la répression et se trouverait disqualifié pour l'avenir.

Cependant, les Anglo-Prussiens arrivaient devant Paris. Davout disposait de forces suffisantes — 117.000 hommes, 600 canons — pour leur infliger un sanglant échec, et l'armée brûlait de prendre la revanche de Waterloo. Mais à quoi servirait une victoire qui serait forcément sans lendemain ? Ne risquait-on pas de livrer finalement Paris aux fureurs d'un ennemi exaspéré ? Davout appuya donc les efforts de Fouché pour obtenir un armistice, ou à défaut, une capitulation militaire qui livrerait Paris sans combat. Le 3 juillet, les négociateurs français rencontrèrent Wellington et Blücher au château de Saint-Cloud et signèrent une convention prévoyant que l'armée française se retirerait derrière la Loire dans un délai de huit jours. L'article 10 portait que les chefs alliés respecteraient les autorités actuelles de la France « tant qu'elles existeraient » ; l'article 12, que personne ne serait inquiété en raison des fonctions qu'il avait occupées ou de ses opinions politiques. Dans l'esprit de Wellington ces clauses ne liaient que les chefs militaires qui les avaient signées, et seulement jusqu'au jour où l'autorité royale serait rétablie. Fouché les présenta comme des garanties inconditionnelles et rassura ainsi les Chambres et ses collègues de la commission exécutive. La population parisienne accueillit avec soulagement cet accord qui écartait d'elle les horreurs de la guerre. Seule l'armée, surexcitée, menaçait de fusiller les traîtres du gouvernement et refusait de quitter Paris. Il fallut toute l'autorité de Davout, de Carnot et de quelques autres chefs respectés comme Drouot, pour la mettre en route vers le sud ; ce qui fut fait dans les journées des 5 et 6 juillet.

Par ce mouvement, Fouché restait enfin maître du terrain. Les Chambres, privées de l'appui de l'armée, ne pourraient plus maintenant opposer de résistance efficace à ses intrigues.

Le dernier acte allait se jouer entre le duc d'Otrante et le roi. Louis XVIII, non plus, n'avait pas perdu de temps ; la rapidité avec laquelle il rentra en France mit les Alliés en face d'un fait accompli et contribua à déjouer l'intrigue orléaniste. Dès le 22 juin, il s'était mis en route et était arrivé à Mons. Talleyrand y arriva également dans la soirée, venant de Vienne, avec toute l'autorité d'un homme que l'Europe avait investi de sa confiance. Louis XVIII avait dû se séparer de Blacas, dont on avait fait un bouc émissaire des fautes de la première année de règne ; il devrait bon gré mal gré s'en remettre entièrement à Talleyrand de la direction des affaires. Pour mieux manifester qu'il était le maître de la situation, le ministre refusa de se rendre immédiatement auprès du roi, comme le lui conseillait Chateaubriand ; peut-être se souvenait-il de l'attente humiliante qu'on lui avait imposée un an plus tôt, à Compiègne. « Je ne suis jamais pressé ; il sera temps demain. — Mais savez-vous que le roi continue son voyage ? — Il n'osera. »

A trois heures du matin, on vient l'éveiller : le roi se met en route ! Talleyrand, furieux, se fait habiller en hâte ; à pied et aussi vite que le lui permet sa claudication, il se rend au logis du roi. Le carrosse royal sortait de la porte cochère ; du geste, le prince arrête le postillon ; à contre cœur, Louis XVIII fait reculer la voiture et remonte avec Talleyrand dans son appartement. Le ministre, en colère, commence une explication : le roi doit suspendre son voyage, il ne faut pas qu'il ait l'air de rentrer dans sa capitale sous la protection des baïonnettes étrangères ; il doit aller à Lyon où il pourra négocier en toute liberté les conditions de son retour. Talleyrand laisse entendre enfin qu'il donnera sa démission si l'on ne suit pas ses conseils. Alors, Louis XVIII, qui l'avait écouté sans dire un mot : « Prince, vous nous quittez ? Les eaux de Carlsbad sont excellentes. Elles vous feront du bien ; vous nous donnerez de vos nouvelles. » Et, sans plus, il se lève et remonte en voiture, laissant Talleyrand médusé par ce sang-froid supérieur : « Il en bavait de colère », dit Chateaubriand. La brouille, toutefois, ne devait pas durer longtemps ; Wellington les raccommoda presque aussitôt, et le prince alla rejoindre le roi à Cambrai, où il avait été accueilli, le 25, par des manifestations de joie populaire.

Le premier acte de Louis XVIII fut de lancer une proclamation dont les termes avaient été soigneusement pesés pour rassurer les esprits à Paris. « Mon gouvernement, disait-il, devait faire des fautes, peut-être en a-t-il fait. Il est des temps où les intentions les plus pures ne suffisent pas pour diriger, où quelquefois même elles égarent ; l'expérience seule pouvait avertir, elle ne sera pas perdue. » Le roi s'engageait à ajouter à la Charte toutes les garanties qui pouvaient en assurer le bienfait. « L'unité du ministère est la plus forte que je puisse offrir ; j'entends qu'elle existe et que la marche franche et assurée de mon conseil garantisse tous les intérêts et calme toutes les inquiétudes. » Le roi promettait l'oubli et le pardon aux « Français égarés », mais, ajoutait-il, « je dois pour la dignité de mon trône, pour l'utilité de mes peuples, pour le repos de l'Europe, exempter du pardon les instigateurs et les auteurs de cette trame horrible. Ils seront désignés à la vengeance des lois par les deux Chambres que je me propose d'assembler incessamment. »

Sitôt qu'on eut appris la capitulation du 3 juillet, le roi vint s'établir à Saint-Denis dans la maison de la Légion d'honneur. Pendant ce temps, Fouché négociait avec Talleyrand et pour augmenter le prix de son concours exagérait fortement les difficultés qui restaient à vaincre. Louis XVIII, pressé par ses ministres, par Wellington, par le comte d'Artois lui-même, finit par accepter Fouché comme ministre de la Police. Le 6 juillet, au soir, Talleyrand vint le présenter au roi, « le vice appuyé sur le crime », écrit Chateaubriand ; « le féal régicide, à genoux, mit les mains qui avaient fait tomber la tête de Louis XVI entre les mains du frère du roi-martyr ; l'évêque apostat fut la caution du serment ».

Le lendemain, Fouché réunit la commission de gouvernement et déclara à ses collègues qu'ils n'avaient plus qu'à se séparer car les Alliés avaient décidé de rétablir le roi. Carnot s'indigna : « Ils ne pouvaient trahir ainsi le mandat qu'ils avaient reçu des Chambres ; ils pouvaient aller se placer au milieu de l'armée de la Loire... » Un détachement prussien survenant, mit fin à la séance. Avant de se séparer les commissaires adressèrent aux Chambres, à l'armée, à la garde nationale, un message où ils disaient qu'ils cédaient à la force et à la volonté déclarée des souverains alliés de replacer Louis XVIII sur le trône. Dernier mensonge, dernière trahison de Fouché, car, pas plus qu'en 1814, les Alliés n'avaient eu l'intention d'imposer à la France un régime qui aurait été contraire à la volonté de la nation, et l'on imprimait ainsi à la Restauration une tache originelle dont elle ne pourrait jamais se laver. Le duc d'Otrante, pour couronner dignement son œuvre, réussissait donc à trahir en un seul acte la cause de la Révolution, dont il était issu, celle de l'Empire qui l'avait porté au faîte des honneurs, et celle de la monarchie où il prétendait se faire une place prépondérante.

Louis XVIII fit sa rentrée dans la capitale dans l'après-midi du 8 juillet. Fouché, désireux d'éviter les manifestations royalistes, avait affecté les plus touchantes inquiétudes sur l'accueil que pourraient faire au roi les quartiers populaires et l'avait prié de rentrer par la barrière de l'Etoile. Louis XVIII s'y refusa avec hauteur, et il fit bien, car les partisans de l'Empire ne se manifestèrent point et, au contraire, les royalistes, trop longtemps comprimés, lui firent, à pleines rues, une réception chaleureuse. A l'entrée de la ville, Chabrol, préfet de la Seine, adressa au souverain une courte harangue, qui commençait par des mots destinés à rester dans l'histoire de France comme le titre d'un de ses chapitres les plus dramatiques : « Cent jours se sont écoulés depuis le moment fatal où Votre Majesté quitta sa capitale... etc. » Louis XVIII écouta avec un visage grave et sévère et répondit simplement : « Je ne me suis éloigné de ma bonne ville de Paris qu'avec la douleur la plus vive. J'y reviens avec attendrissement. J'avais prévu les maux dont elle était menacée. Je désire les prévenir et les réparer. » La tâche qui l'attendait était, en effet, grosse de difficultés et de périls.

DEUXIÈME PARTIE

LE RÈGNE DE LOUIS XVIII

CHAPITRE PREMIER

LE MINISTÈRE TALLEYRAND-FOUCHÉ

Les difficultés de la situation. — Le ministère et ses premiers actes. — La Terreur blanche dans le Midi. — L'occupation alliée. — Fouché se pose en défenseur des opprimés. — Les élections d'août 1815. — Chute du ministère.

La deuxième restauration s'opérait, à tous points de vue, dans des conditions infiniment plus défavorables que celle d'avril 1814. Alors les Alliés, heureux d'avoir éliminé Napoléon et d'avoir ramené la France dans ses anciennes limites, avaient pris quelque soin de ménager le sentiment national ; ils s'étaient retirés au plus tôt sans exiger de contribution de guerre et sans faire trop de dégâts. Maintenant, leurs armées exaspérées pénétraient en France bien décidées à écraser l'insolente nation sous le poids de leur victoire. Les souverains qui avaient fait crédit à Louis XVIII pour l'établissement d'un ordre stable, avaient perdu confiance en sa sagesse et se disposaient à exiger des garanties beaucoup plus fortes. La France, au lieu d'être admise sur le pied d'égalité dans le concert européen, serait traitée comme une dangereuse forcenée, relevant de la camisole de force. La paix serait beaucoup plus difficile à faire, et elle laisserait de part et d'autre des rancunes profondes.

Non moins venimeuse était la situation intérieure. En 1814, les Bourbons avaient été restaurés en dépit du mauvais vouloir des Alliés, par les représentants autorisés de la nation, et l'ensemble de la population s'était rallié à eux sans arrière-pensée. Maintenant toutes les apparences donnaient l'impression d'un gouvernement imposé par l'étranger. On ne pouvait plus dire, comme en 1814, « ni vainqueurs, ni vaincus ». Il y avait des vaincus : tous ceux qui avaient abandonné la cause royale pour celle de Napoléon ; ils se trouvaient marqués d'une flétrissure indélébile qui devait en faire des ennemis irréconciliables de la monarchie. Les vainqueurs, ceux qui étaient restés fidèles, réclamaient à grands cris des sanctions. Napoléon, en réveillant les passions jacobines contre la noblesse et le clergé avait jeté le fondement de l'alliance redoutable et contre nature des deux idéologies républicaine et bonapartiste, démocratique et belliciste ; ces passions ne s'apaiseraient plus, et par réaction s'exaspéraient celles des royalistes détachés de l'alliance des libéraux de 1814. La France serait, pour de longues années, coupée en deux peuples ennemis.

Cette simple comparaison entre 1814 et 1815 permet de mesurer les responsabilités de Napoléon. Que reste-t-il des Cent-Jours quand on les dépouille des prestiges de l'épopée ? Un des plus grands crimes qu'un chef ait perpétré contre une nation.

Dès le lendemain de son arrivée, le roi, comme il l'avait promis, constitua son ministère en véritable équipe gouvernementale sous la direction d'un président du conseil : toutes les lois, toutes les nominations de hauts fonctionnaires, toutes les mesures importantes devaient être délibérées en conseil des ministres. Les princes n'y siégeraient plus. Talleyrand, conservant le portefeuille des Affaires étrangères, s'imposait comme chef du gouvernement. Avec Fouché à la Police, le maréchal Gouvion Saint-Cyr à la Guerre, le baron Louis aux Finances, Pasquier à la Justice et à l'Intérieur, Jaucourt à la Marine, c'était l'ancien parti sénatorial qui était au pouvoir. Les royalistes purs, éliminés complètement du gouvernement, devaient s'indigner de voir la monarchie ainsi livrée à l'ancien personnel révolutionnaire et impérial.

Une des premières préoccupations du ministère fut d'obtenir la soumission de l'armée de Davout repliée derrière la Loire et qui restait fort animée contre le roi et contre l'étranger. Les Alliés n'étaient pas moins désireux de voir disparaître la menace qu'elle constituait ; déjà les chefs royalistes de l'Ouest étaient entrés en pourparlers avec Davout pour envisager une action commune contre l'envahisseur. Talleyrand craignait autant les uns que les autres et il ne songea pas un instant à la force qu'aurait pu lui donner cette coalition nationale dans les négociations de paix. Davout accepta d'abord de faire prendre la cocarde blanche à ses troupes moyennant deux conditions : 1° pas de représailles contre ceux qui s'étaient compromis ; 2° pas de dissolution de l'armée tant que l'ennemi serait en France. On lui fit entendre qu'une soumission inconditionnelle serait le meilleur moyen de s'assurer pour ses officiers un traitement généreux. Il se résigna, le 14 juillet, à faire arborer le drapeau blanc. Quelques jours après le ministre de la Guerre lui notifia qu'il fallait préparer la « réorganisation » de l'armée par une dislocation ; lorsqu'il eut pris connaissance en outre de l'ordonnance de proscription du 24 juillet, il dut comprendre qu'il avait été complètement joué. Il donna sa démission et fut remplacé par le maréchal Macdonald ; celui-ci devait assurer la dissolution effective des restes de l'armée de la Loire ainsi que l'application des premières mesures de réorganisation, fort bien conçues, du reste, par Gouvion Saint-Cyr.

Cette ordonnance du 24 juillet, qui motiva la démission de Davout, n'était pas seulement contraire aux promesses faites à l'armée, elle était aussi contraire aux engagements pris par le roi, dans sa proclamation de Cambrai, de laisser aux Chambres le soin de désigner les coupables à punir. Mais les Alliés exigeaient des sanctions immédiates ; d'autre part, tant de dénonciations se produisaient, tant de gens se sentaient menacés, qu'il parut sage de crever l'abcès sans tarder et de rassurer un grand nombre en frappant quelques-uns. Fouché fut chargé de préparer la mesure ; la première liste qu'il présenta au conseil offrait un mélange de noms tellement hétéroclite qu'on put croire qu'il l'avait composée tout exprès pour déconsidérer le projet. « Il y a une justice qu'il faut rendre à M. le duc d'Otrante, ironisa Talleyrand, c'est qu'il n'a oublié sur sa liste aucun de ses amis. » Chacun des ministres ou des personnes influentes s'arrangea pour faire rayer quelques noms. Finalement la liste de proscription comprit cinquante-sept noms ; sur ce nombre, dix-neuf militaires, qui avaient trahi leurs serments, étaient déférés aux conseils de guerre ; les autres étaient mis en résidence surveillée hors de Paris, en attendant que les Chambres eussent statué sur leur sort. Carnot, qui se trouvait du nombre, écrivit à Fouché : « Où veux-tu que j'aille, traître ? » « Où tu voudras, imbécile », répondit le duc d'Otrante.

Le ministre de la Police, en se donnant l'odieux de proscrire ses anciens amis et collaborateurs, fit toutefois son possible pour assurer en sous-main leur sécurité. Non seulement il les fit avertir à temps pour qu'ils pussent se dérober aux arrestations, mais il leur fournit des passeports et de l'argent pour leur permettre de quitter la France. Seuls furent arrêtés ceux qui le voulurent bien. Ainsi le colonel La Bédoyère qui avait le premier conduit son régiment à Napoléon. Tout était préparé pour le faire passer aux Etats-Unis ; il commit l'imprudence de revenir à Paris pour faire ses adieux à sa femme. Reconnu, arrêté, le malheureux fut déféré à un conseil de guerre qui le condamna à mort ; il fut passé par les armes le 19 août, première victime de la répression légale.

Ce n'était malheureusement pas le premier sang qui coulait, car, en dehors de toute décision gouvernementale, et contre la volonté du roi, la réaction avait déjà fait plus d'une victime dans les provinces méridionales où sévissait ce qu'on a appelé « la Terreur blanche ». Il est plus facile, aujourd'hui, après les événements de 1944 dans les mêmes régions de comprendre le mécanisme du phénomène ; l'analogie est en effet frappante. Une population a été comprimée par des partisans armés au service d'un pouvoir dictatorial exécré — les « fédérés » en 1815, comme la milice en 1944 ; l'intervention étrangère a brisé le joug ; les comités de résistance clandestine se manifestent au grand jour — comités royaux de 1815, comités de libération en 1944 ; ils s'emparent des pouvoir locaux ; des milices populaires irrégulières — *miquelets* et *verdets* en 1815, F. T. P. et autres en 1944 — dominent le pays, se livrant à leurs vengeances personnelles en même temps qu'à des actes de pillage ; rien n'y manque, même pas le conflit des idéologies : catholiques contre protestants en 1815, communistes contre « fascistes » en 1944. De même, encore, le gouvernement central de Paris, à peine réinstallé, gêné de sévir contre ceux qui se proclament ses partisans les plus chauds, s'est trouvé, pendant un certain temps, hors d'état de contrôler la situation. Le duc d'Angoulême était arrivé d'Espagne, et agissant en vertu de pouvoirs que lui avait donnés le roi, il avait nommé partout, en Languedoc, des préfets choisis parmi les chefs des organisations secrètes de la région ; le gouvernement de Talleyrand avait, d'autre part, désigné lui aussi des préfets ; il y eut des conflits d'autorité, et en bien des endroits plusieurs semaines s'écoulèrent avant que les fonctionnaires désignés par Paris pussent exercer effectivement leur action. Ainsi pendant plus d'un mois, tout le Midi se trouva livré à l'arbitraire anarchique des comités royaux et des chefs de bandes.

A Marseille, la population s'était soulevée le 25 juin. Les troupes impérialistes évacuèrent la ville, perdant une centaine d'hommes ; enivrés de leur victoire, les « nervis » massacrèrent les jacobins et les fédérés qui leur tombèrent sous la main, et aussi quelques Egyptiens que Napoléon avait établis à Marseille à la suite de son expédition de 1798. Le maréchal Brune, qui commandait à Toulon, avait refusé d'abord de reconnaître le roi, et avait parlé d'aller châtier les Marseillais. En rentrant à Paris, après avoir cédé son commandement, il commit l'imprudence de s'arrêter à Avignon qui était entièrement dominé par une bande de volontaires royaux ; il fut reconnu et une foule hurlante assiégea l'hôtel où il s'était réfugié ; le préfet et le commandant militaire risquèrent en vain leur vie pour le sauver. Brune fut tué d'une balle dans la nuque et son corps, ignominieusement traîné dans les rues, fut précipité dans le Rhône.

A Nîmes, les troupes impérialistes qui avaient refusé leur soumission furent décimées comme à Marseille ; la ville et la région furent ensanglantées par des meurtres ; on se souvenait des volontaires royaux massacrés au mois d'avril précédent. C'est là surtout que les polémiques ultérieures des libéraux et des protestants, chez qui le complexe de persécution était particulièrement développé, ont exagéré des faits déjà trop tristes en eux-mêmes ; le chiffre de trois cents victimes fut avancé ; en fait, après le contrôle le plus serré, on en trouve trente-sept. Le nombre des personnes jetées en prison, battues, volées, fut évidemment beaucoup plus grand.

A Toulouse, où il avait pourtant une population royaliste très excitée, il n'y eut pas de meurtres, parce que les autorités eurent la bonne idée de mettre aussitôt à l'abri des prisons tous ceux qui pouvaient faire l'objet de représailles. La seule victime fut le général Ramel, commandant militaire du département nommé par le roi ; c'était un royaliste sincère et modéré, mais il eut le malheur de vouloir mettre au pas la milice irrégulière des « verdets », ainsi nommés parce qu'ils arboraient une cocarde verte et blanche, couleur du comte d'Artois et symbole du « royalisme pur ». Ramel fut assassiné par eux dans des conditions de cruauté révoltantes. La consternations des honnêtes gens devant ce crime atroce et stupide amena une heureuse réaction ; le roi renvoya en hâte à Toulouse le duc d'Angoulême, et la popularité du prince réussit à calmer les esprits et à faire reconnaître dans toute la région l'autorité du gouvernement de Paris.

Les choses se passèrent plus tranquillement dans l'Ouest ; les tempéraments y étaient moins volcaniques et les chefs avaient leurs hommes bien en main. Il y eut même, à Vannes, un défilé et un banquet de réconciliation entre les adversaires qui s'étaient affrontés les armes à la main.

Le reste du pays fut préservé des pires excès de la réaction par la présence des armées alliées qui occupaient en tout ou en partie 61 départements. Mais les populations devaient payer chèrement cet avantage. La victoire de Waterloo et le rétablissement du roi n'avaient pas arrêté la marche des soldats qui, de l'Europe entière, convergeaient sur la France, avides de vengeance et de pillage : 310.000 Prussiens, 320.000 Autrichiens, 126.000 Anglo-Hollandais, 250.000 Russes, 60.000 Bavarois, des Badois, des Wurtembergeois, des contingents de tous les Etats allemands, des Sardes, des Espagnols, et même des Suisses. Au début de septembre, il y aura en France 1.200.000 soldats étrangers, bâfrant, buvant, pillant, saccageant, violant, à qui mieux mieux. « Nous avons conquis la France, dit brutalement Canning à Mme de Staël, la France est notre conquête, et nous voulons l'épuiser tellement qu'elle ne bouge plus de dix ans. »

Les chefs réquisitionnent à tour de bras, saisissent les caisses publiques, s'ingèrent dans toutes les branches de l'administration ; les fonctionnaires qui prétendent résister sont maltraités ; plusieurs préfets sont enlevés et emprisonnés en Prusse. Si les Anglais sont contenus encore par la sévère discipline que Wellington a su leur imposer, et les Russes par la volonté d'Alexandre, toujours généreux, les Autrichiens et surtout les Prussiens s'en donnent à cœur joie. Aux plaintes que l'on porte à Blücher, il répond : « Comment ? ils n'ont fait que cela ? Ils auraient dû faire bien davantage ! »

Les violences s'exercèrent jusque sous les yeux du roi, à Paris. Blücher voulait faire sauter le pont d'Iéna, pour effacer le souvenir de la défaite prussienne de 1806. Louis XVIII écrivit au roi de Prusse qu'il s'y ferait porter dans son fauteuil ; Blücher dut renoncer à cette vengeance. Un peu plus tard, les Alliés réclamèrent la restitution des œuvres d'art ravies de chez eux au cours des guerres de la Révolution et de l'Empire. Le gouvernement royal refusa de les livrer. Wellington fut inflexible : les Alliés, dit-il, « ne devaient point laisser échapper cette occasion de donner aux Français une grande leçon de morale ». L'enlèvement des tableaux et des statues du Louvre se fit donc *manu militari* sous les yeux de la population irritée et humiliée.

Fouché, honni par ceux qu'il avait trahis, comme par les royalistes, imagina de raffermir sa position en se faisant l'interprète et le champion de tous ceux qui avaient à souffrir de l'invasion et de la réaction. Il composa, au moyen des informations qui lui parvenaient des provinces, deux rapports au roi, qu'il lut au conseil dans les premiers jours d'août. Dans le premier, il faisait un tableau des exactions des troupes alliées et il terminait en les menaçant d'un soulèvement national. Dans le second, il montrait « deux nations aux prises l'une avec l'autre », agitait le spectre de la guerre civile, et faisait craindre dans cette éventualité, un écrasement des royalistes : « On trouverait à peine un dixième des Français qui voulussent se rejeter dans l'ancien régime et à peine un cinquième qui soient franchement dévoués à l'autorité royale. » Et il conseillait de s'assurer sans délai l'appui des anciens républicains par une adhésion ferme et entière aux principes de 1789.

Les autres ministres restèrent stupéfaits de cette audace. Le roi dit seulement : « Du moment que les choses paraissent ainsi au duc d'Otrante, il a bien fait de me les présenter telles qu'il les voit. Cette sincérité ne saurait d'ailleurs avoir aucun inconvénient, car rien de ce qui se dit ici sous le sceau du secret ne saurait transpirer au dehors. » Quelques jours plus tard, néanmoins, ces documents explosifs étaient largement répandus et commentés dans le public. Louis XVIII voulait destituer immédiatement le ministre de la Police, mais celui-ci fit intervenir Wellington en sa faveur ; le roi avait trop besoin du généralissime anglais pour obtenir de meilleures conditions de paix et d'occupation ; il ravala donc une fois de plus son humiliation.

Le dernier coup devait être porté à Fouché par la nouvelle Chambre des députés, issue des élections du mois d'août.

Le roi s'était engagé à réunir les Chambres le plus tôt possible. Nulle difficulté pour la Chambre des pairs, puisqu'ils étaient désignés par le roi. Dès le 24 juillet, une ordonnance en avait exclu 29 personnages qui avaient siégé dans la Chambre haute des Cent-Jours. Une autre ordonnance, datée du 17 août, y appela 94 nouvelles personnalités, ce qui porta le nombre des pairs à plus de 200, alors qu'en 1814 ils n'étaient que 150. Dans cette fournée nouvelle, on voyait, à côté d'hommes de cour comme Blacas et Jules de Polignac, à côté de royalistes « purs » comme Chateaubriand, et de militaires restés fidèles, comme le maréchal Victor, un nombre important d'amis de Talleyrand et de Fouché ; ils avaient même réussi à faire réintégrer deux des hommes éliminés par l'ordonnance du 24 juillet précédent : Boissy d'Anglas et Lanjuinais ; on allégua pour ce dernier qu'il n'avait pas siégé dans la Chambre haute sous les Cent-Jours : en effet, il avait présidé la Chambre des représentants : singulier alibi ! Pour assurer la permanence de ces influences dans le parlement, Talleyrand obtint encore du roi que la pairie fût déclarée héréditaire, ce qui n'était pas prévu par la Charte. Les libéraux qui devaient combattre si vivement le principe de l'hérédité quinze ans plus tard, le trouvèrent alors tout à fait à leur goût.

Pour la Chambre élective, il ne pouvait être question de convoquer la Chambre des Cent-Jours, nommée par 7.669 électeurs sous la pression des autorités impériales. Mais comment faire, puisque la première Restauration n'avait pas eu le temps de voter une nouvelle loi électorale ? Il fallut y suppléer par voie d'ordonnance royale. Faute de mieux, on se servirait encore des collèges électoraux d'arrondissements et de départements, tels qu'ils avaient été constitués sous l'Empire ; seulement les préfets étaient autorisés à y adjoindre des personnalités de leur choix, 10 dans les collèges d'arrondissements et 20 dans les départements. Les collèges d'arrondissements désigneraient d'abord chacun un nombre de candidats égal à celui des députés attribué au département ; après quoi le collège départemental procéderait au choix définitif en prenant la moitié au moins des noms parmi ceux qu'auraient présentés les arrondissements. C'était donc une élection à deux degrés qui donnait le dernier mot aux notabilités départementales. Par ailleurs deux modifications importantes étaient introduites dans les dispositions de la Charte : l'âge des électeurs était abaissé de 30 à 21 ans et celui des éligibles de 40 à 25 ans. Le nombre total des députés était porté de 262 à 402.

Les deux tours des élections eurent lieu les 14 et 22 août. Talleyrand, Fouché et Pasquier se croyaient sûrs d'avoir une Chambre dont la majorité refléterait leurs vues, c'est-à-dire monarchique, teintée de libéralisme. N'avaient-ils pas désigné dans cette nuance les présidents des collèges électoraux dont l'investiture royale faisait, en quelque sorte, des candidats officiels ? Les préfets qu'ils avaient nommés n'avaient-ils pas le moyen de peser sur les choix, à la fois par leur influence personnelle et par les adjonctions qu'ils étaient autorisés à faire ? Le résultat fut cette « Chambre introuvable », où les royalistes, devaient se compter en majorité écrasante. On cherche à s'expliquer le phénomène par l'abstention massive des électeurs libéraux ; en fait sur 72.000 inscrits, il y eut 48.000 votants. La marge est forte, mais cela représente tout de même sept fois plus d'électeurs que sous les Cent-Jours, et rien ne prouve que tous les abstentionnistes aient été du même bord. Les électeurs ont-ils été terrorisés ? Certainement oui dans quelques villes du Midi; mais il ne faut pas oublier que dans les 61 départements occupés par les Alliés la liberté du vote fut parfaitement assurée. Peut-être faut-il voir dans le résultat de l'élection un effet des sociétés secrètes royalistes, en particulier de celle des Chevaliers de la Foi, si puissante dans le Midi. L'explication la plus simple est qu'un mouvement irrésistible de conservation poussait les classes dirigeantes vers la monarchie, dans ce pays où Fouché prétendait au même moment qu'on ne trouverait pas un cinquième de citoyens dévoués au roi.

Il n'y en avait certainement pas autant de dévoués au duc d'Otrante ! Les premiers députés arrivés à Paris déclarèrent nettement qu'ils ne toléreraient pas de voir un régicide au banc des ministres. Talleyrand se résigna facilement à lâcher ce poids mort ; on se débarrassa de lui en le nommant ministre de France à Dresde. La trahison et la fourberie, au bout du compte, ne payaient pas, et Louis XVIII dut regretter d'avoir terni son honneur pour un homme que la France vomissait.

Talleyrand lui-même ne devait pas lui survivre longtemps. Les députés ne se sentaient pas plus de tendresse pour l'évêque apostat que pour le régicide. D'autre part, le président du conseil, depuis sa grande manœuvre de Vienne, n'était plus *persona grata* auprès du tzar, et les négociations de paix en étaient rendues plus laborieuses.

Alors qu'il n'avait fallu, en 1814, que trois semaines pour mettre sur pied un arrangement, en 1815, trois mois devaient s'écouler avant la signature d'un traité. Ces délais s'expliquent pour une bonne part par la volonté des Alliés, et surtout des chefs militaires, de profiter de la situation pour exploiter la France à leur aise ; pour une part aussi par les divergences de vues entre eux. Les Prussiens, soutenus par tous les princes allemands, voulaient une révision radicale des conditions territoriales de 1814. Les Français, disaient-ils, avaient montré qu'ils ne se résigneraient jamais à la perte de la frontière du Rhin ; il n'y avait dès lors aucune raison de les ménager ; la prudence commandait au contraire de les affaiblir le plus possible et de prendre sur leurs provinces du nord et de l'est de quoi constituer un large glacis de sécurité. Le tzar admettait que l'on imposât à la France une contribution de guerre et une occupation temporaire, mais il voulait s'en tenir aux frontières du traité de 1814. L'Angleterre et l'Autriche arbitrèrent le différend et finalement, le 20 septembre, un projet de traité, arrêté en commun, fut remis au gouvernement royal.

Il arriva à point pour fournir à Talleyrand une sortie honorable. La veille, au cours d'un entretien avec Louis XVIII, il avait pu comprendre que le roi était prêt à le remplacer. Il répondit donc aussitôt, le 21 septembre, par une note hautaine de refus, manifestement destinée à lui donner devant l'opinion l'auréole de martyr de la patrie. Le lendemain il porta au roi sa démission et celle de ses collègues. Eût-il abandonné si facilement le pouvoir s'il avait pu prévoir qu'il n'y reviendrait plus jamais ?

CHAPITRE II

LA CHAMBRE INTROUVABLE

Richelieu et son ministère. — Decazes. — Le second traité de Paris et la Sainte Alliance. — La Chambre introuvable et les lois de répression. — La loi d'amnistie et l'exécution de Ney. — La Terreur blanche légale. — Conflit entre la majorité et le ministère. — Dissolution de la Chambre introuvable (5 *septembre* 1816).

La situation demandait un ministère qui pût collaborer avec la nouvelle Chambre et obtenir de l'Europe les meilleures conditions possibles de paix. Cette dernière considération, surtout, inspira le roi lorsqu'il chargea le duc de Richelieu de former le nouveau gouvernement.

Armand-Emmanuel du Plessis, duc de Richelieu, était le petit-fils du trop célèbre maréchal de Richelieu. Né en 1767, il avait émigré après les journées d'octobre 1789, et, pour ne pas rester oisif, était allé prendre du service dans l'armée russe. Sa vaillance et son beau caractère lui avaient attiré l'amitié du grand-duc Alexandre. Lorsque ce dernier monta sur le trône, il lui confia le gouvernement de l'immense territoire méridional récemment conquis sur les Turcs. Richelieu y fit merveille et transforma, en quelques années, ce pays presque désert en province prospère. En 1814, il était venu saluer le roi qui l'avait nommé premier gentilhomme de la Chambre et pair de France. Quand on lui offrit, au retour de Gand, le ministère de la Maison du roi, laissé vacant par le départ de Blacas, il refusa : il ne tenait pas à siéger à côté de Fouché, et il ne se sentait pas fait pour la vie de cour ; il ne rêvait que de retourner dans son cher Odessa. Il fallut les instances du tzar pour le contraindre à accepter la présidence que lui offrait le roi : « Soyez le lien d'alliance sincère entre les deux pays, lui dit Alexandre, je l'exige au nom du salut de la France. »

Par bien des côtés de sa personnalité, Richelieu semblait peu préparé à un tel rôle : « L'homme de France qui connaît le mieux la Crimée », ricanait Talleyrand. Et de fait, il se trouvait en France comme un étranger ; jamais il n'avait même entrevu ceux qui devaient devenir ses collaborateurs au ministère. Le tourbillon de passions et d'intrigues qui menait la politique intérieure le laissait tout abasourdi ; « Affreux pays », gémissait-il souvent. Dans une assemblée qui faisait l'apprentissage du régime parlementaire, il était incapable de dominer son trac de la parole publique ; il ne savait pas improviser, il ne savait pas rebondir dans un débat, il ne savait pas orienter une délibération. Dans une situation où il fallait pouvoir avaler des couleuvres, cet hypersensible prenait tellement à cœur les choses qu'il était réduit au désespoir ou à la fureur par le moindre échec, le moindre manque d'égards. Succédant au plus roué des diplomates, il était incapable de dissimuler ses pensées et ses impressions. Sa modestie, sa défiance excessive de lui-même le rendaient incapable de toute résolution prompte et vigoureuse ; et il ne se laissait pas non plus conduire par les autres : pour avoir été trop facilement et trop souvent trompé, il supposait presque toujours des arrière-pensées chez ses interlocuteurs ; Molé le comparait à un cheval ombrageux qu'il fallait approcher de loin et apprivoiser peu à peu.

Mais, au bout du compte, ses lacunes devaient le servir presque autant que ses vertus. Etranger aux luttes de partis, il pourra plus facilement les dominer et les arbitrer. Surtout ses hautes qualités de gentilhomme chrétien commanderont le respect de tous. Son désintéressement était total ; il devait continuer, au plus haut de sa puissance, à mener le train de vie d'un officier en campagne. Lorsqu'il arriva au ministère, il rompit toutes les négociations engagées avec les acquéreurs de ses biens qui avaient été confisqués sous la Révolution, de peur que sa nouvelle position ne lui rendît trop faciles les conditions. Son sens chevaleresque de l'honneur, sa loyauté absolue, devaient faire plus pour ramener à la France la considération de l'Europe que toutes les roueries de Talleyrand. Alexandre dira de lui : « Le seul ami qui m'ait fait entendre la vérité » ; et Wellington : « Sa parole vaut un traité. »

L'inexpérience de Richelieu explique les faiblesses de son équipe ministérielle. A la Justice, Barbé-Marbois, ancien ministre de Napoléon, personnage austère et rude d'apparence, mais assez faible au fond, « un roseau peint en fer ». Aux Finances le Génois Corvetto, lui aussi ancien fonctionnaire de l'Empire, bon technicien sans couleur politique ; à la Guerre, le général — bientôt maréchal — Clarke, duc de Feltre ; les militaires l'appelaient le « maréchal d'Encre », parce que depuis des années il n'avait connu d'autre champ de bataille qu'un bureau de ministère. « On le retrouvait sous le roi tel qu'il avait été sous l'empereur, dit Molé, adorant le despotisme et l'arbitraire, parce qu'ils dispensent de donner des raisons et d'avoir des idées. » A la Marine le vieux vicomte Dubouchage, ancien ministre de Louis XVI, qui était retiré entièrement de la vie publique depuis un quart de siècle. Le ministre de l'Intérieur, le comte de Vaublanc, était du moins un homme rompu aux affaires : député à l'Assemblée législative de 1791, au Conseil des Cinq-Cents, au Corps législatif du Consulat, il avait été préfet de la Moselle de 1805 à 1814, et préfet des Bouches-du-Rhône en juillet 1815. Il était aussi énergique et infatigable. Mais sa vanité dépassait de loin toutes les bornes ordinaires du ridicule, elle se répandait en propos fendants, en discours ronflants, en circulaires emphatiques ; il cherchait, par une surenchère de zèle ultra-royaliste, à faire oublier qu'il avait servi Napoléon. Ses convictions ainsi que ses attributions devaient le mettre bientôt en conflit avec le nouveau ministre de la Police, Elie Decazes.

Fils d'un notaire de Libourne, Decazes avait été attaché à la maison de Mme Mère, puis nommé conseiller à la cour impériale de Paris. Aux Cent-Jours, il avait refusé courageusement le serment à l'empereur. Lors de la formation du ministère Talleyrand, on se trouvait en peine pour désigner un préfet de police de Paris ; le baron Louis proposa Decazes, et Fouché l'agréa dédaigneusement. Le jeune préfet de police — il avait trente-cinq ans — obtint de travailler directement avec le roi ; Louis XVIII se délectait des petits potins rapportés par la police et par le cabinet noir, mais répugnait à s'en faire entretenir par Fouché. Pour gagner la faveur du souverain, Decazes se composa le personnage de jeune homme naïf et ardemment dévoué, désireux de boire la science du gouvernement et des hommes à l'école du plus sage et du plus expérimenté des princes. Si le roi, par exemple, prétendait lui apprendre l'anglais, Decazes travaillait ferme avec un autre professeur et le roi pouvait s'émerveiller de la rapidité des progrès de son élève... en même temps que de ses propres capacités pédagogiques. Le stratagème réussit tellement bien que Louis XVIII le considéra bientôt comme son disciple, son ouvrage, son fils spirituel. Il s'attacha à lui avec une passion sénile. Voici un exemple presque incroyable des billets quotidiens qu'il lui écrivait : « Mon Elie, je t'aime, je te bénis de toute mon âme, je te presse contre mon cœur. Viens y recevoir les plus tendres baisers de ton ami, de ton père, de ton Louis ! » L'affection du roi s'étendit à toute la famille du favori ; sa sœur, Mme Princeteau, avait une nichée d'enfants que Louis XVIII traitait en grand-père, s'informant avec sollicitude de leurs rhumes et de leurs coliques, employant ses loisirs royaux à leur faire des cornets de bonbons. « Il s'était fait ainsi, dit cruellement Frénilly, une petite famille de basse-cour qui n'était pas un des moindres soucis de son empire. » Plus tard le roi négociera lui-même le mariage de son favori avec une riche héritière, Mlle de Saint-Aulaire, et il se fera amener la jeune épouse pour lui enseigner en détail les moyens de plaire à son mari.

Cette faveur extraordinaire devait faire de Decazes, pendant quatre ans, le pivot de toutes les combinaisons politiques. Aussi est-il impossible de ne pas arrêter son regard sur sa personnalité. Nul ne l'a fixée d'un crayon plus acéré que son contemporain et collègue Molé : « Sa figure est belle et régulière, sans agrément, sans noblesse ; il a l'œil de l'épervier, grand, clair, rond et perçant ; son nez ressemble aussi au bec de l'oiseau de proie ; mais les coins abaissés de sa bouche, ses lèvres fines, son front court et avancé, ôtent à sa tête toute beauté morale et expressive. Son regard est habituellement vague et incertain, il ne le fixe qu'à la dérobée et comme s'il voulait voir sans être vu ; sa taille est élevée, ses formes sont grasses, arrondies et efféminées ; ses manières sont faciles, affectueuses, abandonnées, mais ridiculement vulgaires, et, quand il se recherche, elles deviennent celles d'un parvenu : voilà pour son extérieur. Pour son intérieur, le dirai-je, depuis trois ans je l'étudie et je crains encore de me tromper... Le point le plus délicat à résoudre est de savoir si M. Decazes est sincère ou faux : si j'en crois mon impression et sa physionomie, il est le plus faux des hommes... Il fait consister la science du gouvernement dans celle de séduire... il gagnait les grands en s'adressant à leur bassesse, et les petits en les élevant jusqu'à lui... Il n'a ni connaissances ni idées générales, il n'a peut-être pas lu cinq cents pages dans toute sa vie. En fait d'histoire, il ne connaît que la sienne ; ... sans doctrine comme sans principe, il ne gouverne que par expédients. Mais il ne se décourage ni ne s'effraie, et son art consiste à savoir toujours se tirer d'embarras. L'agent principal des affaires humaines, ... la suite, ... manque absolument à M. Decazes... rien de si difficile que de causer avec lui, rien de si rare que de le voir suivre son idée ; son esprit semble vague et errant comme son regard semble avoir besoin de s'appuyer sur la distraction pour se fixer ; il fait toujours plusieurs choses à la fois ; il faut qu'il lise pendant qu'il parle, et qu'il parle pendant qu'il écrit ; à défaut d'autres ressources, il fait ses ongles ou considère ses mains qui sont fort belles et dont il est incessamment occupé. Dans un temps ordinaire il n'eût été qu'un fat de province qui eût étendu de Libourne à la rue Saint-Denis le domaine de ses succès, mais les circonstances lui ont ouvert toutes les routes de la fortune... C'est le seul exemple qu'offre l'histoire jusqu'ici d'un favori devenu populaire et cela chez un peuple qui passerait à ses rois vingt maîtresses plutôt qu'un favori. »

La paix devait être le premier et principal objectif des efforts de Richelieu. Le tzar lui avait promis de l'aider à obtenir des atténuations aux conditions présentées par les Alliés le 20 septembre. Pour cela il fut convenu que Louis XVIII lui écrirait une lettre où il se déclarerait prêt à abdiquer plutôt que de les accepter. Armé de ce document, Alexandre arracha à ses alliés quelques concessions : la France conserverait, dans les Ardennes, Givet, Condé et Charlemont, et, dans le Jura, les forts de Joux et de l'Ecluse ; l'indemnité de guerre fut amputée de 100 millions et la durée de l'occupation ramenée de sept à cinq ans. Sur ces bases, des préliminaires furent signés, le 2 octobre ; les divers instruments du traité final — il y en avait, comme en 1814, un pour chacun des quatre « grands » — et les trois conventions techniques qui les accompagnaient, firent encore l'objet de discussions de détail, et c'est le 20 novembre seulement que fut signé cet ensemble d'actes qu'on a appelé le second traité de Paris. Avec quel déchirement patriotique l'honnête Richelieu y apposa son nom, Barante, qui le vit aussitôt après, l'a raconté : « Il entra, sa physionomie était bouleversée. Il jeta son chapeau et tombant sur une chaise se prit la tête à deux mains, comme un désespéré : Eh bien, c'est fini ! Le roi me l'a ordonné ! On mérite de porter la tête sur l'échafaud quand on est Français et qu'on a mis son nom au bas d'un pareil traité ! M. de Marbois tâchait de le consoler... Rien ne pouvait calmer le duc de Richelieu. Il pleurait de douleur et de rage. »

Le territoire de la France serait celui du 1er janvier 1790 et non plus celui de 1792 ; c'est-à-dire qu'elle devait céder Philippeville, Marienbourg et le duché de Bouillon aux Pays-Bas, Sarrelouis et Sarrebrück à la Prusse, Landau et le territoire au nord de la Lauter à l'Autriche qui devait le rétrocéder à la Hesse et à la Bavière, la Savoie enfin à la Sardaigne. Les départements frontaliers du nord et de l'est seraient occupés par 150.000 hommes de troupes étrangères pendant cinq ans au plus et trois au moins. Les frais d'occupation — 150 millions par an — étaient à la charge de la France. Ils s'ajouteraient à l'indemnité de guerre de 700 millions qu'elle devait payer aux Alliés. Enfin le gouvernement royal promettait de régler les dettes de toutes sortes contractées par les précédents gouvernements français à l'égard des particuliers dans les pays alliés.

Ces conditions étaient dures, considérablement plus dures que celles de 1814. Hélas, le roi ne pouvait faire autrement que de liquider une situation dont il n'était pas responsable. Faut-il s'étonner si les premiers à le lui reprocher furent ceux-là mêmes qui avaient le plus contribué à précipiter le pays dans le malheur en l'ouvrant à l'aventure ?

Lorsque l'on brandira plus tard contre la Restauration l'humiliation des traités de 1815, ce n'est pas seulement au second traité de Paris que l'on fera allusion, mais aussi au système d'alliances conclu dans le même temps entre les « quatre grands » pour en assurer l'exécution, et qu'on a désigné à tort du nom de Sainte-Alliance. Le traité de la Sainte-Alliance, proprement dit, signé le 26 septembre, sur l'initiative du tzar Alexandre, n'était pas autre chose qu'une déclaration générale de principes, inspirée d'ailleurs d'un idéal élevé ; et l'Angleterre devait refuser d'y adhérer. Beaucoup plus important était le traité conclu le 20 novembre même entre les quatre alliés et qui renouvelait contre la France le pacte militaire de Chaumont. Sa grande nouveauté était l'article 6 : « Pour assurer et faciliter l'exécution du présent traité et consolider les rapports intimes qui unissent aujourd'hui les quatre Puissances... les hautes parties contractantes sont convenues de renouveler à des époques déterminées... des réunions consacrées aux grands intérêts communs et à l'examen des mesures qui seront jugées les plus salutaires pour le repos et la prospérité des peuples et pour le maintien de la paix en Europe. » C'était le premier germe des organisations internationales qui, depuis...

Il est à peine nécessaire de souligner le caractère humiliant de cet acte pour la France, qu'il mettait, en quelque sorte, en état de tutelle surveillée. La coalition temporaire nouée contre Napoléon devenait un élément permanent de la politique internationale.

La situation intérieure de la France, par ses remous, pouvait justifier, aux yeux des Alliés, ces mesures de précaution. La session parlementaire avait été ouverte le 7 octobre, et la nouvelle Chambre avait manifesté bientôt son intention d'intervenir activement dans la direction des affaires. L'histoire libérale a imposé la légende d'une Chambre introuvable presque entièrement composée de nobles et de vieux émigrés chagrins, désireux de revenir à l'ancien régime. Il suffit de faire le compte, en évitant de se laisser tromper par la consonance nobiliaire des noms à rallonges dont aiment à se parer les grands bourgeois de ce temps. Sur 381 députés qui composent la Chambre au début de 1816, nous trouvons 197 bourgeois d'origine et 8 anoblis de l'Empire, contre seulement 176 nobles d'ancien régime ; il y a 73 anciens émigrés, et il faut observer que la plupart d'entre eux, ainsi que des nobles, avaient accepté des fonctions militaires ou civiles sous l'Empire. Parmi les bourgeois, on compte 91 hommes de loi, magistrats et avocats, 25 négociants ou industriels. Un autre trait intéressant de cette Chambre est sa relative jeunesse, par rapport aux autres assemblées du temps. Elle ne compte que 45 sexagénaires, et 130 députés ont moins de 45 ans, c'est-à-dire qu'ils avaient moins de vingt ans lors du début de la Révolution et n'ont guère pu jouir des privilèges de l'ancien régime ; leur royalisme était fait d'espérance et non de regrets. Chose remarquable aussi, pas un ecclésiastique dans cette Chambre qui se montrera si soucieuse des intérêts de la religion. Enfin ce sont en grande majorité des hommes nouveaux dans la politique : 61 seulement ont siégé dans de précédentes assemblées. Ce fait, joint à la présence d'un élément jeune, explique que cette Chambre, comme celle de 1789, se soit montrée nerveuse, impulsive, passionnée et souvent maladroite.

Son premier acte, l'adresse en réponse au discours du trône, exprima sa volonté de châtier ceux qui avaient amené les maux dont le pays était accablé. La facilité avec laquelle Napoléon avait pu s'emparer du pouvoir tenait, pour une bonne part, au fait que la première Restauration avait laissé pratiquement en place tous les cadres militaires et administratifs de l'Empire. Pour les royalistes, les défections inévitables dues à l'entraînement, à la faiblesse, à la force de l'habitude, paraissaient le résultat d'un vaste complot prémédité. Il fallait punir les coupables qui s'étaient démasqués, éliminer impitoyablement tous les fonctionnaires peu sûrs ; c'était une question de vie ou de mort pour la monarchie. Les ministres étaient tous disposés à entrer dans ces vues ; il ne faut pas oublier que Decazes faisait alors figure d'ultra-royaliste et qu'il devait prendre une grande part à la préparation comme à l'application des mesures de représailles. Il faut souligner aussi que ces mesures eurent pour rapporteurs et défenseurs à la tribune des hommes comme Pasquier et Royer-Collard, qui devaient plus tard se séparer de la majorité en passant pour des modérés. Le doux Fontanes disait alors : « Il faut faire beaucoup de peur si l'on veut faire peu de mal. »

Coup sur coup furent votées quatre lois qui forment ce qu'on peut appeler l'armature légale de la deuxième terreur blanche : loi de sûreté générale (29 octobre), loi sur les discours et écrits séditieux (9 novembre), rétablissement des cours prévôtales (27 décembre), loi d'amnistie (12 janvier 1816).

La première, présentée par Decazes, permettait d'emprisonner sans jugement tout individu suspecté de comploter contre la famille royale ou contre la sûreté de l'Etat ; mais ce régime d'exception devait disparaître à la fin de la session suivante. La loi du 9 novembre distinguait deux catégories de délits : d'une part les paroles ou manifestations tendant au renversement du gouvernement légitime ou constituant une menace contre la vie du roi ou de la famille royale : ces actes conduiraient leurs auteurs en cour d'assises, en attendant que fussent mises sur pied les cours prévôtales, et ils seraient passibles de la déportation. D'autre part, il y avait les autres actes ou manifestations séditieuses qui étaient seulement de nature à affaiblir le respect dû à l'autorité du roi, ainsi les chansons, les cris de *Vive l'Empereur*, l'exhibition des insignes tricolores, etc. Tous ces délits relèveraient des tribunaux correctionnels et pourraient être punis d'un emprisonnement d'un mois à cinq ans et d'une amende pouvant aller jusqu'à 20.000 francs.

Les cours prévôtales, rétablies par la loi du 27 décembre, n'étaient pas, comme on le croit trop souvent, une nouveauté ; l'ancien régime avait eu ses juridictions prévôtales, et Napoléon les avait utilisées pour mettre fin au brigandage issu de la chouannerie. Les nouvelles cours prévôtales installées dans chaque département étaient composées de quatre magistrats civils, mais le rôle de juge d'instruction et de procureur était confié à un prévôt militaire. Leur compétence s'appliquait aux crimes politiques qui avaient un caractère de violence publique et de flagrant délit, comme les réunions séditieuses, les rébellions à main armée et la première catégorie de délits prévus dans la loi du 9 novembre. Elles devaient juger sans assistance de jury, sans appel possible, et leurs sentences étaient exécutoires dans les vingt-quatre heures.

La discussion de la loi d'amnistie devait donner lieu à la première divergence entre la majorité de la Chambre et le gouvernement, et ce fut l'occasion qui fit apparaître un parti ministériel minoritaire en face de la majorité ultra-royaliste.

Cette majorité pensait que l'ordonnance du 24 juillet n'annulait pas la compétence de la Chambre en ce qui concernait la recherche et la punition des coupables des Cent-Jours. Usant de son droit d'initiative indirecte, elle examina en comité secret plusieurs propositions à soumettre au roi. Celle du député du Maine-et-Loire, le comte de la Bourdonnaye est restée célèbre : il demandait que fussent exceptées de l'amnistie plusieurs larges catégories de coupables : « Pour arrêter leurs trames criminelles, dit-il, il faut des fers, des bourreaux, des supplices. La mort, la mort seule, peut effrayer leurs complices et mettre fin à leurs complots... Défenseurs de l'humanité, sachez répandre quelques gouttes de sang pour en épargner des torrents. » Saint-Just ne parlait pas autrement au plus fort de la Terreur.

Le bruit de ces discussions, répandu dans le public, suscita d'autant plus de craintes qu'elles se déroulaient en secret. Les libéraux se firent un épouvantail des « catégories » de La Bourdonnaye ; à les entendre, des milliers de personnes allaient être frappées. Un sixain courut les cafés :

C'est bien injustement qu'on fronde
Ce bon gouvernement royal,
Si généreux et si loyal,
Car sa clémence sans seconde
Accorde un pardon général
Dont il excepte tout le monde.

Richelieu s'émut. Il demanda que la Chambre se bornât à prononcer le bannissement des trente-huit personnes portées sur l'ordonnance du 24 juillet, en y ajoutant seulement les membres de la famille Bonaparte. La commission de la Chambre objecta que plusieurs des hommes portés sur cette liste étaient assez coupables pour être non seulement bannis, mais livrés aux tribunaux ; que d'autres étaient beaucoup plus dignes de clémence que certaines personnalités, comme Fouché, qui n'y étaient point portées. Enfin, elle insistait pour faire bannir à perpétuité les régicides qui avaient adhéré au régime des Cent-Jours et avaient perdu ainsi le droit de se réclamer de l'oubli promis par l'article 11 de la Charte.

Le cours des débats devait se trouver influencé par des événements extérieurs à l'enceinte du Parlement. Dans le même temps se terminait le procès du maréchal Ney. L'ordonnance du 24 juillet l'avait naturellement inscrit au nombre de ceux qui devaient être traduits devant un conseil de guerre, mais le gouvernement lui avait laissé toute facilité pour se mettre à l'abri à l'étranger. Ney, on ne sait trop pourquoi, ne voulut pas en profiter, et, le 5 août, fut arrêté dans le Lot, par des sous-ordres trop zélés. Louis XVIII en fut consterné : « Il nous a fait plus de mal en se laissant prendre que le jour où il nous a trahi. » Il était impossible de ne pas le punir ; de toutes les défections, la sienne avait été la plus éclatante ; il n'y avait de procès possible contre personne si on ne le jugeait pas. Ney récusa la compétence du conseil de guerre d'abord constitué pour le juger, se réclamant de sa qualité de pair pour comparaître devant la Chambre haute. On ne pouvait reculer sans s'avouer impuissant et les Alliés laissaient entendre qu'ils apprécieraient sur cette épreuve la capacité du gouvernement royal à dominer la situation intérieure. Richelieu vint donc lui-même requérir les pairs d'ouvrir le grand procès. Il se déroula du 21 novembre au 6 décembre dans une atmosphère de haute gravité. A l'unanimité moins une voix, les pairs déclarèrent Ney coupable de haute trahison ; le vote sur la peine à appliquer donna 139 voix pour la mort, 17 pour la déportation et 5 abstentions. Le roi pouvait faire jouer son droit de grâce, et l'on s'étonne aujourd'hui qu'il ne l'ait pas fait. Mais les amis du condamné avaient travaillé contre lui en mettant le gouvernement au défi de porter la main sur le glorieux soldat ; les ultra-royalistes et les Alliés criaient à la faiblesse ; il aurait fallu à Louis XVIII un génie et une autorité qu'il n'avait pas pour discerner seul et imposer à son temps une solution dont l'histoire ne pourrait apercevoir la convenance que plusieurs années après. Ney subit donc sa peine, le 7 décembre, effaçant par la courageuse grandeur de sa fin les erreurs de sa vie.

Richelieu comptait sur l'impression produite pour reprendre l'avantage dans la discussion de la loi d'amnistie. Dès le lendemain de l'exécution, il parut à la tribune : « Un grand exemple vient d'être donné », dit-il, et il présenta au nom du gouvernement un nouveau projet qui revenait à transformer en loi les dispositions de la fameuse ordonance du 24 juillet, avec quelques additions. La Chambre s'obstina dans son propre projet. Un incident redoubla sa mauvaise humeur : Lavalette, directeur des postes sous les Cent-Jours, avait été également condamné à mort ; la veille de son exécution, sa femme réussit à le faire évader en se substituant à lui au cours de leur dernière entrevue. Le stratagème était d'une telle audace qu'on y vit la preuve de complicités importantes ; Decazes fut soupçonné, bien à tort, d'y avoir prêté la main. La discussion finale de la loi d'amnistie s'engagea donc dans une atmosphère empoisonnée de défiances et de haines. Finalement, le gouvernement réussit à faire repousser les exceptions à l'amnistie demandées par la commission de la Chambre, mais il dut accepter l'exil des régicides.

Avec cette loi se trouvait complété l'arsenal de la répression. Il appartiendrait aux ministres et à leurs agents de l'appliquer. Ce que fut cette Terreur blanche légale et gouvernementale, succédant à celle spontanée et populaire de l'été 1815, il est difficile de le dire exactement, dans l'état actuel des travaux historiques. D'après une statistique inédite du ministère de la Justice, arrêtée au 31 décembre 1815, le nombre des personnes traduites devant les tribunaux pour délits politiques s'élevait à cette date à 4.985, sur lesquelles 1.825 avaient été acquittées. A la même date, le nombre des détenus politiques s'élevait à 3.196, dont 1.697 n'avaient pas encore été jugés. Certes ces chiffres se sont augmentés au cours de l'année 1816, mais ils donnent au moins un ordre de grandeur. Quant aux cours prévôtales, sur les 2.280 affaires qu'elles ont connues pendant tout le cours de leur existence, 237 seulement sont purement politiques, 1.560 étant de droit commun, et le reste de caractère mixte. Sur les 237 affaires politiques, le plus grand nombre se sont terminées par des condamnations bénignes ou par des non-lieu. Quant aux lois de sûreté générale et sur les manifestations séditieuses, leur application, dépendant en grande partie des autorités locales, présente pour ce motif des variations considérables d'un département à l'autre.

Un autre aspect de la Terreur blanche est la vague d'épurations qui sévit dans toutes les administrations. Le gouvernement royal, comme tout régime qui s'établit sur les ruines d'un parti vaincu, n'avait le choix qu'entre deux solutions : ou bien conserver les serviteurs du régime précédent et risquer de se voir paralysé et trahi par ses agents, ou bien les éliminer et s'en faire des ennemis irréconciliables, en risquant par surcroît de désorganiser momentanément les services. Il était d'autant plus excusable de choisir la seconde solution qu'il avait appliqué la première, en 1814, avec le résultat que l'on sait. Les ministres, les directeurs de services, les préfets, se chargèrent dans leurs domaines respectifs d'organiser cette épuration, avec des méthodes et des degrés de rigueur différents. Naturellement, ils durent prendre des renseignements sur la conduite de chaque fonctionnaire pendant les Cent-Jours : avait-il prêté serment à l'Usurpateur ? C'était la pierre de touche. Les comités royaux se transformèrent en comités d'épuration et de dénonciation ; les sociétés secrètes royalistes entrèrent aussi en jeu. Ici non plus, on ne possède pas de statistiques sûres pour mesurer l'étendue des ravages ; on est porté à croire que l'épuration frappa 50 à 80.000 personnes, soit le tiers ou le quart des fonctionnaires. Le parti qui était frappé s'en indigna, mais il devait faire exactement la même chose lorsqu'il arriverait au pouvoir en 1830.

Dans la discussion de la loi d'amnistie, les ministres n'avaient arraché quelques concessions à la majorité qu'en se retranchant à tout propos derrière l'autorité du roi. Les députés de la majorité avaient allégué au contraire la volonté de la nation, en criant : « Vive le roi quand même ! » Il se produisit, dans les derniers temps de la session, un étrange chassé-croisé de positions. Les libéraux se firent les défenseurs de la prérogative royale et les ultra-royalistes les champions du régime parlementaire. La Chambre, dogmatisait Royer-Collard, porte-parole de la minorité ministérielle, n'existe que par la Charte, et elle n'est pas représentative de la nation, elle ne saurait avoir d'autres pouvoirs que ceux qui lui ont été concédés par le roi, seul et unique dépositaire de l'autorité. En sens contraire, Vitrolles, dans sa brochure *Du ministère dans le gouvernement représentatif*, soutenait : « Dans les gouvernements représentatifs, l'opinion est souveraine, et le ministère... doit être pris nécessairement parmi les hommes que les Chambres désigneraient, si elles étaient appelées à le choisir directement. »

La fin de la session fut remplie par une bataille acharnée entre le ministère et la majorité autour de la loi électorale et du budget.

Le ministre de l'Intérieur, Vaublanc, avait présenté un premier projet de loi électorale par trop inspiré des précédents napoléoniens ; le publiciste Fiévée le résumait en ces termes : « Les ministres nomment les électeurs, qui nomment les députés. » En outre, il prévoyait, selon l'article 37 de la Charte, le renouvellement de la Chambre par cinquième. La majorité, désireuse de se maintenir au pouvoir, voulait y substituer un renouvellement intégral tous les cinq ans ; d'autre part elle proposait un système électoral à deux degrés qui étendait le droit de vote aux citoyens payant 50 ou même 25 fr. de contributions directes ; c'était, dans son idée, le moyen de noyer l'influence de la bourgeoisie libérale sous un afflux de voix plus populaires. « Annulez la classe moyenne, la seule que vous ayez à redouter », disait Villèle. Là encore, les ultra-royalistes étaient amenés, par les besoins tactiques de leur cause, à se montrer plus démocrates que leurs adversaires libéraux. Le gouvernement réussit à faire repousser par la Chambre des pairs le principe du renouvellement intégral et quinquennal voté, malgré ses efforts, par les députés, et la loi électorale resta en suspens.

Le budget se présentait, cette année, avec des difficultés extraordinaires. La liquidation de l'arriéré de l'Empire, préparée, comme on l'a vu, par le baron Louis, était à peine commencée, lorsque les Cent-Jours étaient venus augmenter les dettes de l'Etat. L'arriéré se montait maintenant à 695 millions ; il s'y ajoutait le paiement de la première tranche de contribution de guerre — 140 millions — les frais d'occupation — 135 millions — le budget ordinaire de 525 millions. Au total c'était une somme de 1.495 millions à trouver. Pour le budget ordinaire, Corvetto proposait d'y faire face par des augmentations d'impôts et des retenues sur les traitements : le roi, pour donner l'exemple, abandonnait 10 millions sur sa liste civile de 35 millions. Quant à l'arriéré, Corvetto, reprenant la méthode de son prédécesseur, proposait de le liquider par des obligations à 8 % gagées sur la vente de 400.000 hectares de forêts nationales. La majorité refusa absolument d'aliéner ces biens qui avaient appartenu à l'Eglise, et qu'elle entendait lui faire restituer, comme on avait restitué aux émigrés ceux de leurs biens qui n'avaient pas été vendus à des particuliers ; elle protestait qu'il était immoral de faire payer à la monarchie les dettes contractées par des rebelles dans le but de renverser le roi ; ce serait déjà les trop bien traiter que de les rembourser partiellement, en les payant en titres de rentes comptés à 100 francs, alors qu'en fait cette valeur était cotée à 60 francs.

Malgré tous ses efforts, le gouvernement ne réussit pas à entamer la majorité. Il fallut en venir à une transaction : on renonça à la vente des bois, et la majorité accepta le principe du remboursement intégral des dettes de l'Etat par des titres spéciaux portant un intérêt de 5 % jusqu'en 1820, date à laquelle on renvoyait la question de savoir comment on liquiderait le capital. Le budget fut alors voté (27 avril). Le gouvernement se hâta de se débarrasser de cette Chambre devenue ingouvernable, en faisant déclarer close la session (29 avril).

Quelques jours auparavant, le roi avait fait dire aux chefs de la droite qu'il n'avait aucune intention de provoquer immédiatement de nouvelles élections, même pour un cinquième, et qu'il comptait réunir la Chambre telle qu'elle était pour une nouvelle session au mois d'octobre. On doit croire qu'il était alors sincère. Richelieu, malgré son mécontentement, ne pensait pas autrement, et continuait à ménager la droite. Après la clôture de la session, il crut devoir éliminer Vaublanc de son ministère ; le ministre de l'Intérieur s'était rendu insupportable à ses collègues par sa hauteur et par son dévouement à la majorité royaliste. Peu de temps auparavant, Decazes lui avait dit en plein conseil : « Vous n'êtes que le ministre du comte d'Artois, et vous voudriez être plus puissant que les ministres du roi ! — Si j'étais plus puissant que vous, riposta Vaublanc, j'userais de mon pouvoir pour vous faire accuser de trahison, car vous êtes, M. Decazes, traître au roi et au pays! » Richelieu ayant remplacé Vaublanc par le président de la Chambre, Lainé, royaliste modéré comme lui-même, il se crut obligé de donner une sorte de compensation au parti ultra-royaliste en destituant aussi Barbé-Marbois et son secrétaire général Guizot, qui étaient les bêtes noires de la majorité, et en rendant le ministère de la Justice au vieux chancelier Dambray.

Les artisans de la dissolution furent Decazes et les représentants des gouvernements alliés. Decazes s'était rendu odieux à la droite ; la majorité ne cachait pas son intention de provoquer son élimination du ministère lors de la rentrée parlementaire. Le jeune ministre entreprit donc un savant travail auprès du roi et du président du conseil ; en mettant sous leurs yeux des informations choisies, il leur représentait le pays exaspéré contre la Chambre, les ultra-royalistes décidés à pousser la réaction à ses dernières extrémités, à imposer leur volonté au roi, à le faire mettre en tutelle par Monsieur.

D'autre part, les représentants des Alliés à Paris, notamment Wellington et Pozzo di Borgo, avaient vu avec inquiétude les dispositions de la Chambre, à propos du budget, dispositions qui semblaient compromettre le paiement des dettes de guerre ; ils craignaient que les mesures de répression votées au début de la session et dont les effets portaient leur pleine efficacité au début de l'été, ne soulevassent des entreprises désespérées, comme celle qui ensanglanta Grenoble au mois de mai. Ils firent donc la plus forte pression sur Louis XVIII pour qu'il se débarrassât de cette Chambre incommode. Richelieu s'était d'abord cabré contre l'intervention de l'étranger dans la politique intérieure de la France : « Plutôt mourir de la main des Français que d'exister par la protection étrangère ! » Decazes le ramena à ses idées par le seul argument qui pouvait toucher son cœur patriotique : il lui montra que le maintien de la Chambre introuvable, objet de la défiance des Alliés, serait un obstacle aux négociations par lesquelles le président du conseil espérait obtenir la libération anticipée du territoire. Une fois le roi et Richelieu gagnés, les autres ministres suivirent à contre-cœur. La décision de renvoyer la Chambre fut prise au milieu d'août et l'ordonnance de dissolution signée le 5 septembre 1816.

Le prétexte invoqué était habile. Le roi déclarait avoir reconnu la nécessité de revenir à la lettre de la Charte, en ramenant le nombre des députés à 262 et leur âge minimum à 40 ans Pour cela il était indispensable de procéder à de nouvelles élections. Elles se feraient selon le mode prévu par l'ordonnance du 21 juillet 1815. Cette dernière disposition était assez étonnante, car c'était faire appel aux mêmes électeurs qui avaient nommé la Chambre introuvable ; mais il n'y avait pas moyen de faire autrement, puisqu'on n'avait pas réussi à mettre sur pied une loi électorale nouvelle.

Les gouvernements étrangers approuvèrent sans restriction cette mesure qu'ils avaient inspirée. A l'intérieur, les constitutionnels et les libéraux furent enchantés. Royer-Collard déclara qu'il fallait élever une statue à Decazes, et l'on vit d'anciens jacobins insulter les royalistes au cri de *Vive le roi !* Dans le camp des ultra-royalistes et dans l'entourage du comte d'Artois, ce fut la consternation et la fureur. Chateaubriand achevait de faire imprimer son livre *De la Monarchie selon la Charte*, où il développait hardiment la théorie et le programme d'un gouvernement parlementaire appliqué par une majorité royaliste ; il y ajouta un post-scriptum venimeux où il insinuait que le roi avait dû céder à la pression de ses ministres : « On a souvent admiré, dans les affaires les plus difficiles, la perspicacité de ses vues et la profondeur de ses pensées. Il a peut-être jugé que la France satisfaite lui renverrait ces mêmes députés... et qu'alors il n'y aurait plus moyen de nier la véritable opinion de la France. » Louis XVIII fut vivement blessé de cette ironie. Decazes ordonna la saisie de l'ouvrage et l'auteur provoqua un petit scandale en s'y opposant en personne ; finalement, Chateaubriand fut puni par la privation de son titre de ministre d'Etat et de la pension qui s'y trouvait attachée. Cette mesquine vengeance aigrit profondément le grand écrivain, sans nuire le moins du monde, bien au contraire, au succès de son livre.

Que faut-il penser de cette sorte de coup d'Etat que constituait la dissolution de la Chambre introuvable ? L'histoire en fait généralement un grand mérite à Decazes et au roi ; on y voit une heureuse tentative pour désolidariser la monarchie des éléments réactionnaires et la rapprocher de cette importante fraction de la nation qui était attachée aux conquêtes de la Révolution. Mais on n'a pas assez remarqué que l'ordonnance du 5 septembre 1816 a fait en même temps avorter l'établissement, en France, d'un véritable gouvernement parlementaire ; la majorité royaliste, suivant les idées de Chateaubriand, se disposait à fonder un régime où la volonté du Parlement devait s'imposer au ministère et au souverain lui-même, et elle l'aurait fait avec le souci sincère de ne pas abaisser la couronne. On devait y arriver quinze ans plus tard, mais au prix d'une révolution qui porterait un coup fatal au principe de la monarchie. D'autre part, Decazes, en brisant la Chambre élective au nom de l'autorité royale, créait le précédent d'où sortiraient finalement les fatales ordonnances de juillet 1830. Devait-on du moins réussir à trouver en dehors de la droite les éléments d'un gouvernement monarchique et libéral ? Devait-on réussir à réconcilier les hommes qui avaient été jusque-là hostiles à la monarchie ? Decazes le tenterait au cours des années suivantes, mais les faits démentiraient ses espoirs ; il devrait s'apercevoir que ces éléments de gauche, loin de se rallier à la monarchie qui leur tendait la main, profitaient de la faveur du gouvernement pour se préparer plus sûrement à le renverser. Il faudrait alors se retourner vers cette droite, que l'on avait dénoncée sans relâche devant le pays, que l'on avait contribué à discréditer, à braquer dans des positions exagérées, il faudrait finalement livrer la monarchie elle-même à ce parti et faire partager à la couronne son impopularité.

Louis XVIII a-t-il sauvé ou perdu la monarchie en signant l'ordonnance du 5 septembre ? Question insoluble, sans doute, mais qu'on ne saurait éviter de se poser.

CHAPITRE III

RICHELIEU ET LA LIBÉRATION DU TERRITOIRE

Les élections d'octobre 1816. — Les partis : la droite ultra-royaliste. — Les constitutionnels. — Les indépendants. — La session de 1816-1817. La Loi électorale. — Lutte à couteaux tirés entre Decazes et la droite. — L'affaire de Lyon, la Note secrète et la « conspiration du Bord de l'eau ». — L'exécution des clauses financières du traité de Paris. — Le congrès d'Aix-la-Chapelle et la fin de l'occupation. — Dislocation du ministère.

Faire de nouvelles élections avec le même système et les mêmes collèges qui avaient élu, un an auparavant, la « Chambre introuvable », pouvait paraître un jeu risqué. Decazes se lança dans la bataille avec ardeur, empiétant sans scrupules sur les fonctions de son collègue Lainé, ministre de l'Intérieur, qui était trop timoré, et surtout trop honnête homme pour mettre la main à cette douteuse cuisine. Les présidents des collèges départementaux, nommés par le roi, et désignés par là même aux suffrages, furent tous des députés ministériels. Decazes encouragea à voter tous ceux qui s'étaient abstenus en août 1815, sans en excepter les ennemis déclarés de la monarchie qui avaient encouru les rigueurs de la loi de sûreté générale. Les préfets et tous les agents du gouvernement reçurent l'ordre de faire pression sur les électeurs afin d'écarter les « exagérés », au profit d'hommes « purs mais modérés, qui n'appartiennent à aucun parti, à aucune société secrète, ... qui ne croyent pas qu'aimer le roi et avoir bien servi dispense d'obéir aux lois ». La presse, toujours étroitement contrôlée, fut utilisée pour répandre contre les ultras les accusations les plus sinistres, comme de vouloir le rétablissement de la dîme et des droits féodaux.

Les royalistes purs réagirent avec vigueur ; ils avaient l'appui de Monsieur, et ils disposaient, comme on l'expliquera ci-après, d'organisations puissantes. Nombreux étaient les préfets à leur dévotion, qui n'hésitèrent pas à travailler contre le ministère.

En général, les départements du Midi et de l'Ouest renvoyèrent les mêmes députés, tandis que dans le Nord et l'Est le gouvernement l'emporta. Dans certains collèges électoraux où ils prévoyaient une défaite, les ultras eurent recours à des manœuvres d'obstruction en se retirant en masse pour rendre l'élection impossible par défaut du quorum légal. C'est pourquoi, au lieu des 262 députés prévus, il n'y en eut, en fait, que 238 d'élus. Sur ce chiffre, l'ancienne majorité ne pouvait en revendiquer que 92, le reste, c'est-à-dire 146, soutiendrait le ministère ; il y en avait bien, parmi eux, une dizaine qui étaient hostiles, au fond, à la dynastie, mais la crainte de la réaction en ferait des ministériels de rencontre. Dans ces conditions, le régime représentatif institué par la Charte pourrait fonctionner normalement, puisque les trois pouvoirs, le roi, le ministère et la majorité des Chambres, étaient d'accord.

C'est à ce moment aussi que l'on put voir les partis prendre des contours un peu plus nets et se définir autour de certains hommes, de certaines idées, de certains journaux, de certaines organisations. Cette différenciation allait se faire, d'ailleurs, plus souvent sous la pression des événements qu'en fonction d'idées préconçues, plus à travers des réflexes d'opposition ou de défense que sur des programmes positifs, en un mot, c'est en s'opposant qu'ils devaient se poser, et ceci explique qu'ils n'émergeraient de la nébuleuse primitive que l'un après l'autre, par une sorte de phénomène de scissiparité.

Le premier à prendre forme fut le parti ultra-royaliste, comme l'appelaient ses adversaires ; ses adhérents se désignaient sous la simple appellation de « royalistes », ou « royalistes purs ». Par là, ils prétendaient opposer leur fidélité sans défaillance au dévouement suspect des hommes de la Révolution et de l'Empire, tardivement ralliés à la monarchie qu'ils prétendaient adapter aux idées nouvelles. Les Cent-Jours ayant démontré à leurs yeux la malfaisance de cette politique de compromis, ils entendaient, non pas revenir à l'ancien régime, comme on l'a dit trop souvent, mais fonder un ordre nouveau monarchique et religieux, basé sur les idées qui avaient mûri dans les milieux de l'émigration et s'étaient développées en France même avec la renaissance catholique et romantique. « La France, écrivait Chateaubriand, veut toutes les libertés, toutes les institutions amenées par le temps, le changement des mœurs, le progrès des lumières, mais avec tout ce qui n'a pas péri de l'ancienne monarchie, avec les principes éternels de la justice et de la morale... La France veut les intérêts politiques et matériels créés par le temps et consacrés par la Charte, mais elle ne veut ni les principes ni les hommes qui ont causé nos malheurs. » Toutefois, le parti tenait pour son véritable oracle le vicomte de Bonald, qui considérait la Charte comme « une œuvre de folie et de ténèbres ». Ses journaux étaient *la Gazette de France*, *la Quotidienne*, dirigée par Michaud, défenseur intransigeant de l'union de l'Autel et du Trône : « Nous autres, nous tirons par les fenêtres de la sacristie », disait-il. Le *Journal des Débats*, appartenant aux frères Bertin, inspiré par Chateaubriand, était le plus puissant organe de l'époque avec ses 27.000 abonnés. Il s'y ajoutera, en 1819, *le Drapeau Blanc* de Martainville, qui se distinguera par une surenchère de violence démagogique. Pour éviter les entraves légales, les royalistes utiliseront aussi le procédé des recueils à périodicité irrégulière, constituant de véritables revues : ainsi la *Correspondance politique et administrative* rédigée par Fiévée, esprit extrêmement brillant, mais que ses mœurs spéciales trop connues mettaient en marge de la bonne société, et surtout *le Conservateur*, qui mena d'octobre 1818 à mars 1820 une courte mais éblouissante carrière sous la direction de Chateaubriand.

Le principal atout du parti, son espoir, son chef, était le propre frère du roi, le comte d'Artois. Quand on voulait parler de son influence sans le désigner nommément, on parlait du « Pavillon de Marsan », qui était la partie du Louvre affectée à sa résidence. Le petit groupe d'hommes de confiance qui le conseillaient, le baron de Vitrolles, le comte de Bruges, Jules de Polignac..., formait comme un « gouvernement occulte », qu'on appelait parfois aussi « le cabinet vert », parce que le vert était la couleur de Monsieur. Le comte d'Artois ayant été nommé colonel général des gardes nationales de tout le royaume, avec le droit de désigner tous les officiers, ses affidés en avaient profité pour éliminer de la milice tous ceux qui étaient contraires à leurs idées et en faire une véritable armée intérieure au service du parti. Enfin la société secrète des Chevaliers de la Foi, créée pour combattre l'Empire, et à peu près mise en sommeil sous la première Restauration, avait retrouvé une activité nouvelle au second retour du roi, pour combattre le ministère Talleyrand-Fouché et les menées orléanistes. Une autre société secrète royaliste, celle des *Francs-Régénérés*, était née alors, d'une dissidence de la Maçonnerie, et elle lui fit un moment concurrence, mais elle n'eut qu'une existence éphémère. Une bonne partie du clergé était favorable aux idées du parti de Monsieur et travaillait pour lui ; on devine la puissance et les moyens d'influence que cette alliance pouvait lui apporter.

A la Chambre des députés, la cohésion du parti était remarquable. « On le voyait se lever, s'asseoir, parler, et se taire comme un seul homme », dit Molé. Cette discipline était l'œuvre des Chevaliers de la Foi, par la « bannière » qu'ils y avaient fondée au début de la session de 1815. La tactique y était arrêtée en comité secret, après quoi les mots d'ordre étaient communiqués aux non-initiés dans les réunions qui se tenaient chez le député Piet, personnage que son insignifiance mettait à l'abri des jalousies. Le vrai chef parlementaire du parti était le comte Joseph de Villèle, ancien maire de Toulouse, qui s'était révélé, dans la Chambre introuvable, un *debater* infatigable et un tacticien rusé ; avec son ami Corbière, député d'Ille-et-Vilaine, orateur incisif, il allait s'affirmer comme le pivot du parti ultra-royaliste de la Chambre, au cours de ses années de luttes difficiles. A la Chambre des Pairs, où les royalistes purs se trouvaient également en minorité, les *leaders* étaient naturellement Chateaubriand, Mathieu de Montmorency et Jules de Polignac. Ces deux derniers, comme Villèle, du reste, étaient membres du conseil supérieur des Chevaliers de la Foi.

Le parti « constitutionnel », naquit d'une réaction contre les exagérations du parti ultra-royaliste, comme celui-ci était sorti d'une réaction contre la politique de compromis de la première Restauration et contre le régime des Cent-Jours ; il commença à se dégager de la majorité royaliste dans les derniers temps de la session parlementaire de 1815-1816 ; les élections d'octobre 1816 lui donnèrent consistance en groupant derrière le ministère tous ceux qui répudiaient les méthodes et les doctrines du parti ultra-royaliste. Un programme aussi négatif laissait évidemment place à beaucoup de nuances; aussi ce parti ne devait-il jamais avoir la cohésion tactique ni l'unité doctrinale de ses adversaires. On devait y distinguer une gauche et une droite ; celle-ci, représentée dans le ministère par Richelieu et Lainé, avait moins d'éloignement pour les théories du parti royaliste que pour ses méthodes ; celle-là représentée au ministère par Decazes et Gouvion Saint-Cyr, s'inspirait d'un système politique opposé à celui des ultra-royalistes. Ce travail de pensée était l'œuvre d'un petit groupe d'intellectuels, connus sous le nom de « doctrinaires » : Camille Jordan, Guizot, Barante, le comte de Serre, le jeune duc de Broglie, Charles de Rémusat ; ils reconnaissaient pour maître Royer-Collard, dont les discours à la Chambre constituaient de vrais traités de philosophie politique. Leur influence était hors de proportion avec leur nombre : « Ils sont quatre, raillait un journal de gauche, qui tantôt se vantent de n'être que trois parce qu'il leur paraît impossible qu'il y ait au moins quatre têtes d'une telle force et tantôt prétendent qu'ils sont cinq, mais c'est quand ils veulent effrayer leurs ennemis par le nombre. » Decazes les caressait fort, c'est qu'ils lui paraissaient très utiles ; ils lui fournissaient à point nommé de hautes raisons théoriques pour habiller les attitudes politiques inspirées par les besoins de sa tactique. Leur organe attitré était alors une sévère revue, les *Archives philosophiques, politiques et littéraires*. Quant au parti ministériel dans son ensemble il avait, outre le *Moniteur*, toujours gouvernemental par définition, le *Journal général de France*, inspiré par Royer-Collard.

Dernier à prendre tournure, le parti des Indépendants se différenciera du parti constitutionnel au cours de l'été de 1817. Sous ce nom se cachent tous les ennemis du régime qui n'osent afficher leur véritable appartenance :

républicains, bonapartistes, orléanistes. Ils ont d'abord confondu leurs votes avec ceux des royalistes constitutionnels, mais dès qu'ils se sont trouvés assez forts, c'est-à-dire après les élections d'octobre 1817, ils ont formé, à l'extrême-gauche de la Chambre, un groupe distinct, antiministériel, avec Casimir Périer, Dupont de l'Eure, le banquier Laffitte, auxquels s'ajouteront, en octobre 1818, Lafayette, Manuel, et, en 1819, Benjamin Constant. Les principaux membres du groupe tenaient des réunions régulières, chez l'un ou chez l'autre, constituant ainsi un « comité directeur », opposé au Pavillon de Marsan et au conseil supérieur des Chevaliers de la Foi, qui correspondait avec des affidés et des comités électoraux dans toutes les provinces ; l'on peut croire que la Maçonnerie, dont la plupart étaient membres dignitaires, y joua un rôle, comme jadis dans l'organisation du parti « patriote » de 1789. Ses doctrines, en tout cas, étaient bien celles de la Maçonnerie du XVIIIe siècle : la souveraineté populaire, les libertés individuelles, la haine de l'Eglise. Les bonapartistes, en y entrant, et en y prenant de plus en plus d'influence, y ajouteront l'idée de revanche contre les traités de 1815, le nationalisme militaire, ainsi qu'une tendance à recourir à des méthodes violentes, assez étrangères à l'esprit libéral. Le cerveau du parti était Benjamin Constant, son drapeau, Lafayette, son bailleur de fonds, Laffitte. Parce que sa presse était constamment frappée par la censure, elle ne survivait qu'en se faisant protéiforme, une même équipe de rédacteurs publiant successivement une série d'organes aux noms divers, presque aussitôt supprimés qu'édités. Ainsi, la seule année 1818, verra passer cinquante-six journaux indépendants. Les plus connus parce que les plus durables seront *le Constitutionnel* et le *Journal du Commerce*. Benjamin Constant donna le prototype qui inspira aux royalistes la création du *Conservateur*, avec *la Minerve*, revue à périodicité irrégulière, qui parut à partir de janvier 1818.

La principale affaire de la session de 1816-1817 fut le vote de la loi électorale, restée en suspens l'année précédente. Présentée par Lainé, en sa qualité de ministre de l'Intérieur, elle était, en fait, l'œuvre des doctrinaires. Elle avait l'avantage de proposer un système simple et conforme à la lettre de la Charte : ne voteraient que les citoyens justifiant de 30 ans d'âge et payant 300 francs d'impôts directs ; l'élection se ferait dans une réunion unique de tous les électeurs au chef-lieu du département ; le président du collège électoral serait nommé par le roi et pourrait à son tour nommer le secrétaire et les scrutateurs ; enfin, il était sous-entendu que les élections auraient lieu, comme le voulait la Charte, tous les ans, pour renouveler chaque fois un cinquième de la Chambre.

Le projet favorisait le parti constitutionnel et ministériel en ce qu'il permettait au gouvernement d'agir sur les électeurs par l'influence conjuguée du préfet et du bureau du collège électoral ; il était contraire aux ultra-royalistes, d'abord parce qu'il trompait leur espoir d'exercer une action sur des assemblées primaires de canton ou d'arrondissement, assemblées où pouvait se faire sentir le poids de la noblesse locale et du clergé ; d'autre part, les opérations électorales durant parfois plusieurs jours, elles imposaient un déplacement malcommode aux propriétaires fonciers, électeurs du parti royaliste, tandis que les bourgeois, parmi lesquels se recrutaient surtout les libéraux, se trouvaient à pied d'œuvre.

Naturellement, ce ne furent pas ces raisons de tactique, mais les grands principes, qui furent invoqués de part et d'autre, dans la discussion acharnée qui dura près de deux mois. Le nouveau système électoral, adopté à la Chambre des députés par 132 voix contre 100, et à la Chambre des pairs par 95 voix contre 77, fut promulgué le 8 février 1817. Le gouvernement fit voter ensuite le renouvellement de la loi de sûreté générale, en réservant aux ministres seuls le droit de prononcer les arrestations et détentions sans jugement. Une autre loi maintint la presse dans sa camisole de force en soumettant les journaux à l'autorisation préalable.

Le reste de la session fut occupé surtout par la discussion du budget. Le service de l'indemnité de guerre et les charges de l'occupation creusaient entre les recettes possibles, s'élevant à 774 millions, et les dépenses inévitables, qui se montaient à un milliard 69 millions, un déficit de 314 millions qu'il fallait boucler par des moyens extraordinaires. Une grave disette, qui frappa le pays dans l'hiver de 1816-1817, avait entraîné des dépenses imprévues, réduit les rentrées fiscales, immobilisé les disponibilités des capitalistes français, si bien qu'il était impossible de lancer un emprunt à l'intérieur. Il fallut faire appel aux capitaux étrangers, et, comme on le verra ci-après, à des conditions draconiennes. D'autre part, le gouvernement voulait vendre 150.000 hectares de forêts nationales. Comme l'année précédente, et pour les mêmes raisons, la droite s'y opposa avec acharnement, et, ne pouvant obtenir gain de cause, refusa de voter le budget. Cette attitude, qui nous paraît aujourd'hui tout à fait normale, en régime parlementaire, fut jugée alors révolutionnaire. Elle créait un précédent qui pourrait rendre le gouvernement du roi impossible, au cas où il se trouverait en face d'une majorité hostile.

L'élargissement du fossé entre le ministère et la minorité royaliste se concrétisa dans un remaniement gouvernemental. Déjà, en janvier 1817, le chancelier Dambray avait à nouveau abandonné le ministère de la Justice en faveur de Pasquier. Decazes insista pour faire éliminer aussi le ministre de la Marine Dubouchage (juin 1817) et le maréchal Clarke (12 septembre), restés tous deux attachés au parti de Monsieur. Le ministère de la Guerre fut donné au maréchal Gouvion Saint-Cyr, et la Marine à Molé, ancien ministre de la Justice de Napoléon, qui avait même accepté un poste sous les Cent-Jours.

Les premières élections partielles prévues par la nouvelle loi eurent lieu le 20 septembre 1817. La droite perdit une douzaine de sièges au profit du parti ministériel, mais celui-ci en perdit autant au bénéfice des indépendants de gauche, qui se trouvèrent dès lors en nombre suffisant — vingt-cinq — pour formuler des exigences. Leur opposition, conjuguée avec celle de la droite, fit d'abord échouer, au début de la session, une nouvelle loi sur la presse. Ils se réconcilièrent momentanément avec le ministère pour faire passer une importante loi militaire préparée par le maréchal Gouvion Saint-Cyr.

Trois points principaux caractérisaient ce projet. Premièrement, l'armée serait recrutée d'une part au moyen d'engagements volontaires, et d'autre part au moyen d'un contingent appelé par tirage au sort. L'effectif de l'armée permanente étant fixé à 240.000 hommes, le nombre des appelés par la conscription serait au maximum de 40.000 par an et ceux qui auraient tiré de mauvais numéros pourraient encore se faire remplacer. La droite objecta que c'était rétablir l'odieuse conscription en dépit des solennelles promesses du roi et de la Charte.

En second lieu, le service actif durait six ans, après lesquels les militaires libérés seraient assujettis encore, en cas de besoin, à un service territorial de six ans. C'était une sorte d'armée de réserve, composée de vétérans. La droite fit observer que si l'on appliquait immédiatement cette disposition, elle aboutirait à réorganiser l'ancienne armée impériale, dont on connaissait trop bien les sentiments.

Les attaques les plus vives portaient sur le troisième point : le régime de l'avancement. Pour devenir officier, il faudrait avoir servi deux ans comme sous-officier ou être sorti d'une école militaire ; pour passer à un grade supérieur, il faudrait avoir quatre années de service dans le grade précédent. Deux tiers des grades, jusqu'à celui de lieutenant-colonel inclus, seraient donnés à l'ancienneté, le reste au choix du roi. Ces dispositions soulevaient une vive irritation dans la noblesse qui était habituée, sous l'ancien régime, à se réserver pratiquement toutes les places d'officiers ; mais la principale objection que la droite mit en avant fut que le roi ne pouvait se défaire d'une prérogative qui lui était réservée par la Charte en qualité de chef de l'exécutif, et qui lui avait toujours appartenu. On soulignait aussi que ce système d'avancement automatique pourrait introduire en grand nombre, dans le corps des officiers, des éléments peu sûrs politiquement.

La discussion à la Chambre fut souvent passionnée, car les orateurs de la gauche et le ministre de la Guerre lui-même y trouvèrent l'occasion de faire l'éloge chaleureux des soldats de l'Empire. Les inquiétudes soulevées par le projet furent telles que le vote de la Chambre des pairs ne fut acquis que d'extrême justesse, et grâce à un stratagème du roi : à l'heure du scrutin, il prolongea sa promenade de façon à retenir auprès de lui les ducs d'Havré, d'Avaray et de La Châtre, dont les voix auraient pu faire repousser la loi. En fait, les vétérans ne seraient jamais organisés, et après le départ de Gouvion Saint-Cyr l'avancement au choix du roi serait rétabli sous le couvert de divers stratagèmes ; le seul résultat durable de cette mémorable bataille parlementaire fut d'avoir porté de 150.000 à 240.000 hommes la force de l'armée permanente.

Richelieu, malgré ses propres répugnances, avait, dans cette affaire, soutenu Decazes et Gouvion Saint-Cyr, dans l'espoir d'amadouer la gauche en vue d'une autre question de conséquence : celle du nouveau concordat négocié en 1817. Il en sera question ailleurs. Il suffira de noter ici que son espoir fut trompé, et que cette affaire, conduite du reste avec une maladresse insigne, se solda par un échec pitoyable.

La session de 1818 se termina pourtant sur des perspectives plus réconfortantes. Richelieu venait d'obtenir un succès diplomatique qui permettait d'entrevoir la fin de l'occupation étrangère ; le budget fut voté, cette fois, sans difficulté.

Les sessions parlementaires ne duraient que quatre ou cinq mois, et pendant ce temps les polémiques étaient plus vives, car le gouvernement ne pouvait empêcher que les débats des Chambres ne fussent publiés *in extenso* dans les journaux. Mais, qu'elle retentît ou non dans la presse périodique, la lutte se poursuivait sans relâche et acharnée, entre les partis. Decazes, depuis l'ordonnance du 5 septembre 1816, était la bête noire du parti royaliste, qui multipliait contre lui les accusations insultantes. Le ton des salons est donné par cette réplique qui lui fut faite par une grande dame. « Mais Madame, avait-il dit, savez-vous de quel parti je suis et de quel parti vous êtes ? — Certainement, je suis du parti que l'on guillotine et vous êtes du parti que l'on pend. » En octobre 1816, on fit courir une caricature représentant Decazes mettant un bonnet rouge sur la tête du roi, tandis que le ministre de l'Intérieur lui ôtait son haut-de-chausses : « Vous voyez que je suis aussi sans-culotte », disait le monarque. Chose bizarre, le candidat du parti pour le ministère était ce même Talleyrand qu'il avait vomi en 1815. L'habile intrigant avait fait sa paix avec le parti de Monsieur, parce que c'était le seul qui pût l'aider à revenir au pouvoir, et il s'était brouillé de façon éclatante avec Decazes, après lui avoir fait des avanies publiques : « M. Pasquier, dit-il un jour à haute voix, dans un salon, tenez pour certain ce que je disais tout à l'heure, c'est qu'un ministre de la police n'est autre chose qu'un maquereau et qu'une Chambre ne peut, sans s'avilir, avoir aucune relation avec lui. »

A la fin d'avril 1817, l'ancien favori Blacas arriva à Paris à l'improviste, de son ambassade de Rome ; on crut qu'il allait ressaisir son influence sur le roi et renverser Decazes, mais Louis XVIII le reçut très froidement et l'obligea à repartir plus vite qu'il n'était venu. Monsieur lui-même ne fut pas plus heureux lorsqu'il se décida à intervenir directement, au début de 1818. Prenant sa plus belle plume, c'est-à-dire celle de son *brain-trust*, il écrivit au roi : « Sire, mon frère et seigneur, un plus long silence de ma part, dans les circonstances actuelles, me semblerait contraire à mon devoir... » et il lui demandait le changement de son ministère au nom du salut de la dynastie et du pays. Il y eut une entrevue orageuse où les deux frères pleurèrent beaucoup. Monsieur menaça de se retirer à Fontainebleau, puis en Espagne. « Non, dit le roi, vous n'imiterez pas le misérable frère de Louis XIII. » Finalement, il lui écrivit une longue réponse, soigneusement méditée, où il défendait point par point l'action de son ministère : « Le système que j'ai adopté et que mes ministres suivent avec persévérance est fondé sur cette maxime qu'il ne faut pas être le Roi de deux peuples, et tous les efforts de mon gouvernement tendent à faire que ces deux peuples, qui n'existent que trop, finissent par en former un seul... La couronne appartient à tous... mais l'aîné la porte, c'est-à-dire que seul il en exerce les droits et que seul il est juge et responsable de la manière de les exercer. Plus le rang d'un prince l'approche de la couronne, plus le devoir et son intérêt exigent de lui de fortifier et de faire respecter l'autorité de celui qui la porte... Je ne puis, sans frémir, envisager l'instant où je fermerai les yeux. Vous vous trouverez alors entre deux partis dont l'un se croit opprimé par moi et dont l'autre appréhenderait de l'être par vous... » Ces paroles royales et prophétiques devaient malheureusement tomber dans l'oreille d'un sourd.

Decazes, de son côté, contre-attaquait avec une vigueur dénuée de scrupules, utilisant tous les ressorts de la police pour discréditer ses adversaires aux yeux du roi et de l'opinion. Il se servait, par exemple, du « cabinet noir », pour relever dans les correspondances privées les paroles désobligeantes pour le roi, afin de les faire passer sous ses yeux. Le bulletin de police, préparé pour être communiqué au roi, imputait aux ultras toutes les intrigues, tous les désordres. Louis XVIII finit par être convaincu que sans eux tout irait bien. Decazes envoyait aussi à Londres ou en Allemagne des articles rédigés dans ses bureaux et qui étaient insérés dans les journaux étrangers comme venant de leurs correspondants à Paris, non suspects de partialité ; après quoi les journaux ministériels citaient ces articles sans commentaires ; ainsi on pouvait attaquer, sans se découvrir, le comte d'Artois et ses amis. Tantôt on les représentait comme fomentant les troubles, afin d'effrayer le pays par le fantôme du jacobinisme et du bonapartisme ; tantôt on les montrait s'organisant pour la guerre civile, pour renverser par la force le gouvernement légal et remplacer Louis XVIII par son frère ; enfin, argument le plus efficace, car il touchait la fibre nationale mise à vif par la défaite et par la présence des troupes étrangères, on accréditait l'idée que les ultras craignaient tellement la réaction libérale qu'ils souhaitaient une prolongation indéfinie de l'occupation alliée.

Plusieurs affaires, aujourd'hui encore assez mystérieuses, alimentèrent cette campagne.

Le 8 juin 1817, s'était produit à Lyon un mouvement insurrectionnel. Dans onze communes des environs s'étaient formés des rassemblements armés qui marchèrent sur la ville, en arborant le drapeau tricolore. Dans le même temps, des attentats étaient dirigés à Lyon même contre les autorités. Celles-ci, qui étaient sur leurs gardes, réprimèrent facilement le mouvement, procédèrent à de nombreuses arrestations. La cour prévôtale entra en action et onze accusés furent guillotinés. Le gouvernement avait approuvé la répression. Mais l'instruction judiciaire révéla que la police avait eu quelque part au complot par des agents provocateurs, et les mesures de sécurité déchaînées par les autorités locales parurent, à la réflexion, excessives. Le gouvernement se décida alors à envoyer à Lyon le maréchal Marmont, avec des pouvoirs extraordinaires d'enquêteur. Il était accompagné du colonel Fabvier, son chef d'état-major, très libéral, et une tête chaude. Celui-ci crut découvrir que l'affaire avait été montée de toutes pièces par le préfet du Rhône, le comte de Chabrol, et le général Canuel, commandant militaire de la région, afin de s'assurer par un succès facile des honneurs et des récompenses. Marmont fit arrêter les poursuites et demanda la mise en accusation du général Canuel. A vrai dire, ce dernier était un sacripant, mais le préfet Chabrol était un honnête homme, incapable d'avoir collaboré à une telle infamie. Le gouvernement, très embarrassé, se décida à déplacer Chabrol et Canuel, mais en leur confiant des positions plus importantes. L'affaire ne devait pas en rester là : Fabvier et Marmont la portèrent devant l'opinion par des brochures auxquelles répondirent vigoureusement les intéressés. Decazes fut heureux de laisser s'envenimer cette polémique : elle permettait de rejeter sur le parti royaliste tout entier les agissements suspects de Canuel et de faire croire que les ultras étaient disposés à provoquer des soulèvements pour faire échec à la politique de réconciliation et de pacification du ministère.

Au début de l'été de 1818, deux autres affaires plus ou moins connexes, permirent à Decazes de compromettre encore ses adversaires. Le comte d'Artois avait demandé à Vitrolles de rédiger sur l'état intérieur de la France une note qui devait être communiquée aux souverains alliés avant le congrès d'Aix-la-Chapelle. Vitrolles, pressé par le temps, fit à la hâte ce travail, sans consulter personne. Une copie du document tomba entre les mains de Decazes qui en fit publier, sous le titre de *Note Secrète*, une version tronquée de façon qu'elle parût un appel aux Alliés à prolonger l'occupation de la France. En fait, Vitrolles demandait leur intervention pour faire changer le ministère, et s'il envisageait bien une prolongation de l'occupation, c'était pour repousser cette idée comme coupable et impraticable. Le danger de son argumentation résidait en ce qu'il représentait la situation intérieure comme critique, menant à une nouvelle explosion de jacobinisme, par suite de la politique du ministère ; si tel était le danger, les Alliés auraient pu, en effet, hésiter à évacuer immédiatement la France. Les chefs du parti royaliste, Villèle en tête, désapprouvèrent hautement cette note lorsqu'ils la connurent. Vitrolles fut puni par la privation de son titre de ministre d'Etat. Mais Decazes et les libéraux se saisirent de l'incident pour dénoncer l'attitude antipatriotique de leurs adversaires.

L'affaire dite de « la Conspiration du bord de l'eau » est plus rocambolesque. A la fin de juin 1818, le ministère fut averti d'un projet de conspiration qui aurait été découvert par la police. Il se serait agi de saisir les ministres avec l'aide de quelques éléments de la garde royale, d'imposer un nouveau gouvernement à Louis XVIII et, en cas de refus, de le déposer, voire de le traiter « à la Paul Ier ». Les chefs auraient été les généraux Canuel et Donnadieu ; Chateaubriand et d'autres personnalités du parti royaliste auraient été de connivence. Decazes se hâta de lancer la chose dans le public par l'intermédiaire des correspondances anonymes du *Times*, qui mirent en cause le frère du roi lui-même. Richelieu, sans croire à la réalité du complot, laissa faire quelques arrestations, dans l'espoir qu'il en sortirait certains éclaircissements ; finalement tout se réduisit à des bavardages insensés de mécontents, qui auraient agité ces idées sans aucune intention réelle de passer à l'exécution ; ces bavardages avaient été surpris et grossis par un petit nombre d'agents subalternes de la police, dans l'espoir de se faire bien voir de leur chef. Les libéraux eux-mêmes soulignèrent la grosseur de la ficelle policière. Mais l'affaire servit à Decazes pour achever de brouiller Louis XVIII avec son frère.

Le 30 septembre suivant, une ordonnance ôta à Monsieur tous ses pouvoirs sur la garde nationale, dont l'organisation centrale était supprimée ; elle devenait une force purement locale, entièrement soumise aux maires et aux préfets ; ceux-ci étaient invités à la recomposer en éliminant les éléments trop favorables au parti royaliste.

Ce coup était destiné à empêcher le parti de Monsieur d'utiliser les cadres de la garde nationale pour donner des directives dans les élections en octobre, d'un nouveau cinquième de la Chambre des députés. Les électeurs royalistes, découragés, s'abstinrent en grand nombre ; leurs candidats furent presque partout battus et ils perdirent quinze sièges. Mais le gouvernement ne fut pas plus heureux, car il perdit lui-même quatre députés. Les grands vainqueurs étaient les indépendants d'extrême-gauche qui gagnaient une vingtaine de sièges. Lafayette et Manuel, ennemis déclarés de la dynastie, rentraient en scène.

Ce résultat, coïncidant avec l'aboutissement de l'œuvre diplomatique de Richelieu, devait amener une crise ministérielle.

La libération du territoire, c'était depuis deux ans le but suprême de tous les efforts de Richelieu, et seule la conscience qu'il avait d'être le mieux placé pour aboutir, lui avait permis de supporter les dégoûts et les tourments que lui infligeait la politique intérieure.

Dès le mois d'avril 1816, il avait soulevé l'idée d'une réduction du contingent d'occupation, en arguant que les frais de son entretien — 130 millions par an —

chargeaient d'un poids insupportable le budget de la France. Les souverains alliés se retranchèrent derrière l'autorité de Wellington, commandant en chef des troupes d'occupation. Celui-ci se fit tirer l'oreille : un chef n'accepte jamais sans mal de voir réduire l'étendue de son commandement. Sur l'intervention directe et pressante du tzar, le « duc de fer » finit par mollir et donner son assentiment, en février 1817, tout en dégageant sa responsabilité des affreux malheurs, qui, selon lui, ne pouvaient manquer d'arriver. A partir du 1er avril, le corps d'occupation devait être réduit de 30.000 hommes, ce qui diminuerait sensiblement la charge du budget.

Ce n'était pas assez, toutefois, pour permettre au trésor de faire face aux échéances de l'indemnité de guerre de 700 millions, qui devait être réglée par tranches de 45 millions, versées tous les quatre mois. Richelieu était décidé à tout mettre en œuvre pour tenir ses engagements : la fidélité à la parole donnée liait l'honneur du roi et le sien ; c'était le seul levier qu'il eût en main pour exiger des Alliés une fidélité semblable à leurs propres signatures. Faute de pouvoir emprunter en France, il dut s'adresser aux banques Hope, d'Amsterdam, et Baring, de Londres ; l'insécurité de la situation de la France, où la rente était tombée à 40 francs, à la fin de 1816, permit aux banquiers étrangers d'imposer des conditions draconiennes. En bref, et pour ne pas entrer dans les détails de technique financière, cela revenait, pour la France, à aliéner un capital nominal de 384 millions, pour n'obtenir en fait, en signes monétaires, qu'un capital réel de 187 millions, pour lequel elle devrait encore payer un intérêt annuel de 17 millions. Autrement dit, Hope et Baring devaient réaliser un gain de 100 % sur le capital prêté, si la rente revenait au pair, et, en attendant, percevoir un intérêt de 9 1/2 % des sommes engagées !

Cette opération onéreuse donna du moins à la France le moyen de tenir ses engagements financiers. Mais il y avait une autre espèce d'obligation qui lui incombait en vertu du traité de Paris, et qu'il fallait satisfaire avant de pouvoir espérer la fin de l'occupation ; il s'agissait des dettes contractées par les précédents gouvernements envers les particuliers, dans les pays occupés par les armées françaises. Richelieu, en signant cette convention, et les Alliés eux-mêmes, avaient estimé à 200 millions environ la somme totale que cela pouvait représenter. Or, une fois fait le compte de toutes les réclamations recueillies, — et qui se trouvèrent au nombre de 135.000, — elle se chiffra à 1.600 millions. On avait été rechercher les créances les plus anciennes et les plus absurdes : ainsi le duc d'Anhalt-Bernburg réclamait le règlement de la solde de mercenaires qu'un de ses aïeux avait fournis à Henri IV !

L'honnête Richelieu tomba de son haut : « Cela éteint, gémit-il, la dernière lueur d'espérance qu'on pouvait apercevoir dans le lointain. » Toutefois les Alliés eux-mêmes devaient se rendre compte que l'énormité de la somme était en dehors de toute proportion avec les ressources de la France. Après bien des pourparlers et des efforts, Richelieu accepta la proposition, faite par le tzar, de s'en remettre à l'arbitrage de Wellington. Il avait déclaré, en septembre 1817, que la France ne pourrait pas fournir plus de 200 millions. Wellington, après une révision minutieuse des documents, aboutit, au mois d'avril 1818, à une somme de 240 millions, et n'en voulut pas démordre. Le 15 avril, fut signée la convention finale : la France créait par inscription sur le grand livre de la dette publique, 12.040.000 francs de rentes, correspondant au capital nominal de 240.000.000 ; la répartition était établie en détail : les créanciers prussiens, qui étaient les mieux servis, devaient recevoir, par exemple, 2 millions de rentes annuelles.

Pour faire face à cette obligation nouvelle, le ministre des Finances, Corvetto, se décida à lancer un emprunt en France même ; en même temps la Chambre l'autorisa à faire un nouvel appel aux capitaux étrangers, afin de régler par anticipation les dernières échéances de l'indemnité de guerre. Ce dernier emprunt fut encore fait par l'intermédiaire des banques Hope et Baring ; en 1817, elles avaient pris nos rentes au taux de 55 francs ; cette fois elles acceptèrent de traiter sur la base du cours de 67 francs ; c'était un témoignage du relèvement de notre crédit. Quant à l'autre partie de l'emprunt, il fut lancé dans le public au mois de mai 1818 ; le gouvernement demandait 14.500.000 francs : les souscriptions se montèrent à 163 millions, douze fois plus qu'il n'était demandé. Ce succès eut un grand effet moral : la rente remonta rapidement à 80 francs au mois d'août 1818 ; les Alliés regrettèrent d'avoir été si accommodants, et peut-être aussi le gouvernement royal d'avoir sous-estimé la richesse du pays et d'avoir ainsi permis trop facilement aux capitalistes étrangers de faire une bonne affaire aux dépens de la France.

En tout cas, Richelieu avait maintenant les moyens d'obtenir la fin de l'occupation.

Dès le début de 1818, les Alliés s'étaient rendu compte qu'ils n'avaient aucun intérêt à prolonger l'occupation militaire de la France au-delà du délai minimum de trois ans prévu par le traité de Paris. Alors que cette occupation était censée aider à la consolidation du gouvernement royal, elle ne faisait que l'affaiblir en irritant contre lui le sentiment national. Si elle avait pu être utile comme moyen de pression pour obliger la France à exécuter les clauses financières du traité, lorsque celles-ci se trouvaient remplies, rien ne justifiait plus le maintien du corps d'occupation. Les Alliés annoncèrent donc en mai 1818 leur intention de réunir un congrès à Aix-la-Chapelle, au mois de septembre, et Louis XVIII fut invité à s'y faire représenter.

Naturellement, Richelieu s'y rendit lui-même.

Le congrès s'ouvrit le 30 septembre. Dès le 9 octobre,

un accord était signé : les troupes étrangères seraient retirées au 30 novembre suivant, et la somme que la France s'engageait à payer immédiatement, au titre de l'indemnité de guerre, était fixée à 265 millions au lieu de 286.

Cela fait, les Alliés envisagèrent les garanties à prendre pour l'avenir. Sans doute, tant que Richelieu serait au pouvoir, on faisait confiance à sa sagesse et à sa loyauté, mais les attaques dont son gouvernement était l'objet pouvaient faire douter de sa durée. Les Alliés se décidèrent donc à renouveler la quadruple alliance, sous la forme d'un traité secret, ce qui devait être moins humiliant pour la France. D'autre part, la France serait publiquement invitée à prendre part aux réunions internationales prévues par l'article 6 du traité du 25 novembre 1815. En conséquence, une note fut remise à Richelieu : « Les Augustes souverains ont reconnu avec satisfaction que l'ordre des choses heureusement établi en France par la restauration de la monarchie légitime et constitutionnelle et le succès qui a couronné jusqu'ici les soins paternels de Sa Majesté Très Chrétienne justifient pleinement l'espoir d'un affermissement progressif de cet ordre de choses si essentiel pour le repos et la prospérité de la France... » Ils invitent le roi « à unir ses efforts et ses conseils aux leurs, et à prendre part à leurs délibérations présentes et futures, consacrées au maintien de la paix, des traités sur lesquels elle repose, des droits et des rapports mutuels établis ou confirmés par ces traités »...

Richelieu, après avoir reçu les instruction du roi, prit donc séance avec les quatre grands et signa avec eux, le 15 novembre, les protocoles de conclusion du congrès. « La besogne sera courte et bonne, je l'espère, écrivait Richelieu au moment de son départ pour Aix-la-Chapelle, et la France rendue à elle-même rentrera dans la communauté européenne. » C'était donc chose faite. Le peuple salua à sa façon cette libération : la vendange de cette année 1818 ayant été exceptionnellement bonne, les vignerons de l'Est appelèrent le produit de cette année « le vin du départ », du départ des troupes étrangères.

Richelieu rentra à Paris le 28 novembre. Il trouva son ministère en plein crise. Le ministre de l'Intérieur, Lainé, avait été fortement impressionné par le résultat des dernières élections ; il y voyait la preuve que le danger ne menaçait plus maintenant à droite, mais à gauche ; il était nécessaire, pensait-il, de se réconcilier avec les restes du parti ultra que l'on avait combattu trop exclusivement, afin d'opposer à la montée du « jacobinisme » les efforts unis de tous les royalistes sincères. Decazes ne l'entendait pas ainsi ; il avait combattu trop énergiquement la droite pour qu'elle consentît jamais à collaborer avec lui ; un changement de système impliquerait son éloignement du pouvoir. Richelieu se trouvait entièrement d'accord avec Lainé ; les entretiens qu'il avait eus à Aix-la-Chapelle lui avaient montré que les Alliés ne craignaient plus, comme en 1816, les excès de la réaction, mais bien une renaissance de l'esprit révolutionnaire que certains prodromes faisaient apparaître en Allemagne et en Italie, comme en France.

Mais comment gouverner sans le favori du roi ? Richelieu, lui, ne tenait pas au pouvoir, et il considérait sa tâche remplie avec la libération du territoire. Il remit donc sa démission au roi, le 21 décembre. Louis XVIII, ne voyant d'abord d'autre président du conseil possible que Talleyrand, dont il ne voulait à aucun prix, le supplia de constituer un nouveau cabinet. Richelieu y mit pour condition première l'éloignement du favori. Il s'ensuivit quelques jours de pourparlers fiévreux et chaotiques, de scènes larmoyantes et de rebondissements imprévus, une vraie « semaine des dupes », Decazes jouant pour le public la comédie de l'immolation, et travaillant en sous-main pour faire échouer toute combinaison dont il ne ferait pas partie. Richelieu, écœuré, malade d'énervement, finit par se rendre compte que le roi ne lui pardonnerait pas d'avoir éloigné son « cher fils », et il envoya sa démission définitive le 26 décembre.

Au début de la session suivante, les Chambres décidèrent de voter une récompense nationale au duc de Richelieu, sous la forme d'une dotation viagère de 50.000 francs de rente. Celui-ci se hâta d'écrire au président de la Chambre : « Je ne puis me résoudre à voir ajouter à cause de moi quelque chose aux charges de la nation... Trop de calamités l'ont frappée, trop de citoyens sont tombés dans le malheur, il y a trop de pertes à réparer pour que je puisse voir s'élever ma fortune en de telles conjonctures. L'estime de mon pays, la bonté du roi et le témoignage de ma conscience me suffisent. » La Chambre ayant passé outre à ces répugnances, Richelieu fit don de cet argent aux hospices de Bordeaux : noble geste qui a trouvé plus d'admirateurs que d'imitateurs.

CHAPITRE IV

DECAZES ET L'EXPÉRIENCE LIBÉRALE

Le nouveau ministère et son programme. — Il brise l'opposition de la Chambre des Pairs. — Le nouveau régime de la presse. — Succès des libéraux ; inquiétudes du gouvernement et de l'Europe. — Decazes remanie le ministère et prépare un renversement de sa politique. — L'assassinat du duc de Berry. — Chute de Decazes.

Richelieu, en se retirant, avait indiqué au roi, comme présidents du conseil possibles, les maréchaux Marmont et Macdonald. Mais ces deux personnages n'étaient pas du goût de Decazes : hommes de caractère l'un et l'autre, ils ne lui eussent pas laissé les coudées franches. Le favori suggéra le général Dessolles qui avait, en avril 1814, accepté en des circonstances décisives, le commandement de la garde nationale de Paris, et que Louis XVIII avait récompensé par la pairie. C'était un esprit fin et cultivé, mais une personnalité faible, sans surface politique. Avec lui, Decazes réunissant dans sa main les ministères de l'Intérieur et de la Police serait le véritable chef du gouvernement. Dessolles recueillit les Affaires étrangères, où son ignorance de l'Europe devait le confiner dans une prudente nullité. Corvetto fut remplacé aux Finances par le baron Louis ; le maréchal Gouvion Saint-Cyr conserva la Guerre. Deux hommes nouveaux arrivaient au pouvoir : Portal, ministre de la Marine, et le comte de Serre, Garde des Sceaux. Le premier était un négociant bordelais, entré au conseil d'Etat sous Napoléon, et député depuis 1816 ; sa qualité de protestant était un gage de l'esprit de tolérance dont entendait s'inspirer le nouveau ministère. Hercule de Serre est une des personnalités les plus attachantes de ce temps, et sa disparition prématurée devait être un malheur pour la monarchie ; ancien officier, émigré, il était entré dans la magistrature impériale. La première Restauration l'avait nommé premier président de la cour royale de Colmar, et il avait refusé fièrement de servir Napoléon aux Cent-Jours. Le département du Haut-Rhin l'envoya à la Chambre introuvable, où il se sépara de la majorité à l'occasion de la discussion de la loi d'amnistie : son esprit juridique et son âme naturellement généreuse ne pouvaient accepter les entorses que les ultra-royalistes infligeaient à la lettre de la Charte, ni l'esprit de vengeance qui animait trop de leurs discours. Il se rapprocha alors de Royer-Collard qui prit sur lui une grande influence, au point de l'agréger pratiquement au groupe doctrinaire. Comme Richelieu, il était issu de l'ancienne société, mais s'était dégagé de ses préjugés ; comme lui il avait le cœur haut ; la passion qu'il apportait aux causes qu'il embrassait, l'éloquence éclatante et chaleureuse avec laquelle il les défendait, devaient en faire une force politique de première grandeur.

Le programme de ce nouveau ministère ? Gouvion Saint-Cyr l'exposait à Molé, avec une franchise toute militaire : « Tous nos maux ont pris leur source dans la réaction de 1815. Il faut rassurer la nation en lui prodiguant toutes les garanties qu'elle réclame, se lancer franchement dans le torrent libéral en se réservant de suspendre la Charte et de lui substituer les baïonnettes si l'on abusait de nos concessions. » Decazes, lui, trouva cette formule : « Royaliser la nation, et nationaliser le royalisme. » Jeu de mots heureux, mais aussi équivoque que dangereux : rien de plus juste si l'on entendait par là adapter l'ancienne monarchie à la société issue de la Révolution, mais si l'on prenait le mot « nation » comme synonyme de peuple français, c'était accréditer une contre-vérité ; une partie encore importante de ce peuple, la plus importante, numériquement, n'avait nul besoin d'être « royalisée » ; enfin le patriotisme de la plupart des royalistes purs n'était pas moins sincère et pas moins ombrageux que celui qu'affichaient les libéraux ; était-il bien sage pour un ministre du roi d'accepter le point de vue des ennemis du régime qui prétendaient opposer le sentiment national au sentiment monarchique ?

Cette politique nouvelle était d'ailleurs imposée au ministère par sa situation parlementaire. Richelieu avait gouverné avec un parti centriste, en combattant d'une part une droite ultra-royaliste dont les effectifs allaient en diminuant à chaque élection partielle, et, d'autre part, une gauche antidynastique qui allait en se renforçant. Ce centre s'était lui-même scindé en deux tendances : le centre droit, c'est-à-dire ceux qui suivaient Lainé, le centre gauche, c'est-à-dire les doctrinaires. Le seul point d'appui assuré qu'eût le ministère Dessolles-Decazes était ce centre gauche ; il s'y ajoutait une partie du centre droit qui se refusait encore à envisager une collaboration avec la droite. Mais cela ne faisait pas une majorité suffisante. L'existence ministérielle se trouvait donc suspendue au bon vouloir de la gauche indépendante, et celle-ci serait tentée d'en abuser. « La nation, écrit alors Paul-Louis Courier, fera marcher le gouvernement comme un cocher qu'on paye, et qui doit vous mener, non où il veut et comme il veut, mais où nous prétendons aller et par le chemin qui nous convient. »

Les premières mesures prises par le ministère étaient de nature à satisfaire la gauche. En quelques jours Decazes remplaça seize préfets et quarante sous-préfets :

« Un abattis de préfets », dit Barante. Le conseil d'Etat fut remanié pour en exclure les ultras ; truffé de doctrinaires, il devint un utile laboratoire pour les réformes législatives et administratives demandées par la nouvelle orientation politique. Gouvion Saint-Cyr, de son côté, mit en disponibilité de nombreux officiers venus de l'émigration et confia des commandements importants à d'anciens officiers généraux compromis aux Cent-Jours, au général Foy, entre autres. Enfin Decazes fit donner l'autorisation de rentrer en France à cinquante-deux régicides et à nombre d'autres personnages exilés en 1815.

Mais avant d'aborder l'œuvre législative, le ministère fut obligé de briser une opposition surgie inopinément de la Chambre des pairs. La nuance « centre droit » y était plus forte qu'à la Chambre des députés ; on l'appelait « la réunion cardinalice », parce qu'elle se concertait chez le cardinal de Bausset. Le départ de Richelieu l'avait rejetée dans l'opposition ; d'accord avec la droite ultra-royaliste, elle décida de prendre aussitôt l'offensive. Le 20 février 1819, le vieux Barthélemy, l'ancien négociateur des traités de 1795, soumit à ses collègues un projet de résolution : « Le roi sera humblement supplié de présenter aux Chambres une loi qui fasse éprouver à l'organisation des collèges électoraux les modifications dont la nécessité peut paraître indispensable. » Il s'agissait en fait, comme chacun pouvait le comprendre, de modifier la loi de 1817 de façon à mettre fin aux succès électoraux des libéraux. L'émotion fut extrême, aussi bien dans la presse que dans les Chambres. Le comité directeur des libéraux de Paris s'efforça de soulever l'opinion. Le gouvernement et le roi lui-même intervinrent de toutes façons auprès des pairs. Rien n'y fit : la Chambre haute vota, le 2 mars, la proposition Barthélemy par 98 voix contre 55. Quelques jours plus tard elle repoussa un projet financier du gouvernement.

Louis XVIII se décida à exécuter la mesure que lui proposait Decazes depuis le départ de Richelieu : changer la majorité de la Chambre haute par une fournée d'hommes nouveaux. Puisque le ministère avait été battu à 43 voix, il parût nécessaire de se donner de la marge : la promotion comprit 59 noms, tous choisis naturellement parmi les amis du favori. On rapporte que Louis XVIII lui dit, un peu amèrement : « Laissez-moi au moins placer mon cousin d'Esclignac sur cette liste, afin qu'il y ait quelqu'un des miens au milieu des vôtres. » C'était là une décision grave, une sorte de coup d'Etat contre la Chambre des pairs, faisant pendant au coup d'Etat du 5 septembre contre la Chambre introuvable. Les ultra-royalistes en furent exaspérés et ils songèrent à se retirer en masse du Parlement. Le duc de Berry osa dire devant le roi qu'il ne porterait plus son habit de pair, « parce qu'il était sale ».

Cette mesure donna au gouvernement le moyen de faire voter les lois sur la presse qui constituèrent la principale réalisation de cette session. Elles avaient été préparées par une commission dominée par les doctrinaires : Royer-Collard, Guizot, Barante, Broglie. Le système qui en sortit était le plus ingénieux et le plus pratique qui eût été imaginé jusque-là pour concilier la liberté d'expression avec les droits de la morale et les nécessités de la tranquillité publique.

Il se présentait sous la forme de trois lois distinctes concernant respectivement la définition des délits de presse et les pénalités qui pourraient y être appliquées, la procédure de leur répression, et les conditions d'existence des périodiques. La première partait du principe que la presse n'était qu'un moyen entre d'autres de commettre les délits prévus par le code : « Une opinion, quelle qu'elle soit, ne devient pas criminelle en devenant publique. » Il n'y avait donc pas lieu de poursuivre la publicité en elle-même par des rigueurs spéciales, mais seulement les délits de droit commun dont elle pourrait se faire le véhicule, à savoir : les provocations au crime, les offenses envers la personne du roi, les outrages à la morale publique et aux bonnes mœurs, la diffamation et les injures. Dans la procédure, la grande innovation était d'ôter la connaissance de ces délits aux tribunaux correctionnels — qui conservaient toutefois celle des diffamations et des injures envers les particuliers — pour les donner aux tribunaux criminels, c'est-à-dire au jury. La plupart des délits de presse consistant en attaques contre les autorités, les magistrats, représentant l'autorité, devaient éviter l'apparence d'être à la fois juges et parties.

Les journaux, en raison de leur diffusion, devaient être soumis à un régime spécial. « L'auteur d'un journal, dans l'état actuel de la société, exerce un véritable pouvoir, et la société a le droit de s'assurer que cette fonction sera fidèlement remplie. » La liberté serait réelle parce que l'autorisation préalable et la censure étaient supprimées ; mais pour que les écarts pussent être réprimés par la loi, il fallait que l'on sût qui inculper, et qu'une amende infligée ne restât pas inopérante par l'insolvabilité des coupables. Tout journal qui se fonderait devrait donc fournir une déclaration préalable de deux éditeurs responsables et un cautionnement de 10.000 francs en titres de rente.

La gauche combattit ces propositions comme insuffisantes, tandis que la droite restait silencieuse, ne voulant ni soutenir les principes libéraux qu'elle désavouait, ni renoncer aux facilités qu'elle en attendait pour sa presse. Une seule fois elle intervint, pour faire ajouter à l'expression « morale publique », le mot « religieuse ». Le Garde des Sceaux de Serre soutint presque seul le poids de la discussion, et son éloquence emporta finalement le vote du système dans les deux Chambres.

Il s'ensuivit naturellement un grand remue-ménage dans la presse. L'influence principale passa des brochures et des recueils à périodicité irrégulière aux journaux quotidiens. De droite et de gauche, les attaques se firent plus vives contre le ministère. Les doctrinaires, pour le défendre, se donnèrent un journal quotidien, le *Courier* — avec un seul *r*, à la mode anglaise. Mais il était trop élevé de ton pour mordre sur l'opinion populaire, plus sensible à l'invective qu'au raisonnement. On ne savait pas gré au gouvernement de l'effort méritoire et remarquable qu'il faisait pour donner une impulsion nouvelle à la vie économique, pour améliorer le régime de l'assistance publique et des prisons. « La prévention publique, écrit alors un procureur général, est au point qu'on n'ose soutenir le gouvernement ni défendre les ministres sans s'exposer au plus offensant de tous les outrages, celui d'être *ministériel.* »

Les gouvernements étrangers suivaient avec inquiétude la montée de cette température qui leur paraissait se rattacher au mouvement que l'on discernait, en Allemagne, surtout depuis le début de l'année 1819, et qui avait incité Metternich à réunir un congrès à Carlsbad au mois d'août. L'ambassadeur d'Alexandre, Pozzo di Borgo, celui-là même qui avait provoqué la dissolution de la Chambre introuvable, écrivait à son maître : « La France est livrée à la fois aux personnes, aux intérêts et à l'esprit de l'ancienne armée et à celui des doctrinaires, idéologues ou anarchiques... Cet état de choses... tend à amener la chute de la dynastie légitime... et une guerre inévitable en Europe. »

Decazes comptait sur les élections du cinquième sortant pour remonter ses actions, et il les prépara avec soin. Mais les comités électoraux des indépendants firent mieux encore, servis par les rancunes et le découragement des ultras. Sur 55 sièges à pourvoir, ils en enlevèrent 35, gagnant ainsi 25 voix à la Chambre ; la droite perdait 10 sièges et le ministère 15. Plus importante encore que ces chiffres était la signification symbolique de l'élection, à Grenoble, de l'évêque constitutionnel Grégoire, ancien conventionnel et régicide, de désir, sinon de fait : absent lors du vote final sur la mort du roi, il avait écrit pour s'y associer, après avoir appuyé la mise en accusation en ces termes remarquables : « Les rois forment une classe d'êtres purulents qui fut toujours la lèpre des gouvernements et de l'espèce humaine. » Cette élection était de la part des libéraux une insulte maladroite au Trône, mais comment qualifier le geste d'une partie des électeurs royalistes de l'Isère — 88 sur 220 — qui avaient donné leur voix à Grégoire, plutôt que d'aider le candidat ministériel ? C'était d'autant plus impardonnable qu'il leur aurait suffi de s'abstenir pour arriver au même résultat.

La presse royaliste éclata en expressions d'indignation. Louis XVIII lui-même en fut ému profondément. « Mon frère, lui dit le comte d'Artois, vous voyez où l'on veut vous mener. — Oui, mon frère, répondit le roi, j'y pourvoirai. »

Pour répondre à l'attente du roi, comme pour rassurer les gouvernements étrangers, Decazes résolut alors de donner un coup de barre à droite. Il se prépara à modifier la loi électorale, précisément comme l'avait demandé la Chambre des pairs au début de l'année. Mais trois des ministres, Gouvion Saint-Cyr, Louis et Dessolles, restaient attachés à la politique de combat contre la droite. Louis XVIII et Decazes envoyèrent un émissaire au duc de Richelieu, qui voyageait alors en Hollande, pour le prier de reprendre la tête du gouvernement. Sur son refus formel, Decazes dut accepter, avec la présidence du conseil, la pleine responsabilité de la politique qu'il entendait mener. Dessolles fut remplacé aux Affaires étrangères par Pasquier, toujours prêt à faire n'importe quoi, pourvu qu'il fût ministre ; le général de Latour-Maubourg remplaça le maréchal Gouvion Saint-Cyr, et les Finances furent confiées au banquier Roy, député du centre droit. De Serre et Portal, qui approuvaient la nouvelle orientation, gardèrent leurs portefeuilles (19 novembre).

L'ouverture de la session parlementaire fut occupée par un débat passionné sur le cas de Grégoire. La gauche n'osa pas le soutenir à fond, et il fut exclu purement et simplement. Cela fait, l'intérêt se reporta sur la loi électorale que le roi avait annoncée en termes vagues dans le discours du trône. L'appui de la droite était indispensable pour faire passer une telle loi contre la gauche et contre le centre gauche doctrinaire qui reniait maintenant Decazes : « Avec Decazes, point de salut », disait Royer-Collard, qui, en 1816, voulait lui élever une statue. Les chefs de la droite royaliste se trouvèrent très hésitants et divisés sur la tactique à suivre. Les uns, parmi lesquels Chateaubriand et le député La Bourdonnaye, voulaient en profiter pour renverser immédiatement Decazes, en conjuguant leurs voix avec celles de la gauche ; on les appela : « les impatients ». Les autres, avec Villèle et Corbière, estimaient plus politique de laisser Decazes opérer lui-même le revirement et en porter l'odieux auprès de ses alliés de la veille ; le publiciste Fiévée les décora du nom de « circonspects ». Après bien des tiraillements, Villèle fit prévaloir son point de vue au conseil supérieur des Chevaliers de la Foi, et le parti se rallia avec discipline à la politique de « circonspection ». Lorsque le gouvernement demanda le vote de six douzièmes provisoires, pour lui permettre d'attendre le vote du budget, la droite les lui accorda, malgré sa répugnance. « Nous avons donné six mois de vivres à M. Decazes », dit un député.

Mais la loi électorale promise ne venait toujours pas. C'est qu'il s'était produit un accident inattendu. Le comte de Serre, qui avait préparé le projet et s'apprêtait à le présenter et le soutenir, avait dû partir se soigner dans le Midi. Decazes, désemparé, ne sut d'abord par qui le remplacer ; il perdit du temps en pourparlers indéfinis avec les représentants de la droite, qui se montrait d'autant plus exigeante qu'elle tenait le ministère à sa merci. La gauche, de son côté, s'efforçait de parer le coup en soulevant l'opinion contre les projets « liberticides » du ministère. Tout le mois de janvier se passa dans l'impatience croissante des partis. Finalement, Decazes réussit à se mettre d'accord avec Villèle. Il put annoncer que le projet de loi électorale serait déposé sur le bureau de la Chambre le 14 février.

Une catastrophe imprévisible vint, au dernier moment, ruiner le résultat de tous ses efforts : le 13 février, à 11 heures du soir, le duc de Berry était assassiné...

C'était le crime d'un fanatique isolé, un garçon sellier nommé Louvel. Son but — il devait l'avouer sans se faire prier — était d'éteindre la race royale des Bourbons, et c'est pour cela qu'il s'était attaqué au duc de Berry, qui seul, on le savait, pouvait en assurer la descendance ; le prince avait épousé, en 1816, une fille du roi de Naples, Marie-Caroline, aimable petite personne, au caractère enfantin, et jusque là elle ne lui avait encore donné qu'une fille, celle qui sera plus tard duchesse de Parme.

Les détails du drame sont trop connus. Le prince avait été frappé à la porte de l'Opéra, au moment où il accompagnait sa femme qui se retirait avant la fin du spectacle ; le poignard était resté planté jusqu'à la garde dans sa poitrine, sous le sein droit ; le duc l'arracha lui-même, et se rendit compte immédiatement que la blessure était mortelle. On le porta dans une salle de l'administration de l'Opéra. Les sept heures d'agonie qui suivirent furent pour les assistants un spectacle inoubliable d'horreur et de grandeur tragique. Entouré des membres de la famille royale qui arrivaient l'un après l'autre, des médecins qui ne savaient qu'ajouter saignée sur saignée, le prince déploya dans ces derniers moments une grandeur d'âme, un courage, une résignation chrétienne, une présence d'esprit, une tendresse pour les siens, qui rachetèrent en quelques heures les égarements et l'insouciance d'une vie dissipée ; il semblait que devant la mort le sang de saint Louis retrouvât sa vertu. Il voulut se confesser et demander pardon publiquement des scandales qu'il avait donnés. Sa dernière préoccupation fut d'obtenir la grâce de l'assassin : « Au moins, si j'emportais l'idée que le sang d'un homme... ne coulera pas pour moi, après ma mort ! » A six heures trente-cinq du matin, le roi lui fermait les yeux.

Le drame ébranla profondément le pays. Dès le lendemain matin, 14 février, un député ultra-royaliste, Clausel de Coussergues, déposa une demande de mise en accusation contre le ministre de l'Intérieur, coupable, selon lui, d'être le complice du crime. C'était une insanité, et Clausel avait agi sans consulter ses amis, mais on pouvait soutenir avec quelque vraisemblance que l'atmosphère d'agitation révolutionnaire, favorisée par la politique de Decazes, avait pu contribuer à faire éclore l'idée de l'attentat dans le cerveau de Louvel. « J'ai vu le poignard de Louvel, c'était une idée libérale », écrivit Nodier dans le *Journal des Débats*, et Chateaubriand : « La main qui a porté le coup n'est pas la plus coupable. »

Mais en accusant ainsi Decazes, on attaquait indirectement le roi, qui avait soutenu sa politique. Tant par affection que par amour-propre blessé, Louis XVIII n'entendait pas abandonner son favori aux clameurs de ses ennemis. Decazes, d'abord accablé et prêt à disparaître, reprit courage. Il pensa pouvoir se tirer d'affaire en présentant, en même temps que la nouvelle loi d'élection, deux lois d'exception rétablissant la censure de la presse et les internements administratifs. Mais la droite et le centre droit refusèrent absolument de lui accorder des pouvoirs supplémentaires ; on craignait, non sans raison, qu'il ne s'en servît autant contre ses adversaires de droite que contre la gauche. « Quoi ? dit le *Journal des Débats*, au lieu de se repentir, M. Decazes menace ; au lieu d'aller cacher ses regrets et ses douleurs dans une retraite obscure, il aspire à la dictature ! Ce Bonaparte d'antichambre nous prend-il pour un peuple sans prévoyance et sans souvenir ? »

De jeunes exaltés parlaient de se saisir du favori et de le « dépêcher » comme le duc de Guise. Le grave et digne Lainé lui-même disait : « Il s'est trouvé un scélérat pour poignarder le duc de Berry et on ne trouvera pas un honnête homme pour tuer M. Decazes ! » Le comte d'Artois et la duchesse d'Angoulême se jetèrent aux genoux du roi pour lui demander le renvoi du favori. Louis XVIII les repoussa avec des éclats de voix qui furent perçus de son antichambre. La solution qui paraissait s'imposer à tous était le retour aux affaires du duc de Richelieu ; mais celui-ci, à la seule idée de revenir au ministère, tombait malade d'inquiétude. Talleyrand intriguait activement, croyant son heure venue, et le roi en profitait pour prolonger sa résistance.

Finalement le comte d'Artois, par une démarche pressante, arracha le consentement de Richelieu, en lui promettant son appui et celui de ses amis : « Votre politique sera la mienne. Foi de gentilhomme, je serai votre premier soldat ! » Louis XVIII céda enfin ; avec des manifestations de douleur ineffables, il se sépara de son cher fils : « Viens voir le prince ingrat qui n'a pas su te défendre ; viens mêler tes larmes à celle de ton malheureux père ! » Sur sa tête, il accumulait les honneurs : ministre d'Etat, duc et pair, ambassadeur à Londres. Le jour de son départ, il donnait pour mot d'ordre *Elie*, le prénom du favori, et pour mot de ralliement *Chartres*, la ville où il devait faire sa première étape. Recevant, le lendemain, le comte de Saint-Aulaire, il lui montrait de la main le portrait de Decazes accroché à la place de celui de François Ier : « Voilà tout ce qui me reste ; on a pu me l'arracher, mais non l'ôter de mon cœur... Je ne l'ai laissé partir que pour le sauver ! »

L'assassinat du duc de Berry ne fut pas la cause initiale du changement d'orientation de la politique intérieure française ; depuis trois mois déjà, Decazes avait dû reconnaître l'échec de sa politique de réconciliation, dont la gauche ne profitait que pour mieux préparer le renversement du régime ; mais l'événement précipita cette évolution. Par les mesures d'exception qu'il provoqua, il lui donna le caractère d'une réaction brutale. Enfin il amena la dissolution, au Parlement, de cette « troisième force » centriste qui avait cru pouvoir concilier les traditions monarchiques avec l'idéologie révolutionnaire ; les deux fractions de ce centre se repliant sur les deux extrêmes, il n'y eut plus que deux partis : les royalistes et les libéraux, et, dans le pays, comme l'avait redouté Louis XVIII, deux peuples ennemis, en proie aux haines fratricides.

C'est pour cela que cette date funeste du 14 février 1820 est, dans l'histoire de la Restauration, une ligne de partage.

CHAPITRE V

RICHELIEU ET LA TRANSITION VERS LA DROITE

Les nouvelles lois d'exception. — La loi du double vote. — La conspiration libérale. — La naissance du duc de Bordeaux. — Les élections de novembre 1820 et leurs conséquences politiques. — La droite abandonne Richelieu. — Politique extérieure hésitante. — Chute du ministère (12 décembre 1821).

Decazes avait tenté de faire une politique du centre gauche en s'appuyant sur la gauche, et cette politique, on l'avait constaté, conduisait fatalement à la domination de l'extrême-gauche. Richelieu devait essayer de faire une politique du centre droit, en s'appuyant sur la droite, et, par une marche inverse, cette position aboutit à la domination de l'extrême-droite. Son ministère ne réussit jamais à trouver son équilibre parlementaire, et, malgré sa durée de près de deux ans, il ne fut qu'une équipe de transition.

La conquête du pouvoir par la droite se fit en trois temps. Jusqu'au mois de septembre 1820, la situation du gouvernement étant précaire, la droite soutint son œuvre de réaction sans se montrer trop exigeante pour elle-même ; elle toléra que Richelieu conservât les mêmes ministres que Decazes. Puis, lorsque la nouvelle loi électorale eut assuré la défaite de la gauche, elle demanda de faire entrer quelques-uns de ses membres dans le ministère. Enfin, en août 1821, elle voulut avoir un gouvernement tout à elle ; elle retira ses représentants du ministère, qui se trouva en porte-à-faux et tomba (décembre 1821).

Villèle aurait voulu qu'on renonçât à présenter les lois d'exception préparées par Decazes ; il était gênant pour la droite d'abandonner la position de défense des libertés qu'elle avait adoptée par nécessité tactique depuis 1816. Mais le roi tenait à ces lois, car si on les retirait maintenant, on aurait été fondé de dire que Decazes les avait désirées moins pour le salut de l'Etat que pour soutenir sa propre situation.

Pour aller plus vite, la Chambre des pairs examina la loi sur la presse tandis que la Chambre des députés abordait la loi sur la liberté individuelle. Il apparut tout de suite que la Chambre haute suivrait Richelieu sans difficulté. Aussi la lutte se concentra-t-elle à la Chambre des députés. Les orateurs de la gauche, Benjamin Constant, La Fayette, Manuel, le général Foy, se livrèrent à des violences de langage et lancèrent des appels à peine déguisés à l'insurrection. Les lois proposées, disait La Fayette, violent la Charte, et il concluait : « Violer la Charte, c'est dissoudre les garants mutuels de la nation et du trône, c'est nous rendre à nous-mêmes, à toute l'indépendance primitive de nos droits et de nos devoirs. » Ces déclamations ne réussirent qu'à rallier plus fortement autour du gouvernement la droite, d'abord réticente, et même quelques éléments modérés du centre gauche. Les deux lois furent finalement adoptées, mais par de très faibles majorités : preuve qu'en adoptant une tactique plus prudente, la gauche aurait pu les faire échouer.

La loi de sûreté générale permettait au gouvernement d'arrêter et de détenir pendant trois mois tout individu prévenu de complot contre la personne du roi ou contre la sûreté de l'Etat. L'ordre d'arrestation devait être délibéré en Conseil des ministres et porter la signature de trois ministres. Quant à la presse, tous les périodiques seraient soumis à une autorisation préalable ; les articles de politique seraient visés par une censure exercée par une commission de douze personnes à Paris, et de trois personnes dans chaque département. En cas d'infraction et de poursuite devant les tribunaux, le gouvernement pourrait suspendre immédiatement le journal avant le jugement, et six mois après. Ces deux lois d'exception n'étaient d'ailleurs applicables que pour un an, jusqu'à la fin de la session de 1821.

La mise en œuvre de la loi sur la presse devait faire disparaître à plus ou moins bref délai nombre des organes qui avaient fleuri sous le régime libéral des lois de Serre. Chateaubriand lui-même mit fin au *Conservateur*, ne voulant pas se soumettre à la censure. Les journaux libéraux qui tentèrent de survivre, comme le *Constitutionnel*, essayèrent de divers procédés pour déjouer la censure : laisser des blancs significatifs à la place des passages censurés, changer la typographie des articles acceptés, de façon à donner à certains mots un sens que les censeurs n'avaient point aperçu, publier en brochure les articles supprimés, sous le titre de « rognures de la censure », éditer des brochures non périodiques pour continuer les journaux supprimés. Mais les tribunaux traquèrent tous ces subterfuges et peu à peu éliminèrent, à coups d'amendes et de peines de prison, tous les moyens d'expression de l'opposition.

Dans ces conditions, il ne restait plus à la gauche qu'un procédé pour s'adresser à l'opinion : la tribune de la Chambre ; on ne pouvait interdire, en effet, aux journaux de reproduire les débats parlementaires. Les orateurs de la gauche firent donc à la Chambre une sorte de journal parlé, agressif et violent, qui prolongeait indéfiniment les débats en y introduisant toutes sortes de matières étrangères.

Ainsi le débat sur la loi électorale ne remplit pas moins de vingt-trois séances, du 15 mai au 12 juin 1820. Le Garde des Sceaux, de Serre, revint du Midi pour soutenir son projet, et, malgré sa faiblesse, il y déploya une éloquence et une ténacité rarement dépassées. Du côté de la gauche on ne manquait pas non plus de champions de valeur : tout ce que la tactique parlementaire pouvait suggérer de manœuvres dilatoires, tout ce que la passion la plus exaspérée pouvait inspirer de paroles violentes, fut dit et fut fait pour retarder le vote de la loi. Il semblait à tous que le sort du trône ou de la liberté était suspendu au résultat, et l'acharnement était d'autant plus grand que ce résultat paraissait plus douteux ; à l'encontre de ce qui se passe aujourd'hui, où les partis solidement encadrés peuvent compter à l'avance leurs voix, il y avait entre la droite et la gauche une masse flottante de députés centristes qu'un discours ou une manœuvre pouvaient faire pencher d'un côté ou de l'autre.

Un trait remarquable de cette période agitée fut le retentissement qu'avaient dans la rue les séances de la Chambre. Tous les jours, à la sortie des bureaux, entre quatre et cinq heures de l'après-midi, des foules d'étudiants et d'employés se rassemblaient devant le Palais-Bourbon et manifestaient leur fureur ou leur enthousiasme à mesure que des émissaires leur apportaient les nouvelles du déroulement de la discussion ; on criait *Vive la Charte !*, on acclamait les vertueux défenseurs de la liberté et l'on conspuait les suppôts de la réaction quand ils sortaient de la séance. Par leurs discours à la tribune, les députés de la gauche soulevaient les troubles de la rue, après quoi ils prenaient occasion de ces collisions pour créer de nouveaux incidents à la Chambre. Les royalistes réagirent ; encadrés par quelques officiers de la garde royale en civil, ils tombèrent à coups de cannes sur les étudiants libéraux. Le gouvernement prit des mesures extraordinaires de sécurité, et donna le commandement supérieur des troupes de Paris au maréchal Macdonald. Le 3 juin, un étudiant, nommé Lallemand, fut tué au cours d'une bagarre avec la garde royale. Les troubles atteignirent le paroxysme le 5 juin, lors de son enterrement ; cinq à six mille jeunes gens y prirent part, crêpe au bras ; après quoi, ils ameutèrent le faubourg Saint-Antoine, et marchèrent sur le Palais-Bourbon, en deux colonnes. Heureusement une violente pluie d'orage calma et dispersa les manifestants, et la cavalerie de la garde royale n'eut aucun mal à disloquer et à repousser le reste des colonnes. Il est à peu près certain que sans cette douche providentielle la bagarre eût entraîné des morts et des blessés, car la troupe était fort animée.

Finalement, grâce à une transaction avec une partie du centre gauche, qui permit d'écarter un système de vote à deux degrés, d'abord envisagé, l'ensemble de la loi fut adopté par 154 voix contre 93. La Chambre serait composée de 430 membres au lieu de 258. Les 258 députés qui étaient précédemment élus par les collèges uniques de département, seraient désormais désignés par des collèges d'arrondissement, composés de tous les électeurs payant 300 francs d'impôts directs, et domiciliés dans l'arrondissement. Les 172 sièges nouveaux seraient pourvus par des collèges de département, ou « grands collèges », formés dans chaque département par le quart des électeurs les plus imposés. Comme ceux-ci votaient également dans leurs collèges d'arrondissement respectifs, cela revenait à donner aux plus riches le droit de voter deux fois ; d'où le nom de « loi du double vote », donné à ce système.

Entre la fin de la session parlementaire et les élections où serait appliqué le nouveau système, deux événements se produisirent, qui devaient avoir sur ces élections une grande influence : la conspiration du Bazar, et la naissance du duc de Bordeaux.

Le vote des lois d'exception et de la loi électorale anéantissait l'espoir qu'avait eu la gauche d'accéder au pouvoir par le jeu légal des institutions. Elle se rejeta donc vers l'action insurrectionnelle. La coalition des éléments révolutionnaires se fit autour de plusieurs organisations : le comité directeur du parti libéral à direction parlementaire : La Fayette, d'Argenson, Manuel, Dupont de l'Eure, les avocats de Corcelles et Merilhou, etc. ; la société secrète de *l'Union*, fondée en 1818 par un avocat de Grenoble, Joseph Rey, et qui avait étendu son réseau dans plusieurs départements ; la loge des *Amis de la Vérité*, qui rassemblait les étudiants républicains, et, enfin, un groupe de militaires bonapartistes, demi-soldes et officiers d'active, qui se réunissaient à Paris, rue Cadet, dans un établissement nommé *le Bazar Français*. Ces diverses organisations entrèrent en contact au début de l'été 1820, et, sous la médiation de La Fayette, s'entendirent pour une action commune. Le mouvement insurrectionnel devait éclater le 19 août à Paris, à Lyon, à Colmar et dans plusieurs autres villes, et il se déclencherait sous le signe du drapeau tricolore, symbole qui parlait au cœur des républicains aussi bien qu'à celui des bonapartistes. Une fois les Bourbons renversés, la nation serait appelée à choisir elle-même son régime par la voix d'une consultation vraiment populaire.

Le gouvernement eut connaissance du complot par quelques officiers fidèles que les conspirateurs avaient cherché à embaucher. Mounier, directeur de la police, voulait laisser l'insurrection se produire, afin de permettre à tous les conspirateurs de se manifester, mais Richelieu, par un sentiment d'humanité, décida de la prévenir en déployant des mesures de précaution : les chefs, pris de peur, décommandèrent le mouvement et coururent se mettre à l'abri à la campagne, La Fayette en tête. Seuls quelques exécutants subalternes tombèrent aux mains de la police. Au nombre de 75, ils furent déférés à la Chambre des pairs, comme coupables d'attentat à la sûreté de l'Etat. La Chambre haute craignit de remonter jusqu'aux véritables auteurs du complot et se montra indulgente pour les comparses qui lui avaient été livrés : six d'entre eux seulement encoururent des peines de prison relativement bénignes.

La découverte de cette conspiration apporta un démenti éclatant aux assurances des députés libéraux, comme Benjamin Constant, qui n'ayant pas été mis dans le secret, prétendaient de bonne foi que leur parti se tenait sur le terrain de la légalité. Elle servit le gouvernement en lui ralliant les éléments libéraux sincères, amis de l'ordre et hostiles à la collusion avec les bonapartistes, ces suppôts d'une tyrannie autrement redoutable que celle des Bourbons.

La naissance du duc de Bordeaux apporta d'autre part à la dynastie et au régime cette auréole de bonheur, ce prestige du merveilleux, et ces espoirs d'avenir qui attirent les indécis et remuent l'âme populaire.

L'heureux événement, qui eut lieu le 29 septembre, c'est-à-dire plus de sept mois après la mort de son père, devait paraître quelque chose de miraculeux ; c'était comme si la Providence avait voulu affirmer sa protection sur la dynastie en lui permettant de refleurir malgré le crime de Louvel. En prévision de cette naissance qui pouvait contrarier leurs espoirs, les libéraux et les orléanistes n'avaient pas manqué d'insinuer que l'on s'arrangerait bien pour avoir de toute façon un Dauphin. La duchesse de Berry déjoua ces manœuvres avec une présence d'esprit étonnante ; au prix du sacrifice le plus total de sa pudeur, elle s'assura des témoins irrécusables de sa maternité.

La joie des royalistes fut délirante et retentit dans toutes les classes de la nation. Les manifestations de loyalisme se multiplièrent. Victor Hugo et Lamartine célébrèrent avec beaucoup d'autres « l'enfant du miracle », Henri-Dieudonné, tandis que le duc d'Orléans dissimulait mal son dépit.

Les élections eurent lieu les 4 et 13 novembre dans cette atmosphère de joie et d'exaltation presque mystiques. Le gouvernement les avait préparées de façon plus terre-à-terre en dégrevant de l'impôt foncier 14.500 électeurs suspects, de façon à leur faire perdre la cote de 300 francs. Il y avait à élire non seulement 51 députés pour le cinquième sortant, comme les années précédentes, mais en outre les 172 nouveaux représentants des « grands collèges ». Ce fut une défaite pour la gauche, qui, sur 430 députés de la nouvelle Chambre, n'en eut que 80 ; au contraire les ultras revenaient au nombre de 160, et parmi eux 75 anciens membres de la Chambre introuvable. Quant au gouvernement, il avait lieu d'être satisfait s'il considérait le nombre de ses partisans — 190 — mais le succès accentué de la droite dépassait quelque peu ses espérances. Louis XVIII exprimait ce sentiment à sa manière : « Nous voilà dans la situation de ce pauvre cavalier qui n'avait pas assez de souplesse pour monter sur son cheval. Il pria saint Georges avec tant de ferveur que le saint lui en donna plus qu'il ne fallait, et il tomba de l'autre côté. »

Logiquement, puisque la majorité parlementaire se trouvait composée pour plus de moitié de députés de la droite, il aurait fallu lui accorder une place correspondante au banc ministériel. Mais les ministres en exercice n'avaient nulle envie de sacrifier leur portefeuille. On trouva donc la combinaison suivante : Villèle, Corbière et Lainé — ce dernier représentant le centre droit — siégeraient au conseil comme ministres sans portefeuilles ; Corbière aurait en outre la présidence du conseil royal de l'Instruction publique, où il remplaçait Royer-Collard. Villèle n'accepta que sous condition de ne recevoir aucun traitement et aucun avantage matériel : c'était souligner le caractère provisoire de la situation. En même temps, Chateaubriand, dont l'opposition pouvait être si dangereuse, accepta d'être nommé ambassadeur à Berlin.

Néanmoins, une partie de la droite prit une attitude hostile au ministère. La « bannière » des Chevaliers de la Foi, qui soutenait à la Chambre la politique de Villèle n'excédait pas la moitié des députés de la droite, et à l'extrême-droite, la « faction des impatients », menée par l'incommode La Bourdonnaye, refusait sa confiance à Richelieu. Villèle et Corbière se trouvèrent donc dans une position très inconfortable ; n'ayant qu'une part lointaine aux affaires, dont le détail leur échappait forcément, ils en portaient cependant la responsabilité aux yeux de leur parti ; obligés d'être désagréables avec leurs collègues s'ils voulaient garder la confiance de leurs troupes et démentir les accusations de faiblesse lancées contre eux par l'extrême-droite, ils se trouvaient en butte aux suspicions de l'ensemble du gouvernement.

Parmi les mesures destinées à rallier la droite, il faut noter surtout — à côté des inévitables destitutions de hauts fonctionnaires — celles qui tendirent à renforcer l'influence du clergé. La plus significative est l'ordonnance du 27 février 1821 qui plaçait l'enseignement secondaire sous la surveillance des évêques. Le monopole universitaire recevait aussi une entorse au profit des maisons religieuses qui pourraient obtenir le titre et les privilèges de « collèges de plein exercice » qui leur permettraient de rivaliser avec les collèges royaux. En fait, ce privilège ne devait être accordé que très parcimonieusement.

La session de 1821 s'était déroulée sans histoire. A la veille de la clôture, un incident mit la brouille entre le ministère et la droite. Le gouvernement demandait la prolongation du régime de la censure jusqu'à la fin de la session suivante, c'est-à-dire jusqu'en juillet 1822. L'extrême-droite s'y opposa avec fureur ; la fraction villèliste se montra elle-même réticente. Un de ses orateurs expliqua : « Le ministère qui veut un peu de religion, un peu de royalisme, un peu de fidélité, mais pas trop, doit comprendre que les royalistes lui témoignent, en revanche, un peu de confiance, mais pas trop. » La prolongation de la censure fut toutefois accordée, mais pour trois mois seulement après l'ouverture de la session prochaine.

Villèle et Corbière, semoncés par le roi pour le vote de leurs amis, reconnurent que leur position était intenable. Ils décidèrent qu'il leur fallait ou bien sortir du ministère, ou bien obtenir pour leur parti trois portefeuilles ministériels, qui lui donneraient une influence correspondant à sa position parlementaire. Richelieu estima ces exigences excessives. Les deux représentants de la droite se retirèrent alors du ministère, et Chateaubriand se solidarisa avec eux en abandonnant son ambassade.

Les élections partielles d'octobre 1821 ne modifièrent pas sensiblement le rapport des forces en présence. Le ministère perdit seulement sept voix au profit de la gauche. Toutefois Richelieu prétendait encore soutenir sa politique qui était de gouverner sans la droite, mais avec l'appui de ses voix, pour faire une politique statique du centre droit, avec un ministère issu du centre gauche. Dans ces conditions, la « faction des impatients » gagna du terrain, et Villèle dut se renfermer dans une attitude de réserve, sans plus essayer de diriger le groupe parlementaire de la droite.

La politique extérieure du gouvernement devait fournir à l'opposition le terrain d'attaque qu'elle cherchait pour la rentrée parlementaire.

L'Europe, autour de l'année 1820, semblait en proie à un accès de fièvre chaude : agitation libérale dans les universités allemandes, pronunciamentos révolutionnaires en Espagne (janvier 1820), révolution libérale à Naples (juillet 1820), au Portugal (septembre 1820), soulèvement national en Grèce (mars 1821), insurrection libérale et nationale en Italie du nord (mars 1821) ; la sage Angleterre connaissait elle-même des émeutes populaires. A toute cette effervescence, la Sainte-Alliance, dirigée par Metternich et par le tzar Alexandre, qui avait répudié ses sympathie libérales de 1814, cherchait à opposer un barrage de forces militaires et policières. La Grande-Bretagne voyait avec la plus grande méfiance cette action, qui pouvait permettre à la Russie et à l'Autriche d'étendre leur protectorat sur des régions où elle tendait elle-même à exercer une influence économique et politique.

Quelle serait l'attitude de la France ? Deux positions opposées étaient théoriquement concevables, comportant toutes deux des risques, mais aussi des possibilités de bénéfices considérables : ou bien lier partie avec l'Angleterre pour soutenir les mouvements libéraux à l'étranger et se placer à la tête de la croisade des peuples contre les monarques absolus, ou bien joindre résolument le camp de la Sainte-Alliance et mettre ainsi la France sur un pied d'égalité réel, et non plus seulement théorique, avec ses adversaires de la veille. Mais en fait, la situation politique intérieure de la France, non moins que la médiocrité de ses hommes d'Etat, ne devait pas lui permettre d'adopter un parti tranché, et l'on resta, pour ainsi dire, entre deux chaises. D'un côté les Bourbons de France ne pouvaient lier partie avec les révolutionnaires qui s'attaquaient aux Bourbons de Naples et d'Espagne ; mais d'autre part, les gouvernements modérés, Decazes et Richelieu, craignaient, en soutenant la Sainte-Alliance, d'exaspérer les libéraux français. Au fond, la politique extérieure française, au lieu d'être inspirée uniquement par la considération des grands intérêts politiques et économiques du pays, se trouva livrée aux passions partisanes : les ultras, hantés par le danger révolutionnaire, ne virent de salut que dans la Sainte-Alliance, et les libéraux espérèrent que les mouvements révolutionnaires à l'étranger entraîneraient un mouvement analogue en France.

Richelieu et Pasquier, son ministre des Affaires étrangères, devaient chercher à l'extérieur comme à l'intérieur une voie moyenne, ce qui revenait à se réfugier dans une prudente nullité qui mécontenta tout le monde. Au congrès de Troppau-Laybach, réuni au cours de l'hiver 1820-1821 pour régler les affaires d'Italie, la France n'osa pas s'opposer à l'intervention militaire désirée par l'Autriche, mais elle n'y consentit qu'après tant d'atermoiements que le tzar put résumer l'impression générale en disant : « C'est tant pis pour la France si elle ne sait inspirer ni crainte à ses ennemis ni confiance à ses amis. »

On comprend alors qu'à l'ouverture de la session parlementaire le gouvernement se trouvât soumis au feu convergent des deux oppositions : à gauche, on l'accusait d'avoir sacrifié la position traditionnelle de la France en laissant l'Autriche écraser les libéraux italiens ; à droite, on lui reprochait amèrement la timidité dont il avait fait preuve en refusant de s'aligner franchement sur la Sainte-Alliance. Dans le vote de l'adresse au roi, les deux oppositions conjuguèrent leurs voix pour faire passer le paragraphe suivant : « Nous vous félicitons, Sire, de vos relations constamment amicales avec les Puissances étrangères, dans la juste confiance qu'une paix si précieuse n'est point achetée par des sacrifices incompatibles avec l'honneur de la nation et la dignité de votre couronne. »

Le roi fut vivement blessé de cette insinuation trop claire. Lorsque le président de la Chambre lui apporta cette adresse, il refusa d'en entendre la lecture, selon les formes ordinaires, et la posant sur son bureau, dit d'un ton sévère : « Je connais l'adresse que vous me présentez. Dans l'exil et dans la persécution, j'ai soutenu mes droits, l'honneur de ma race et celui du nom français ; sur mon trône, et entouré de mon peuple, je m'indigne à la seule pensée que je puisse jamais sacrifier l'honneur de la nation et la dignité de ma couronne. J'aime à croire que ceux qui ont voté cette adresse n'en ont pas pesé toutes les expressions. S'ils avaient eu le temps de les apprécier, ils n'auraient pas souffert ces expressions que, comme roi, je ne veux pas caractériser, que, comme père, je voudrais oublier. »

On crut un moment que la Chambre serait dissoute. Mais Richelieu n'osa pas rééditer le coup d'Etat du 5 septembre 1816. Le roi, malgré le sursaut d'indignation que lui avait causé l'adresse, n'était pas d'humeur à soutenir une nouvelle lutte. Physiquement affaibli, il s'assoupissait parfois au cours des audiences qu'il donnait à ses ministres, et une influence intime s'exerçait maintenant sur lui, le disposant à plus de bienveillance envers les hommes de la droite. Une favorite avait remplacé le favori. La première rencontre de Louis XVIII et de Mme du Cayla remontait à l'époque où Decazes régnait encore sur son cœur. La comtesse du Cayla, née Zoé Talon, avait eu besoin de la protection royale dans un triste procès qui l'opposait à son indigne époux pour la garde de ses enfants. Le roi fut charmé de sa grâce et de son esprit, et il l'invita à revenir le voir. Il va sans dire que Mme du Cayla obéit... et qu'elle gagna son procès. Lorsque Decazes disparut de la scène, elle était déjà introduite et prête à prendre la place vacante. Un de ses amis, Sosthènes de la Rochefoucauld, qui était aussi l'un des plus actifs intrigants du parti de Monsieur, l'encouragea à entrer plus avant dans la confiance du roi, pour y détruire les préventions qu'y avait accumulées Decazes contre ses adversaires. Elle s'y prêta, et y réussit à merveille. Spirituelle, belle et brune, Mme du

Cayla avait alors, dans l'épanouissement un peu plantureux de ses trente-sept ans, tout l'extérieur d'une maîtresse royale ; mais étant donné l'âge et les infirmités du roi, il ne pouvait évidemment s'agir que d'une affection platonique... ou presque. La malignité publique s'amusa néanmoins du rôle de barbon amoureux que jouait le roi : billets doux quotidiens, attentions tendres, cadeaux variés, délicats ou somptueux. Comme toute la vie du roi, ses affaires de cœur étaient strictement réglées et minutées : une fois par semaine, le mercredi, la favorite se rendait aux Tuileries, soi-disant pour faire une partie d'échecs avec le roi ; cela durait deux heures, tout juste, pendant lesquelles la porte était strictement consignée. Mais tous les jours Mme du Cayla devait lui écrire une lettre sur les affaires du moment ; Sosthènes de la Rochefoucauld convenait avec Villèle de ce qu'il fallait dire et aidait son amie à rédiger son petit bulletin. Il devait en être ainsi jusqu'à la mort du roi.

A la fin de 1821, Louis XVIII se trouvait donc prêt à admettre qu'un ministère de droite, conforme aux désirs de son frère, lui assurerait la paix de ses vieux jours. Richelieu, cependant, s'accrochait maintenant au pouvoir avec la même obstination qu'il avait mise plus tôt à le refuser. Il chercha à regrouper la droite par un projet aggravant le régime de la presse ; encore une fois l'opposition combinée de la fraction des « impatients » et de la gauche, le mit en échec. Le président du conseil recourut alors à Monsieur, et le somma de tenir l'engagement qu'il avait pris de lui assurer son appui et celui de ses amis. « Ah, mon cher duc, répondit Monsieur embarrassé, vous avez pris aussi les syllabes trop au pied de la lettre. Et puis, les circonstances étaient alors si difficiles ! » Richelieu, indigné, le quitta sans ajouter un mot, et courut chez Pasquier exhaler son irritation : « Il manque à sa parole, à sa parole de gentilhomme ! » Le 12 décembre enfin, Richelieu donna sa démission. Louis XVIII, qui savait que Monsieur lui tenait tout prêt un ministère de rechange, l'accepta avec une indifférence qui ulcéra profondément l'excellent duc.

A vrai dire, le grand honnête homme qu'était Richelieu avait manqué de réalisme. Puisqu'il reconnaissait que le salut de la monarchie, aussi bien que la situation parlementaire, demandait l'union du centre et de la droite, il aurait été avisé en appelant immédiatement dans le ministère les hommes les plus modérés et les plus capables de la droite et en leur donnant ainsi l'occasion de s'assagir par l'exercice du pouvoir. La gauche aussi manqua de sens politique ; en se prêtant au renversement de Richelieu, elle pratiqua consciemment la politique du pire. A force de répéter sur tous les tons que la droite était un ramassis d'énergumènes ineptes et incompétents ; que seuls étaient capables d'administrer la France nouvelle les hommes forgés par la Révolution et par l'Empire, elle avait fini par se persuader qu'un ministère purement royaliste démontrerait rapidement son incapacité et qu'il faudrait alors en revenir à ceux-ci. Sans le savoir, ils livraient le gouvernement à un parti qui ne se laisserait pas déloger de la forteresse conquise.

CHAPITRE VI

VILLÈLE ET LE TRIOMPHE DE LA DROITE

Le ministère royaliste. — Echec des complots carbonaristes. — Mesures de réaction. — Le ministère divisé sur la question espagnole. — Le congrès de Vérone. — Montmorency est remplacé par Chateaubriand qui poursuit la même politique. — L'intervention militaire de la France en Espagne. — Son succès consolide le gouvernement de la droite. — Les divisions au sein du parti. Le renvoi de Chateaubriand. — Mort de Louis XVIII.

La première idée de Monsieur, principal artisan du nouveau ministère, avait été d'y rappeler le comte de Blacas, ancien favori du roi, en lui confiant la présidence du conseil avec les Affaires étrangères. Mais Villèle et Corbière objectèrent qu'il avait un nom trop impopulaire qui rappelait les erreurs de la première Restauration. A sa place, ils proposèrent le vicomte Mathieu de Montmorency, grand-maître de la société secrète des Chevaliers de la Foi ; c'était un saint homme, pilier de la Congrégation et de toutes les bonnes œuvres, un noble caractère, un parfait gentilhomme, de belle allure et de manières distinguées et amènes. Ancien élève de l'abbé Sieyès, il avait été l'un des plus ardents de ce groupe de jeunes nobles libéraux qui avaient soutenu, en 1789, les idées de la Révolution. Les excès de la Terreur l'en avaient dégoûté, en le ramenant en même temps à la religion. Il tenait une haute position à la cour comme dans la société, mais il n'avait qu'une intelligence fort moyenne, une volonté faible et aucune pratique des affaires. Villèle put en tirer argument pour faire décider que Montmorency aurait seulement le portefeuille des Affaires étrangères, la présidence du conseil restant vacante. Peut-être espérait-il y ramener Richelieu, lorsque le noble duc aurait digéré sa mauvaise humeur, mais celui-ci devait mourir au mois de mai suivant laissant, comme le dit Talleyrand, « un vide plus grand que la place qu'il occupait de son vivant ».

On avait espéré aussi garder le financier Roy et le Garde des Sceaux de Serre, mais ces deux messieurs refusèrent de lier leur sort à une équipe qu'ils croyaient incapable de durer. Villèle prit donc les Finances et Corbière l'Intérieur. Ce dernier cachait sous une écorce de paysan du Danube une grande finesse, et beaucoup de lettres ; mais il devait conduire son département avec une paresse insouciante qui le livra à ses chefs de bureaux. A la Justice, on mit, un peu au hasard, un homme nouveau, Peyronnet, ancien avocat bordelais, qui s'était fait remarquer comme avocat général du gouvernement dans le procès des conspirateurs d'août 1820 devant la Chambre des pairs. C'était une sorte de matamore méridional, au physique avantageux, fier de ses succès féminins, de sa voix de stentor et de sa faculté d'improviser de grandes tirades dans le genre cicéronien ; c'était du reste pour cela qu'on l'avait choisi : il fallait au gouvernement un porte-parole dont la faconde et la capacité pulmonaire fussent en état de tenir tête aux voix de l'opposition. A la Guerre, on mit le maréchal Victor, duc de Bellune, ancien soldat de la Révolution et de l'Empire qui avait gagné tous ses grades par sa vaillance ; ce n'était certes pas un génie militaire, mais un homme d'expérience et de caractère, et le parti royaliste le tenait en haute estime depuis qu'il avait suivi Louis XVIII à Gand. La Marine fut attribuée au marquis de Clermont-Tonnerre, pair du centre droit ;

sa qualité d'ancien élève de l'Ecole Polytechnique semblait lui assurer — déjà ! — un brevet de compétence universelle. Enfin, le général de Lauriston, un bon vivant, sans couleur politique, fut ministre de la Maison du roi.

Le véritable chef du gouvernement était Villèle, bien qu'il n'en eût pas le titre et qu'il eût pris le ministère des Finances, considéré alors comme un peu inférieur en dignité. Joseph de Villèle, issu d'une famille de petite noblesse du Toulousain, était jeune officier de marine, hors de France, au moment de la Révolution ; il se fixa momentanément à l'île de France et y fit un mariage avantageux. Rentré dans son pays natal en 1807, il y fut bientôt nommé au conseil général de la Haute-Garonne ; il était maire de Toulouse lorsqu'il fut élu à la Chambre introuvable, où il devait s'imposer peu à peu comme le *leader* parlementaire du parti ultra-royaliste. Ses contemporains le décrivent comme un petit homme, à la taille maigre et chétive, avec une figure chafouine enlaidie d'un grand nez et de marques de petite vérole, avec une voix glapissante et nasillarde. Mais son intelligence vive et pratique, sa capacité de travail stupéfiante, lui permettaient d'assimiler rapidement toutes les questions politiques et plus spécialement ce qui touchait aux finances ; il savait les exposer avec clarté et abondance : « Une grande lumière qui brille à peu de frais », dit de lui Canning. Il était aussi capable de poursuivre ses desseins avec obstination, à travers toutes les difficultés. Bien qu'il fût personnellement d'une intégrité parfaite, et qu'il ne manquât point de courage, il avait tendance à prendre les hommes par leurs faiblesses et préférait ruser que d'aborder de front les obstacles. Il fit trop souvent consister le gouvernement dans une suite de petits expédients, de petits marchandages, de petites vengeances : « Il ne voyait jamais les affaires par le côté élevé », dit Pasquier ; et Frénilly, l'un de ses partisans les plus décidés : « Cet homme au caractère méticuleux, aux allures étroites, à l'esprit arithmétique, se concentrait dans la contemplation de sa caisse. » Metternich lui reproche — jugement assez plaisant sous la plume d'un étranger — de ne pas agir « à la française », et Pozzo di Borgo écrit : « Il serait un grand ministre s'il avait un maître. » Or, précisément, Villèle ne voulut pas de maître, en dehors du roi, auquel il était très loyalement dévoué. Sa vanité ombrageuse de petit gentilhomme provincial ne supportait pas à côté de lui des personnalités qui auraient pu l'éclipser par leur talent, leur caractère ou leur naissance. De ce fait, tout son ministère, personnes et réalisations, devait prendre ce cachet de mesquinerie cauteleuse qu'il portait dans sa nature. Au lieu de rester au second rang, il voulut se hausser au premier, et s'y maintenir envers et contre tout. Avec l'étoffe d'un très grand commis, il ne devait être qu'un petit homme d'Etat.

Le ministère avait le soutien sans réserve du comte d'Artois, que la faiblesse croissante du roi rapprochait tous les jours du trône. Louis XVIII ne semblait plus se soucier que de finir ses jours en paix. L'observation rigoureuse de l'étiquette, les petits vers, la correspondance avec Mme du Cayla, le soin de sa santé, suffisaient à l'occuper. Il s'en remettait entièrement à son frère et à Villèle pour la direction des affaires. « Monsieur escompte son règne », disait-on.

Les premiers mois du gouvernement de la droite furent marqués surtout, à l'intérieur, par un grand effort révolutionnaire des ennemis du régime. Deux jeunes gens compromis dans la conspiration d'août 1820, Joubert et Dugied, s'étaient réfugiés en Italie ; ils y entrèrent en contact avec la société secrète de la *Carbonaria* qui avait fait la révolution napolitaine de juillet 1820, et ils la trouvèrent admirablement adaptée à la lutte clandestine. Lorsqu'ils rentrèrent en France, au printemps de 1821, ils décidèrent leurs amis à fonder une Charbonnerie française. L'unité de base était la « vente » particulière ou communale, composée de 10 membres ; chaque vente particulière déléguait un député qui formait, avec 10 autres, une vente cantonale ; par le même système se constituait une pyramide de ventes départementales, fédérales, sectionnaires, dont le sommet était la vente centrale siégeant à Paris. Les membres des différentes ventes ne se connaissaient pas entre eux et n'avaient de rapports que par leurs délégués, et ce cloisonnement était une précaution utile contre les infiltrations policières. Chaque membre prenait quatre engagements : garder le secret — verser une cotisation mensuelle de 1 franc — avoir toujours prêt un fusil et 25 cartouches — obéir aux ordres de la haute vente. Le programme politique de la société était nettement libéral et républicain, ce qui n'empêcha pas l'adhésion de nombreux éléments militaires bonapartistes ; la mort de Napoléon, survenue le 5 mai 1821, facilitait cette fusion, en éloignant pour les uns l'espoir d'une restauration impériale, et en rassurant les autres contre la même éventualité, Les membres fondateurs, qui étaient presque tous des jeunes gens sans notoriété, approchèrent les membres de l'ancien comité directeur du parti libéral, et ceux-ci devinrent presque tous membres de la haute vente : La Fayette, Voyer d'Argenson, Manuel, de Corcelles, députés, de Schonen, conseiller à la Cour royale de Paris, les avocats Barthe, Mauguin et Merilhou, l'industriel alsacien Kœchlin, le colonel Fabvier. L'association se répandit rapidement à Paris et en province ; dans l'Ouest, elle s'annexa d'un seul coup les 15.000 adhérents d'une société secrète des « Chevaliers de la liberté », organisée en 1820 par des militaires libéraux. Dans l'ensemble, la Charbonnerie compta peut-être de 30 à 40.000 adhérents, on ne peut le dire exactement ; on sait toutefois qu'elle ne pénétra pas dans les milieux populaires et qu'elle se recruta surtout parmi les étudiants, les cadres subalternes de l'armée et la petite bourgeoisie.

Le succès momentané des révolutions d'Espagne et d'Italie excita l'espoir des *carbonari* de renverser le régime par un coup de force analogue. Des plans grandioses furent élaborés : l'insurrection devait éclater simultanément dans l'Ouest, avec Saumur pour centre, et en Alsace, où les garnisons de Belfort et de Neuf-Brisach s'empareraient de Colmar pour y déployer le drapeau tricolore ; de là le mouvement gagnerait Lyon et Marseille. La Fayette, d'Argenson et Kœchlin devaient former en Alsace un gouvernement provisoire. Par défaut de coordination et aussi par suite de l'irrésolution des archontes de la haute vente, les mouvements éclatèrent de façon sporadique. A Belfort, La Fayette et d'Argenson ne se trouvèrent pas sur place au moment prévu — le 30 décembre 1821 ; — le mouvement fut ajourné de quarante-huit heures ; l'afflux des conjurés et leurs manifestations imprudentes donnèrent l'éveil aux autorités qui arrêtèrent plusieurs conspirateurs ; les autres prirent la fuite ; La Fayette, déjà en route, fut averti et rebroussa chemin, brûlant les pièces compromettantes et l'uniforme qu'il devait revêtir.

A Saumur, le complot dut être aussi ajourné, par suite de l'arrestation, le 23 décembre, de quelques-uns des conjurés. Mais comme le gouvernement ne paraissait pas encore se douter de l'ampleur des préparatifs, on décida de passer à l'action. Le chef, dans ce secteur, était le général Berton, qui avait été mis à la retraite d'office pour avoir exprimé de façon trop vive ses sentiments bonapartistes. Le 24 février 1822, il se rendit maître de la petite ville de Thouars, dont toute la garnison se composait de cinq gendarmes. Le lendemain, à la tête d'une centaine d'hommes, il marcha sur Saumur où il comptait sur les éléments carbonaristes de l'école de cavalerie. Le maire, averti à temps, mit sur pied la garde nationale, ferma les portes de la ville ; Berton n'osa pas donner l'assaut, parlementa vainement, et finalement se retira. Pendant ce temps les autorités de Thouars s'étaient ressaisies et avaient également mis la ville en état de défense. Il ne resta plus à Berton que de licencier sa petite troupe et de disparaître dans la nature. Pour se saisir de lui, la police accepta les offres d'un sous-officier qui gagna la confiance du général en lui promettant de lui amener un escadron de cavalerie ; un guet-apens fut organisé, qui permit d'arrêter Berton. Par un procédé analogue, et encore moins avouable, le gouvernement mit la main sur le colonel Caron, l'un des conjurés de Colmar ; ici la tromperie et la provocation furent poussées à un point inouï ; on amena à Caron deux escadrons au milieu desquels se trouvaient des officiers déguisés en simples cavaliers ; lorsque Caron les eut rejoints et que le délit eut été bien établi, on l'arrêta. Comme Berton, il devait être condamné à mort et exécuté, au début d'octobre 1822.

D'autres complots moins importants, une dizaine d'affaires au total, furent découverts ou mis en échec. Celui des quatre sergents de La Rochelle est l'épisode le plus connu, moins, du reste en raison de la gravité réelle de leur entreprise, que par l'émotion suscitée autour de leur procès. Ces quatre jeunes gens, nommés Bories, Pommier, Raoulx et Goubin, sergents au 45e de ligne, en garnison à Paris, avaient fondé dans leur régiment une vente militaire. Le colonel s'étant douté de quelque chose, on décida, par précaution, d'éloigner le régiment de Paris en le transférant à La Rochelle, en février 1822. Tout le long de la route, Bories et ses amis eurent des contacts avec les ventes locales ; leur projet était de soutenir, par un soulèvement dans leur régiment, l'entreprise de Berton à Saumur. Bref, ils se donnèrent tant de mouvement, que quelques-uns de leurs camarades, pris de peur, les dénoncèrent. Leurs premiers aveux, après leur arrestation, avaient révélé l'existence de la vente centrale et toute l'étendue de la conspiration, dont le gouvernement n'avait encore qu'une idée confuse. Mais lorsqu'ils furent transférés à Paris pour être jugés, leurs avocats, eux-mêmes membres de la vente suprême, leur persuadèrent qu'il fallait se taire et rétracter leurs déclarations précédentes, afin de sauver la Charbonnerie qui saurait les venger et poursuivre leur œuvre. Ces braves jeunes gens acceptèrent ce rôle de martyrs et résistèrent à tous les efforts de la justice royale qui était prête à leur assurer la vie sauve s'ils lui permettaient de mettre la main sur les vrais coupables, leurs chefs. Le jour de leur exécution, les carbonari de Paris avaient mis sur pied toutes leurs forces, mais rien ne fut tenté pour libérer les condamnés ; les « seigneurs de la Haute-Vente », comme les appelait le procureur général Marchangy, avaient trop d'intérêt à les voir définitivement réduits au silence. « Ils mourront bien », avait dit Manuel, avec une satisfaction évidente. Du moins, après coup, rien ne fut épargné pour glorifier leur mémoire, pour en faire des héros de la liberté.

Tous ces échecs ruinèrent la Charbonnerie. La vente suprême se plaignit de n'avoir pas été obéie exactement ; les ventes locales accusèrent les « Messieurs de Paris » d'être très forts pour pousser en avant de malheureux comparses et se dérober eux-mêmes aux dangers de l'action. Quelques-uns des plus ardents ou des plus compromis passèrent en Espagne, comme Armand Carrel, pour y aider les révolutionnaires ; d'autres, comme Fabvier, devaient aller se mettre au service des insurgés de Grèce ; d'autres enfin, se réfugièrent dans le Saint-Simonisme. Les parlementaires décidèrent de s'en tenir à l'opposition légale et d'utiliser la tribune pour faire triompher leurs idées ; c'est ce qu'avaient toujours préconisé Benjamin Constant et Casimir Périer. Ce dernier, faisant allusion à La Fayette et à d'Argenson, disait alors : « Que faire avec des gens qui, après vous avoir conduits au bord de l'abîme sans que nous nous en doutions, f... le camp et nous abandonnent ? » Le gouvernement, pour avoir surmonté victorieusement cette crise, en sortit avec une autorité renforcée devant l'opinion, tant à l'intérieur qu'à l'extérieur.

Dans le même temps, les ministres, chacun dans leurs départements respectifs, travaillaient à éliminer le personnel libéral et bonapartiste introduit ou maintenu par Decazes, et à le remplacer par des hommes sûrs. Naturellement, les sociétés secrètes royalistes et le clergé eurent l'occasion d'y faire sentir leur influence par les renseignements qu'ils pouvaient donner et les recommandations qu'ils pouvaient accorder. C'est alors que l'on commença à parler de l'influence de « la Congrégation » sur le ministère et sur l'administration. On doit citer au moins les noms de Franchet d'Esperey et de Delavau, nommés respectivement directeur général de la police et préfet de police de Paris ; tous deux étaient congréganistes, et, très probablement, chevaliers de la Foi. L'usage du « cabinet noir » faisait de la direction des Postes un rouage capital pour déjouer les conspirations et surveiller l'opinion ; on fut tout de même un peu scandalisé de voir un grand seigneur, le duc de Doudeauville accepter cette fonction peu reluisante : « Monsieur de Doudeauville est directeur des Postes ? dit-on, mais qui sera duc de Doudeauville ? » Chateaubriand, qui avait pu espérer un ministère, reçut en compensation la plus importante des ambassades, celle de Londres ; il y succédait à son grand ennemi Decazes et ce retour de fortune lui fut doux.

Le gouvernement fit voter, en février 1822, deux lois qui aggravaient le régime de la presse. De nouveaux délits étaient créés : l'outrage à la religion d'Etat et aux cultes reconnus, l'attaque contre le droit héréditaire — réponse aux intrigues orléanistes, — l'infidélité dans les comptes rendus des débats parlementaires et des séances des tribunaux, et surtout le délit de tendance, chose tout à fait nouvelle, et que la loi définissait en ces termes : « L'esprit d'un journal ou d'un écrit périodique, résultant d'une succession d'articles, ... de nature à porter atteinte à la paix publique, au respect dû à la religion d'Etat ou aux autres religions légalement reconnues, à l'autorité du roi, à la stabilité des institutions constitutionnelles, etc. » La connaissance des délits de presse était ôtée aux jurys pour être rendue aux tribunaux correctionnels et aux cours royales. L'autorisation préalable serait obligatoire pour tous les journaux fondés à partir du 1er janvier 1822. Enfin, le gouvernement pourrait rétablir la censure par simple ordonnance, dans l'intervalle des sessions parlementaires.

En appliquant ce régime avec persévérance et rigueur, le gouvernement réussit à étouffer peu à peu la presse libérale. Il eut recours à un autre procédé original, imaginé par Sosthènes de la Rochefoucauld : une « caisse d'amortissement », alimentée par les bénéfices des théâtres et des jeux, fut chargée d'acheter par personnes interposées les actions des journaux d'opposition ; puis lorsqu'on s'en était rendu maître, on les dirigeait en modifiant peu à peu leur ligne de façon à ne pas effaroucher les abonnés habituels. C'était prendre les lecteurs pour plus sots qu'ils n'étaient, et cette mirifique opération ne réussit qu'à renforcer le nombre des abonnés des quelques grands journaux comme le *Constitutionnel* et le *Journal des Débats* à qui leur situation financière solide permettait de soutenir le luxe de l'indépendance.

Le gouvernement prit aussi nombre de mesures destinées à renforcer l'influence de la religion, que les Chevaliers de la Foi considéraient comme essentielle à l'instauration d'un ordre vraiment royaliste. Le Panthéon fut rendu au culte, après qu'on en eût retiré les restes de Voltaire et de Rousseau. Dix-neuf archevêques et évêques furent nommés pairs ecclésiastiques et vinrent siéger à la Chambre haute. L'ordonnance sur la sanctification du dimanche fut rigoureusement appliquée. Surtout, l'éducation allait être placée sous la direction du clergé : le 1er juin, la fonction de Grand-Maître de l'Université fut rétablie et donnée à Mgr Frayssinous, évêque « in partibus » d'Hermopolis ; c'était un prédicateur fort en renom depuis qu'il avait, sous l'Empire, attiré à ses conférences de Saint-Sulpice une foule de jeunes gens. Il aurait toute autorité pour nommer le personnel des collèges royaux et composer les programmes. Plus tard, en avril 1824, les recteurs d'académies devaient être dépouillés, au profit des évêques, du droit d'accorder l'autorisation d'enseigner aux maîtres des écoles primaires.

La nouvelle orientation du gouvernement se fit également sentir dans la politique extérieure, et celle-ci, reprenant une activité et une importance qu'elle avait perdues depuis longtemps, devint par contre-coup un facteur capital dans la politique intérieure elle-même.

La Sainte-Alliance avait pu réprimer sans la France, et en partie malgré elle, les révolutions d'Italie : l'Autriche était là à pied d'œuvre. Mais la position géographique de l'Espagne ne permettait pas à l'Europe d'y intervenir sans le concours du gouvernement français. Depuis les pronunciamientos du début de 1820, les libéraux espagnols avaient imposé au roi Ferdinand VII un régime constitutionnel qui fonctionnait plus ou moins bien, avec la bénédiction de l'Angleterre. Or, la situation s'aggrava brusquement en juillet 1822. Les éléments absolutistes tentèrent, avec la complicité du roi, un coup de force militaire pour renverser le gouvernement libéral. Leur échec sanglant, à Madrid, amena au pouvoir, par réaction, les extrémistes de gauche. Les provinces du nord, Catalogne, Aragon, Navarre, se mirent en insurrection ouverte contre Madrid ; elles établirent à la Seo d'Urgel une « régence » au nom du roi virtuellement prisonnier, et leurs forces, sous le nom d' « armée de la Foi », ouvrirent la guerre civile.

Ces événements ne permettaient plus à la France d'éluder ses responsabilités. Dès l'année précédente, il avait été décidé qu'un congrès européen se réunirait à Vérone, à la fin de 1822 ; le développement dramatique des affaires d'Espagne devait naturellement leur faire donner la priorité sur les autres questions inscrites à l'ordre du jour : question d'Orient, insurrection des colonies espagnoles d'Amérique, traite des nègres. Le tzar Alexandre et Metternich étaient bien décidés à éteindre coûte que coûte ce foyer révolutionnaire. La France n'y était pas moins intéressée : elle était comme une maison remplie de matières inflammables, menacée par l'incendie qui a éclaté chez le voisin. Le chef de la maison de Bourbon ne pouvait, sans danger pour sa propre couronne, rester passif devant le danger qui menaçait la liberté, et peut-être la vie, de son cousin. Mais l'intervention, sous quelque forme qu'elle s'exerçât, avec ou sans l'aide active des armées de la Sainte-Alliance, présentait des risques presque aussi effrayants que la non-intervention préconisée naturellement par le parti libéral.

Le ministère, tout royaliste qu'il fût, se trouva hésitant et divisé sur l'attitude à prendre. D'un côté, Montmorency, suivi, semble-t-il, par la majorité de la droite, considérait que le seul parti qui assurerait à la fois la sécurité et la dignité de la France serait qu'elle prît elle-même hardiment la charge de rétablir l'ordre en Espagne, au besoin par une expédition militaire, et en s'assurant le consentement et l'appui éventuel des autres Puissances de la Sainte-Alliance ; en attendant, il apportait secrètement toute l'aide possible aux insurgés du nord de la péninsule. Villèle, au contraire, voulait éviter à tout prix une action militaire de grande envergure, et les raisons ne lui manquaient pas : les récentes conspirations carbonaristes donnaient à douter de la fidélité des militaires au cas où on leur demanderait de porter les armes contre les libéraux d'Espagne ; on pouvait se souvenir, à ce propos, que la révolution espagnole avait précisément débuté en 1820 parmi les troupes rassemblées à Cadix pour aller réprimer l'insurrection des colonies d'Amérique. Le souvenir plus lointain du sort des armées de Napoléon en Espagne était de nature à faire hésiter les plus intrépides ; comme alors, aussi, on pouvait craindre que l'adversaire espagnol ne reçût le soutien de l'Angleterre ; Wellington, en passant à Paris pour se rendre à Vienne et à Vérone, n'avait pas caché l'intention de son pays de s'opposer à toute intervention militaire de la France dans la péninsule. Enfin, Villèle, comme ministre des Finances, craignait qu'un grand effort militaire ne compromît le bel équilibre qu'il s'efforçait d'établir dans le budget.

Le roi et Monsieur, convaincus par ses raisonnements, le soutenaient dans sa politique de prudence. Mais comment imposer ce point de vue au ministre des Affaires étrangères, qui serait chargé de représenter la France au congrès de Vérone ? Villèle obtint le concours momentané de Chateaubriand ; le grand écrivain brûlait du désir de se distinguer sur la scène internationale et de se qualifier ainsi pour le ministère des Affaires étrangères, terme de ses ambitions. Le *Journal des Débats* qu'il inspirait soutint donc la politique de Villèle, et Montmorency, pressé par le roi, travaillé par les amitiés de salon que Chateaubriand avait mobilisées en sa faveur, finit par accepter qu'il allât représenter la France à Vérone. Toutefois, Villèle ne put éviter que le ministre responsable ne se rendît en personne à Vienne où devaient avoir lieu des conversations préliminaires ; les souverains alliés devaient y être, les autres puissances y étaient représentées par leurs principaux hommes d'Etat; le roi de France ne pouvait se singulariser en y déléguant un simple ambassadeur. Villèle, du moins, prit ses précautions ; les instructions écrites de Montmorency, arrêtées de concert avec le roi, portèrent qu'il devait éviter de prendre lui-même l'initiative de soulever la question espagnole, et, en tout cas, affirmer la résolution de la France d'agir en toute indépendance, au moment et de la manière choisis par elle. Il devait néanmoins s'assurer de l'assistance que pourraient éventuellement lui apporter les Puissances continentales en cas de complications. En outre, quelques jours après le départ de Montmorency, Villèle fut nommé président du conseil, ce qui lui donnait l'autorité pour contrôler l'action du ministre des Affaires étrangères. Dans les salons aristocratiques du faubourg Saint-Germain, on fit la grimace : comment ! le roi osait placer l'héritier d'un des plus grands noms de France, le premier baron chrétien, sous l'autorité d'un petit gentilhomme gascon, ignoblement compétent, par surcroît, en matière de finances ! Et cette façon d'attendre le départ de Montmorency pour opérer comme à la dérobée ce petit coup d'Etat intérieur ! Montmorency en fut blessé, et l'opposition d'idées qui séparait déjà les deux hommes se compliqua d'une rivalité d'amour-propre.

Le représentant de la France, aussitôt arrivé à Vienne, eut des entretiens très cordiaux avec le tzar qui fut séduit par son caractère généreux et mystique qui s'accordait si bien avec le sien. Ces conversations inclinèrent facilement Montmorency à dépasser le cadre littéral de ses instructions ; il pouvait du reste penser légitimement que le meilleur moyen pour la France de garder cette liberté de manœuvre, à laquelle tenait le roi, consistait à prendre soi-même l'initiative des opérations et non pas à attendre que quelqu'un d'autre prît la direction du mouvement. Et comment savoir les intentions des autres Puissances si l'on ne leur posait pas la question ? La politique de Villèle était timide et tortueuse, continuant celle de Pasquier ; celle de Montmorency pouvait être imprudente, elle avait du moins le mérite de la clarté et de la dignité. Il se décida à exposer son point de vue dans une note où il envisageait nettement l'éventualité d'une intervention française et demandait aux Puissances de formuler clairement leurs intentions. Puis comme les plénipotentiaires se transportaient à Vérone, il résolut de les y accompagner, au grand déplaisir de

Chateaubriand qui comptait y jouer les premiers rôles.
Malgré l'opposition de l'Angleterre, le congrès envisagea les modalités de la rupture diplomatique avec le gouvernement libéral espagnol. Montmorency, pour sauvegarder, du moins dans la forme, l'indépendance d'action de la France, fit admettre que la démarche s'opérerait non par une note commune, mais par quatre notes concordantes, qui seraient remises en même temps. Les termes, arrêtés de concert, en faisaient un véritable ultimatum, exigeant la mise en liberté du roi Ferdinand VII. Montmorency demanda encore un délai pour faire approuver la note française par le roi, et repartit pour Paris, le 12 novembre, laissant à Chateaubriand le soin de soutenir le point de vue français dans les autres questions soumises au congrès.

Montmorency rentré dans la capitale reçut de Louis XVIII le titre de duc. Villèle dissimula son dépit d'avoir vu ses instructions dépassées, mais il chercha encore à éluder les décisions énergiques. Le 5 décembre, il fit admettre par le conseil des ministres que l'on demanderait aux Alliés de surseoir à l'envoi de leurs notes et de confier à leurs ambassadeurs à Paris le soin de décider, en accord avec le gouvernement français le moment le plus favorable pour cette action. La Russie, l'Autriche et la Prusse acceptèrent d'attendre quelques jours, mais en laissant clairement entendre qu'elles n'admettraient pas que la France s'écartât de la ligne d'action arrêtée d'accord avec son représentant à Vérone.
Dès le retour de Chateaubriand (20 décembre), Villèle réunit un conseil. Montmorency y exposa avec force son point de vue : la guerre était inévitable, mieux valait donc agir vite, avant que les monarchistes espagnols fussent complètement écrasés. On avait réussi à obtenir l'accord des Puissances ; en refusant de s'associer maintenant à leur démarche, on risquait de se retrouver isolé

devant l'Angleterre lorsque les circonstances nous obligeraient finalement à intervenir. Tous les ministres se rallièrent à cet avis, sauf Villèle, qui leva brusquement la séance en disant que la décision appartenait au roi. Enfin, le 25 décembre, le conseil décisif eut lieu en présence de Louis XVIII. Villèle se retrouva encore seul à soutenir qu'il ne fallait pas s'associer à la démarche décidée par les trois Puissances de la Sainte-Alliance. A la surprise générale, le roi se prononça fermement pour l'opinion du président du conseil. Montmorency donna aussitôt sa démission : il ne pouvait souscrire à une politique contraire aux engagements qu'il avait pris envers l'Europe.

Villèle était vainqueur, mais c'était une victoire à la Pyrrhus, car elle ne servirait, en définitive qu'à procurer plus sûrement le succès de la politique qu'il avait combattue. La position de Montmorency dans le parti royaliste et la cour était telle, que son éviction menaçait de créer un schisme profond dans la majorité. Le seul moyen de calmer l'émotion était de le remplacer par une personnalité capable d'entraîner et de rassurer le parti. Chateaubriand se fit prier juste assez pour sauver la face, et accepta avec joie le portefeuille qu'il convoitait depuis longtemps ; Montmorency demanda généreusement à ses amis de le soutenir comme lui-même.

Fort de cet appui, fort du besoin qu'avait de lui Villèle pour éviter une crise intérieure, Chateaubriand reprit avec énergie la politique de son prédécesseur et la fit triompher en dépit des menaces de l'Angleterre à l'extérieur, et de l'opposition furieuse des libéraux à l'intérieur. Sans tarder, le représentant de la France fut rappelé de Madrid. Le 28 janvier 1823, le roi, ouvrant la session parlementaire, déclara : « L'aveuglement avec lequel ont été repoussées les représentations faites à Madrid laisse peu d'espoir de conserver la paix. J'ai ordonné le rappel de mon ministre ; cent mille Français commandés par un prince de ma famille... sont prêts à marcher invoquant le Dieu de saint Louis pour conserver le trône d'Espagne à un petit-fils de Henri IV, préserver ce beau royaume de sa ruine et le réconcilier avec l'Europe. »

Au cours des semaines suivantes, les Chambres eurent à discuter les crédits demandés par le gouvernement pour financer l'expédition. Ce fut l'occasion pour les partis, de se heurter violemment. Le général Foy, avec l'autorité qui s'attachait à son expérience des guerres d'Espagne prédit un désastre militaire. Le député Manuel suscita un incident d'une violence inouïe en présentant l'exécution de Louis XVI comme une mesure de salut public justifiée par l'invasion étrangère. « Ai-je besoin de vous dire que les dangers de la famille royale devinrent plus graves lorsque la France révolutionnaire sentit qu'elle avait besoin de se défendre par une forme nouvelle, par une énergie toute nouvelle ? » A ces paroles, la droite entra en délire et réclama l'expulsion de l'orateur. Elle l'obtint dans la séance suivante et comme Manuel refusait d'obéir et restait cloué à son banc, il fallut faire appel à la force armée. Les députés libéraux se solidarisant avec leur collègue, refusèrent de siéger jusqu'à la fin de la session. Manuel fut transformé en héros national.

Toute cette agitation ne devait pas empêcher l'expédition d'Espagne de se faire et de réussir. Depuis plusieurs mois déjà on avait groupé des troupes le long de la frontière, sous le nom de « cordon sanitaire », puis de « corps d'observation ». Au début d'avril 1823, 100.000 hommes se trouvèrent à pied d'œuvre, divisés en cinq corps d'armée, sous le haut commandement du duc d'Angoulême. Le prince était assisté par le général Guilleminot, ancien soldat de l'Empire, comme du reste l'étaient la plupart des commandants d'unités importantes. Le maréchal Victor, ministre de la Guerre, aurait vivement désiré exercer lui-même les fonctions de major-général à la place de Guilleminot, mais le duc d'Angoulême s'y était opposé ; il craignait de faire figure, auprès de ce vétéran, de petit garçon tenu en lisière.

Les sociétés secrètes et les libéraux firent les plus grands efforts pour inciter les soldats à la désertion et pour provoquer des incidents. Béranger, par exemple, fit une chanson dont le refrain était : « Braves soldats, demi-tour ! » Mais l'idée d'entrer en campagne, de sortir enfin des casernes, de mettre en application les théories, d'avoir l'occasion de se distinguer, provoqua du haut en bas de l'échelle un tel élan que l'on vit des soldats qui avaient terminé leur temps se hâter de contracter un nouvel engagement... et c'était pour sept ans !

Pourtant quelques officiers français exilés rassemblèrent environ 200 hommes sur la Bidassoa ; vêtus d'uniformes français, et arborant le drapeau tricolore, ils se présentèrent, en chantant la *Marseillaise*, devant les troupes royales qui passaient la frontière. Le général Vallin, ancien officier de l'Empire, fit tirer sur les libéraux trois coups de canons à mitraille ; on cria *Vive le roi !* et tout fut réglé. Il ne devait pas y avoir la moindre défaillance du loyalisme de l'armée dans tout le cours de la campagne. En somme, cette difficulté, que la propagande des libéraux avait fini par faire considérer comme très grave par Villèle, s'évanouit en fumée au premier souffle.

Une autre difficulté, d'ordre matériel, faillit au dernier moment faire tout échouer. L'intendance militaire avait réuni de grandes quantités de fourrage et de vivres, mais n'avait pas réussi à assurer les moyens de transport nécessaires pour que ce ravitaillement pût suivre les armées en marche. La chose était essentielle : les Français se présentaient en effet en Espagne comme alliés du gouvernement légitime du roi ; il fallait donc éviter les réquisitions arbitraires et les pillages qui avaient marqué le passage des armées de Napoléon et qui auraient tourné contre nous les populations. Le duc d'Angoulême accepta alors les services d'Ouvrard, le grand munitionnaire et le grand profiteur des guerres du Directoire et de l'Empire ; il se présenta au bon moment comme un *deus ex machina,* se faisant fort d'arranger les choses. On peut croire que le rusé personnage n'était pas étranger à l'origine de la situation qui avait rendu nécessaire son intervention. Quoi qu'il en soit, il s'arrangea si bien, payant comptant aux Espagnols toutes les fournitures, que l'armée ne manqua de rien, et que les paysans, loin d'avoir à souffrir de son passage, en profitèrent.

Nulle part il n'y eut de résistance sérieuse. Quelques places qui se défendirent furent débordées. Les populations du nord, toutes royalistes, accueillaient les Français comme des libérateurs. Les anciens soldats de l'Empire n'en revenaient pas : jadis un traînard était inévitablement saisi, torturé avec des raffinements de cruauté, égorgé ; maintenant les éclopés étaient recueillis avec sollicitude, transportés bénévolement à dos de mulet ou en charrette. C'est que les Français venaient cette fois défendre la même cause que les *guerrilleros* de 1808 : le roi légitime et la sainte religion.

Le 24 mai, le duc d'Angoulême fit son entrée à Madrid sous les fleurs et les arcs de triomphe, et aux cris de « *mueron los negros!* » (à mort les libéraux!). Mais le roi Ferdinand n'y était plus. Dès la fin de mars, le gouvernement libéral espagnol avait jugé plus prudent de se replier sur Séville, emmenant le souverain comme otage. De là, il devait se réfugier dans Cadix. La place, bien retranchée derrières ses défenses naturelles, était difficile à prendre de vive force ; au temps de Napoléon, les Français l'avaient assiégée pendant trois ans sans réussir à la réduire. Le 30 août, une colonne d'assaut, franchissant à la nage un chenal, s'empara, par un coup d'audace, de la forte position du Trocadéro qui dominait la ville. Les libéraux se décidèrent alors à capituler. Ferdinand VII, libéré, fut accueilli, le 1er octobre, par son cousin, au milieu d'un grand déploiement de pompe militaire. Au cours des semaines suivantes, les places qui tenaient encore capitulèrent, et les débris des armées constitutionnelles firent leur soumission ou se dispersèrent. Rien de plus heureux donc, du point de vue militaire, que cette campagne. Mais la politique intérieure espagnole ne connut pas le même succès. Le duc d'Angoulême, en dépit de ses efforts, ne put empêcher que le triomphe des absolutistes ne fût ensanglanté par la réaction la plus cruelle. Ecœuré, il se hâta de regagner la France, en refusant les titres et les honneurs que lui offrait Ferdinand VII. Plus tard, en février 1824, un traité fut signé entre la France et l'Espagne : Louis XVIII mettait à la disposition de Ferdinand un corps d'occupation de 45.000 hommes. Leur solde était payée par la France, et l'Espagne ne versait que la différence du pied de paix au pied de guerre. Elle reconnaissait une dette de 34 millions, résultant des avances faites par le Trésor français en 1823. Enfin le roi catholique promettait une amnistie qui, en fait, ne devait être appliquée que lorsque toutes les vengeances eurent été satisfaites. L'occupation française en Espagne allait durer jusqu'en septembre 1828.

En France même, le succès de l'entreprise contribua considérablement à consolider le régime et le gouvernement qui en avait pris la responsabilité. Quelques semaines de campagne heureuse avaient ramené la confiance au sein de l'armée, dissipé les miasmes soulevés par les complots de l'année précédente, achevé la fusion des éléments anciens et nouveaux ; l'armée serait désormais fidèle au drapeau blanc, sans arrière-pensée. L'effondrement des libéraux espagnols décourageait les ennemis intérieurs du régime, leur ôtait un appui et un exemple. Et surtout, les libéraux français se trouvaient profondément déconsidérés devant l'opinion ; plus leurs prédictions avaient été sinistres, plus sanglant était le démenti que leur infligeaient les faits ; en se tenant en marge de cette entreprise qui donnait quelque aliment à la fierté nationale, en s'y opposant d'abord, en manifestant leur mauvaise humeur ensuite ils perdaient le droit qu'ils s'arrogeaient depuis 1815 d'être les hérauts du patriotisme.

Et comment mesurer le prestige accru de la France à l'extérieur ? Canning lui-même, qui s'était opposé à l'expédition par tous les moyens, était obligé de reconnaître : « Jamais armée n'a fait si peu de mal et n'en a empêché autant. » Chateaubriand pouvait bien être fier de son œuvre : « Huit ans de paix ont moins affermi le trône légitime que ne l'ont fait vingt jours de guerre. » Et Stendhal, peu suspect de sympathie pour le régime : « On ne peut dire que les Bourbons aient été vraiment rétablis en France avant la récente guerre d'Espagne. »

Le gouvernement se hâta de capitaliser son succès sur le plan politique. Le 24 décembre 1823, la Chambre fut dissoute et des élections générales eurent lieu les 26 février et 6 mars suivants. Le ministère ne négligea dans leur préparation aucun des procédés que la droite avait jadis reprochés à Decazes : tripotages des listes électorales, pression sur les fonctionnaires, etc. Le succès fut complet, écrasant. Sur les 110 sièges que comptait l'opposition libérale dans la Chambre précédente, elle n'en retrouvait que 19, et beaucoup de ses membres les plus éminents restaient sur le carreau : La Fayette, Manuel, d'Argenson, etc. Selon le mot de Louis XVIII, c'était la « Chambre retrouvée ».

Le parti vainqueur entendit se donner le loisir de reprendre tranquillement son œuvre interrompue en septembre 1816, et une des premières choses que fit la nouvelle Chambre fut de voter une loi qui supprimait le renouvellement annuel par cinquième et portait à sept ans la durée du mandat parlementaire. Cette dernière disposition, toutefois, ne devait pas s'appliquer à l'assemblée qui l'avait votée.

Mais à l'heure même de ce triomphe, s'amorçaient, dans le parti royaliste, les irrémédiables fissures qui allaient en amener la ruine. On a déjà signalé dans les années précédentes l'existence d'un groupe d'extrême-droite, « les impatients », qu'on appelait maintenant les « pointus », et qui accusait à tout propos le ministère de modérantisme et de compromission. Il aurait sans doute été possible de faire taire les voix les plus gênantes au moyen de quelques places bien distribuées, mais Villèle ne savait pas dominer ses rancunes : quiconque le critiquait était classé ennemi du roi et précipité dans les ténèbres extérieures. La nécessité de serrer les rangs contre les attaques de la gauche avait, jusque-là, limité l'influence de cette dissidence. Les élections de 1824 renforcèrent son importance numérique, la portant à 70 environ, et le fait qu'il n'y avait plus de danger à gauche lui rendait toute sa liberté de manœuvre. Villèle l'avait prévu : « L'absence, dans la chambre, de députés représentant les principes révolutionnaires va briser le faisceau royaliste... Nous allons nous tirer les uns sur les autres et nous perdre. »

Le président du conseil fut d'autant plus inexcusable de donner à la contre-opposition royaliste, en plus des motifs de mécontentement tenant à la conduite des affaires, d'autres, plus venimeux, tenant à des questions de personnes. On a déjà vu comment il avait supplanté, puis éliminé de son ministère Mathieu de Montmorency, s'aliénant ainsi l'opinion des salons aristocratiques, du parti dévôt, et de nombreux Chevaliers de la Foi. Sans doute, le vertueux Mathieu, pratiquant le pardon des injures, avait engagé ses amis à continuer leur appui au ministère, mais, comme le dit Polignac, « le devoir plus que la confiance en faisait l'offrande ». En octobre 1823, ce fut le tour du maréchal Victor de perdre les étriers ; à vrai dire sa disgrâce était due principalement au duo d'Angoulême qui lui reprochait d'avoir failli compromettre le succès de l'expédition d'Espagne, en ne veillant pas d'assez près à la question des approvisionnements ; mais Villèle ne fit rien pour calmer les préventions exagérées du prince, et on le lui reprocha dans son parti. Chateaubriand obtint que le maréchal fût remplacé par le baron Maxence de Damas, personnalité fort médiocre, mais honnête homme, et royaliste à tous crins.

Mais la grande faute de Villèle fut de se débarrasser de Chateaubriand lui-même et par des procédés qui devaient en faire un mortel ennemi. Certes, le grand homme n'était pas toujours d'un commerce très commode ; sa supériorité de génie éclipsait les qualités solides mais terre-à-terre du président du conseil ; le succès de l'affaire espagnole l'avait un peu grisé et il prétendait maintenant gouverner en maître les Affaires étrangères, en abandonnant dédaigneusement à Villèle la cuisine intérieure. Le roi n'aimait pas non plus Chateaubriand, dont il ne pouvait oublier l'attitude en 1816. L'occasion de la rupture fut la position prise par le ministre des Affaires étrangères lors de la discussion d'un projet de conversion des rentes présenté par Villèle en mai 1824. Le projet péniblement accepté à la Chambre des députés rencontra une forte opposition à la Chambre des pairs ; Chateaubriand aurait peut-être pu le sauver par une intervention décidée, mais il y était personnellement contraire, et il ne crut pouvoir concilier autrement ses convictions et la solidarité ministérielle qu'en se réfugiant dans une attitude passive. Le projet fut repoussé. Villèle en conçut un violent dépit, et plus encore le roi qui entra dans un accès de fureur sénile : « Chateaubriand nous a trahi comme un gueux ! Je ne veux pas le voir ! » Sur-le-champ fut rédigée et signée l'ordonnance qui le destituait. Le dimanche 6 juin, au matin, Chateaubriand, qui ne savait encore rien, se rendit aux Tuileries pour faire sa cour, et c'est là que son secrétaire lui apporta le document avec une lettre de Villèle, « telle, dit-il, qu'on rougirait d'en adresser une semblable au valet coupable qu'on jetterait sur le pavé ». Chateaubriand se retira aussitôt, et en deux heures déménagea du ministère. Villèle offrit de lui faire rendre du moins la pension de ministre d'Etat supprimée en 1816. Le grand écrivain repoussa du pied cette aumône dérisoire : « Je ne voulais pas devenir le pensionnaire du président du conseil. » Il était, selon ses propres expressions, « mortellement blessé ». Et Villèle n'allait pas tarder à sentir les atteintes de sa vengeance. Peu de jours après, Chateaubriand dit à Berryer, en montrant son écritoire : « Avec cela j'écraserai le petit homme ! » Immédiatement, il entraîna dans l'opposition le *Journal des Débats*, le plus puissant organe du temps, qui se mit à dénoncer sur un ton violent les vices du gouvernement : « Une administration timide, sans éclat, pleine de ruse, avide de pouvoir ; un système politique antipathique au génie de la France et contraire à l'esprit de la Charte ; un despotisme obscur, prenant l'effronterie pour de la force ; la corruption érigée en système, etc. »

On peut aujourd'hui mesurer l'immensité de la faute commise par Villèle en rejetant Chateaubriand dans l'opposition. Dépourvu de culture générale, et trop exclusivement préoccupé des réalisations matérielles, Villèle ne se rendait pas compte de la puissance des idées, il ne concevait pas qu'un budget en équilibre ne pouvait suffire à satisfaire l'imagination et la sensibilité d'une opinion publique travaillée par les souffles romantiques ; Chateaubriand, lui, savait faire vibrer, et avec quelle supériorité, ces cordes maîtresses ; il était du reste sincèrement attaché à la liberté d'expression, au régime parlementaire, et si quelqu'un pouvait rallier à la vieille monarchie les forces généreuses des jeunes générations, c'était bien lui. La chute de Chateaubriand ne fut pas moins funeste dans le domaine des Affaires étrangères ; il avait inauguré une politique de grand style qui pouvait relever en Europe le prestige de la France, et en France le prestige de la monarchie. Il avait déjà mis en train un projet grandiose pour les colonies espagnoles d'Amérique : il s'agissait de leur garantir la reconnaissance de leur autonomie, à condition qu'elles acceptassent pour souverains des princes de la famille royale d'Espagne, comme cela s'était fait pour le Brésil avec Don Pedro, fils du roi de Portugal ; la France se serait ainsi assurée dans ces contrées une influence prépondérante qui aurait ouvert à son commerce un terrain dont l'Angleterre prétendait se réserver l'exclusivité. Chateaubriand portait même son regard sur la frontière du Rhin... Avec Villèle, la politique extérieure de la France devait retomber dans la médiocrité et la nullité, et cela aussi serait funeste au régime.

En somme, le renvoi de Chateaubriand apparaît comme la plus grande erreur de Villèle. En tournant contre lui le génial écrivain, il tournait contre lui la force irrésistible de l'opinion publique, toute une génération ; il préparait sa chute et celle de la monarchie.

Le renvoi de Chateaubriand fut le dernier acte important de Louis XVIII, et cette faute impardonnable serait bien de nature à faire douter de ce sens politique qu'on lui attribue généralement, en l'opposant trop facilement à l'ineptie supposée de Charles X. Celui-ci, au contraire, avait blâmé, au moins dans sa forme, le renvoi de Chateaubriand. Il désapprouva également le rétablissement de la censure décidé le 15 août. « O Villèle, quelle sottise ! », s'écria-t-il. Le président du conseil avait donné comme motif de cette mesure, qui le débarrassait des attaques de la presse, l'état de santé du roi, qui s'aggravait rapidement. La gangrène de ses jambes faisait des progrès, et il s'en allait, littéralement, par morceaux. Sa tête s'affaissait sur sa poitrine, au point que pour prendre ses ordres, ses ministres étaient obligés de s'accroupir au pied de son fauteuil. En dehors des moments de prostration qui devenaient de plus en plus longs et de plus en plus fréquents, Louis XVIII manifestait la même volonté et la même lucidité, tenant à remplir jusqu'au bout les devoirs de sa charge. « Il est permis à un roi d'être mort, disait-il, mais il lui est toujours défendu d'être malade. » Il gardait toujours aussi le même sentiment inflexible de sa dignité. A la suite d'une défaillance, son médecin, Portal, surveillait l'opération difficile de son coucher ; impatient, il dit aux valets : « Finissons-en ; ôtez-lui sa chemise. » Le roi rouvrit alors les yeux et dit : « M. Portal, je m'appelle Louis XVIII, vous devez dire : ôtez la chemise de Sa Majesté. » Son goût des mauvais jeux de mots ne le quittait pas non plus : donnant le mot d'ordre, une des dernières fois, il murmura : « Saint-Denis — Givet. » (J'y vais.) Mme du Cayla, alertée par Monsieur, lui persuada de recevoir les derniers sacrements, le 13 septembre. L'agonie se prolongea encore trois jours. Le 16 septembre, enfin, à quatre heures précises du matin, s'éteignit le dernier roi de France qui ait pu mourir sur son trône.

La population parisienne, dont la vie paraissait comme suspendue, témoigna spontanément par sa douleur sa reconnaissance au vieux monarque dont le règne inauguré dans les pires convulsions et les plus effrayants désastres, s'achevait paisible et digne, dans une France pacifiée, indépendante et prospère.

TROISIÈME PARTIE

LA FRANCE SOUS LA RESTAURATION

CHAPITRE PREMIER

LA VIE ÉCONOMIQUE

I. Communications. — *Influence déterminante. — Les routes. — Les transports routiers : poste aux chevaux, messageries, roulage. — Les premiers chemins de fer. — Rivières et canaux. — Poste aux lettres et télégraphe. — Conclusion.*
II. Agriculture. — *Aspects archaïques. — Le gouvernement et l'agriculture. — Division de la propriété. — Progrès de l'agronomie et de la production. — L'élevage. — Les crises agricoles. — Conclusion.*
III. Industrie. — *Variété des aspects et dispersion. — Faiblesse des moyens. — Les industries textiles. — La métallurgie.*
IV. Commerce et finances. — *Le système protecteur. — Ses défauts. — La stagnation des échanges. — Importations, exportations, navigation maritime, échanges intérieurs. — Pénurie des moyens de paiement. — Etroitesse du crédit. — Les valeurs mobilières. — Les hauts et les bas. — La Restauration a-t-elle été une période de prospérité ?*

I

La France de Louis XVIII et de Charles X est sensiblement moins étendue que celle d'aujourd'hui : 527.686 km² contre 550.985 km², 86 départements au lieu de 90. Au sud-est, la frontière qui la sépare du royaume de Piémont-Sardaigne est le cours inférieur du Var, puis la limite actuelle des départements des Basses-Alpes et des Alpes-Maritimes ; plus au nord, son tracé laisse en dehors de la France les départements actuels de la Savoie et de la Haute-Savoie, et depuis le confluent du Guiers jusqu'au territoire genevois, c'est le Rhône, tumultueux et glauque, qui sert de limite naturelle. Les frontières du nord-est et du nord sont celles d'aujourd'hui, sauf quelques infimes rectifications.

Mais si la France est alors plus petite, géographiquement parlant, elle est beaucoup plus grande, si l'on compte les distances par le temps nécessaire pour les parcourir. C'est là un fait sur lequel il faut insister, car il commande, il explique, la plupart des différences qui se révèlent entre ce monde révolu et le nôtre. L'identité du cadre géographique, la résonance familière des noms de lieux, la continuité sans solution des liens humains qui nous rattachent à nos aïeux, la permanence de certaines valeurs spirituelles, tout est obstacle à la perception de ces différences ; il faut faire effort pour retrouver cette France si proche de nous et pourtant si lointaine. Entre ces deux France se placent la révolution industrielle et celle des transports, et celle-ci est peut-être plus importante que celle-là ; une civilisation ne se définit pas seulement par ses moyens de production, mais plus encore peut-être elle est fonction d'un rythme des échanges. Aux temps qui nous occupent, tout circule avec une lenteur et des difficultés dont nous n'avons plus idée : personnes, biens, et même les produits de l'esprit, dans la mesure où ils ont besoin d'un support matériel.

Si l'on veut donc saisir la France de la Restauration dans ses réalités concrètes, il convient de définir, pour commencer, l'état de ses communications intérieures. Le cabotage maritime est certainement beaucoup plus actif qu'aujourd'hui ; ainsi une bonne partie des produits de la région méditerranéenne arrive à Paris en passant le détroit de Gibraltar, mais ce cabotage ne peut desservir entièrement que les régions côtières, et il est lui-même en dépendance du trafic intérieur. Celui-ci n'a que deux moyens à sa disposition : la route et la voie d'eau.

La route d'autrefois est bien différente de celle qu'a imposée à notre siècle la circulation automobile. C'est une large avenue — 10 à 14 mètres pour les routes royales — le plus souvent bordée d'arbres, et qui va le plus droit possible sans se préoccuper outre mesure de la pente du terrain ; au milieu, une chaussée de 4 à 6 mètres de large, pavée, ou plus souvent empierrée, encadrée de bas-côtés de terre, que le charroi et les intempéries transforment en bourbiers pendant la plus grande partie de l'année. Lorsque la chaussée centrale est pavée — ce qui est le cas pour moins d'un tiers des routes royales — elle offre une surface si brutalement cahoteuse que les postillons sont autorisés à conduire leurs équipages sur les bas-côtés chaque fois que cela est possible. Cette chaussée est aussi tellement étroite et parfois si exagérément bombée et surélevée, que les voitures ne peuvent en sortir ou y rentrer sans risque de verser et que les croisements exigent des manœuvres périlleuses. De place en place, la route est tellement défoncée sur toute sa largeur que le charroi passe tant bien que mal dans les champs voisins. Il n'est pas rare que des chevaux succombent sur le chemin, et leurs carcasses, en cours de décomposition, jalonnent sinistrement les itinéraires les plus fréquentés.

Les ingénieurs des Ponts-et-Chaussées s'efforcent pourtant d'améliorer la technique de l'empierrement qu'ils sont allés étudier en Angleterre, à l'école de Mac-Adam, et, à partir de 1824, fonctionne sur toutes les routes royales le système des cantonniers à gages, introduit en 1816. On essaie également de défendre la route par des règlements minutieux et vexatoires sur la largeur des jantes, l'écartement des roues, le poids des voitures, la composition des attelages, leur allure : défense de rouler au galop. Peine perdue : le contrôle est pratiquement impossible, et la route, toujours plus fréquentée, toujours plus maltraitée, se révèle de plus en plus inégale aux tâches que lui demande le développement de l'économie française.

Henri Sée assure que la Restauration ne s'est guère occupée des routes. Il est vrai qu'elle a peu ajouté aux quelque 32.000 km de routes royales légués par les régimes précédents, mais cela ne signifie point qu'elle s'en soit désintéressée. Bien au contraire, elle a réalisé dans ce domaine une œuvre qui, pour être peu spectaculaire, n'en fut pas moins féconde. La Révolution, puis l'Empire, n'avaient pas trouvé le moyen de remplacer pratiquement la corvée, cette corvée d'odieuse mémoire, qui avait pourtant permis à l'Ancien régime de créer le réseau des grandes routes, objet de l'admiration des voyageurs étrangers. Napoléon avait réservé tous ses soins aux routes stratégiques conduisant de Paris vers les frontières du nord et de l'est, et il avait réalisé à grands frais les premières percées alpines ; mais dans le reste du pays les routes étaient restées lamentablement négligées. En 1811, 36 % seulement des voies étaient « à l'état d'entretien », c'est-à-dire en bon état. Les événements de 1813 à 1815 n'avaient pu qu'aggraver la situation. Dans ces conditions, on conçoit qu'avant de songer à ajouter des kilomètres à un réseau déjà suffisant à la rigueur, le gouvernement ait préféré consacrer ses ressources limitées à la remise en état et à l'amélioration de ce qui existait.

Le service des Ponts-et-Chaussées, dirigé de 1816 à 1830 par un excellent administrateur, Louis Becquey, fut réorganisé de fond en comble. Les routes furent réparties en trois catégories : routes royales d'intérêt général, routes départementales, chemins vicinaux. L'achèvement et l'entretien des premières incombait entièrement à l'Etat, et chaque année leur budget leur assura une dotation régulière qui atteindra 3 à 4 % du total des dépenses de l'Etat, c'est-à-dire une proportion supérieure à ce qu'attribuent les budgets d'aujourd'hui à l'entretien de 80.000 km de routes nationales. Les ponts détruits par la guerre furent reconstruits, d'autres furent lancés. A la Roche-Guyon, sur la Seine, en 1819, et sur le Rhône, à Tournon, en 1823, l'ingénieur Marc Seguin inaugura la technique des ponts suspendus. Lentement, la situation s'améliora ; la proportion des routes royales « à l'état d'entretien » s'éleva à 44,5 % en 1824, et à 52 % en 1830. Mais on était encore loin de compte. En 1828, Pasquier, rapporteur d'une commission parlementaire chargée d'étudier le problème, estimait à 193 millions la dépense extraordinaire nécessaire pour achever la mise en état du réseau des routes royales, c'est-à-dire une somme supérieure à celle qui avait été dépensée pour cet objet dans les dix années précédentes.

Les routes départementales dépendaient en principe des budgets locaux votés par les Conseils généraux. Aussi l'activité des travaux y fut-elle très variable d'une province à l'autre, et l'on manque de données générales pour les chiffrer. Les quelques études locales qui ont été faites donnent à croire que, sous l'impulsion d'un certain nombre de préfets énergiques et éclairés, la longueur de ces voies secondaires a augmenté sensiblement plus que celle des routes royales. Quant aux chemins vicinaux, dont la création et l'entretien incombaient aux communes, on fit peu de chose pour remédier à leur insuffisance notoire, qui était un des grands obstacles aux progrès de l'agriculture. Le spectre de la corvée empêcha pendant longtemps que l'on eût recours aux prestations en nature, seul moyen pratique d'y obvier. Une loi du 28 juillet 1824 laissa enfin aux communes la faculté de recourir à ce moyen, et dès lors quelques améliorations furent apportées, mais elles furent encore limitées par le manque d'entente entre les municipalités voisines.

Sur ces routes insuffisantes, la circulation des personnes et des biens est assurée par les efforts combinés de l'Etat et de l'entreprise privée. L'Etat assure d'abord le service de la poste aux chevaux ; c'est-à-dire que les grands itinéraires ont été jalonnés par ses soins de relais placés à des intervalles variant de 10 à 20 km suivant les difficultés du parcours. En 1834, il y aura 1.548 relais avec 19.850 chevaux. Les maîtres de poste ont pour premier devoir d'assurer des attelages aux transports officiels et des montures aux estafettes, mais ils doivent aussi, dans la mesure de leurs disponibilités, fournir des chevaux aux entreprises de Messageries et aux particuliers, sur présentation de leur passeport. En compensation de la charge que représente l'entretien de chevaux, dont une partie doit souvent rester inoccupée, ils bénéficient d'importants avantages : ils ont le monopole de la fourniture d'attelages à tout ce qui circule sur les routes de poste, ils ont le droit d'organiser eux-mêmes des services de transports, qui se trouvent favorisés du fait qu'ils utilisent leurs propres chevaux, et enfin les autres entreprises de transports qui exercent leurs activités sur les itinéraires de la poste, avec leurs propres chevaux, sont obligés de leur payer une redevance de 25 centimes par poste (1) et par cheval mis en route. Ainsi le maître de poste de Paris, important personnage qui a plus de 200 chevaux dans ses écuries, touche à ce titre 112.000 francs par an, soit 17.696.000 francs de notre monnaie(2). Cela n'empêche

(1) La « poste » est l'unité de distance pour le calcul des prix de transport ; elle équivaut à deux lieues, soit 8 km ; elle ne correspond donc pas régulièrement à l'intervalle qui sépare les relais.

(2) Pour établir l'équivalence des prix d'autrefois en monnaie actuelle on a pris pour base le cours moyen de l'or fin pendant l'année 1951. Ce cours s'établissant à 546 francs le gramme, et le franc-germinal étant défini légalement par la valeur de 290 mg, 323 d'or fin, on voit que l'indice à appliquer est de 159. Cette méthode paraît plus sûre que celle, plus séduisante, qui se baserait sur le cours du napoléon ; en effet, la prime que celui-ci connaît sur le marché, par rapport à l'or non monnayé, s'explique par des motifs qui ont peu de chose à voir avec son pouvoir d'achat réel. Cette référence à l'or fin n'offre d'ailleurs elle-même qu'une sûreté fort discutable, car le pouvoir d'achat de l'or lui-même a certainement varié.

pas du reste les bénéficiaires de se plaindre amèrement de la concurrence que leur font les relayeurs privés.

Les maîtres de poste règnent sur le peuple turbulent des postillons que signale l'uniforme bien connu : courte veste de drap bleu de roi, avec parements, retroussis et gilet de drap rouge, et boutons de métal blanc, culotte de peau jaune, chapeau de cuir verni en tronc de cône sur le catogan poudré. Leur tâche est de conduire les attelages fournis par la maison de poste à laquelle ils sont attachés et de les ramener ensuite à l'écurie. La renommée leur prête une affection particulière pour la dive bouteille, et cette accusation est supportée par un texte officiel : l'article 33 de l'ordonnance du 27 septembre 1827, qui enjoint au maître de poste « de s'assurer par lui-même que les postillons en rang de départ ne sont point en état d'ivresse. »

Les véhicules qui utilisent cette force motrice omniprésente de la poste aux chevaux sont d'une grande variété. Voici d'abord la malle-poste, l'express de l'époque, et qui a une priorité absolue sur tous les autres usagers ; propriété de l'administration de la poste aux lettres, c'est une solide voiture à quatre roues, bâchée de cuir, et qui est attelée de quatre chevaux ; elle est faite essentiellement pour le service du courrier, aussi ne transporte-t-elle que quatre voyageurs au maximum. Tous les soirs, vers six heures, les malles-poste s'élancent de Paris dans onze directions différentes et ne s'arrêtent que juste le temps nécessaire pour relayer. C'est le véhicule des gens pressés et des fonctionnaires en mission. Grâce à diverses améliorations, la vitesse moyenne des malles-poste est passée de 8 minutes 1/2 par kilomètre, à 5 minutes 3/4 en 1830. Ainsi Bordeaux peut être atteint en 45 heures, au lieu de 86, Brest en 62 heures au lieu de 86, Lyon en 47 heures au lieu de 68, Toulouse en 72 heures au lieu de 110. C'est ce qu'on appelle alors « voyager avec la rapidité de la foudre ». Mais il en coûte cher : 1 fr, 50 par poste, plus 75 centimes de « guides », c'est-à-dire de pourboire, aux postillons. Ainsi pour aller à Bordeaux, il faut débourser 181 francs — 28.779 francs d'aujourd'hui — sans parler des faux frais.

Les gens de qualité préfèrent encore voyager avec leurs propres voitures, ou des berlines louées pour la circonstance, mais à moins de se déplacer à petites étapes, on utilise aussi les relais de la poste. Mais à quel prix ! 1 fr, 50 par poste et par cheval, plus 1 fr, 50 de guides, et en outre la première poste au départ de Paris compte double. Ainsi par exemple, un voyage de Paris à Bordeaux, avec une berline à quatre chevaux reviendra à 1.300 francs (206.700 francs d'aujourd'hui) rien que pour les attelages. On comprend alors la faveur croissante dont bénéficient les services de diligences, toujours plus nombreux, organisés par les compagnies de Messageries. La loi de finances de 1817 avait supprimé le monopole détenu par la puissante compagnie des Messageries royales, héritière de l'ancienne Régie générale. Ce ne fut toutefois qu'à partir de 1826 qu'elle se trouva en face d'une concurrence sérieuse, celle de la Compagnie des Messageries générales de France, créée par Laffitte, Caillard et Cie. Il s'ensuivit une brève lutte de tarifs, qui se termina bientôt par une convention aux termes de laquelle les deux compagnies unifiaient leurs tarifs et se partageaient le domaine exploitable. A elles deux elles assuraient pratiquement le tiers du trafic. Au sud, leurs services ne dépassaient pas Lyon, Bordeaux et Toulouse ; ainsi purent subsister et prospérer, dans le Midi, des compagnies d'importance moyenne, comme celles des Dotézac, de Bordeaux, et de Galline et Cie, de Lyon. Par ailleurs, dans tout le pays, il y avait une poussière de petites entreprises — 2.132 en 1827 — dont les moyens étaient parfois limités à une seule voiture.

L'estampe et l'image ont rendu familière à tous la silhouette de ces lourdes et majestueuses machines qu'étaient les diligences des grandes compagnies de messageries. Elles avalaient de 16 à 20 voyageurs, sans compter les postillons et le conducteur, représentant de la compagnie qui avait pour tâche d'assurer dans tous ses détails la marche de la voiture le long de son parcours. La diligence voyage plus lentement que la malle-poste ; si l'on fait le plus souvent une étape de nuit au départ de Paris et des grandes villes, on doit tout de même s'arrêter au cours du trajet pour permettre aux voyageurs de se reposer et de se restaurer un peu ; ainsi l'on compte deux jours pour aller à Lille, trois jours pour Dijon, quatre pour Lyon, Rennes ou Nantes, cinq pour Bordeaux, huit pour Toulouse. Il est plus difficile de donner une idée exacte des prix, ceux-ci ayant varié assez souvent en fonction de la concurrence entre les compagnies ; en outre, dans une même voiture, le prix pouvait varier du simple au double suivant les places occupées, les plus recherchées étaient celles du coupé, à l'avant, les moins chères celles de la galerie ou impériale. En 1830, année où une lutte de tarifs a sérieusement déprimé les prix, il en coûtera encore 40 francs (6.360 francs) pour aller de Paris à Bordeaux dans une place ordinaire, et cette somme est pratiquement doublée par les faux frais : logement, nourriture, pourboires.

Si l'on songe qu'une telle dépense pouvait représenter un mois entier du salaire d'un ouvrier qualifié ou d'un petit employé, on conçoit que les voyages en diligence fussent pratiquement hors de la portée du petit peuple. C'est à pied que les compagnons font leur tour de France, à pied que les Limousins viennent en bandes à Paris pour travailler au bâtiment. Ici où là, pour un bout de route, le compagnon emprunte la patache, la troisième classe des transports du temps. C'est, dit Perdiguier, « une voiture libre, prolétaire, sans règles ni lois, propriété de son conducteur ». Elle se traîne, cahoteuse, sans ressorts et sans coussins, s'arrêtant à tous les abreuvoirs pour reposer son unique cheval, et à tous les bouchons pour désaltérer le gosier incivil du « patacheux ». Dans le Midi, on peut aussi louer, pour quelques sous, un petit âne qui vous conduit en trottinant jusqu'à une station déterminée où l'animal s'arrête de lui-même ;

inutile de le rosser, il n'ira pas plus loin, et à peine l'a-t-on démonté qu'il rentre seul en courant à son écurie.

Tels sont les moyens coûteux et pénibles dont disposent les voyageurs de la route, et l'on comprend alors que l'on se déplace infiniment moins qu'aujourd'hui. « Ce que les Parisiens redoutent le plus, après la famine, dit un contemporain, ce sont les voyages. Le pays étranger commence pour eux à quelques toises au-delà des barrières. » De 1815 à 1824, la Préfecture de police de Paris a délivré en moyenne 38.000 passeports par an, et l'on sait que cette pièce était nécessaire à quiconque voyageait à l'intérieur. En 1824, il partait tout de même quotidiennement de Paris 300 voitures, qui pouvaient emporter quelque 3.000 personnes, et la demande était telle, à la belle saison du moins, qu'il fallait retenir ses places longtemps à l'avance. Au cours des quinze années de la Restauration, la circulation des voyageurs a doublé d'intensité, comme on le voit par l'augmentation du rendement de l'impôt perçu sur le prix des places dans les voitures publiques : 2.380.000 francs en 1816, 5.575.000 francs en 1829.

La capitale possède depuis 1826 son système de transports en commun. Au début de 1829, la compagnie des Omnibus fait circuler une centaine de voitures qui véhiculent par jour environ 30.000 personnes, au tarif uniforme de cinq sous (40 francs). Son succès a suscité un nombre d'entreprises concurrentes dont les voitures s'appellent Favorites, Diligentes, Carolines, Ecossaises, Béarnaises, Dames Blanches, Citadines, Batignoliennes, etc. Toutes ensemble, elles transportent à peu près autant de voyageurs que la compagnie des Omnibus. Cette innovation souleva les protestations des cochers de fiacres qui régnaient auparavant sur les déplacements des Parisiens. En 1826, il y avait dans Paris environ 2.100 fiacres et cabriolets de place, que l'on payait soit à la course — 1 fr, 50 quelle que fût la longueur de la course, à l'intérieur des barrières — soit à l'heure — 2 fr, 25 pour les fiacres, 1 fr, 50 pour les cabriolets. Il était loisible également de recourir aux voitures de remise, que l'on pouvait louer à la journée, pour des prix allant de 15 à 30 francs. Le nombre des équipages particuliers était beaucoup plus considérable, plus de 9.000 en 1826. Enfin, à toutes les barrières de Paris, on trouvait des « coucous », voitures de toutes sortes, qui parcouraient les grandes routes dans un rayon de 40 lieues autour de la capitale, avec 15 à 20.000 voyageurs par jour.

Les malles-poste et les diligences des Messageries ne pouvaient transporter que de petits colis. Les marchandises qui ne pouvaient emprunter ni le cabotage ni les voies d'eau intérieures devaient donc être confiées au *roulage*. Rien de plus varié dans ses moyens, dans son organisation, dans ses tarifs, que cette industrie des transports, depuis la puissante société dirigée de Paris et qui possédait ses chevaux et ses bureaux dans toute la France, jusqu'au paysan qui occupait ainsi son cheval et ses bœufs, pendant la saison où chômaient les travaux agricoles. Dans certaines régions, les transports se faisaient encore à dos de mulets ou de chevaux, dans des paniers d'osier ou des « portoirs », en forme de demi-fûts, ou même à dos d'hommes. Le prix moyen du roulage ordinaire ne cessa de baisser, au cours de la Restauration : 1 fr, 25 par lieue et par tonne, en 1818, 93 centimes en 1829. Les « rouliers » ne se servaient pas ordinairement des relais et ne marchaient que de jour, aussi ne faisaient-ils guère plus de 40 km par jour. Sous la Restauration apparut le roulage accéléré qui utilisa des relais organisés pour marcher presque sans arrêt, arrivant à faire 70 à 90 km par jour. Mais le prix élevé de ce mode de transport, qui était le double du roulage ordinaire, le réservait évidemment aux marchandises de luxe.

Quand on songe qu'en 1818, il en coûtait encore 1 fr, 66 (264 francs d'aujourd'hui) par lieue et par tonne pour transporter par la route le charbon de Saint-

Etienne à la Loire, on peut se rendre compte jusqu'à quel point l'archaïsme du système de communications paralysait le développement de l'économie française.

C'est précisément la nécessité de débloquer le complexe charbonnier et métallurgique de la région stéphanoise qui devait amener la création des premiers chemins de fer français. Dès 1818, l'ingénieur des Mines Gabriel de Gallois avait signalé les services que rendaient les *railways* en Angleterre. L'initiative d'établir en France une voie de ce genre revient à l'ingénieur Louis Beaunier, directeur de l'Ecole des mineurs de Saint-Etienne ; soutenu par un groupe de capitalistes de Paris et d'industriels de la région de Saint-Etienne, il obtint du gouvernement, en février 1823, la première concession pour la construction d'un chemin de fer, joignant Andrézieux sur la Loire au Pont-de-l'Ane sur le Furrens. La ligne qui avait 20 km et demi, fut ouverte en juin 1827. Elle avait coûté 1.783.000 francs. Mais dès juillet 1826, Mme la Dauphine, en visite dans la région, assista à une expérience mémorable sur la section déjà achevée : un cheval tira au trot cinq chariots chargés de 10 tonnes de charbon, aux applaudissements d'une foule enthousiaste. Tel fut le début modeste de l'invention qui allait révolutionner l'économie française. Personne ne s'en doutait alors ; le chemin de fer apparaissait aux meilleurs esprits comme un simple succédané aux canaux, à utiliser dans les régions où le relief ne permettait pas de créer des voies navigables. On n'imaginait pas qu'il pût servir à autre chose qu'à transporter des minerais sur des parcours limités. Quant à la traction, elle se faisait par divers moyens le long du trajet : chevaux, sur les paliers et sur les pentes douces, machines à vapeur fixes hissant les wagonnets sur les rampes accentuées, au moyen d'un système de câbles, enfin, à la descente, les chariots étaient tout simplement abandonnés à leur propre poids, la vitesse étant contrôlée par des freins. L'ingénieur Girard exaltait en ces termes la supériorité du moteur chevalin : « Tandis que les machines locomotives ne pourront être mises en action qu'au prix toujours croissant d'un combustible qui s'épuise, les moteurs animés continueront à retrouver dans le retour invariable des saisons la source intarissable de leur existence et de leur force. »

Le succès de cette première entreprise, qui permit en effet de réduire sensiblement le prix du transport du charbon, suscita d'autres initiatives, toutes localisées dans la même région. Tour à tour furent concédés d'autres « chemins à marchandises », de Saint-Etienne à Lyon (1826), d'Andrézieux à Roanne (1828), d'Epinac au canal de Bourgogne (1830). Toutes ces lignes ne devaient entrer en activité qu'après 1830. Quelques jours avant la chute de Charles X, le baron Capelle, ministre des Travaux publics, avait autorisé l'étude préliminaire d'un chemin de fer de Paris à Orléans. C'était l'annonce des temps nouveaux.

En attendant, la France, suivant en cela l'exemple donné par l'Angleterre, croyait avoir trouvé dans un meilleur aménagement de ses voies navigables la réponse adéquate aux problèmes de transports posés par les débuts de la révolution industrielle. Des cours d'eau étaient alors utilisés, qui depuis ont cessé de porter un trafic quelconque. La longueur du réseau fluvial en service en 1830 pour la navigation est de 8.225 km contre 4.500 aujourd'hui. L'Isère, par exemple, est pratiquement le seul débouché pour l'industrie lourde et l'agriculture de la région de Grenoble, et comme sous l'Ancien régime, la Loire est une grande artère de circulation d'Orléans vers la mer, malgré les embûches de son cours. Sur la Seine, la Saône, la Garonne, le canal des Deux-Mers, circulent des diligences d'eau ou bateaux de poste, traînés par des attelages de chevaux qui sont relayés de place en place, tout comme les diligences des routes royales. Il ne faut pas être pressé : ainsi pour aller de Paris à Melun, on ne met pas moins de 16 heures, et 33 heures pour aller à Montereau : une vitesse horaire de 1 km 727 ! Sur le Rhône circulent des barges de 15 à 25 mètres de long, qui vont isolément à la descente, et remontent par trains de 5 à 20 barques, remorquées péniblement à contre-courant par des attelages fabuleux de 40 à 80 chevaux. C'est la Saône accueillante qui a connu le premier service régulier de bateaux à vapeur, à partir de 1822, après avoir servi de banc d'essai aux expériences célèbres du marquis de Jouffroy d'Abbans. La Seine eut en 1828 son service de bateaux à vapeur, comme aussi la Loire inférieure, de Nantes à Angers, et la Gironde, naturellement. Sur le Rhône, un vapeur réussit, en 1829, à faire le trajet d'Arles à Lyon, en sept jours, au lieu des 40 jours qu'il fallait aux attelages.

Toutes ces voies naturelles étaient constamment surveillées et améliorées ; toutefois le grand effort du gouvernement porta sur les canaux. En 1820 encore, leur longueur totale n'excédait pas 730 km. Deux lois, du 5 août 1821 et du 14 août 1822 autorisèrent la mise en route d'un vaste programme coordonné, portant sur quinze voies nouvelles, représentant au total 2.467 km ; avec 1.085 écluses. C'était une œuvre de longue haleine, qui ne devait être menée à son terme qu'en 1845. Toutefois sous la Restauration on avait déjà creusé 922 km et dépensé à cette fin 188 millions ; cette somme avait été fournie en majeure partie par l'emprunt et le reste par le Trésor royal et les compagnies concessionnaires, qui devaient partager avec l'Etat les bénéfices de l'exploitation. Parmi ces travaux, les plus remarquables sont ceux du canal du Rhône au Rhin et celui de Bourgogne avec son fameux souterrain de 3.333 mètres à travers la montagne, et qui était pratiquement achevé en 1830.

Les communications postales étaient forcément limitées par la lenteur et l'imperfection des transports. Si dans Paris même, la poste arrivait, en 1828, à distribuer 43.000 lettres par jour, dans les départements, par contre, le service était très défectueux : 1.780 communes seulement, sur 37.367, avaient un bureau de postes. Les autres étaient obligées d'aller y faire porter et prendre le courrier par des messagers qu'elles devaient payer elles-mêmes. Une loi du 3 juin 1829 décida qu'à partir du 1er avril 1830 l'administration des postes prendrait à sa charge un service de facteurs qui recueilleraient et distribueraient le courrier, un jour sur deux au moins, dans toutes les communes de France. « Ce service, déclara avec orgueil le ministre Chabrol, sera le plus actif qui ait jamais été conçu et exécuté en ce genre. » Contrairement à ce qui se pratique aujourd'hui, le port des lettres et de tous les envois postaux était payé à l'arrivée par le destinataire, et non par l'expéditeur, et les tarifs étaient progressifs selon la distance et le poids. Le minimum était de deux décimes pour une lettre de 7 gr 1/2, envoyée dans un rayon de 40 km, ce qui représente tout de même 31 fr, 80 d'aujourd'hui. Une lettre simple de Paris à Marseille coûtait 1 fr, 10, soit 174 francs d'aujourd'hui. Le port des journaux et des périodiques était uniforme, quelle que fût la distance hors des limites du département : 5 centimes par feuille de 30 décimètres carrés, 2 centimes 1/2 dans les limites du département d'expédition. En 1826, il partait quotidiennement de Paris 36.000 lettres, 60.000 périodiques, 10.000 imprimés divers. La transmission de la pensée, comme celle des biens matériels, s'opérait donc sur un rythme beaucoup plus réduit et plus lent que de nos jours. En 1826, il faudra encore 10 jours pour recevoir à Paris une réponse de Marseille ; plus qu'il n'en faut aujourd'hui pour correspondre avec l'Australie !

Dans ce mur épais qu'oppose la distance aux relations, une seule percée, mais combien étroite dans ses possibilités pratiques : le télégraphe aérien inventé par Chappe, sous la Révolution. L'image de ces grands bras grinçants qui s'agitent au sommet des clochers et des tours nous ferait facilement sourire, mais il ne faut pas oublier que ce matériel antédiluvien obtenait des résultats stupéfiants pour l'époque. Ainsi, en avril 1829, la nouvelle de l'élection du pape Pie VIII, parvenue à Toulon à 4 heures du matin pouvait être connue à Paris dès 8 heures. En 1814, il n'existait que quatre lignes télégraphiques, joignant la capitale à Boulogne, Strasbourg, Brest et Lyon. Cette dernière fut prolongée jusqu'à Toulon en 1821, et l'année suivante fut rapidement aménagée une ligne nouvelle de Paris à Bayonne, en vue de l'intervention militaire en Espagne. La principale infirmité du télégraphe Chappe était de ne pouvoir fonctionner la nuit ni par temps de brouillard, et les textes transmis restaient forcément brefs. Tel quel, pourtant, il constituait un précieux instrument, et le gouvernement s'en réserva jalousement l'usage ; le reste de la société devait continuer à vivre au rythme des diligences et des péniches.

Plus que tout autre facteur, la lenteur et la difficulté des transports caractérise la civilisation matérielle de cette époque, explique son aspect archaïque. Au point de vue de l'économiste, la grande Révolution est un épisode presque négligeable, et la France de la Restauration est plus proche de celle de Louis XV que de celle de Napoléon III.

A part quelques secteurs privilégiés de la production, comme ceux de la métallurgie, du coton et de la soie, on en est encore au régime de l'économie fermée. Chaque région vit pour ainsi dire sur elle-même, produisant tout ce qui est nécessaire à sa consommation courante. Ainsi les prix connaissent des variations étonnantes d'une région à l'autre, la famine peut sévir dans une province, alors que règne ailleurs l'abondance. L'industrie, partout diffuse, garde son caractère artisanal, ses procédés et ses formules diverses. Les traditions provinciales manifestent leur vitalité dans le décor de la vie, dans le costume, dans les mœurs, dans le langage. La France présente le tableau d'une vie moins active et moins unifiée, mais aussi plus paisible et surtout infiniment plus variée que celle d'aujourd'hui.

II

Cette constatation s'applique avant tout à l'économie agricole dont vivent, en 1826, 72 % des Français, et qui fournit au pays les trois quarts de ses revenus annuels. Ainsi, on trouve encore des vignobles autour de Paris, et même, chose incroyable, dans Paris, et d'autre part les paysans des Alpes et des autres régions montagneuses s'obstinent à produire des céréales à des altitudes où les rendements sont aussi faibles qu'aléatoires. Le lin se cultive dans quarante départements et le chanvre dans cinquante-sept, beaucoup de petits propriétaires voulant éviter d'acheter les textiles dont ils ont besoin. Des plantes tinctoriales presque inconnues de nos jours, garance, pastel, gaude, safran, sont encore des cultures importantes. Les prix des denrées agricoles sont extrêmement variables, selon les régions : ainsi, en décembre 1827, le prix moyen de l'hectolitre de froment s'inscrit à 14 fr, 18 dans l'Ille-et-Vilaine alors qu'il est de 30 fr, 95 dans le Vaucluse, et, dans une même région, les caprices des saisons amènent d'une récolte à l'autre des écarts plus considérables encore ; par exemple, dans le Haut-Rhin, l'hectolitre de froment passe de 81 fr, 69 à 27 fr, 47, de juin 1817 à juin 1818.

Les procédés de culture restent en grande partie ceux du siècle précédent : la vieille charrue aux ais de bois est encore la seule que connaissent la plupart des paysans, et par endroits, faute d'animaux de trait, on retourne encore le sol à la bêche ou à la houe. On continue à pratiquer les assolements traditionnels qui laissent le sol en jachère un an sur trois, voire même un an sur deux, dans le Midi. C'est que les engrais sont rares ; on ne dispose que du fumier des bestiaux, et autour des grandes villes de la « poudrette », résidu nauséabond des vidanges municipales. Se servir de plâtre pour amender les terres trop acides est un luxe que se permettent seuls quelques grands propriétaires éclairés.

Le gouvernement continue à envisager son rôle dans l'agriculture nationale sous l'angle du problème des subsistances, tout comme au temps de M. Turgot. Inlassablement, il fait dresser par ses scribes des états de prévisions des récoltes et compiler des mercuriales, mais le seul moyen qu'il connaisse pour encourager l'agriculture française, c'est de soutenir artificiellement les prix au moyen de tarifs protecteurs, à quoi, du reste, il ne réussira même pas. Quant à entreprendre de grands travaux d'assèchement ou de défrichement, quant à introduire des espèces nouvelles, à propager les méthodes qui augmenteraient les rendements, le gouvernement estime que ce n'est pas son affaire ; son principe reste celui qu'a formulé Chaptal, l'ancien ministre de Napoléon : « Un gouvernement éclairé doit se borner à encourager la production et la confier exclusivement à l'intérêt privé, qui seul peut la concilier avec l'activité, la prévoyance et les lumières. » A un moment seulement, sous Decazes, en 1819, le ministère de l'Intérieur sortit de son inertie : un conseil de l'agriculture fut créé, qui devait avoir des correspondants dans tous les départements, chargés de promouvoir les bonnes méthodes ; on envoya de divers côtés des missions en vue d'acheter des animaux reproducteurs et d'étudier de nouvelles cultures utiles. Mais Decazes tombé, le budget de l'agriculture fut réduit d'année en année : en 1828, il atteindra le chiffre dérisoire de 2.131.000 francs. Là-dessus les neuf dixièmes étaient des secours occasionnels aux cultivateurs frappés par des calamités, le reste servait à soutenir chichement les écoles vétérinaires d'Alfort, de Toulouse et de Lyon, deux bergeries royales, conservées sur les six qui existaient encore en 1822, une ou deux pépinières...

Toutefois le gouvernement se montra capable de décision lorsqu'il s'agit de sauver les restes du splendide domaine forestier français, soumis depuis trente ans à un pillage effroyable, qui avait réduit sa superficie totale à 6 millions 1/2 d'hectares, contre 9 millions qu'il comptait en 1789. La Restauration avait elle-même aggravé au début la situation, en procédant, sous la pression des nécessités financières, à d'importantes aliénations de forêts nationales. En outre elle avait rattaché malencontreusement l'administration des Forêts à celle des Domaines, ce qui revenait à livrer à l'avidité du fisc une richesse nationale qu'il importait de conserver, si l'on ne voulait pas compromettre l'équilibre du régime des eaux et la stabilité des sols de montagnes. En 1820, enfin, on comprit qu'on avait fait fausse route ; l'administration des Forêts recouvra son autonomie ; une commission prépara un code forestier qui remplaça la législation incohérente émanée des différents gouvernements depuis la fin de l'ancien régime. Dès lors, on chercha moins à augmenter la valeur des produits qu'à préparer l'avenir par des reboisements et des mesures de conservation ; les agents forestiers furent investis de pouvoirs étendus, et ils devaient être préparés à leur tâche par une école forestière créée à Nancy en 1824.

En Angleterre, on le sait, la grande propriété avait été le moteur du progrès agricole. En France, la division du sol, favorisée par la vente des biens nationaux et par le régime successoral s'accentuait d'année en année. Les rôles de l'impôt foncier comptent, en 1815, 10.083.000 cotes foncières ; ceux de 1834, 10.896.000, représentant 123.360.000 parcelles. La grande propriété n'est pourtant pas aussi inexistante que pourraient le faire croire ces chiffres ; d'après une évaluation contemporaine, sur 44.750.000 hectares de propriétés agricoles, en 1815, 19 millions appartiennent à des domaines faisant 880 hectares de moyenne. La terre apparaît toujours comme un placement de premier ordre pour les bourgeois enrichis dans le commerce ou la banque. Ainsi le banquier Laffitte achète, près de Breteuil, un vaste domaine, comprenant, avec deux grandes fermes, 7.500 hectares de forêts. Mais la plupart de ces acquéreurs, suivant en cela l'exemple des anciens propriétaires, n'ont d'autre souci que de retirer de leurs terres, bon an mal an, un revenu certain ; pour cela le moyen le plus pratique était de diviser ces propriétés en petits lopins donnés à ferme ; de sorte que la grande propriété se trouve elle-même ramenée aux dimensions de la petite exploitation, à laquelle l'exiguïté de ses moyens interdit les améliorations coûteuses.

Dans ce tableau assez terne, apparaissent pourtant quelques lueurs. Tout n'est pas stagnation et incurie. Le paysan a été libéré par la Révolution des servitudes féodales et des impôts iniques ; protégé par un gouvernement paternel et peu tracassier, il a la possibilité de travailler sans plus craindre de se voir enlever ses fils, ses bestiaux ou ses récoltes par les réquisitions militaires. Son acharnement à la besogne accroît peu à peu l'étendue des terres cultivées aux dépens des landes et des anciens communaux : la sueur supplée à la science. En Picardie, par exemple, de 1821 à 1833, on a défriché 6.862 hectares contre 1.463 de 1792 à 1821. Çà et là, de grands propriétaires donnent le branle au progrès. Ce sont, comme le duc de la Rochefoucauld-Liancourt, quelques grands seigneurs fidèles à l'idéal physiocratique de la fin du XVIIIe siècle ; des agronomes qui ont la noble ambition de permettre à la France de rivaliser avec l'Angleterre, comme Mathieu de Dombasle, auteur d'un *Manuel du cultivateur* et éditeur des *Annales de l'Agri-*

culture, qui met en application ses théories dans sa ferme modèle de Roville, dans la Meurthe ; ce sont encore d'anciens militaires qui trouvent dans l'agriculture un dérivatif à l'énergie qu'ils n'ont plus à dépenser sur les champs de bataille ; ainsi Marmont, duc de Raguse, et gendre du banquier Perregaux, engloutit plus de 700.000 francs (110 millions d'aujourd'hui) dans les améliorations plus ou moins heureuses de ses terres du Châtillonnais. Lisons le bulletin de victoire rédigé par le colonel Bugeaud, en 1823, dans son domaine périgourdin : « La contrée que j'habite est cultivée par le système de jachères à deux soles, c'est-à-dire que la moitié seulement des terres est ensemencée chaque année, l'autre moitié est labourée quatre fois sans rien produire, si j'en excepte quelques lopins de pommes de terre et de sarrasin. La prairie artificielle était totalement ignorée ; on ne nourrissait le petit nombre de bêtes qu'on avait qu'avec le foin. On ne peut imaginer une culture plus barbare. Je me suis occupé sans relâche de la changer dans ma propriété et de propager de meilleurs principes chez mes voisins. J'ai eu à vaincre la routine, les sarcasmes, les préjugés, les insolences même de la part de mes colons. J'ai tout vaincu et aujourd'hui je suis une autorité qu'on cite. Mes bestiaux sont doublés, mes grains le seront bientôt. Mes terres sont couvertes de beaux carreaux de fourrages artificiels, tels que trèfle de Hollande, trèfle annuel, vesce, seigle, raves, maïs, sarrasin, etc. J'ai 1.800 journaux en une seule pièce, sans compter les bois. Ils sont exploités par treize familles, formant un total de 106 personnes. J'ai en outre 12 domestiques mâles et femelles pour exploiter ma réserve... Ajoutez à cela 80 bœufs, 50 vaches, 10 juments, 500 moutons, et vous verrez que j'ai l'effectif d'un joli bataillon. »

La France du nord et de l'est a de l'avance sur celle du Midi et du Centre ; la pratique des cultures rotatives et des prairies artificielles y fait des progrès plus rapides. Dans l'ensemble, les statistiques des surfaces ensemencées révèlent non seulement un accroissement d'ensemble, mais un gain relatif des céréales riches comme le froment, par rapport aux céréales secondaires (1). Le rendement moyen du blé est passé de 10 hectolitres 25, pour les années 1815-1819, à 11,77 pour les années 1826-1830. La culture de la pomme de terre a fait de grands progrès dans toutes les régions. Celle de la betterave sucrière, bien que privée de l'appui officiel que lui avait donné l'Empire, continue de se développer ; en 1830, la production de sucre de betterave, presque anéantie en 1815, s'est si bien relevée qu'elle a été de 4.380 tonnes contre 1.100 à la fin de l'Empire. Le vignoble s'est également étendu ; en 1829, il couvre 1.993.000 hectares, soit 438.000 de plus qu'en 1789 ; il fournit bon an mal an 35.000 hectolitres de vin, et l'impôt sur les boissons qui avait rapporté, avant 1820, 82 millions, produit plus de 100 millions en 1830.

Le cheptel bovin s'accroît aussi sensiblement — 6.971.000 têtes en 1812, d'après Chaptal, 9.130.000 en 1830 d'après la *Statistique de la France*. Par contre l'élevage du cheval reste presque stationnaire : 2.285.000 têtes en 1812, 2.453.000 en 1829, d'après Moreau de Jonnès. Et il apparaît insuffisant pour les besoins du pays, puisque dans les années 1829 et 1830 on importe encore 16.000 et 18.000 chevaux des Pays-Bas, de Suisse et d'Al-

(1) Tableau des céréales.

	Surfaces ensemencées	
	1815	1830
	—	—
Froment	4.591.000 hect.	5.011.000
Méteil	916.000	870.000
Seigle	2.573.000	2.696.000
Orge	1.072.000	1.295.000
Sarrasin	654.000	659.000
Millet + Maïs	541.000	581.000
Avoine	2.498.000	2.760.000
Pommes de terre	558.000	803.000 (1835)

lemagne. La qualité de cet élevage laisse à désirer : les meilleurs éléments ont été décimés par les guerres de l'Empire, les haras de l'Etat n'interviennent que pour un quart dans les naissances annuelles et d'ailleurs ces haras, administrés par d'anciens officiers, fanatiques du cheval de selle arabe et anglais, ont des étalons trop fins pour fournir les bons chevaux de trait dont l'agriculture et les transports auraient besoin.

L'élevage du mouton a donné des mécomptes (1). On sait que depuis la fin du règne de Louis XVI on s'était attaché à introduire en France les mérinos espagnols, porteurs de laine fine. Le gouvernement de Louis XVIII cessa d'en importer ; néanmoins, le mouvement avait été si bien lancé que le mérinos conserva sa vogue jusque vers 1820. A cette date se produisit une mévente dans les toisons et les éleveurs se rendirent compte que les mérinos étaient peu avantageux pour la boucherie ; ils s'efforcèrent alors d'introduire les races anglaises de Leicester-Dishley et des South-Downs, spécialement sélectionnées pour la viande.

En 1818, l'industriel Ternaux, fabricant de châles de cachemire, réussit à faire venir en France un troupeau de cent chèvres de race thibétaine, achetées en Russie. Decazes en fit l'acquisition pour le compte de l'Etat et le plaça dans la région de Perpignan, mais les bêtes s'y acclimatèrent mal et en 1829 il n'en restait plus. Les amis politiques de Ternaux accusèrent le gouvernement ultra-royaliste d'avoir volontairement laissé périr ces pauvres chèvres libérales !

La sériciculture, excitée par l'essor de la soierie lyonnaise, connaît un élan extraordinaire. Dans tous les départements autour de Lyon, les mûriers s'étendent aux dépens des noyers, des bordures de chênes, voire même des cultures vivrières ; dans l'Isère, par exemple, le

(1) On a peine à croire toutefois que le chiffre des moutons soit tombé de 35.187.000 en 1812 à 29.130.000 en 1830. Le premier chiffre fourni par Chaptal est probablement très exagéré ; il s'applique peut-être à l'Empire tel qu'il existait en 1812.

nombre de pieds passe de 454.000 à 602.000 de 1814 à 1832, et l'on s'efforce même d'élever des vers à soie dans la région parisienne. Dans l'ensemble, la production de soie grège nationale est passée de 308.000 kg en 1815, à 688.000 en 1830.

On se ferait une idée bien fausse du progrès de l'agriculture à cette époque si on se le représentait sous la forme d'une courbe légèrement et régulièrement ascendante. La réalité est plus complexe et la situation des cultivateurs a connu des hauts et des bas, qui ont été en grande partie fonction de la production des céréales. Celle-ci se trouve-t-elle déficitaire, les prix du blé montent en flèche, permettant aux producteurs de compenser les pertes qu'ils ont subies sur les quantités, valorisant les terres, encourageant les semailles, mais aussi infligeant à l'ensemble des consommateurs une sévère pénalité qui diminue d'autant leur pouvoir d'achat et provoque une mévente dans tous les autres secteurs de la production, aussi bien agricole qu'industrielle. Par contre lorsque les récoltes sont bonnes, l'abondance provoque l'effondrement des cours, les producteurs voient se réduire la marge du profit ; ils appellent à grands cris des mesures protectionnistes, ils sont tentés de diminuer les emblavements. Tel est le triste sort du cultivateur, que la disette et l'abondance lui sont également funestes et qu'il a toujours quelque motif de se plaindre.

Les récoltes de 1814 et de 1815 avaient été si bonnes que le gouvernement avait autorisé assez largement les exportations de grains. Mais l'occupation étrangère et ses réquisitions épuisèrent les stocks. Un été extraordinairement pluvieux et froid ruina la récolte de 1816 ; le prix moyen de l'hectolitre de blé, qui était de 19 fr 53 en 1815, s'éleva à 34 francs en décembre 1816 et à 46 fr 50 en mai 1817 ; dans certains départements, il dépassa même 80 francs. Le prix du pain suivait cette courbe catastrophique, atteignant ici ou là 2 fr ou 2 fr 50 le kg (318 et 397 francs d'aujourd'hui). Les habitants de certains villages du Nord-Est ne vivaient plus que d'herbes et de racines, arrachant même l'écorce des arbres. Dans ces conditions on vit renaître les émeutes de la faim qu'avait connues l'Ancien régime : attaques de convois, pillages de marchés et de boulangeries, raids sur les fermes isolées. Il fallut faire intervenir les troupes ; il y eut des morts et des blessés.

Le gouvernement se trouva acculé à l'action, en dépit de son parti pris de ne pas intervenir dans la vie économique. Molé décrit son désarroi : « M. de Richelieu en perdait le sommeil et maigrissait à vue d'œil. Lainé se consumait en vains efforts et voyait avec douleur le mal s'aggraver par tout ce qu'il faisait pour le guérir. Corvetto gémissait de ce qu'il en coûtait au Trésor. Pasquier se croyant... une immense expérience parce que le peuple de Paris avait failli mourir de faim lorsqu'il était préfet de police, Pasquier dissertait tous les jours..., et ne pouvait expliquer que par ce qu'il appelait *la gaucherie de M. Lainé* le peu de succès de ses propres conseils, qu'on avait suivis exactement. Decazes joua son rôle ordinaire, gardant pour lui l'honneur du succès, quand il y en avait, et rejetant sur ses collègues la non-réussite. »

Le peuple de Paris, du moins, ne mourut pas de faim ; on créa une caisse de compensation de la boulangerie, dotée de 19 millions par le gouvernement et de 5 millions par la ville, qui servit à couvrir les pertes des boulangers obligés de vendre le pain à 1 fr 25 les deux kilos. Le gouvernement acheta aussi pour 70 millions de blé en Russie et ailleurs, qu'il jeta à perte sur différents marchés ; il accorda pour 5.705.000 francs de primes aux importateurs, ouvrit des ateliers de charité, encouragea la culture de la pomme de terre ; partout les préfets mobilisèrent les ressources locales ainsi que celles de la charité privée et la famille royale donna dignement l'exemple. Au total, la crise coûta plus de

49 millions au Trésor et on a calculé que l'augmentation du prix du pain avait à elle seule prélevé sur le revenu national un surcroît de dépenses de 1.729.000.000 de francs. On conçoit dès lors que cette crise alimentaire ait déclanché une crise générale de l'économie.

Mais à peine la situation fut-elle rétablie sur le plan du ravitaillement, que le déséquilibre se fit sentir en sens contraire. En 1819, le prix moyen du blé s'inscrivit à 18 fr 42 l'hectolitre, alors qu'on estimait à 20 fr le prix minimum rénumérateur pour le cultivateur français ; pis encore, les blés russes arrivaient à Marseille où ils se vendaient 15 et 13 francs l'hectolitre, tenant, dit un député, « les blés français en état de blocus dans les greniers ». Vite, des tarifs, des barrières douanières ! On ne songea pas que les importations étrangères ne représentaient en somme qu'une proportion infime par rapport à la production nationale, 3 % en 1818, et qu'elles ne pouvaient pratiquement pas pénétrer bien loin à l'intérieur du pays ; on écarta la pensée que l'abaissement du prix du pain avantagerait les classes les plus pauvres ; les industriels les plus libéraux proclamèrent eux-mêmes que la cherté du pain forçait l'ouvrier à travailler mieux et plus vite, stimulait son zèle. De la gauche à la droite, les députés se trouvèrent d'accord pour établir une échelle mobile, qui élevait automatiquement les droits d'entrée sur les blés étrangers à mesure que baissaient les prix intérieurs (juillet 1819), et ce régime fut encore aggravé en 1820 et en 1821, si bien que le marché français se trouva pratiquement fermé. Mais les cultivateurs n'y gagnèrent rien ; l'espoir de vendre à bon prix amenant l'extension de la culture des céréales, les prix continuèrent à baisser ; 17 fr 79 l'hectolitre de blé en 1821, 16 fr 22 en 1824, 15 fr 85 en 1826. « La France produit trop », gémit le député Sirieys de Mayrinhac.

Ce que les lois protectionnistes n'avaient pas réussi à obtenir, les caprices de l'atmosphère devaient le réaliser en 1828. Cette année-là, de longues pluies estivales endommagèrent les récoltes, et, au cours de l'hiver suivant, des gelées rigoureuses paralysèrent le trafic fluvial. Comme en 1817, on se trouva devant la menace de famines locales, et, de nouveau, éclatèrent des émeutes alimentaires. La situation, toutefois, fut moins grave que dans la crise précédente ; le gouvernement n'eut pas à intervenir directement ; l'effet des tarifs protecteurs se trouvant automatiquement suspendu, l'importation vint rapidement combler les besoins en céréales ; le prix moyen du blé ne dépassa pas 21 fr 55, et les producteurs ne firent que des bénéfices limités.

Dans l'ensemble, il apparaît donc que, jusqu'en 1830, l'agriculture française a vécu une période difficile, où la marge des profits réalisés — quand elle existait — n'était pas suffisante pour permettre les grands investissements qui auraient été nécessaires pour augmenter sérieusement la productivité du sol. D'où la stagnation relative que l'on a observée. Les plus éprouvés furent sans doute les grands propriétaires qui se trouvaient obligés d'abaisser leurs prétentions à chaque renouvellement de leurs baux et devaient souvent renoncer à percevoir le montant intégral de leurs fermages ; les fermiers eurent à souffrir aussi, pressés qu'ils étaient par des contrats établis dans des conjonctures plus favorables. Les moins malheureux sans doute furent les petits propriétaires, pour qui la vente du blé, produit en petite quantité, n'intervenait que comme un faible appoint dans une économie organisée avant tout pour permettre à la famille de vivre sur elle-même. Comme plus de la moitié du sol leur appartenait, l'agriculture française devait, au bout du compte, surmonter cette crise plus facilement que d'autres pays voisins, atteints en même temps par la chute générale des prix. Il est permis de voir enfin dans cette crise elle-même l'origine du progrès dont on a marqué les premiers signes et qui allait s'affirmer sous la Monarchie de Juillet. Les grands propriétaires constatèrent que la protection douanière était impuissante à leur assurer un profit qu'ils recherchèrent alors dans l'amélioration de leurs méthodes de culture. Quand on songe que depuis le XVIIe siècle les rendements connus n'avaient pratiquement pas changé, quand on songe que les moyennes de production étaient établies sur un ensemble d'exploitations dont la majorité étaient encore réfractaires à tout progrès, le mouvement ascendant que l'on peut noter, tout faible qu'il soit, traduit de grands efforts individuels, et il apparaît comme l'ébranlement initial d'une profonde révolution.

III

Persistance de structures et de méthodes archaïques, apparition de formes nouvelles, tel est aussi le tableau que présente l'industrie à la même époque.

Sous ce terme général d'industrie vit une réalité fort différente de celle qu'évoque ce mot à nos esprits du XXe siècle, et ici encore un effort d'imagination est nécessaire pour la restituer dans ses aspects concrets. La transformation des produits de la campagne commence à la campagne même, dans les milliers de petits ateliers familiaux où, tout comme au moyen âge, tournent rouets et fuseaux, et battent les métiers à tisser rudimentaires. Chaque village, chaque bourgade a ses menuisiers, ses teinturiers, ses charrons, ses forgerons, etc., qui sont en même temps cultivateurs pour leur propre compte. L'activité agricole et l'activité industrielle s'imbriquent, de façon à rendre totalement vaines les statistiques qui prétendent chiffrer exactement le nombre des travailleurs de l'industrie par rapport à ceux de la terre. De même, dans la ville, l'activité industrielle s'intègre souvent au commerce, avec l'artisan-boutiquier qui vend lui-même ses produits.

L'industrie rurale à domicile est encouragée par le système de la « fabrique » ; le « fabricant » est un gros négociant qui distribue la matière première à des centaines d'ouvriers-paysans et recueille ensuite les produits qu'ils ont façonnés suivant les spécifications qu'on leur a données ; au besoin, le fabricant vend, loue, ou prête à l'ouvrier la machine ou les instruments nécessaires. L'industrie existe ainsi à l'état gazeux, en quelque sorte, dans de vastes régions, qui sont devenues depuis purement agricoles. Autour de Vimoutiers 20.000 tisserands fabriquent des cretonnes, et dans l'Aube, on compte un nombre égal de métiers à tisser et à tricoter qui travaillent pour la bonneterie de Troyes ; de même Rouen, Saint-Quentin, Lyon, Cambrai, Nancy sont des centres de « nébuleuses » industrielles. Cette forme du travail n'est pas limitée au textile ; ainsi autour de Rugles, dans l'Eure, on compte 3.500 ouvriers cloutiers, et 2.500 fabricants d'épingles ; les ouvriers serruriers du Vimeu, au nombre de 3.000, fournissent les deux tiers des serrures de la capitale ; dans l'arrondissement de Mézières, il y a 6.000 cloutiers travaillant à domicile, etc.

A un stade supérieur, les ouvriers, sans quitter la campagne, se groupent dans de petits ateliers, autour de quelques machines, et passent du travail industriel au travail des champs, selon le rythme des saisons. La dispersion est encore la règle générale là même où la main-d'œuvre est totalement déracinée ; il ne saurait en être autrement lorsque la force motrice communément employée est le fil de l'eau et lorsque le combustible industriel est le bois. L'extraction de la houille, faite par une foule de petites entreprises aux méthodes archaïques, augmente lentement : 1 million de tonnes en 1814, 1 million 1/2 en 1826, dont 560.000 viennent des mines de la Loire ; le bassin du Nord, malgré la prospérité d'Anzin, n'en fournit pas autant. La métallurgie recherche donc le voisinage de la forêt et si l'on veut éviter l'épuisement rapide du combustible, il faut disperser les hauts-fourneaux ; les taillanderies et les industries textiles s'alignent le long des cours d'eau favorables ; ainsi la petite rivière de la Bolbec, en Normandie, anime 27 moulins, 29 imprimeries de toiles, 22 curanderies ou blanchisseries de toiles, 16 garanceries et 18 autres industries diverses. L'usine, au sens moderne du mot, avec ses masses d'ouvriers concentrés sur un petit espace est un phénomène encore rare. Les ateliers Ziegler à Guebwiller occupent 3.000 ouvriers et ouvrières, les forges et les mines de Fourchambault dans l'Allier, 2.500, les établissements de Saint-Gobain, dans l'Aisne, 3.000 ; mais ces chiffres restent tout à fait exceptionnels.

Les assises financières de ces entreprises ne leur permettraient pas du reste de concentrer des moyens plus importants. Les patrons sont en majorité d'anciens négociants qui sont passés du commerce à la production, souvent à travers le stade intermédiaire d'un réseau ou circuit de « fabrique », ou encore d'anciens contremaîtres, des autodidactes qui viennent de l'artisanat et dont le capital de départ a été fourni par quelques bourgeois en quête de placements avantageux. La petite usine est gérée comme une ferme, qui doit rapporter bon an mal an son revenu. L'obsession de la production à tout prix, la tension vers une croissance indéfinie, qui paraissent une loi interne des entreprises capitalistes modernes, ne sauraient exister, car ces usines sont dépendantes d'un approvisionnement et d'un marché que le défaut de communications contient forcément dans des limites assez étroites.

La dépendance de l'industrie vis-à-vis des transports apparaît avec évidence si l'on compare une carte de la densité des établissements industriels avec celle des voies de communications. Les départements au nord de la Loire — l'Armorique exceptée — sont incomparablement mieux dotés, et la zone industrialisée suit fidèlement les sillons de la Garonne et du Rhône pour s'étaler, continue, sur le rivage méditerranéen.

L'état des communications rend compte, enfin, des différences étonnantes qui se rencontrent dans les prix iudustriels d'une région à l'autre, tout comme dans les prix agricoles. En avril 1826, une tonne de fonte fabriquée sur place coûte 150 francs en Champagne, 265 francs en Berry, 300 francs en Franche-Comté. Ainsi s'explique que puissent coexister les modes de production les plus archaïques avec les plus modernes et les plus scientifiques. Tandis que la région parisienne possède déjà une industrie chimique active, Agricol Perdiguier a pu voir dans les petites bourgades viticoles du Languedoc les vignerons obtenir le sulfate de cuivre en étalant du marc de raisins sur des plaques de ce métal qu'ils grattaient ensuite.

Le machinisme s'introduit lentement et inégalement suivant les branches d'industrie. Il se heurte à toutes sortes d'obstacles : le prix élevé des machines, que l'on est souvent obligé d'acheter en Angleterre, les défauts de construction et la mauvaise qualité des matériaux employés dans les machines françaises, le manque de main-d'œuvre qualifiée pour les conduire et les entretenir ; il faudra faire venir des ouvriers d'Angleterre et en 1824 il y aura en France 15.000 à 20.000 spécialistes anglais. Enfin, si beaucoup de petits patrons sont réfractaires au progrès, les ouvriers le sont encore davantage ; pour eux, les machines sont des inventions diaboliques pour leur ôter le travail ou diminuer leurs salaires ; çà et là éclatent des émeutes lorsqu'un patron veut introduire une mécanique.

Là où les industries sont mécanisées, les machines sont encore le plus souvent animées par des moulins à eau, par des manèges de chevaux, ou même à bras d'hommes. La machine à vapeur, qu'on appelle encore « pompe à feu », comme en 1789, est une curiosité au début de la Restauration ; en 1830, on en compte seulement 572 dans toute la France.

Le gouvernement ne se désintéresse pas du progrès industriel, mais il s'interdit d'y intervenir directement. Pour le libéralisme triomphant, l'Etat manufacturier de Colbert est une monstruosité. Tout ce que l'on demande au gouvernement, c'est de protéger l'industrie nationale par des tarifs douaniers, comme il le fait pour l'agriculture ; et les grands propriétaires fonciers dont les forêts nourrissent les hauts-fourneaux sont entièrement d'accord avec les industries. En 1820, une augmentation brutale des droits sur l'acier est votée à l'unanimité moins une voix par une Chambre où la politique divise violemment les partis. Pour être juste, il faut dire que les inventeurs et les industriels ont été encouragés par des expositions qui ont eu lieu à Paris en 1819, en 1823 et en 1827. Le Conservatoire national des Arts et Métiers, réorganisé en 1819, a donné des cours techniques. Mais c'est à des initiatives privées que sont dues l'Ecole spéciale de commerce et d'industrie, fondée en 1820, l'Ecole centrale des arts et manufactures, créée en 1828, et d'autres écoles professionnelles ; c'est encore une association privée, la *Société d'encouragement pour l'industrie nationale* qui est à la pointe du progrès des sciences appliquées.

Le groupe des industries textiles se révèle de beaucoup le plus important, tant par les effectifs qu'il occupe que par la valeur de ses produits annuels, 820 millions, estime-t-on en 1828. C'est là aussi qu'apparaissent les transformations les plus rapides. Dès la fin de la Restauration, la machine et la concentration industrielle ont triomphé dans la filature du coton : autour des filatures du Nord, d'Alsace et de Normandie naissent les premières agglomérations industrielles de type moderne. Mais le fil qu'elles produisent est encore tissé en grande partie dans des ateliers familiaux ; il en résulte un décalage dans la production et dans la main-d'œuvre ; alors que la filature, en 1827, occupe 200.000 ouvriers, le tissage en demande 450.000, et encore n'absorbe-t-il qu'une partie du produit des filatures, l'autre étant utilisée par la passementerie, la bonneterie, etc. En 1822, toutefois, les premiers essais de tissage mécanique sont faits en Alsace, et en 1830 on pourra compter dans le Haut-Rhin 2.000 métiers mécaniques contre 20.000 métiers à bras. Dans l'ensemble, l'industrie cotonnière paraît avoir triplé sa production en quinze ans, puisque les importations de coton brut sont passées de 10 millions et demi de kilos en 1812 à 30 millions en 1827. A titre de comparaison on pourra se rappeler ici qu'en 1950 la France importait 292 millions de kilos de coton brut.

L'industrie lainière dépasse encore celle du coton par le poids des fibres utilisées — 48 millions de kilos en 1825 — mais ses progrès techniques sont moins rapides. Si la filature mécanique triomphe nettement dans la laine cardée, le travail à la main reste en honneur dans le peignage, et le tissage est encore, dans une très large mesure, assuré par la petite industrie rurale. Les centres principaux se trouvent toujours en Normandie avec Elbeuf et Louviers, et dans le Nord-Est, avec Reims et Sedan. La matière première est fournie par les troupeaux français dans la proportion de 80 % ; la laine des mérinos utilisée par la draperie de luxe donne aux vêtements français, dit un économiste anglais contemporain, « un lustre et une délicatesse de tissu avec laquelle aucun autre pays ne saurait lutter ».

Quant à la fabrication des toiles de lin et de chanvre, elle reste fidèle aux vieilles méthodes manuelles et elle est en stagnation ou en recul même, notamment en Bretagne.

Lyon est plus que jamais la capitale de la soierie ; animée par un patronat entreprenant et ouvert au progrès, l'industrie lyonnaise se développe sans cesse, malgré son extrême sensibilité aux crises. Alors qu'il n'y avait, en 1814, que 7.000 métiers en activité, il y en aura, en 1825, 26.000, et en 1832 42.000. Le travail final, le tissage, est toujours œuvre artisanale, et le métier Jacquard, perfectionné par Breton, permet une admirable variété de dessins. La masse des « canuts » travaille toujours à Lyon même, dans les hautes maisons du quartier de Croix-Rousse, mais les patrons ont déjà tendance à chercher une main-d'œuvre plus docile dans les campagnes environnantes ; par un processus inverse à celui qu'on aperçoit dans les autres branches du textile, la soie, ou du moins son tissage, tend à se disperser ; en 1825 déjà, un tiers des métiers sont hors de la ville. Dans toute la région rhodanienne, qui fournit la matière première à Lyon, le moulinage et la filature font de rapides progrès et se mécanisent.

La métallurgie représente le groupe le plus important après le textile, par les capitaux qui s'y emploient ; elle augmente lentement sa production : 114 millions de kilos de fonte en 1818, 220 millions en 1828. Mais les maîtres de forges, qui ont obtenu pratiquement le monopole du marché national grâce aux tarifs protecteurs, ne font pas de grands efforts pour adopter les méthodes britanniques qui auraient dû permettre un accroissement rapide de la production et un abaissement des prix de revient ; leur principale préoccupation paraît être d'éviter une surproduction qui déprimerait les prix de vente. Le retard de la métallurgie française sur celle de l'Angleterre éclate dans la différence des prix de revient ; le fer français revient en moyenne à 48 francs le kilo, alors que les fers anglais, rendus dans les ports français, coûtent 22 francs. En 1828, il y a encore 130 forges catalanes, où le fer est obtenu directement par un procédé archaïque, et en 1830, il n'y a que 29 hauts-fourneaux qui fonctionnent au coke de houille contre 379 qui continuent à utiliser le charbon de bois. Ces hauts-fourneaux, beaucoup plus dispersés que de nos jours, ne sont que de petites installations, qui feraient sourire de pitié nos ingénieurs ; il suffit alors d'une dizaine d'ouvriers pour les faire fonctionner et leur production annuelle est souvent inférieure à la production quotidienne d'un haut-fourneau contemporain.

Les méthodes anglaises se répandent plus vite dans la fabrication de l'acier ; des aciéries surgissent un peu partout, et tout spécialement dans la région de Saint-Etienne. En 1827, on en trouve dans vingt et un départements, et le Dauphiné a perdu le monopole qu'il avait détenu dans cette production jusqu'en 1820 environ. La petite métallurgie — taillanderie, coutellerie, quincaillerie — arrive à jeter sur le marché des quantités croissantes d'objets à bas prix, grâce à quoi, par exemple, le couteau de table ne sera plus un privilège des classes aisées.

IV

Lors de la discussion de la loi de finances de 1822, M. de Saint-Cricq, directeur des Douanes, déclara que la doctrine du gouvernement en matières d'échanges commerciaux était « d'acheter aux autres le moins possible et de leur vendre le plus possible ». Et il ne faisait qu'exprimer l'opinion commune que l'on trouve, par exemple, quelques années plus tard sous la plume de l'économiste Moreau de Jonnès, peu suspect d'attachement excessif aux formules de l'Ancien régime. Ainsi l'opinion et le gouvernement, qui avaient adopté Gournay et Adam Smith pour ce qui était de l'économie nationale, en étaient encore à Colbert en matière de politique commerciale.

« Acheter le moins possible », voilà qui était relativement facile à réaliser ; il suffisait d'étrangler systématiquement les importations étrangères par des tarifs protecteurs, et c'est à quoi s'employèrent tous les gouvernements de la Restauration, quelle que fût leur couleur politique, soutenus en cela par des majorités massives à la Chambre. Les industriels libéraux, qui eussent poussé des hauts cris si le gouvernement avait eu l'audace d'intervenir en quoi que ce fût dans le régime du travail qu'ils imposaient à leurs ouvriers ou dans les prix de vente de leurs produits, étaient les premiers à exiger, au nom des intérêts nationaux, que le commerce fût soumis au plus étroit des contrôles. Laissez faire, oui, mais ne laissez point passer...

On a déjà eu occasion de dire quelles prohibitions furent opposées aux entrées des blés et des fers étrangers. La plupart des autres produits d'importation furent tour à tour frappés de droits écrasants : laines, cotons, lins, chanvres, produits tinctoriaux, étoffes de toutes natures, houblon, huiles, suifs, bestiaux, etc. Quant au commerce colonial, si florissant sous l'Ancien régime, il se trouvait atteint de façon irrémédiable par la perte de Saint-Domingue. Il ne put reprendre avec les colonies restantes, qu'en se soumettant à la stricte application de la théorie du « pacte colonial », également conforme au plus pur colbertisme. La métropole achète seule les produits coloniaux, et les colons ne se fournissent que chez elle des produits fabriqués nécessaires à leurs exploitations et à leur vie ; en outre les échanges, dans les deux sens, doivent être réservés au pavillon national.

A peine l'Angleterre avait-elle rendu à la France la Martinique, la Guadeloupe et Bourbon, que les colons réclamèrent un régime qui leur assurerait le monopole du marché français des sucres. Le gouvernement accéda à leur requête en établissant des tarifs brutalement discriminatoires contre les sucres étrangers ; il devait en être de même pour les cafés, le cacao, le quinquina, les épices. En revanche, les colons n'eurent le droit d'établir aucune industrie, ni même de raffiner eux-mêmes le sucre. Il devait être impossible, toutefois, de maintenir dans toute sa rigueur ce régime archaïque ; la contrebande et le commerce interlope y trouvaient l'occasion de magnifiques profits. Lorsque les colonies espagnoles émancipées demandèrent de pouvoir commercer avec les Antilles françaises, l'espoir d'ouvrir à l'industrie nationale le marché sud-américain et mexicain inclina finalement le gouvernement français à faire une brèche dans le système de « l'exclusif ». Une ordonnance de 1826 admit une quantité contrôlée de marchandises étrangères dans certains ports coloniaux.

Dans la métropole elle-même, l'application du système ne devait pas aller sans fissures. Les différences énormes entre les prix intérieurs et extérieurs de certains produits encourageaient la contrebande qui s'organisa sur une grande échelle tout au long des frontières. Le gouvernement était obligé parfois de tolérer ces pratiques, afin d'éviter la ruine de certaines industries. Par exemple l'industrie des mousselines, qui faisait vivre Tarare, exigeait des fils d'une finesse telle que la filature française n'en pouvait produire ; toute sa matière première lui était donc fournie par un service de contrebande parfaitement organisé, sur lequel la douane fermait bénignement les yeux.

« Acheter le moins possible », mais si l'on voulait aussi « vendre le plus possible », il fallait bien permettre à l'industrie de se procurer les matières premières que l'agriculture nationale ne lui fournissait pas en quantités suffisantes. C'était le cas pour les textiles, laine, soie, et surtout coton. Un compromis ingénieux fut imaginé pour donner satisfaction aux revendications contradictoires des industriels et des agriculteurs : les acheteurs de soies, de laines et de cotons étrangers continuèrent de payer à l'entrée des droits élevés, qui leur étaient remboursés ensuite sous forme de primes à l'exportation pour leurs produits œuvrés. Les prix intérieurs ne bénéficiant point de cette ristourne, cette pratique équivalait à ce qu'on appelle aujourd'hui le « dumping ».

Un autre inconvénient plus grave, mais trop prévisible, de la politique protectionniste, devait bientôt se révéler. Les pays dont les produits étaient ainsi frappés ne tardèrent pas à riposter par des mesures analogues contre les produits français. L'Angleterre, la Russie, la Suède, les Etats-Unis, les Pays-Bas, élevèrent énormément les droits d'entrée sur les vins français ; nos exportations de vins qui avaient dépassé annuellement deux millions d'hectolitres dans les années 1815-1819, tombèrent à 1.074.000 hectolitres dans la période 1820-1824. Les viticulteurs se plaignirent amèrement de l'avidité des maîtres de forges qui avaient provoqué ces représailles des pays exportateurs de fer. Les raffineurs de sucre attaquèrent le principe du pacte colonial : « Dans le système actuel, dit Alexandre de Laborde, ce ne sont point les colonies qui appartiennent à la métropole, c'est la métropole qui paraît être dans la dépendance des colonies ; ce ne sont point 20.000 habitants qui s'approvisionnent chez la puissance qui les protège, c'est cette puissance qui renonce à l'avantage de tous les autres marchés pour ne consommer que les produits de ces 20.000 habitants et les payer un tiers en sus de ce qu'ils lui coûteraient ailleurs. »

D'autres plaintes s'élèvent : les cotonniers protestent contre le prix excessif des machines imposé par les métallurgistes ; les soyeux lyonnais voudraient à la fois importer librement les soies grèges d'Italie et d'Orient, et interdire l'entrée des soieries britanniques ; les Chambres de commerce des grands ports soulignent la stagnation du commerce maritime : dans bien des cas leurs navires sont obligés de revenir à moitié vides ou sur lest. L'opinion finit par s'émouvoir et par douter de la beauté du système de M. de Saint-Cricq. La chute de Villèle, qui s'était fait le serviteur zélé et obstiné de la politique protectionniste, parut devoir l'ébranler ; la Chambre de 1828 inséra dans son adresse au roi des propos libre-échangistes : « Le premier besoin du commerce et de l'industrie est la liberté. Tout ce qui gêne sans nécessité la facilité de nos relations porte au commerce un préjudice dont le contre-coup se fait sentir aux intérêts les plus éloignés. » Une commission d'enquête fut chargée de préparer une révision éventuelle de la législation commerciale. Mais les intérêts coalisés des grands propriétaires et des industriels, qui dominaient dans le corps électoral et donc à la Chambre, étaient trop solidement retranchés. Les velléités libre-échangistes furent bientôt étouffées dans les commissions parlementaires et le régime prohibitif fut maintenu.

Quelles furent ses répercussions sur le commerce extérieur de la France considéré dans son ensemble ? Il est difficile de le dire avec exactitude. Sans doute les statistiques officielles de la douane enregistrent une légère progression, mais il est impossible de s'y fier, comme l'a péremptoirement démontré Charléty. Les valeurs attribuées aux produits sont tout à fait arbitraires, très inférieures aux prix réels pour les importations, et ces évaluations ont été faites suivant des échelles différentes d'une année à l'autre. En outre, jusqu'en 1826, les statistiques ne distinguent pas entre le commerce spécial et le commerce général, c'est-à-dire qu'elles confondent les marchandises destinées à la France ou produites par elles, et celles qui ne font que traverser ses entrepôts.

Pour se rendre compte du mouvement des affaires, il faut recourir à un biais : il faut considérer le produit des taxes perçues sur le commerce. Or celles-ci révèlent une véritable stagnation, compte tenu des augmentations successives de tarifs imposées à certains produits :

	1821	1825	1829
	—	—	—
Droits à l'importation	69.913.000	86.993.000	99.633.000
Droits à l'exportation	2.671.000	1.683.000	1.394.000
Droits de navigation	1.738.000	1.546.000	2.154.000

Dans l'état actuel des travaux d'histoire économique, il est même impossible de se faire une idée exacte du sens de la balance commerciale. On soupçonne seulement qu'elle a été le plus souvent déficitaire. De l'aveu même des statistiques douanières, ce fut le cas en 1830.

Quelles étaient ces importations et ces exportations ? Si l'on en croit les chiffres officiels, les matières premières destinées à l'industrie représentaient, en 1825, 67 % de la valeur des importations. C'étaient, par ordre d'importance : le coton, la soie, l'huile industrielle, le cuivre, les laines, l'indigo, les peaux brutes, la houille, les fils de chanvre et de lin, le plomb, la potasse, la cochenille... Les produits agricoles s'inscrivaient pour 21 % environ : sucres, café, bétail, huile d'olive, bois, tabacs, fromages, épices, agrumes. Les produits manufacturés, étoffes et machines principalement, ne représentaient que 12 %. Aux exportations, les objets fabriqués étaient évalués à 69 % et les produits agricoles à 31 %. Parmi les premiers, les soieries étaient de très loin en tête, puis venaient les autres étoffes, toiles, cotonnades, lainages ; les objets de cuir, la mercerie, le papier, les porcelaines et verreries, les effets d'habillement, les livres et estampes, la bijouterie et l'horlogerie.

Les clients de la France, en 1825, étaient, par ordre d'importance : les Etats-Unis, l'Angleterre, les Pays-Bas, l'Espagne, l'Allemagne ; ses principaux fournisseurs : les Pays-Bas, les Etats Sardes, les Etats-Unis, l'Angleterre, l'Allemagne. Un tiers du commerce se faisait par voie de terre, le reste par les ports de mer. La stagnation du commerce extérieur est confirmée par celle du tonnage des navires français qui s'y adonnent : 335.000 tonneaux en 1820, 340.000 en 1830. Cette immobilité est d'autant plus frappante que, pendant le même temps, le tonnage affecté au cabotage est passé de 1.334.000 à 2.373.000 tonneaux. Les statistiques spéciales des ports ne distinguent pas le commerce extérieur du commerce de cabotage ; ainsi s'explique que Rouen y apparaisse de loin en tête, avant Marseille et Bordeaux ; il faut dire aussi que la dimension des navires alors utilisés au commerce de haute-mer — les plus grands ne dépassaient pas 800 tonneaux — leur permettait de remonter facilement la Seine. On voit également dans ces statistiques que l'activité portuaire était plus dispersée qu'aujourd'hui : Abbeville, Saint-Malo, Bayonne, Perpignan, Montpellier, avaient encore un mouvement de navires important. Mais déjà s'amorçait le mouvement de concentration caractéristique de la période contemporaine : seuls Marseille, Le Havre, Bordeaux et Cherbourg étaient en progrès, les autres ports étant stationnaires ou en recul. Il faut enfin noter que si le tonnage naviguant sous pavillon français est resté stationnaire, la navigation étrangère n'a cessé de croître : 354.000 tonneaux en 1820, 669.000 en 1830, ce qui représentait, à cette date, le double du tonnage français. On comprend dès lors les plaintes des armateurs français.

Quant au commerce intérieur, il échappe naturellement à toute évaluation chiffrée. On peut croire toutefois qu'en dépit des difficultés matérielles tenant à l'insuffisance des communications, il s'est développé de façon plus satisfaisante que le commerce extérieur ; le progrès du cabotage, signalé plus haut, en est un signe entre d'autres. Les ports, les grandes villes, Paris surtout, agissent comme des pompes aspirantes et foulantes ; ils communiquent aux régions environnantes une animation inconnue dans de vastes régions comme l'Ouest armoricain ou le Massif central, qui continuent de vivre à un rythme presque médiéval. On croit apercevoir également, sans pouvoir préciser les causes et les aspects du phénomène, un déplacement de certains courants traditionnels du commerce intérieur ; c'est ainsi qu'à Beaucaire, dont la foire annuelle était depuis des siècles le grand centre de transactions du midi méditerranéen, le chiffre d'affaires est tombé de 29.590.000 à 16.622.000 de 1819 à 1829.

Dans le seul domaine du commerce de l'argent, autrement dit dans l'organisation de la banque et du crédit, il est possible d'apporter quelques précisions.

L'économie française, comme du reste celle des autres pays de l'occident civilisé, a souffert à cette époque d'une pénurie réelle de monnaie métallique. Le montant des espèces en circulation est estimé, en janvier 1828, à 2.713.000.000 de francs, en augmentation de 700 millions sur 1814. Si l'on considère qu'à cette même date de 1828 le revenu annuel national est chiffré à plus de 8 milliards, on se rend compte de l'insuffisance de cette masse monétaire pour irriguer comme il le faudrait l'économie du pays, d'autant plus que cette monnaie métallique ne se transporte pas facilement. La monnaie de papier est de peu de secours pour remédier à cette situation. La Banque de France n'émet que des coupures de 1.000 et de 500 francs, et ces billets ne circulent qu'à Paris ; dans les départements, ils ne sont même pas acceptés par les receveurs des finances, et ils perdent de 1 à 2 % de leur valeur nominale. Le total de ces billets est de 153 millions en 1820, de 223 millions en 1830. Dans quelques villes de province, Rouen, Bordeaux, Nantes, existent aussi des banques qui émettent des billets, mais leur usage reste tout à fait local.

Dans ces conditions, la circulation fiduciaire des effets de commerce devait se développer et se développa en effet, suppléant en partie à la pénurie du numéraire et à son peu de mobilité. Les effets au comptant encaissés par la Banque de France s'élevèrent de 393 millions en 1816 à 828 millions en 1830 ; quand aux traites escomptées, elles passèrent de 206 millions en 1815 à 617 millions en 1830.

Le maniement des effets de commerce paraît être la principale et presque la seule activité des banques. La pratique des dépôts et des comptes courants est presque inconnue ; c'est à leurs notaires que les particuliers confient leurs capitaux. Quant à ouvrir des crédits aux nouvelles entreprises industrielles ou commerciales, les banques ne s'y risquent pas. Elles seraient du reste hors d'état de le faire ; ce sont en général de petites affaires familiales et souvent le banquier est à la fois négociant pour son propre compte. Leur pullulement même est un signe de leur insignifiance : à Paris, en 1826, il n'y a pas moins de 220 banques privées. Rares sont les banques constituées sous forme de sociétés anonymes. La Banque de France, la seule qui ait une certaine surface, n'a ni succursales en province et ni communications avec les banques étrangères ; quant aux banques privées, elles n'ont généralement de rapports qu'avec une seule place, soit à l'étranger, soit en France même. Si l'on voit quelques grands banquiers, comme Laffitte ou les frères Périer, s'intéresser à des affaires industrielles, c'est avec leurs propres fonds plutôt qu'avec ceux de leurs clients.

Pour ces motifs, il est extrêmement difficile de trouver de l'argent frais. En province, ce sont des notaires, les receveurs de finances, quelques capitalistes enrichis dans le négoce ou dans le trafic des biens nationaux, qui font office de prêteurs. Opérant souvent de façon occulte, ils profitent de leur situation pour exiger des taux usuraires : on ne trouve pas à emprunter à moins de 8 %, souvent plus. L'usurier est un personnage classique du roman et de la comédie ; Balzac n'a eu qu'à regarder autour de lui pour faire surgir les hideuses figures des Rigou, des Grandet et des Gobseck.

Le régime des sociétés, tel que l'a défini le Code de Commerce de 1807, n'est pas favorable à la mobilisation des capitaux. Pour fonder une société anonyme par actions, il faut une autorisation du gouvernement, qui n'est donnée qu'après avis du Conseil d'Etat. Aussi de 1815 à 1829 ne compte-t-on que 96 fondations de sociétés anonymes. La forme la plus employée est celle de la société en nom collectif, dans laquelle chacun des associés se porte responsable pour la totalité du passif éventuel ; de telles associations, qui exigent une parfaite confiance entre les participants, restent forcément limitées à trois ou quatre individus ; elles ne peuvent donc réunir que des capitaux limités et enfin elles sont éphémères, la mort d'un des associés entraînant automatiquement la dissolution de la société. On commence seulement à découvrir les possibilités de la société en commandite qui permettra plus tard de tourner la législation des sociétés anonymes.

Le montant des actions qui constituent le capital des rares sociétés anonymes est tellement élevé — 1.000 à 5.000 francs — que seules les très grosses fortunes peuvent s'y intéresser. Une action, c'est alors une valeur stable qui se négocie rarement, c'est un bien de famille qu'on se transmet religieusement de père en fils, comme une maison de rapport ou un domaine agricole. Dans ces conditions, la plupart de ces actions ne sont pas cotées à la Bourse : le chiffre total des valeurs inscrites à la cote de Paris se limite à 13, en 1820, à 38 en 1830 : il s'agit surtout de fonds publics français, d'emprunts lancés par quelques Etats étrangers, d'actions de la Banque de France, de quelques compagnies d'assurances, de compagnies formées pour la création et l'exploitation des nouveaux canaux. En fait ces dernières valeurs changent très peu de mains, et c'est presque exclusivement sur les rentes que portent les spéculations et que se manifestent des fluctuations.

Le jeu de bourse serait donc assez facile, si le taux très élevé des courtages pratiqué par les agents de change ne le réservait en fait à une minorité de capitalistes, qui opèrent sur de grandes masses, et que l'opinion publique considère du reste avec une hostilité accentuée. Quant aux petits rentiers qui ne rêveraient pas de se défaire un instant des titres de rentes péniblement accumulés, ce n'est pas la plus-value de leur capital qui les intéresse, mais seulement le revenu régulier qu'il leur rapporte. Ils ne sont pas nombreux, du reste ; 189.000 en 1829, et presque tous Parisiens. En somme, la richesse mobilière ne présente pas aux yeux des Français une valeur comparable à celle de la terre, fondement de la respectabilité sociale et de l'influence politique, et l'organisation bancaire est incapable de mobiliser au service de l'industrie les ressources dont pourrait disposer l'épargne. A ce point de vue, comme aux autres, c'est toujours l'Ancien régime qui continue.

La stagnation relative des affaires n'est pas un phénomène particulier à la France. Il apparaît en effet que le monde occidental tout entier est entré, aux environs de 1817, dans un cycle de dépression, caractérisé par une lente baisse des prix, succédant à une période de hausse constante qui durait depuis le second tiers du XVIIIe siècle. Mais en outre, la France a connu plusieurs crises économiques secondaires. C'est d'abord, on l'a vu, la crise des subsistances de 1817, qui s'est traduite par une diminution temporaire du pouvoir d'achat de la masse des consommateurs. Mais dès 1819, les effets de cette crise avaient été résorbés. La France jouit alors de plusieurs années d'une réelle prospérité : l'activité des constructions, l'accroissement de recettes des octrois, la plus-value des impôts indirects, tous les thermomètres de la vie économique étaient en hausse. L'année 1825 marquait une véritable apogée : à Paris l'on construisait fiévreusement, l'octroi de la capitale enregistrait l'entrée de 75.000 mètres cubes de pierres de taille contre 27.000 en 1816.

Mais l'année 1826 inaugura à nouveau une série d'années difficiles : la crise était d'abord commerciale et financière. La France subissait le contre-coup de celle, beaucoup plus violente, qui secouait l'économie anglaise et obligeait la Grande-Bretagne à restreindre ses achats sur le continent ; le flot des « mylords » voyageurs, semeurs de guinées, se réduisait brusquement, comme on peut le voir par le produit du droit d'entrée sur les voitures de voyageurs : 381.000 francs en 1825, 75.000 en 1827. Là-dessus se greffa en 1828 la nouvelle crise des subsistances ; l'industrie et le commerce souffrirent de la diminution générale des revenus agricoles, les faillites se multiplièrent. La dépression paraissait s'installer à demeure ; elle devait durer jusqu'en 1832. Sans aller jusqu'à établir une relation de cause à effet, on ne peut s'empêcher de remarquer un synchronisme entre les fluctuations de la vie économique et les grandes phases de la vie politique de la Restauration : échec de la politique « constitutionnelle » de Richelieu et Decazes coïncidant avec la crise économique de 1817-1818, succès du gouvernement ultra-royaliste à la fin du règne de Louis XVIII correspondant à une période de prospérité, affaiblissement et dégradation du ministère Villèle avec le retour des années difficiles ; enfin on ne saurait nier que le malaise économique généralisé ait été pour quelque chose dans cette atmosphère de mécontentement et d'inquiétude qui a préparé la révolution de 1830.

CHAPITRE II

LA VIE SOCIALE

I. Aspects généraux. — *Accroissement de la population et sa répartition. — Son renouvellement rapide ; le malaise de la jeunesse. — Caractères physiques. — Le régime alimentaire. — Proportion des illettrés. — Suicides et criminalité. — Prostitution et morale familiale. — Force des liens familiaux.*

II. Les Classes sociales. — *Diversité des principes de distinction sociale. — La noblesse. — Le monde du travail. — Les artisans des métiers et les compagnonnages. — Le prolétariat misérable de la grande industrie. — Législation sociale et assistance.*

III. La Vie de Société. — *Paris et la province ; la jeunesse des écoles. — Aspects matériels de la capitale. — La Cour. — Les salons parisiens. — La vie de château. — Divertissements populaires. — La vie provinciale, sa diversité profonde.*

I

Trente millions de Français en 1815, trente-deux millions quatre cent mille en 1830. Tous les ans, pendant quinze ans, la population du royaume s'est accrue de 160.000 à 245.000 sujets. Le chiffre record des naissances a été atteint en 1826 : 992.000, soit un taux de 318/10.000. Voilà qui nous met assez loin des taux

actuels : 207/10.000 en 1949. A ce rythme, s'il s'était soutenu, la France compterait aujourd'hui près de 70 millions d'habitants ! Dans ce domaine, comme dans celui de l'économie, la France de la Restauration prolonge l'Ancien régime, mais là aussi apparaissent les prodromes des temps nouveaux. Dès 1829, la natalité tombe au-dessous du taux de 300/10.000, et ne remontera plus.

On se marie pourtant moins qu'aujourd'hui : 1 mariage pour 130 habitants, contre 1/123. Mais on a beaucoup plus d'enfants : quatre en moyenne pour l'ensemble des ménages ; cela suppose que les familles de six à huit sont fréquentes. Ainsi seront comblés rapidement les vides creusés par les guerres de l'Empire.

La carte de la natalité présente des différences frappantes avec celle d'aujourd'hui. Le minimum — une naissance pour 43 habitants — se trouve alors dans le Calvados qui en 1945 s'est haussé au quatrième rang des départements français pour la proportion des naissances ; tandis que le maximum — une naissance pour 25 habitants — se situe dans le département de la Loire qui n'est plus, aujourd'hui, qu'au vingt-cinquième rang.

On peut croire aussi que la répartition du peuplement était elle-même assez différente de ce qu'elle est de nos jours, bien que personne, jusqu'ici, n'ait tenté d'en donner une carte valable pour l'époque qui nous occupe. Un fait est certain : les campagnes étaient beaucoup plus peuplées ; une évaluation contemporaine ne donne que 21 % de l'ensemble de la population aux agglomérations de plus de 1.500 âmes. La nation française reste donc encore, dans sa grosse majorité, une nation de campagnards. On peut même affirmer que les campagnes n'ont jamais été plus habitées qu'en cette première moitié du XIXe siècle. Le Calvados, par exemple, qui compte aujourd'hui 393.000 habitants, en avait 492.000 en 1824. Le Lot, dans le même intervalle, est passé de 275.000 à 156.000, l'Ardèche de 304.000 à 270.000, la Haute-Marne, de 233.00 à 182.000. Trois villes seulement comptaient plus de 100.000 âmes : Paris, Lyon (131.000) et Marseille (115.000), et cinq de plus de 50.000 : Bordeaux (89.000), Rouen (86.000), Nantes (68.000), Lille (64.000), Toulouse (52.000). En outre, dans toutes ces villes, le chiffre de la population apparaît stationnaire.

Paris lui-même s'accroît sur un rythme plus lent que dans les années précédentes, passant de 713.000 habitants en 1817 à 785.000 en 1831. Cet accroissement est dû pour plus des deux tiers à l'immigration en provenance des départements : en 1833, Bertillon estimera que, sur 100 personnes qui meurent à Paris 50 seulement y sont nées. Les admirables travaux de démographie historique de M. Louis Chevalier lui ont permis de dresser une carte des départements d'où provient cette émigration ; on y voit que ce sont presque uniquement les régions du bassin parisien situées au nord, à l'est et au sud-est de la capitale ; l'attraction de Paris ne se fait sentir, au sud de la Loire, que dans la Creuse et dans le Cantal. Une fois de plus, on est ainsi amené à constater l'influence des communications sur la vie de la nation. Il n'est pas sans conséquences politiques que la population parisienne se recrute presque uniquement dans ces régions du nord et de l'est, traditionnellement orientées vers les partis de gauche par leur passé de franchises municipales et par le réflexe de défense contre l'étranger.

Si l'on sort du domaine relativement sûr de la démographie, on s'engage dans cette « terra incognita » qu'est encore l'histoire sociale de la France au XIXe siècle. Les quelques observations d'ordre général que l'on osera présenter ici ne le seront donc qu'à titre d'hypothèses de travail provisoires.

Un premier fait s'avère indéniable : la nation française, au début du XIXe siècle, est sensiblement plus jeune que celle d'aujourd'hui. Dans la pyramide des âges, en 1826, les « moins de quarante ans » représentent 67 % de la population contre 57 % cent ans plus tard.

C'est que, si la natalité est encore très forte, la mortalité l'est aussi. L'espérance de vie pour le Français moyen qui est aujourd'hui de plus 64 ans, n'était, en 1826, que de 36 ans. La diminution réelle de la mortalité qui s'est fait sentir depuis le début du XIXe siècle, grâce au progrès de la médecine, et surtout grâce à une alimentation meilleure, n'a fait que contribuer à ce gonflement des plus jeunes générations, car les plus anciennes, celles d'avant la Révolution, avaient dû, elles, payer leur tribut à la mort sur les taux d'Ancien régime, beaucoup plus onéreux ; Moreau de Jonnès constatait qu'en 1826 la mortalité annuelle descendait à 10 pour 395, contre 10 pour 255 en 1776.

Ainsi, dès 1827, les Français qui avaient eu vingt ans en 1789, et qui auraient pu regretter l'Ancien régime ou souffrir de ses abus ne représentaient plus que 1/9 de la nation ; et, à cette date, un quart de ceux qui avaient connu l'Empire n'étaient déjà plus. Il faut tenir compte de cette sorte de desquamation de la société si l'on veut comprendre la rapidité des transformations de l'opinion publique de Louis XVIII à Charles X. Les jeunes gens qui s'enthousiasmaient en 1830 pour la cause de la liberté, ne pouvaient comprendre ni la lassitude qui avait engagé leurs pères à accepter le despotisme impérial, ni le soulagement avec lequel les Français avaient accepté le retour des Bourbons en même temps que celui de la paix. Les querelles qui avaient passionné les générations précédentes leur apparaissaient comme vides de sens. Avec quel mépris, le jeune Montalivet, en 1827, parle de « ces vieillards chargés par leur passé d'antécédents hostiles... survivants de l'Emigration, de l'Anarchie ou du Despotisme ». Et Jouffroy, en 1825, dans *le Globe* : « Une génération nouvelle s'élève, qui a pris naissance au sein du scepticisme dans le temps où les deux partis avaient la parole. Elle a écouté et elle a compris. Et déjà ces enfants ont dépassé leurs pères et senti le vide de leurs doctrines... Supérieurs à tout ce qui les entoure, ils ne sauraient être dominés ni par le fanatisme renaissant, ni par l'égoïsme sans croyance qui couvre la société... Ils ont le sentiment de leur mission et l'intelligence de leur époque, ils comprennent ce que leurs pères n'ont pas compris, ce que leurs tyrans corrompus n'entendent pas... »

Dans le corps électoral lui-même, la majorité numérique est passée, en 1825, à ceux qui n'avaient pas vingt ans en 1789. Mais l'article 38 de la Charte, fixant à quarante ans l'âge minimum des députés, continuait d'écarter des avenues du pouvoir les représentants des nouvelles générations. Il y avait là le principe d'un déséquilibre et d'un malaise. En 1828, le Genevois James Fazy, faisant alors ses débuts à Paris, lançait un pamphlet intitulé : « *De la Gérontocratie, ou de l'abus de la sagesse des vieillards dans le gouvernement de la France.* » Pour Fazy, notons-le au passage, on est donc un vieillard à quarante ans. « On a rapetissé la France, disait-il, dans 7 à 8.000 individus éligibles, asthmatiques, goutteux, paralytiques, de facultés affaiblies... et l'on voudrait trouver dans ces débris d'un temps fertile en orages les conseils fermes et appropriés aux exigences ?... Il a fallu la loi singulière qui n'appelle que des vieillards à la représentation nationale pour faire surgir d'un peuple régénéré les sottes chicanes de leurs pères... La jeunesse est faite pour le travail, la vieillesse a besoin de repos ; lui confier l'administration de la chose publique, c'est priver l'Etat de la connaissance des faits, c'est gouverner hors de la sphère d'activité dans laquelle se meut la nation. »

La politique n'est pas le seul domaine où les ambitions de la jeunesse se trouvent alors mises en échec par les possédants de la génération précédente. On constate dans le même temps une congestion très nette dans les professions libérales et les carrières administratives ; c'est là le véritable « mal du siècle » dont souffre la jeunesse de 1830.

Depuis trente ans, tous les événements politiques avaient conspiré avec les lois biologiques pour amener ce résultat. La Révolution, l'Empire, et même la Restauration avaient brusquement amené dans les administrations et aux postes de commande des couches d'hommes relativement jeunes ; l'avance qu'ils avaient prise devait se traduire en un retard pour ceux qui les suivaient. La politique d'économies du gouvernement qui s'évertuait à diminuer le nombre des fonctionnaires, les tours de faveur accordés aux protégés de la Cour et du clergé, voilà qui limitait encore les espoirs de percer. D'autre part, s'il y avait moins de places à prendre, il y avait toujours plus de candidats ; la Révolution avait ouvert à tous, même aux fils d'ouvriers et de paysans, l'accès aux emplois, et les nobles eux-mêmes briguaient ardemment des places qu'ils eussent rougi d'occuper sous l'Ancien régime ; le système d'enseignement alors en vigueur ignorait les besoins économiques du royaume ; entièrement littéraire et théorique, il orientait la jeunesse étudiante vers le droit, vers l'administration, vers les carrières libérales. Les carrières productives étaient souverainement méprisées : l'industrie ? on laissait cela à « l'aristocratie métallique » ; la Banque ? aux « esclaves de la rente » ; le commerce ? « aux crétins du comptoir » et aux « calicots ». Délivrer une patente d'épicier, cela veut dire alors donner un brevet de sottise. Le grand Ampère lui-même, rêvant de voir son fils Jean-Jacques atteindre l'immortalité, lui conseillait, comme le moyen le plus sûr, de produire quelque grand poème, et s'il l'exhortait à apprendre l'anglais, ce n'était pas, comme le ferait aujourd'hui un bon père de famille, parce que c'était la langue commerciale, mais parce que cela devait lui permettre de lire Byron dans le texte !

Grâce à cet admirable système, la jeunesse de 1830 est donc encombrée d'avocats sans causes, de médecins sans malades, de fils d'ouvriers et de paysans que leurs études ont arrachés au travail manuel sans leur ouvrir les carrières ambitionnées, de jeunes bourgeois enragés de piétiner dans les antichambres ou de se voir relégués sans espoir dans les situations subalternes de l'administration. Qu'ils accusent alors le régime de leur disgrâce, qu'ils y voient le résultat d'une renaissance des privilèges de la noblesse et des sombres manœuvres de la Congrégation, cela n'est que trop naturel.

On peut croire aussi que la population française était assez différente physiquement de ce qu'elle est aujourd'hui. Elle n'avait pas encore subi cette infusion massive de sang étranger, qui a transformé profondément ses caractères ethniques depuis la fin du XIXe siècle. Il suffit de rappeler qu'en 1851, c'est-à-dire après l'afflux des réfugiés des révolutions de 1848 en Europe, il n'y aura encore que 380.000 étrangers en France, presque tous groupés d'ailleurs dans les régions frontalières et dans quelques grandes villes. L'alimentation et les conditions d'hygiène étaient fort différentes de celles du XXe siècle. Les difficultés des communications maintenaient notamment au sud de la Loire une race plus petite et moins saine, comme en témoignent d'une façon étonnante les résultats des conseils de revision. Sur 1.033.422 conscrits examinés de 1818 à 1826, on a été obligé d'en réformer 380.213 parce qu'ils n'atteignaient pas la taille requise de 1 m. 57. Or, depuis le début du XXe siècle, et bien que la limite éliminatoire ait été abaissée à 1 m. 56, la taille moyenne des soldats acceptés a presque toujours dépassé 1 m. 66. Pour mille recrues acceptées de 1825 à 1829, il a fallu en exempter 765 pour diverses difformités et incapacités physiques autres que l'insuffisance de la taille : 192 pour « faiblesse de constitution », 42 pour teigne et scrofule, 20 pour dentition perdue, 18 pour goître, etc. Malgré cette sélection, l'armée française ne comprenait encore en 1825 que 45 % d'hommes dépassant la taille de 1 m. 640 mm, alors que dès 1900 la taille moyenne de *tous les Français* adultes sera de 1 m. 646 mm.

On comprend alors la réflexion écœurée de Fiévée, préfet de la Nièvre, sortant d'un conseil de revision, en 1813 : « Il y a telle population de singes dans laquelle on trouverait quelque chose de moins hideux que dans ce rassemblement de 361 Français ! »

On imagine volontiers, sur la foi de quelques menus pantagruéliques, que nos pères mangeaient plus que nous. Cela est vrai pour une toute petite minorité de privilégiés, qui pouvaient se payer le luxe d'attraper la goutte et des coups de sang, mais le peuple, dans l'ensemble, était beaucoup moins bien nourri qu'aujourd'hui. Moreau de Jonnès estimait, en 1831, que la consommation moyenne de la viande était de 36 livres par an et par individu ; à Paris, selon les relevés de l'octroi, elle était de 86 livres. Les moyennes, il est vrai, ne signifient pas grand-chose ; mais voici un budget-type d'ouvrier établi par l'administration des mines d'Anzin : on y voit avec stupeur qu'une famille de six personnes n'est pas censée consommer en un an plus de 30 kilos de viande, 10 kilos de beurre, 100 litres de lait, 100 œufs et 5 kilos de sucre. Le fond de l'alimentation est le pain : 1.060 kilos, soit environ 500 gr par jour et par personne. Il en va de même pour le petit peuple des campagnes ; de nombreux témoignages attestent que la viande est une rareté et le pain de froment une friandise qu'on réserve pour les jours de fête ou que l'on garde pour les enfants.

Quant à l'hygiène, un seul trait suffira : il nous est fourni par un autre budget-type, celui qu'ont établi les services de la préfecture de la Seine pour le Parisien moyen. Or, combien de bains M. de Chabrol, préfet de la Seine, accorde-t-il à ses concitoyens ? Deux par an ! et encore l'un d'entre eux est à prendre en été dans la rivière ! Si le sujet n'était pas trop nauséabond, il y aurait beaucoup à dire sur les services de voirie et sur l'insuffisance, ou, pour être plus exact, sur l'inexistence de ces installations sanitaires auxquelles un grand empereur romain a donné son nom et que notre siècle considère comme indispensables.

Le bon vieux temps ! Comme ils seraient désagréablement surpris, s'ils pouvaient être exaucés, ceux qui, sur la foi de légendes sentimentales, souhaitent parfois s'y retrouver !

Si l'on passe du domaine des corps à celui des esprits, les comparaisons sont plus délicates à faire, et sur ce point on est seulement guidé par des témoignages individuels dont la valeur générale est contestable. Ainsi, les Français de 1830 nous apparaissent plus spontanés que nos contemporains, plus accessibles à l'enthousiasme, plus crédules, plus gais, plus détendus, plus insouciants, plus simples dans leurs goûts, plus stables, plus sociables, plus polis, en un mot, plus heureux de vivre : tout cela se sent à travers les mémoires, les correspondances, la presse et l'imagerie du temps. Mais il serait bien difficile d'en apporter des preuves positives.

Indirectement, toutefois, certaines statistiques nous apportent quelques termes de comparaisons. Ce sont, par exemple, et encore une fois, les observations des conseils de revision militaires. Grâce à leurs relevés, nous savons que sur l'ensemble des jeunes gens de la classe 1829, il n'y en a que 41 % qui sachent lire et écrire, contre plus de 52 % totalement illettrés ; et cette proportion représente encore un progrès sensible sur l'état de choses constaté au début de la Restauration. Si l'on songe que les générations élevées sous la Révolution et sous l'Empire ont été en bonne partie laissées en friche, si l'on considère que l'éducation des filles était bien plus négligée encore que celle des garçons, on peut croire sans exagération que près des trois quarts des Français d'alors étaient illettrés. Une estimation sérieuse, donnée en 1832 par la *Société de Statistique universelle* de Paris, portait même cette proportion aux 5/7.

On comprend dès lors l'influence que pouvaient exercer, dans les villages, les curés du haut de leurs chaires, et, sur un autre plan, les conversations de cabarets ou de marchés, sans parler des chansons qui étaient, avec le catéchisme, les seules choses que l'on apprît par cœur.

Moins bien nourris et beaucoup moins instruits que les Français de 1950, ceux de 1830 devaient être cependant plus équilibrés et, dans l'ensemble, plus heureux. C'est du moins ce que l'on peut conclure des statistiques des suicides et des cas de folie, deux faits assez faciles à constater en tous temps.

De 1826 à 1830, le chiffre moyen annuel des suicides a été de 1.827, soit 50 pour 1 million d'habitants. En 1946, il a été de 4.321, soit 106 pour 1 million. En 1830, il y avait en France environ 30.000 aliénés, en 1950, 80.000. Ici encore, la proportion va du simple au double ; cette coïncidence n'est-elle pas frappante ? Les laudateurs du bon vieux temps n'auraient-ils pas raison après tout ?

Les statistiques de la criminalité ne sont pas moins suggestives, bien qu'il faille évidemment tenir compte de l'activité accrue de l'appareil policier et répressif, comme de l'augmentation des délits prévus par la loi. Mais quoi, un meurtre est toujours un meurtre, un vol toujours un vol, et nos pères n'étaient pas plus disposés que nous, moins que nous très probablement, à se laisser voler et assassiner impunément. Que disent donc les statistiques des cours d'assises ? Pour les cinq années 1826-1830, elles ont connu annuellement de 589 cas d'homicides volontaires et de 305 cas de viols et attentats à la pudeur. Les chiffres correspondants pour les années 1934-1938 sont respectivement de 402 et de 274. En 1826-1830, les tribunaux correctionnels ont jugé annuellement 12.576 cas de vol simple ; en 1934-1938 44.638. On est donc porté à en conclure que si nos pères se laissaient plus facilement emporter par la passion, leur sens de la justice et de la propriété était plus solide que celui de nos contemporains.

Le domaine secret de la morale familiale et sexuelle n'est pas lui-même à l'abri des indiscrétions de la statistique, et l'histoire sociale ne saurait s'en désintéresser. On imagine souvent la société de la Restauration maintenue par l'influence conjuguée de l'Eglise et de l'Etat dans une austérité sans défaillance. Sait-on qu'à Paris seulement, en 1824, fonctionnaient sous patente délivrée par le préfet de police Delavau — un pieux congréganiste — 163 maisons de tolérance, c'est-à-dire 18 de moins qu'en 1945 dans tout le département de la Seine ? Cette même année, il y avait 2.653 filles en carte, régulièrement inscrites à la préfecture et soumises à des visites médicales périodiques, et l'on estimait à cinq ou six fois ce chiffre le nombre des « irrégulières » ou clandestines, opérant dans les hôtels borgnes ou même en plein vent dans les terrains vagues de la capitale ou à proximité des barrières. En 1829 seulement, sous le ministère Polignac, le préfet de police Mangin se décida a sévir contre les scandales les plus visibles ; il obligea les propriétaires d'hôtels trop accueillants à demander une patente de maison de tolérance ou à cesser leur malhonnête commerce ; un arrêté du 1er mai 1830 défendit aux prostituées de tout acabit de se montrer dans les rues. L'émotion soulevée par ces mesures chez les souteneurs et les clients de ces dames se reflète dans le nombre étonnant de brochures de protestation publiées à cette occasion ; le ressentiment que s'attira ainsi Mangin parmi le peuple turbulent des étudiants, des militaires et des ouvriers n'a probablement pas été étranger à l'ardeur qu'ils manifestèrent contre lui au cours des journées de Juillet. Voilà un facteur « moral », dont les vainqueurs des Trois glorieuses n'ont pas songé à se vanter !

Les relevés de l'état civil dévoilent d'autres défaillances dans la morale. De 1824 à 1830, il naît, en moyenne, chaque année, 70.000 enfants naturels, auxquels il faut ajouter sans aucun doute la très grande majorité des enfants trouvés et abandonnés, qui sont au nombre de 33.000 environ. A Paris, si l'on en croit Dupin, sur trois enfants qui naissent, il y a un bâtard. L'année 1945 n'a compté que 65.000 naissances illégitimes, mais il faut considérer que le total des naissances (622.000) a été lui-même inférieur aux chiffres d'avant 1830, et d'ailleurs toute comparaison est rendue vaine par le fait que la connaissance et la pratique des méthodes anticonceptionnelles n'étaient pas répandues jadis hors de la classe des professionnelles du vice. On peut seulement conclure ce chapitre délicat en affirmant que les Français de 1830 n'étaient pas beaucoup plus vertueux que ceux d'aujourd'hui.

Et pourtant, la Restauration apparaît comme une époque où les vertus familiales, même si on leur a fait quelques entorses, ont été à l'honneur plus qu'à bien d'autres moments. Réaction sociale naturelle, après des années où les guerres avaient arraché les époux et les fils aux foyers ; ambiance favorable d'un régime qui aime à se parer d'un caractère paternel et familial ; le roi, c'est le père, par opposition au maître impitoyable qu'était l'Empereur. « Vive notre père de Gand ! » chantait-on un peu niaisement en juillet 1815. Plus tard, ce sera la naissance de « l'enfant du miracle », le duc de Bordeaux, qui fera d'un berceau le symbole de l'espérance du régime. L'hymne favori dans les cérémonies officielles est : « Où peut-on être mieux qu'au sein de sa famille ? »

Naturellement, le renouveau religieux dans la haute société qui fait profession de renier le scepticisme du

XVIIIe siècle, contribue à cet état d'esprit. Dès 1816, la Chambre introuvable a supprimé le divorce inscrit dans le code napoléonien. Charles de Rémusat constatera en 1827 : « La fidélité a cessé d'être un ridicule et l'amour légitime une niaiserie. »

Il ne semble pas que la Révolution ait tellement détendu les liens de la solidarité familiale ; l'autorité du père reste toujours aussi absolue, et les mariages sont encore le plus souvent réglés par les parents sans consultation des principaux intéressés. Il en est ainsi du haut en bas de l'échelle sociale. « Mon père, raconte Sébastien Commissaire, fils d'un petit artisan rural, était d'une sévérité excessive ; quand il commandait, il fallait obéir à l'instant, sans cela les coups suivaient de peu le commandement... Il croyait avoir le droit de battre sa femme et ses enfants, sans que personne eût rien à y voir... Je me rappelle avoir vu ces idées partagées par un grand nombre d'ouvriers. » Les *Mémoires* d'Agricol Perdiguier donnent le même son de cloche : « Le père, dit-il, était sévère ; souvent nous étions craintifs et tremblants en sa présence. Il n'avait qu'à dire un mot, nous avions tous des ailes pour lui obéir. »

Le code civil maintient la femme dans la dépendance de son mari, mais les étrangers remarquent avec étonnement l'empire réel qu'elle exerce. Dans les petits commerces, c'est la « bourgeoise » qui règne sur la caisse. Le voyageur anglais John Scott décrit avec humour l'intérieur d'un café parisien : Madame trône en majesté au comptoir, accueillant les clients d'un mouvement de tête et d'un sourire, surveillant toutes les allées et venues des serveurs, les rappelant à l'ordre ; quant à Monsieur, il est relégué à la cuisine, et si par malheur il ose montrer son bonnet blanc dans la salle, il s'entend rabrouer d'un ton tellement despotique qu'il n'est même pas colère : « Eh, mon ami ! que faites-vous ici ? Allez, allez ! vite, vite ! »... et il va. Un autre voyageur, Morris Birbeck, a vu à Louviers une femme qui dirigeait avec compétence et autorité un atelier de textiles. A Paris on trouve même des femmes conduisant des « coucous ».

La comtesse d'Agoult évoque les femmes de la haute société : « Jeunes, elles régnaient par leur beauté ; vieilles, elles commandaient au nom de l'expérience, elles gardaient la préséance au foyer, le privilège de tout dire, le droit d'asile et de grâce ; elles décidaient souverainement de l'opinion dans les délicatesses de la bienséance et dans les délicatesses de l'honneur. » Le symbole de la condition de la femme mariée, et son refuge inviolable, est le boudoir, la pièce la mieux située et la mieux ornée de la maison. Les influences féminines sont toutes puissantes quand il s'agit d'obtenir une place ou une faveur de l'administration. Dans les antichambres ministérielles, les élégantes solliciteuses ont le pas sur la foule des malheureux qui attendent depuis des heures, et la vieille marquise au verbe haut foudroie de son assurance huissiers et employés.

II

La société française est-elle, comme le veut la théorie du Code civil, « une poussière d'atomes égaux et disjoints » ? Non, bien entendu. Outre les liens familiaux qui ont résisté à tous les bouleversements, il existe de nombreux principes de distinction et de solidarité qui répartissent la masse des Français en classes ou groupes sociaux. Mais il est bien difficile d'y voir clair, car ces lignes de partage, mouvantes et indécises, se croisent et se recroisent en un dessin inextricable autant que flou.

Les distinctions sociales de l'Ancien régime, fondées sur des privilèges juridiques, n'existent plus, mais il a été plus facile de les effacer du code que des mœurs, et elles continuent à marquer des groupes distincts. L'argent est un autre facteur de discrimination sociale, qui tend à devenir le principal ; son importance se renforce du fait que, par la constitution, il est devenu la base du pouvoir politique : électeurs à 300 francs et éligibles à 1.000 francs forment, dans la nation, une nouvelle classe de privilégiés ; mais il faut se souvenir que ce sont principalement les revenus fonciers qui servent de base au calcul du cens électoral ; il est certain qu'une répartition des Français en classes strictement déterminées par la fortune serait assez différente de celle que suggère la structure de l'électorat. Un troisième principe de distinction sociale se superpose aux précédents : c'est celui des professions exercées. Certaines d'entre elles, comme celles d'ecclésiastique, de militaire, de fonctionnaire, sont assez spéciales pour caractériser un groupe, et encore, au sein de chacun d'eux, la hiérarchie crée des divisions multiples. Mais les autres ont des frontières bien incertaines : dans quelle catégorie placera-t-on par exemple le banquier qui se livre au grand commerce ou qui commandite une affaire industrielle, le négociant qui dirige un circuit de « fabrique », le militaire et le fonctionnaire qui continuent à diriger l'exploitation de leurs terres, le petit artisan qui vend les produits de son travail, le paysan qui tisse à domicile ou qui se livre, pendant une partie de l'année, au roulage ou au colportage ?

Trois autres facteurs contribuent encore à la confusion du tableau. D'abord la politique : dans la haute société, le monde libéral ne fraie point avec le monde royaliste ; un La Fayette, par exemple, noble, émigré, grand propriétaire terrien, se trouve coupé de sa classe d'origine par ses fréquentations politiques, et inversement, de grands bourgeois royalistes, tels que le banquier Jauge, s'agrègent à la société du faubourg Saint-Germain. En second lieu, la société parisienne est bien différente de la société provinciale, et d'une province à l'autre les principes de distinction sociale sont fort diversement appréciés. Enfin la Révolution et l'Empire ont déclenché dans toutes les couches de la société un mouvement ascensionnel général, qui déplace rapidement les individus et les familles sur l'échelle des valeurs que constituent les fortunes et les professions. Dans l'ancienne France, la règle habituelle voulait que les fils embrassent la profession paternelle ; maintenant les enfants veulent dépasser leurs parents et ceux-ci font les plus grands sacrifices pour les voir réaliser les ambitions auxquelles ils ont dû eux-mêmes renoncer. Louis Veuillot rapporte un dialogue naïf entre ses parents, qui rappelle curieusement les rêveries du jeune Julien Sorel : « Ma pauvre Marianne, dit le père, tu es folle. Est-ce qu'on a jamais vu des enfants d'ouvriers comme nous devenir notaires ? — Pourquoi pas ? Napoléon était caporal, il est bien devenu empereur. » Imaginaire ou véritable, cette image d'Epinal éclaire le sens profond de l'attachement des masses à la mémoire de l'Empereur, et illustre la grande révolution sociale du XIXe siècle.

Au bout du compte, dans cette société aux aspects infiniment variés et changeants, et si l'on met à part les cadres de l'Eglise et de l'Etat, dont il sera question ci-après, on ne voit vraiment que deux classes dont il soit possible de définir l'individualité en termes à la fois assez précis et assez généraux pour s'appliquer à toute la France : la noblesse et les ouvriers d'industrie. Et la bourgeoisie ? dira-t-on. Certes, elle existe, et déjà se dessine pour elle l'heure du triomphe complet, mais comment cerner ses limites dans une société où elle se grossit rapidement de tous les éléments qui échappent au travail manuel ? Comment la décrire sans entrer dans le détail des professions diverses ? Vaste et multiforme comme la nation elle-même, dont elle constitue l'élite dirigeante, elle se différencie comme elle d'une province à l'autre. Ceux qui ont prétendu faire l'histoire de cette classe au XIXe siècle se sont trop souvent bornés à généraliser indûment pour toute la France les observations faites sur la bourgeoisie parisienne. Il ne sera possible d'écrire valablement cette histoire qu'après avoir multiplié les études sur le plan local et professionnel. Il en va de même pour les classes rurales.

L'existence de la noblesse était reconnue par la Charte : « La noblesse ancienne reprend ses titres, la nouvelle conserve les siens, le roi fait des nobles à volonté, mais il ne leur accorde que des rangs et des honneurs sans aucune exemption des charges et des devoirs de la société. » (Art. 71.) D'autre part, la création de la Chambre des pairs, organisant un pouvoir aristocratique à côté du pouvoir royal et de la représentation nationale élective, semblait promettre à la noblesse une influence politique plus régulière et plus effective même que celle dont elle avait pu jouir sous la monarchie absolue. Ce n'était toutefois qu'une apparence ; il suffit de penser à la différence qui séparait les Chambres de la noblesse des anciens Etats généraux, vraiment représentatives de la noblesse du royaume qui les avait élues, et la Chambre des pairs, simple émanation du pouvoir royal, qui pouvait y introduire à son gré des éléments d'origine roturière.

L'ordonnance du 19 août 1815, instituant l'hérédité de la pairie et une sorte de hiérarchie des titres au sein de la Chambre haute, assura du moins une espèce d'indépendance supplémentaire à ce corps, sans pour autant le rendre plus représentatif. « Nous n'avons plus, ou nous n'avons pas encore d'aristocratie, dit Royer-Collard, en février 1816, il nous faut la recevoir du temps. Le pouvoir aristocratique créé par la Charte n'est encore qu'une fiction ; il réside uniquement dans les vertus, le courage et les lumières des hommes à qui il est confié. Il ne se réalisera que quand il sera l'expression fidèle de supériorités réellement reconnues. »

Quelles supériorités ? Celle de l'intelligence et de la culture ? mais cela ne se commandait pas. Celle de l'autorité qui vient des fonctions dans l'Etat ? mais on ne songeait pas à recommencer ce qu'avait voulu faire Napoléon, une sorte de *tchin* à la russe. Celle des services rendus ? mais l'hérédité accordée à la pairie limitait singulièrement les ouvertures de ce côté. Restait alors la supériorité de la fortune, base du pouvoir politique dans le système électoral issu de la Charte ; la fortune terrienne, notamment, paraissait de nature à donner à l'aristocratie l'assiette indispensable, et c'est de ce côté que l'on s'orienta, en cherchant à pallier les effets du partage égal des héritages prévu par le Code civil.

Une ordonnance du 25 août 1817 décida que nul ne serait plus appelé à la Chambre des pairs, s'il n'avait préalablement constitué un majorat, c'est-à-dire une portion de biens inaliénable, indivisible, insaisissable, destinée à passer au fils aîné en même temps que le titre de pair ; le montant de ce majorat devait être en rapport avec la hiérarchie des titres : 30.000 francs de revenus pour un duc, 20.000 francs pour un comte, 10.000 francs pour les vicomtes et les barons.

On chercha ensuite à étendre ces dispositions à l'ensemble de la noblesse : les titres de noblesse accordés par le roi ne seraient transmissibles aux fils que sous condition de la formation d'un majorat d'un montant de 10.000 francs pour un marquis, de 5.000 francs pour un vicomte (10 février 1824). Mais ces conditions étaient encore trop onéreuses pour la très grande majorité des nobles, pourvus de nombreuses famille. En 1826, 307 majorats seulement s'étaient constitués en dehors de la pairie ; sur ce nombre, 105 dataient de l'Empire. La fameuse loi sur les successions, présentée en 1826, devait, dans l'idée de ses promoteurs, remédier à cette situation, mais on sait qu'elle fut repoussée par la Chambre des pairs elle-même.

Les familles nobles, qui n'avaient plus comme jadis les libéralités du roi pour soutenir leur rang, donnèrent l'assaut au budget de l'Etat, cherchant à obtenir priorité pour toutes les places rétribuées, même celles que l'ancienne aristocratie n'aurait pas cru pouvoir accepter sans déchoir. On vit ainsi de nombreux gentilhommes officiers de gendarmerie, juges de paix, percepteurs, receveurs, contrôleurs, employés de ministères, agents voyers, maîtres de postes, même. Pour la première et la dernière fois dans l'histoire moderne de la France, le prestige venant de la naissance et du nom se trouva joint au pouvoir politique et administratif. Le service de l'Etat y gagna, à défaut de compétences toujours bien éclairées, une classe de serviteurs d'une intégrité exceptionnelle, habitués à faire passer les intérêts matériels après l'honneur de servir. Malgré les vitupérations de l'opposition contre les « ventrus » de la majorité ministérielle, il n'y eut jamais moins de scandales politico-financiers qu'à cette époque.

Par contre, cela ne devait pas faire l'affaire de la bourgeoisie qui se voyait ainsi frustrée d'un des principaux résultats de la révolution. Ses espoirs déçus s'exhalèrent en plaintes sur la « réaction féodale », et il faut y voir une des causes principales qui firent échouer la Restauration auprès des classes moyennes.

De là vient aussi l'importance, qu'on a peine à concevoir aujourd'hui, de l'irritante question des titres de noblesse. L'ancienne aristocratie ne possédait que fort peu de titres régulièrement concédés par brevet royal ou lettres patentes ; ses membres, quand ils ne prenaient pas un titre seigneurial attaché à une terre, se qualifiaient simplement de « chevaliers » et « d'écuyers ». Au retour du roi, ils se trouvèrent donc, au point de vue de la titulature, dans une situation fort désavantageuse par rapport à la noblesse d'Empire dont tous les titres se rattachaient à un acte officiel. « L'ancienne noblesse reprend ses titres », disait la Charte, mais la plupart des nobles de naissance, qui n'étaient que des enfants en 1789, n'en avaient jamais porté ! D'un commun consentement, ils « reprirent » donc des titres choisis à leur gré, seul celui de duc restant réservé à une nomination formelle du roi. Un certain nombre de nobles eurent le souci de faire régulariser ces nouveaux titres par des lettres patentes nouvelles, mais comme les formalités à remplir étaient difficiles et les frais de chancellerie élevés, la plupart s'en dispensèrent et se contentèrent d'être marquis, comtes, vicomtes ou barons par la grâce de leur propre volonté ; c'est ce qu'on appelait des « titres de courtoisie ».

Cette même préoccupation d'affirmer une qualité à laquelle manquait une base juridique donna dès lors à la particule *de* une importance et une signification qu'elle n'avait pas eues sous l'Ancien régime. Il n'y eut pas de Dubois ou de Dupont qui ne voulût, pour le succès de sa carrière, s'appeler Dupont ou Dubois *de* quelque chose. Heureux ceux qui pouvaient, comme le ministre Decazes, faire apparaître la précieuse particule par le simple jeu d'une césure bien placée ! On imagine les supercheries et les ridicules auxquels donna lieu cette course à la noblesse. Les parents du grand Balzac, honnêtes roturiers, s'il en fut jamais, mariant leur seconde fille à un Monsieur *de*... croyaient devoir faire imprimer deux sortes de faire-part différents : l'un où ils se nommaient *de* Balzac à l'usage du monde où entrait leur fille, l'autre qui leur donnait Balzac tout court, à l'usage des anciens amis qu'auraient pu égayer les prétentions nouvelles de la famille. N'est-il pas savoureux ce petit fait, et révélateur de l'esprit d'une société plus que de longs traités ?

Le nombre exact des ouvriers d'industrie est bien difficile à connaître. Une statistique de 1820 donne 4.300.000 personnes vivant de l'industrie contre 22.251.000 dans les autres professions ; mais il s'agit là des familles et non des individus, en outre, comme on l'a déjà remarqué, beaucoup de cultivateurs pouvaient donner une partie de leur temps à des travaux industriels. Une autre indication est celle des statistiques des conseils de révision qui comptent en moyenne une proportion de 228 « industriels » contre 516 agriculteurs, sur 1.000 recrues inscrites.

La condition ouvrière est fort différente suivant qu'il s'agit des métiers artisanaux, des prolétaires de la grande industrie ou des ouvriers-cultivateurs des campagnes. Ces derniers ont, sur les autres, l'avantage de vivre chez eux et de pouvoir subsister à meilleur compte. Par contre leurs salaires subiront une baisse constante du fait de la concurrence impitoyable de la grande industrie concentrée, qui amènera fatalement leur disparition. Par exemple, les ouvriers mousseliniers de la région de Tarare, qui gagnaient, en 1820, 40 à 45 sous par jour, quinze ans plus tard, n'en gagneront plus que 28 à 30. Les prix payés à Rouen, en 1815, pour une douzaine de mouchoirs, variaient suivant la largeur, de 5 à 30 francs ; ils tomberont à 1 fr 50 et 4 fr 50. Au reste, les conditions de vie de cette catégorie de travailleurs étaient très différentes d'une région à l'autre, comme les conditions de la paysannerie dont ils continuaient à faire partie.

L'aristocratie dans ce monde du travail est celle des ouvriers des métiers urbains, qui gardent la traditionnelle structure artisanale, si favorable à l'épanouissement des meilleures qualités humaines. La journée de travail, certes, est longue, mais comme sa durée est généralement réglée par celle de la lumière du jour, les longues soirées d'hiver apportent quelques loisirs ; puis, on respecte généralement l'interruption pour les repas, de 9 à 10 heures et de 2 à 3 heures ; enfin, on profite du repos dominical et de celui qu'apportent les fêtes religieuses chômées et les fêtes corporatives. Le compagnon est souvent logé par le patron, mange et travaille avec lui ; ou bien, s'il est membre d'un compagnonnage, il loge avec des jeunes gens de son âge dans l'auberge hospitalière de la « mère » où règne une atmosphère familiale. Son salaire est généralement suffisant pour lui assurer une honnête aisance : à Paris, en 1820, 5 francs par jour pour un serrurier, 4 fr 50 pour un couvreur, 3 fr 50 pour un tailleur de pierres, 3 fr 25 pour un charpentier.

En dehors du travail, l'artisan porte une grande attention à sa tenue vestimentaire, et rien, extérieurement, ne le distingue du patron ou des petits bourgeois. La blouse, dont on a voulu faire ensuite une sorte de symbole de la condition ouvrière, est en fait un vêtement d'origine campagnarde et ne s'est introduit dans le monde ouvrier qu'à la faveur de l'afflux des éléments déracinés des campagnes par la grande industrie. Certains métiers ont un costume traditionnel ; les canuts lyonnais portent un habit bleu barbeau, un pantalon jaunâtre, une chemise à col empesé et très haut, une cravate blanche, des bas bleus, et un chapeau de la forme dite *ballon*. Chez tous les ouvriers la coiffure a une grande importance et le débraillé est sévèrement proscrit. Certains portent des boucles d'oreilles ou des breloques représentant les instruments du métier. Les divertissements sont simples et honnêtes : jeux de boules, de cartes, parties de pêche, chansons, théâtre, bals corporatifs, lectures même, car il y a chez certains une véritable soif de culture. Perdiguier raconte qu'à Bordeaux les compagnons se réunissaient le soir dans une chambre où l'un d'eux leur lisait des tragédies de Racine, de Ducis, de Piron, de Voltaire : « Nous aimions surtout les pièces sombres, terribles ; plus il y avait de morts à la fin d'une tragédie, plus nous la trouvions sublime, magnifique, parfaite. » Pour lui, il a lu aussi en son particulier le *Discours sur l'histoire universelle* de Bossuet, la *Henriade*, la *Jérusalem délivrée*, etc.

Parmi ces ouvriers, l'esprit d'association est vivace, et c'est là encore un signe de santé. En dépit de la loi Le Chapelier, certains corps de métiers organisés subsistent, avec leurs dignitaires élus, leurs règlements, leur monopole, leurs institutions de secours mutuel ; ainsi les portefaix et les calfats de Marseille, la « brigade des harnacheux » de Lille, les forts de la Halle de Paris.

Très nombreuses sont les sociétés de secours mutuel : 160 à Paris, en 1823, 34 à Marseille, en 1821, 113 à Lille, en 1830. La législation les autorise et ceux que commence à préoccuper la question sociale ne sont pas loin d'y voir une panacée. La Société philanthropique de Paris qui groupe des bourgeois avec des représentants des professions se donne pour tâche de leur servir de lien, de les encourager, d'attirer sur elles la bienveillance des pouvoirs publics.

Trop éphémères, trop restreintes dans leurs effectifs, trop bien surveillées par les autorités, ces sociétés mutuelles ne pouvaient jouer de rôle efficace dans la défense des intérêts ouvriers. En 1828, un chef d'atelier de soierie, nommé Pierre Charnier, catholique et bon royaliste, créa parmi les canuts de Lyon une association qui peut être considérée pour le monde ouvrier de l'époque comme la formule la plus proche des modernes syndicats. Sous le nom de *Société du Devoir mutuel*, elle devait non seulement fonctionner comme une société de prévoyance et d'assistance, mais aussi organiser la résistance à la baisse des salaires. La forme de société secrète avait été adoptée afin d'éviter l'intervention de la police, et pour rester dans la lettre de la loi, elle était subdivisée en groupes de vingt adhérents. Par son organisation comme par l'esprit qui animait son fondateur c'était une sorte de contre-maçonnerie, de contre-charbonnerie, destinée à combattre le libéralisme bourgeois dans ses pompes et dans ses œuvres. Toutefois l'organisation de Charnier ne devait prendre quelque importance qu'après 1830.

Les principales organisations ouvrières sont les compagnonnages, qui existent dans les métiers suivants : cordonniers, mégissiers, chamoiseurs, tanneurs, corroyeurs, chapeliers, tonneliers, charrons, serruriers, ferblantiers, charpentiers, menuisiers, tailleurs de pierres. Agricol Perdiguier estime à 100.000 le nombre de leurs membres actifs, une minorité dans le monde du travail, mais aussi une élite qui donnait le ton. Sans avoir d'existence légale, ces compagnonnages étaient tolérés par les autorités qui reconnaissaient l'impossibilité pratique de les dissoudre ; les patrons artisans, contrairement aux maîtres des anciennes corporations, s'accommodaient fort bien de leurs activités en raison des garanties de capacité, de probité et de stabilité que ces organisations leur apportaient.

La réalisation la plus heureuse et la plus connue des compagnonnages était le fameux « tour de France », grâce auquel les jeunes gens pouvaient à la fois se perfectionner dans leur métier et acquérir une précieuse expérience des hommes et de leur pays. Chaque société, ou *Devoir,* avait son réseau de maisons d'accueil appelées *Mères* ; les jeunes compagnons y trouvaient le gîte et le couvert aux meilleures conditions ; elles servaient aussi de siège à la société locale, ou *cayenne.* A l'arrivée d'un compagnon le *rouleur* de semaine se chargeait de lui trouver de l'embauche. Si par hasard il n'y avait pas de travail à lui donner, il pouvait à son gré continuer son voyage sur une autre ville, et alors chaque membre de la *cayenne* lui versait un viatique d'un franc — ou bien déclarer son désir de rester, et alors c'était au premier arrivé à lui céder la place et à reprendre la route. Les anciens compagnons veillaient sévèrement sur la conduite et l'honnêteté des sociétaires ; tout écart de langage, toute négligence dans la tenue étaient sanctionnés par des amendes. Malheur surtout au *brûleur* qui partait sans régler ses dettes ; désormais, il trouverait partout porte close et aurait bien du mal à se faire embaucher. Avant de quitter une place, il fallait procéder au *levage d'acquit,* courte cérémonie, dans laquelle le patron et le compagnon, en présence du *rouleur,* déclaraient formellement qu'ils étaient quittes l'un envers l'autre. Tout en poursuivant son voyage le jeune artisan gravissait les degrés de la hiérarchie compagnonnique : aspirant, compagnon reçu, compagnon fini ; lors de sa réception qui se faisait suivant des rites traditionnels, il recevait le nom sous lequel il serait désormais connu dans l'association. Rien de plus savoureux et de plus évocateurs que ces noms de guerre : Vivarais-le-Cœur-content, Poitevin-la-Clef-des-cœurs, Languedoc-la-Sagesse, Montpellier-l'Amour-fidèle, Agenais-la-Fidélité, Toulousain-la-Fraternité, etc.

Tout n'était pas parfait dans les compagnonnages ; les anciens traitaient trop rudement les aspirants, les amendes donnaient souvent lieu à des beuveries, et surtout le mouvement se divisait en différentes branches, ou *Devoirs,* qu'opposaient des haines aussi féroces qu'ineptes : Gavots, Devorants, Loups-garous, Compagnons passants, Compagnons étrangers, Renards de liberté, se heurtaient en rixes souvent sanglantes, qui amenaient l'intervention de la police et déconsidéraient l'institution. Lorsque dans un atelier des *gavots* remplaçaient des *dévorants,* ou réciproquement, les nouveaux venus brûlaient du soufre, de la résine, de l'encens, répandaient du vinaigre et de l'eau de Cologne sur les outils, pour « désempester » le lieu et les instruments du travail.

Ces excès n'empêchaient pas, du reste, ces ouvriers d'être en général de bons chrétiens et de tenir à honneur de marquer les fêtes patronales par des messes où ils se rendaient en cortège, arborant fièrement leurs insignes : flots de rubans au chapeau et à la boutonnière, baudriers brodés, hautes cannes enrubannées. Dans certaines associations le compagnon devait communier au jour de sa réception. Pour le détail pittoresque de ces coutumes, il faut renvoyer aux *Mémoires* et aux œuvres documentaires de l'admirable Agricol Perdiguier, Avignonnais-la-Vertu, qui se proposait de consacrer sa vie à purger l'institution de ses défauts et à en étendre les bienfaits dans le monde ouvrier. S'il devait échouer finalement dans son noble dessein, du moins a-t-il puissamment contribué à sa survivance et fourni l'image réconfortante d'un des plus beaux types d'humanité qui aient honoré sa classe et son temps.

Cet échec de Perdiguier était fatal. Les compagnonnages nés au sein du monde artisanal n'étaient pas adaptés au monde ouvrier nouveau que faisait alors lever la grande industrie naissante. En passant de l'un à l'autre, on a l'impression accablante de tomber dans un sombre univers où les individus, déshumanisés, laminés par la misère, ne sont plus que des larves anonymes dans une masse sans espoir. L'ouvrier d'usine est l'esclave de la machine, et d'une machine rudimentaire, construite sans le moindre souci de la fatigue, de la santé, de la sécurité de son serviteur. La longue journée de travail, supportable dans le cadre de l'atelier familial, lorsqu'elle s'applique à des travaux variés et créateurs, devient abrutissante lorsqu'elle est soumise à la discipline rigoureuse d'un même geste mécanique et qu'elle se passe dans un local empuanti par l'odeur des machines et la concentration des hommes.

Contrairement à la main-d'œuvre des métiers traditionnels, d'origine plutôt urbaine, et qui démarre dans la vie avec un capital de culture professionnelle qui fait sa force et sa dignité, cette main-d'œuvre de la grande industrie est recrutée dans les campagnes les plus pauvres ; elle ne sait rien, ne possède rien, elle est prête à se laisser embrigader et exploiter avec une docilité animale, comme au début du XXe siècle les noirs d'Afrique du sud dans les *compounds* des mines d'or ou les coolies chinois dans les plantations de Malaisie. Enfin, les machines permettent l'emploi des femmes et des enfants, et comme on peut les payer moins cher, les contraindre plus facilement, les patrons les embauchent de préférence aux hommes.

Villermé décrit l'aspect de ces foules misérables qu'il a vues en Alsace : « Il faut les voir arriver chaque matin en ville et repartir chaque soir. Il y a parmi eux une multitude de femmes pâles, maigres, marchant pieds nus au milieu de la boue, et qui, faute de parapluie, portent renversés sur leur tête, quand il pleut, leur tablier ou le jupon de dessus pour se préserver la figure ou le cou, et un nombre encore plus considérable de jeunes enfants, non moins sales, non moins hâves, couverts de haillons tout gras de l'huile des métiers tombée sur eux pendant qu'ils travaillent. Ces derniers, mieux préservés de la pluie par l'imperméabilité de leurs vêtements, n'ont pas même au bras, comme les femmes, un panier où sont les provisions pour la journée, mais ils portent à la main, ou ils cachent sous leur veste, comme ils peuvent, le morceau de pain qui doit les nourrir à l'heure de leur rentrée à la maison. »

Une concurrence infernale déprime continuellement les salaires ; un député estime, en 1830, que dans tous les corps de métiers le salaire a diminué en moyenne de 22 % depuis 1800, alors que le prix des objets de consommation a augmenté de 60 %. En fait, les travaux de Simiand tendent à prouver que la baisse des salaires date plutôt de 1820, et que jusqu'à cette époque, leur mouvement général était à la hausse. Il est certain, en tout cas, que les canuts lyonnais ne gagnaient, en 1830, que le tiers de leur salaire de 1810. L'économiste Dupin, estime qu'en 1827 le salaire moyen annuel de l'ouvrier varie entre 492 et 587 francs, 77.000 à 93.000 francs d'aujourd'hui. Dans le Nord, on note des salaires de 3 fr à 1 fr 50 pour les hommes, de 0 fr 50 à 1 fr 25 pour les femmes. Dans le Haut-Rhin, de 2 fr 50 à 1 fr 50 pour les tisserands, de 0 fr 50 à 0 fr 25 pour les femmes et les enfants. Comment subsister avec de pareils salaires ? L'ouvrier rouennais Noiret assure — et on peut l'en croire — qu'avec toute l'économie imaginable, il était impossible de se nourrir à moins de 1 franc par jour. L'économiste Bigot de Morogues calcule que le minimum vital pour faire subsister une famille de 3 personnes est de 860 francs par an, et le docteur Guépin, à Nantes, considère qu'un ouvrier qui ne gagne pas au moins 600 francs par an est dans la misère. Comment ne seraient-ils pas nombreux dans ce cas ? Le moindre arrêt du travail, la moindre maladie, plonge l'ouvrier bien au-dessous de ce minimum vital qu'il n'atteindrait souvent même pas en travaillant tous les jours de l'année.

Le nombre des indigents augmente d'une façon effrayante dans les départements où se développe la grande industrie. En 1828, sur 224.000 ouvriers du Nord, 163.000 doivent être assistés par les bureaux de bienfaisance ; à la même date, il y en a 80.000 dans le Pas-de-Calais, 63.000 dans la Seine. Villeneuve-Bargemont, préfet du Nord, décrit les taudis où croupissent les malheureux dans un faubourg de Lille : « ... caves souterraines, étroites, basses, privées d'eau et de lumière, où règne la malpropreté la plus dégoûtante et où reposent sur le même grabat le père, la mère, les enfants et quelquefois même les frères et les sœurs adultes. » De telles conditions de vie engendrent les pires déchéances physiques et morales ; les enfants surtout en sont victimes : corps étroits et déformés, vices précoces. Les jeunes ouvrières se prostituent pour suppléer à l'insuffisance de leurs salaires, c'est ce qu'on appelle « le cinquième quart de la journée ». Chez les hommes, l'alcoolisme est la seule évasion et ils s'y adonnent à tel point que, souvent, le lundi, les ateliers restent fermés parce que les ouvriers ne sont pas en état de reprendre le travail après les beuveries du dimanche.

Devant ces horreurs qu'elles déplorent, les autorités locales sont impuissantes, car elles ont les mains liées par la législation issue de la Révolution et que la Restauration a adoptée en bloc. Si un préfet s'avise de vouloir fixer un tarif minimum pour les salaires, il se voit désavoué et tancé par le ministre de l'Intérieur. La doctrine officielle défend au gouvernement de toucher à la « liberté du travail ». Les ouvriers n'ont pas le droit de se défendre eux-mêmes : les « coalitions » et les grèves leur sont interdites et la législation napoléonienne les soumet à une stricte surveillance ; ils doivent avoir un livret délivré par la police, sans lequel ils ne peuvent ni se déplacer ni se faire embaucher. Enfin, la justice a des balances différentes pour les patrons et pour les ouvriers; en cas de contestation sur les salaires , « le maître est cru sur parole », tandis que l'ouvrier doit faire la preuve ; le Code pénal punit de la prison les coalitions d'ouvriers, tandis que celles des patrons n'entraînent qu'une amende ; l'ouvrier doit recourir aux tribunaux pour se faire payer son dû, mais le patron peut se rembourser en retenant une part du salaire ; les conseils de prud'hommes, qui doivent jouer le rôle de justice de paix dans l'industrie, se composent en majorité de patrons et les travailleurs n'y sont représentés que par des contremaîtres et des ouvriers privilégiés.

On conçoit que, dans ces conditions, les coalitions et les grèves aient été rares. De 1815 à 1830, on compte seulement 125 grèves, toutes fort limitées quant à leur durée et quant au nombre des ouvriers impliqués. Il est remarquable, du reste, que presque toutes sont issues de la main-d'œuvre des métiers artisanaux, qui était la moins malheureuse, mais la plus évoluée. Comme l'observe Villermé, le troupeau des esclaves de la machine était trop faible et trop abruti par la misère pour concevoir même l'idée de se révolter. Mais ne serait-ce pas aussi qu'il participait à la passivité résignée de la main-d'œuvre agricole dont il était issu ?

Le parti libéral s'accommodait fort bien de ce régime inique, qui mettait à la disposition de ses grands électeurs des ouvriers dociles. Les protestations vinrent plutôt de la droite, inspirée par la haine de la nouvelle aristocratie industrielle autant que par la charité chrétienne. Mais on n'eut d'abord d'autre remède à proposer qu'une résurrection des anciennes corporations ou un utopique retour à la terre. Ce ne sera que tout à la fin de la Restauration que le vicomte de Villeneuve-Bargemont, préfet dans la Loire-Inférieure, puis dans le

Nord, élaborera les principes d'une nouvelle politique sociale chrétienne, basée sur une enquête étendue de la situation créée par la naissance de la grande industrie. Quant aux réformateurs socialistes, nous les retrouverons ci-après.

En attendant, c'est l'Assistance publique avec ses hôpitaux et ses bureaux de bienfaisance, qui recueille les lamentables débris de la société, et aussi la charité privée, dont l'histoire, si elle était faite, révèlerait, croyons-nous, que les privilégiés de la fortune n'ont pas été aussi insensibles qu'on le dit généralement à la misère ouvrière, mais ils ne s'étaient pas encore rendu compte que le phénomène dépassait les ressources des bonnes volontés individuelles. Peu d'époques ont été plus fertiles en œuvres charitables de toutes sortes, et, la mode venant au secours de la religion, il n'était pas de dame de la haute société qui ne tînt à honneur d'avoir « ses pauvres ». Un seul fait suffit à caractériser le changement d'esprit qui s'est opéré à cet égard après 1815 : alors que, sous l'Empire, la moyenne annuelle des dons et legs aux hospices et hôpitaux était de 1 million de francs, de 1814 à 1830, cette moyenne s'est élevée à 3 millions.

III

Il serait bien intéressant, pour terminer cette étude de la société française du temps de la Restauration, de la décrire dans le déroulement habituel de ses occupations et de ses plaisirs, dans les mille petits riens, d'ordre matériel ou spirituel, qui forment la trame de sa vie quotidienne, dans les relations de toutes sortes qui constituent, au sens propre, la vie de société. Mais cela seul demanderait un volume. On ne trouvera donc ici que quelques traits, choisis parmi ceux qui offrent une portée plus générale ou qui sont les plus utiles pour faire sentir la différence de mentalité entre les Français de jadis et ceux d'aujourd'hui.

« La France, au dix-neuvième siècle, dit Balzac, est partagée en deux grandes zones : Paris et la Province... Autrefois Paris était la première ville de province, la Cour primait la ville ; maintenant Paris est toute la Cour, la Province est toute la ville. » Et en effet, depuis que Paris est devenu le centre d'un gouvernement rigoureusement centralisé, la capitale a pris sur toutes les autres villes une telle primauté morale et intellectuelle, une telle avance au point de vue du progrès matériel, qu'on y vit comme dans un autre monde, sur un autre rythme. Aujourd'hui, la facilité des voyages, l'habitude des villégiatures, multiplient les contacts humains entre Paris et la province ; jadis, si la province venait déjà à Paris pour terminer ses études, pour traiter des affaires, pour mettre en jeu les influences politiques, les Parisiens, par contre, ignoraient presque totalement la province, et, à part les habitants du faubourg Saint-Germain qui passaient l'été dans leurs châteaux, ne quittaient jamais leur ville.

Parmi les provinciaux de Paris, il faut faire une place à part aux nombreux étudiants des facultés et des grandes écoles. Brusquement libérés de l'emprise de leur milieu d'origine, beaucoup plus radicalement séparés de leurs familles qu'ils ne le sont aujourd'hui — tant à cause de la difficulté des communications qu'en raison du régime de la scolarité qui ne comportait presque pas de vacances — cette foule de jeunes déracinés constituait un monde bien spécial, avec ses mœurs, son argot, ses lieux de rencontre et de plaisir. Les jeunes gens de conditions et d'origines les plus diverses prenaient conscience de leur solidarité et de leur pouvoir, avant de se retirer, une fois la trentaine atteinte ou la situation trouvée, derrière les cloisons de leurs classes d'origine ou d'adoption. Faciles à enflammer et bruyants dans leurs démonstrations, ils constituaient le public de choix que flattaient les auteurs, les journalistes et les politiciens. On a eu l'occasion de les voir à l'œuvre dans les troubles de 1820 ; on les retrouvera en 1830.

La capitale elle-même était bien différente de celle que nous connaissons, dans son aspect matériel et jusqu'à son atmosphère, que ne souillaient pas encore les fumées industrielles ni celles du chauffage au charbon. Un voyageur anglais, en 1814, s'extasie sur « sa transparence particulière, dans laquelle les objets se détachent avec une netteté presque stupéfiante », sur la limpidité des eaux de la Seine, « d'un vert cristallin », sur la blancheur des quais et des monuments. Les tableaux de l'époque confirment d'ailleurs cette impression. La ville était encore ceinturée par le mur d'octroi des fermiers généraux avec ses trente-deux barrières toujours militairement gardées. Au-delà, c'étaient des communes semi-rurales, et Balzac, à Passy, devait avoir l'impression d'être aussi loin du centre de la capitale que le « banlieusard » d'aujourd'hui.

On a peine à se figurer l'aspect des rues parisiennes avant Haussman. Etroites et tortueuses, elles étaient pavées de gros blocs de grès mal joints. En principe l'écoulement des eaux se faisait des deux bords vers une rigole centrale, où les habitants déposaient les ordures ménagères en vrac à moins que ce ne fût devant leurs portes, et avant le passage des lourds tombereaux du service du nettoiement, ces immondes débris étaient éparpillés par les chiens et les chiffonniers, broyés et répandus par les voitures. Les latrines des maisons s'y déchargeaient aussi par des plombs plus ou moins corrodés. Si l'on ajoute à cela les traces laissées par les milliers de chevaux en circulation, on pourra comprendre les plaintes des contemporains sur la saleté des voies publiques, les odeurs pestilentielles qu'elles exhalaient en été, la boue où l'on pateaugeait en hiver. Comment s'en protéger ? Il n'y avait pas de trottoirs ; sous

Charles X seulement, on devait commencer à en construire quelques-uns. Pour éviter les voitures, les malheureux piétons n'avaient d'autre abri que les bornes ou les portes cochères. Quant à l'éclairage, c'était toujours le même système que sous Louis XV : des lanternes à huile, suspendues au milieu de la rue. Ce ne fut qu'à la fin de la Restauration que l'on fit les premiers essais de l'éclairage au gaz dans les « passages » commerçants, qui datent presque tous de cette époque. Les vitrines des magasins étaient aussi beaucoup plus rares et plus étroites, les étalages sans aucune recherche. Les ancêtres de nos grands magasins, qu'on désignait alors sous les noms de « magasins de nouveautés » ou « omnium », s'appelaient *les Vêpres siliciennes, la Fille mal gardée, le Soldat laboureur, les Deux magots, le Petit Saint-Thomas, le Gagne-denier, le Petit Matelot*, etc. Un des plus grands, celui des *Trois Quartiers*, fondé en 1829, occupait seulement les étages inférieurs de deux immeubles d'habitation.

La différenciation sociale des quartiers n'était pas aussi marquée qu'aujourd'hui ; au lieu de se faire sur le plan géographique ou horizontal, elle était pour ainsi dire verticale ; les classes s'étageaient du bas en haut des immeubles, suivant les loyers qui allaient en décroissant, ce qui se conçoit à une époque qui ne connaissait pas les ascenseurs. Ainsi, dans une maison de la place Vendôme, qui était une situation des plus recherchées, le premier étage se louait à raison de 600 francs par mois et les attiques pour 40 francs ; ailleurs, les loyers des petites gens pouvaient varier de 50 à 400 francs *par an*. De ce fait, les classes sociales les plus diverses se coudoyaient dans les escaliers et le riche bourgeois du premier, ne pouvant ignorer la misère qui sévissait dans la mansarde, se trouvait porté plus facilement à la soulager. Toutefois, l'augmentation rapide des loyers — 25 % entre 1817 et 1827 — commençait à pousser les moins fortunés à aller s'établir en dehors des murs : c'était le début du phénomène de la « banlieue ».

Le quartier le plus nettement différencié au point de vue social est le faubourg Saint-Germain, avec ses nobles hôtels protégés du tumulte de la rue par des cours et des porches que garde souvent un suisse ; une seule rue commerçante le traverse : la rue du Bac. Mais plus qu'une réalité matérielle, le faubourg Saint-Germain représente alors un groupe social, celui de la haute noblesse, et son influence n'a jamais été plus grande ni sa vie plus brillante qu'à cette époque. C'est là, et non à la Cour des Tuileries, que se trouve le centre de la vie de société.

La Cour, descendue de son empyrée versaillais, et comme noyée dans la grande capitale, a perdu beaucoup de son prestige et de son rayonnement. Un brave curé nantais, visitant Paris, en 1827, note avec indignation, l'indifférence des Parisiens à l'égard des princes : « Un chien qui tombera dans la Seine attirera davantage leur curiosité que la famille royale se promenant dans Paris. » Bien des raisons expliquent cette éclipse, et pour commencer, le nouveau système financier qui limitait forcément les dépenses somptuaires. La liste civile du roi, votée une fois pour toutes au début du règne, avait été fixée à 30 millions pour Louis XVIII et 25 millions pour Charles X, plus 7 millions pour les princes ; les domaines royaux produisaient en outre 8 millions environ par an. Mais sur ce budget, le roi devait assurer la paie extraordinaire des compagnies des gardes du corps, entretenir les châteaux royaux ; une grande partie était absorbée par les pensions faites à d'anciens serviteurs, aux victimes de la Révolution, aux artistes et hommes de lettres, et quand il s'agissait d'œuvres charitables, la munificence des princes paraissait sans limites. Enfin, la liste civile soutenait également les manufactures royales, le garde-meuble, les musées du Louvre, l'Opéra, etc. Que restait-il alors pour les dépenses de la Cour proprement dite ? Dans les dernières années de la Restauration, les dépenses de la maison civile s'élevaient à 1.600.000 francs, celles des écuries royales à un peu plus de 2 millions.

Alors même qu'ils l'auraient pu, ni Louis XVIII ni Charles X n'étaient d'humeur, ou de taille, à faire revivre les fastes de Versailles. Le seul plaisir du roi podagre était la conversation dans un petit cercle, celui de Charles X, la chasse ; l'un et l'autre étaient des vieillards, aimant surtout le calme, et la vie d'émigration les avait accoutumés à un train de vie relativement simple. Sous Louis XVIII, les circonstances imposèrent le plus souvent la réserve : l'occupation étrangère, la misère du pays, le deuil pour le duc de Berry, puis la santé défaillante du roi. L'avènement de Charles X devait ranimer un peu la vie de Cour ; il y eut des réceptions ordinaires, des « cercles », tenus une fois par semaine, des parties de chasse à Rambouillet et à Compiègne, des soupers publics ; mais la présence de la duchesse d'Angoulême, froide et morose, imposait la contrainte et l'on s'ennuyait ferme au Château. Les courtisans y paraissaient par devoir et s'en évadaient le plus vite possible, pour aller terminer la soirée dans un salon du Faubourg. Seule la duchesse de Berry, logée au pavillon de Marsan, depuis l'avènement de Charles X, savait entretenir autour d'elle l'animation et la gaieté. En février 1829, elle donna un grand bal costumé, évoquant la Cour de François II ; mais le retentissement même de ce petit événement mondain souligne son caractère exceptionnel.

Encore une fois, le centre de la vie sociale n'est plus aux Tuileries, il est dans les salons parisiens. Ceux-ci ont connu à cette époque un charme, une activité, une influence politique et littéraire, qu'ils ne devaient plus retrouver sous les régimes suivants. « La conversation, constate Lamartine, était revenue avec le loisir et la liberté... Le régime constitutionnel, qui fournit un texte continuel à la controverse des partis, la sécurité des opinions..., la nouveauté même de ce régime de liberté, dans un pays qui venait de subir dix ans de silence, accéléraient plus qu'à aucune autre époque de notre histoire ce courant des idées et ce murmure régulier et vivant de la société de Paris. »

La simplicité matérielle qui présidait aux réceptions permettait à tout le monde de les multiplier. Par exemple, dans un bal donné chez la comtesse de Flavigny, le buffet offrait le menu suivant : bouillon, riz au lait, et lait d'amandes. L'orchestre était composé d'un piano, d'un violon et d'un fifre. Si l'on ne dansait pas, les invités s'asseyaient le plus souvent aux tables de jeu et s'adonnaient aux joies paisibles du besigue, du piquet, de la bouillotte, du reversi ou du whist, et les enjeux restaient très modérés ; en fin de soirée on passait quelques rafraîchissements. Toute personne marquante recevait deux fois la semaine, à commencer par les ministres et les députés.

Toutes ces réunions ne méritent pas, à vrai dire, le nom de *salons*, au sens où l'entend l'histoire littéraire ; dans le salon proprement dit, c'est la conversation, non le jeu ou la danse, qui est l'attrait principal ; il y faut une certaine continuité qui en établisse la réputation et le genre, une certaine communauté de goûts et d'idées chez les habitués ; enfin, facteur essentiel, la maîtresse de maison doit faire preuve d'une autorité toute spéciale pour grouper son monde et diriger la conversation. La politique étant le principal sujet, avec la littérature, on conçoit que ces salons se caractérisent surtout par leur couleur politique. Ainsi, dans le faubourg Saint-Germain, la princesse de la Trémoille règne sur les milieux ultra-royalistes, et la duchesse de Broglie, succédant à sa mère, Mme de Staël, est le point de ralliement des doctrinaires ; très influente aussi, la duchesse de Duras, chez qui se rencontrent les hommes politiques de toutes les nuances de la droite et des hommes de lettres. Quant au salon de Mme Récamier, c'est une petite chapelle tout entière consacrée au culte du dieu Chateaubriand.

En face du noble faubourg, se dresse la puissance rivale du quartier de la Chaussée d'Antin, fief des grands banquiers, où domine le libéralisme. Laffitte en est le roi incontesté, et le luxe de parvenu qu'il se plaît à étaler contraste avec la simplicité des salons aristocratiques ; sa fille ayant épousé le jeune prince de la Moskowa, fils du maréchal Ney, sa maison est le creuset où fusionnent dans l'opposition au régime le libéralisme et le bonapartisme. Les autres grands leaders libéraux, Casimir Périer, Benjamin Delessert, Ternaux, sont aussi hospitaliers, mais il manque à leur salon une autorité féminine. On la trouve chez Mme Davilliers, fille et femme de grands industriels, chez Mme de Rumford, où survit l'esprit des encyclopédistes du XVIIIe siècle, chez la comtesse Baraguay d'Hilliers où se rencontrent les vieilles moustaches de l'Empire. Parmi les salons plus proprement littéraires, on peut citer celui d'Etienne Delécluze, rue des Petits-Champs, fréquenté par Beyle, Mérimée, Jean-Jacques Ampère ; celui de Mme Ancelot, lieu de rencontre pacifique des classiques et des romantiques, enfin celui du bon Nodier, à l'Arsenal : « Je n'ai vu nulle part autant d'entrain, dit Mme Ancelot. Les peintres, les poètes, les musiciens, qui faisaient le fond de sa société, étaient laissés à toutes leurs excentricités particulières et remplissaient le salon de paroles vives et retentissantes. On chantait, on dansait, on disait des vers... »

Quelques riches étrangers établis à Paris ouvraient aussi des salons qui bénéficiaient du préjugé favorable que leur valait la curiosité et du fait que les adversaires politiques pouvaient s'y rencontrer comme en terrain neutre. « A Paris, écrit alors le général de Castellane, pour avoir chez soi la meilleure compagnie, il suffit de deux qualités : être étranger et avoir de l'argent. » Ainsi, parmi les Russes, la princesse Bagration, le prince Tufiakin, joyeux viveur, chez qui l'on risquait de rencontrer des dames de petite vertu, Mme Swetchine, qui faisait au contraire sa société des gens les plus dévôts. La comtesse Apponyi, femme de l'ambassadeur d'Autriche, inaugurait les matinées dansantes et les soirées de musique. Plus nombreux encore les salons anglais qui introduisaient en France la mode des « raouts » ; par exemple ceux de lady Holland, une grande admiratrice de Napoléon, de lady Morgan, une originale, dont les ouvrages sur la France débordent d'un naïf engouement, de lady Aldborough, une virago dont les propos salés faisaient rougir les hommes, de lady Blessington, de lady Oxford, et combien d'autres encore... Très nombreux étaient les Anglais qui venaient tous les ans passer quelques semaines ou quelques mois en France : plus de 20.000 en 1821 ; certains s'y établissaient même à demeure afin de jouir de conditions de vie plus avantageuses et d'éviter les impôts de leur pays. Les villes du littoral de la Manche, Caen notamment, avaient de véritables colonies britanniques, fort appréciées de la population pour l'argent qu'elles apportaient au commerce.

Toute cette activité sociale se déroule de l'automne au printemps, car en été la société du Faubourg se replie dans ses châteaux. La comtesse d'Agoult définit ainsi le rythme annuel : « Six mois de château, six mois de Paris, le bal au carnaval, le concert et le sermon en carême, les mariages après Pâques, le théâtre fort peu, les voyages jamais, les cartes à jouer tout le temps. »

Ce qu'était cette vie de château, paisible et saine, qui reposait du tourbillon de Paris, on peut se le représenter de façon très concrète, d'après une série de dessins d'Eugène Lami qui constituent une sorte de reportage illustré. Le matin se passe dans la bibliothèque, à écrire d'interminables lettres et à donner des leçons aux enfants. La châtelaine se fait un devoir d'aller visiter ses fermiers : on nous la montre donc, vêtue en amazone, assise dans le modeste logis, objet du respect ébahi des paysans debout devant elle. Naturellement, on se visite assidûment entre voisins de campagne qu'on surprend parfois au milieu d'une partie de billard. Le grand événement de la journée est l'arrivée du courrier : les dames s'absorbent dans la lecture des longues missives de leurs amies aussi désœuvrées qu'elles, tandis que les messieurs font cercle autour du maître de la maison qui leur lit à haute voix le journal de Paris, lecture qu'on devine agrémentée de commentaires. Les autres distractions sont les excursions où l'on s'arrête pour croquer quelque coin pittoresque, et la chasse sous toutes ses formes. Le soir autour de la table et de la lampe unique, un auditoire de dames brodeuses est captivé par un conte que leur lit un aimable vieillard, tandis que dans la pénombre s'assoupissent avec leurs chiens les chasseurs fatigués... Telle est la vie facile de la haute société, dont la principale affaire paraît être l'organisation des loisirs. Il faut ajouter qu'elle est déchargée de tout souci matériel par une nombreuse domesticité ; le recensement de 1831 à Paris, compte 50.000 domestiques sur 750.000 habitants.

Pour la petite bourgeoisie, celle des fonctionnaires subalternes, des petits boutiquiers, des artisans, les choses sont bien différentes ; c'est le travail depuis le point du jour jusqu'à la nuit. Il y a pourtant à Paris une nombreuse population d'oisifs : petits rentiers, pensionnaires de l'Etat, étrangers, solliciteurs provinciaux, propriétaires qui préfèrent manger dans la capitale les revenus de leurs terres, etc. Dès le début de l'après-midi, tous ceux qui n'ont pas d'intérieur remplissent les cafés, les cabinets de lecture, les bals, les petits théâtres. Les lieux de rassemblement préférés sont le Palais-Royal, centre des plaisirs les moins recommandables, avec ses bataillons de prostituées, ses maisons de jeu où l'on se ruine au biribi, au creps, à la roulette, et, d'autre part, les boulevards avec leurs petites boutiques en plein vent, leurs saltimbanques et leurs amuseurs de toutes sortes. Quant aux Champs-Elysées, il ne faut pas s'y risquer la nuit, et c'est le dimanche seulement que la grande foule y passe pour se rendre au bois de Boulogne. Les ouvriers et les petites gens vont aussi dans les guinguettes situées hors des barrières, où le vin est moins cher qu'à l'intérieur du mur d'octroi ; là on peut jouer aux boules, aux quilles, chanter et apprendre des chansons. On chante beaucoup à cette époque ; il y a même des sociétés de chansons, sortes de clubs dont la raison d'être est de se communiquer ses productions et d'augmenter son répertoire. Certains ont eu un véritable caractère littéraire, comme celui du *Caveau moderne*, présidé par Désaugiers, et plus tard ceux des *Dîners du Vaudeville* et des *Soupers de Momus.*

En comparaison de cette vie brillante et animée de la capitale, comme elle paraît terne, aux jeunes surtout, la vie que l'on mène dans les petites cités provinciales ! « Elle était dit Lamartine, en parlant de Mâcon, régulière et compassée, comme une existence monacale, dont le cloître eût été étendu aux proportions d'une petite ville. » Ainsi apparaît-elle aussi dans les romans de Balzac : la petite ville est peuplée de vieilles filles refoulées, de vieux garçons avares, de demi-ratés, menant une existence presque végétative dans la répétition des mêmes gestes monotones. La jeunesse y étouffe dans une atmosphère d'espionnage continuel, de cancans et de médisances. La morale y est sévère, en apparence du moins, et le conformisme conservateur n'y admet aucune originalité. Les distinctions sociales, les coteries politiques, y connaissent une rigidité sans concessions, et, faute de divertissements plus relevés, les moindres incidents y

CHAPITRE III

LA VIE POLITIQUE

I. Le Gouvernement. — *Le pouvoir royal. — Conceptions de Louis XVIII et de Charles X. — La pratique gouvernementale. — Composition des ministères. — Secrétaires d'Etat et conseil d'Etat.*

II. Les grands services de l'Etat. — *Les administrations centrales et la bureaucratie. — L'administration locale et la centralisation. — Les finances. — L'armée. — La marine. — Les colonies.*

III. La Politique. — *Indifférence de la masse. — La Chambre des pairs. — La Chambre des députés, sa composition. — Les séances — La presse politique. — Les élections.*

Conclusion : stabilité, étroitesse, centralisation.

I

Lorsque nous avons cherché à évoquer la France de la Restauration dans sa vie matérielle, nous avons signalé comme une source inévitable d'erreurs de perspective l'identité des noms de lieux, couvrant d'une même étiquette des réalités qui ont bien changé. Il doit en être de même lorsqu'il s'agit des institutions. Les termes familiers de ministère, de Chambre des députés, de préfecture, de parti, etc., tout cela représente aujourd'hui des choses assez différentes de celles d'autrefois.

Quel effort ne faut-il pas, tout d'abord, pour se représenter une structure politique où l'autorité ne vient pas d'en bas, du peuple souverain, mais d'en haut, d'un monarque, dépositaire providentiel d'une puissance qui vient de Dieu lui-même. Certes, il se trouve déjà en France bien des hommes qui ne croient plus au droit divin, mais pour la masse, la majesté royale est encore environnée d'un prestige religieux qui commande une obéissance et un respect d'une qualité qui ne se retrouvera plus après 1830. L'existence d'une représentation nationale, les limites imposées au bon plaisir royal par la Charte, ne sauraient modifier l'orientation fondamentale du système : la monarchie de Louis XVIII et de Charles X est une monarchie constitutionnelle, non une monarchie parlementaire.

C'est ce qui apparaît dans la situation des ministres : s'ils assument pratiquement la charge du gouvernement, c'est comme représentants du roi et non comme représentants de la nation. Royer-Collard l'expliquait, en février 1816 : « Le jour où le gouvernement n'existera que par la majorité de la Chambre, le jour où il sera établi en fait que la Chambre peut repousser les ministres du roi et lui en imposer d'autres qui seront ses propres ministres et non les ministres du roi, ce jour-là c'en est fait, non pas seulement de la Charte, mais de notre royauté..., ce jour-là nous sommes en république ! » Les conditions dans lesquelles se sont dissous les divers ministères de la Restauration illustrent cette théorie : les uns, comme celui de Talleyrand en 1815 et celui de Villèle en janvier 1828, se sont retirés avant d'affronter une Chambre hostile ; les autres, comme le ministère Richelieu en 1818, le ministère Dessolle en 1819, se sont désagrégés sous l'effet de dissentiments internes ; d'autres encore ont été renvoyés par une initiative royale : Martignac en août 1829. Il n'y a donc pas de responsabilité ministérielle au sens où on l'entend aujourd'hui.

Dans ce système, la part respective du roi et des ministres devait dépendre entièrement des circonstances de temps et de personnes. Rien n'aurait empêché Louis XVIII d'exercer, en 1814, toutes les fonctions gouvernementales aussi activement que Louis XIV ou Napoléon, et il paraît en avoir eu la velléité ; mais son indolence naturelle, ses infirmités, son ignorance des détails de l'administration, devaient le confiner rapidement dans un rôle plus conforme à celui d'un monarque constitutionnel irresponsable. Il est intéressant de trouver sous sa propre plume, dans une lettre adressée à Decazes, le 20 janvier 1819, l'idée qu'il se faisait du partage d'attributions entre lui-même et son ministère : « C'est ma volonté qui doit tout faire. Les ministres responsables disent au roi : « Voilà notre opinion. » Le roi répond : « Voilà ma volonté. » Si les ministres, après y avoir réfléchi, croient ne pas trop risquer en suivant cette opinion, ils la suivent. Sinon ils déclarent qu'ils ne le peuvent. Alors le roi cède, s'il ne croit pouvoir se passer de ses ministres. Dans le cas contraire il en prend d'autres. »

La conception que se faisait Charles X du pouvoir royal n'était pas fondamentalement différente de celle de son frère. « J'aimerais mieux scier du bois que d'être roi aux conditions des rois d'Angleterre, disait-il. En Angleterre, les ministres gouvernent, ainsi donc ils doivent être responsables. En France, c'est le roi qui gouverne, il consulte les Chambres, il prend en grande considération leurs avis et leurs remontrances, mais quand il n'est pas persuadé, il faut bien que sa volonté se fasse. » A la différence de son frère, toutefois, il prétendait contrôler jusque dans le détail l'action de ses ministres, et il semble bien qu'en cela il était moins inspiré par un goût naturel pour l'exercice de l'autorité que par une conscience scrupuleuse de son devoir.

De ce fait, le rôle du président du conseil ne fut pas tout à fait le même sous les deux règnes, et la pratique gouvernementale connut diverses formes. Lors de la première Restauration, les ministres titulaires de portefeuilles s'étaient trouvés subordonnés à un conseil composé des princes du sang et d'un certain nombre de ministres d'Etat, et devant lequel ils étaient appelés à présenter leur rapports. Cette lourde machine s'était bientôt révélée un obstacle aux affaires et chacun des ministres s'était habitué à traiter les questions importantes de son département en tête-à-tête avec le roi. Il fallait bien, de temps à autre, réunir des conférences interministérielles, mais tout cela se faisait irrégulièrement et sans qu'il y eût, à proprement parler, un cabinet, une équipe solidaire. Les défauts du système étaient tellement évidents que Louis XVIII s'était décidé, à son retour de Gand, à confier le pouvoir à un véritable cabinet, dont l'unité d'action serait assurée par un président du conseil. Tel fut le ministère Talleyrand et tels les autres ministères qui lui succédèrent. En 1820 encore, le roi écrit à Decazes : « Si le duc (de Richelieu) rentre, il faut que ce soit lui-même qui choisisse ses collègues : ce n'est pas le roi qui est la clef de voûte, c'est le président du conseil. » Une ordonnance du 19 avril 1817 avait précisé la composition et les formes des conseils de cabinet ; quant au conseil privé de 1814, il avait été conservé en principe, mais il ne devait jamais être réuni. Le titre de ministre d'Etat devint une sorte de sinécure, une fiche de consolation donnée aux ministres démissionnaires ou aux ministrables déçus ; il apportait au titulaire un traitement de 10.000 francs. En 1830, on ne comptera pas moins de cinquante-sept ministres d'Etat, scandale budgétaire que dénoncera, non sans raison, l'opposition libérale et que supprimera la monarchie de juillet.

Molé a décrit de façon fort piquante les séances du

conseil au temps de Richelieu : « Le conseil des ministres se réunissait trois fois dans la semaine, le lundi et le vendredi chez son président, le mercredi chez le roi... L'heure du conseil était une heure ; nous étions tous assez exacts, excepté Decazes qui arrivait une heure et quelquefois deux heures plus tard, tenant sous son bras le portefeuille rouge... qu'il avait coutume d'envoyer chaque jour au roi. On commençait par attendre Decazes une demi-heure ou trois quarts d'heure, en contant des historiettes. Alors M. de Richelieu s'impatientait, retournait brusquement son fauteuil du côté de la table et ouvrait la séance. Chaque ministre portait au conseil toutes les affaires et les nominations importantes qui ressortaient de son département. Le Garde des Sceaux commençait ; son travail était naturellement fort court. C'est pendant qu'il parlait que Decazes entrait avec un air préoccupé, nonchalant et distrait, sans faire aucune excuse, et prenait place auprès de moi. Decazes ouvrait ensuite son portefeuille, en tirait ses rapports de police qu'il passait à M. de Richelieu et se mettait à écrire ou à lire ses lettres sans écouter un mot de ce qui se disait. M. de Richelieu, de son coté, lisait les rapports de police, et le ministre dont c'était le tour de travail avait l'agrément de parler dans le désert, jusqu'à ce que, voulant remporter cependant une décision, il suppliât d'un ton découragé, le président et le favori de daigner lui prêter l'oreille un seul moment. Quand je fus bien sûr que cela se passait toujours ainsi, je fis comme les autres, je me mis à n'écouter que quand cela m'intéressait. Je me promenais la plupart du temps par la chambre ; Gouvion dormait, M. de Richelieu et Decazes lisaient ou écrivaient, Pasquier se chauffait, Lainé seul écoutait par pédanterie de conscience, mais en enrageant de s'y croire obligé ; et Corvetto, qui avait connu, ainsi que moi, une autre manière de traiter les affaires, éprouvait une impatience qui se trahissait par les traits les plus fins et des regards qu'il m'adressait à la dérobée. »

Lorsque Louis XVIII présidait, il parlait peu, mais en maître ; résumant les discussion avec une clarté de conception admirable et une recherche de termes où l'on pouvait souvent deviner un petit discours rédigé et appris par cœur à l'avance. A la fin de son règne, raconte Chateaubriand, « Sa Majesté s'endormait souvent au conseil, et elle avait raison ; si elle ne dormait pas, elle racontait des histoires. Elle avait un talent de mime admirable ; cela n'amusait pas M. de Villèle qui voulait faire des affaires ». Pendant la longue administration de Villèle, le conseil se réunissait très souvent, presque chaque jour à certains moments, mais, semble-t-il, sans date fixe. Affermi par la longue pratique du pouvoir et par la confiance entière de Charles X, Villèle travaillait de plus en plus souvent en tête-à-tête avec le roi et ne consultait plus ses collègues que pour la forme. La notion de solidarité ministérielle, si bien établie sous le second ministère Richelieu, perdit aussi de sa force, et l'on vit plus d'une fois se produire des mutations portant sur un ou plusieurs portefeuilles sans qu'il en résultât pour autant un changement de ministère.

Villèle disparu, la distinction entre le pouvoir royal et le pouvoir ministériel devait pratiquement s'effacer. Charles X prétendit exercer lui-même les fonctions de chef du gouvernement, et, pendant près de deux ans, il n'y eut pas de président du conseil en titre ; lorsque les ministres se réunissaient hors de sa présence, c'était le Garde des Sceaux qui ouvrait les débats. A la longue, toutefois, le roi comprit les inconvénients de cette pratique ; non seulement elle ne permettait pas une coordination suffisante de toutes les affaires, mais elle était difficile à concilier avec la théorie de l'irresponsabilité royale. *La Gazette de France*, annonçant en novembre 1829, le rétablissement de la présidence du conseil en faveur de Polignac, commentait en ces termes cette décision : « Le président du conseil est en réalité le roi, puisque à lui seul appartient la puissance exécutive et d'administration. Mais la personne du roi est inviolable, sacrée et irresponsable. Il faut donc au conseil un président responsable. Il faut donc que lorsqu'il plaira à un membre de l'opposition de monter à la tribune pour donner une épithète au système de gouvernement, que le trait qu'il lancera trouve un but qui ne soit pas ce qui est pour nous sacré. » Précaution naïve, en vérité, que cet écran de papier dont on a soin de souligner encore le caractère artificiel !

En fait, on le devine, ce stratagème ne supprimait pas la confusion des pouvoirs, et la docilité absolue du nouveau président du conseil continua à laisser au roi le rôle de véritable chef du gouvernement. Le baron d'Haussez a tracé des séances du conseil à cette époque, un tableau qui ne le cède en rien à celui de Molé cité plus haut : « Le conseil s'assemblait quatre fois la semaine. Le mardi et le samedi, la réunion qui commençait à quatre heures très précises et se prolongeait jusqu'à onze heures, quelquefois minuit, avait lieu chez chaque ministre alternativement. Le travail était interrompu par un dîner qui durait une heure... La discussion avait un caractère d'extrême politesse et même de bienveillance... Elle prenait généralement la forme d'une conversation soutenue... Le mercredi et le dimanche, le conseil se réunissait chez le roi qui le présidait. M. le Dauphin y assistait. Chaque ministre apportait les affaires qu'il avait à soumettre à Sa Majesté et lui présentait les ordonnances qui devaient être revêtues de sa signature. Puis on traitait des questions qui n'avaient pu trouver place dans les rapports. Le roi se mêlait à la discussion, avec bon sens, connaissance des affaires et surtout grand soin à éviter de l'entraver en donnant à son opinion le caractère d'une volonté arrêtée... L'aspect du conseil avait son côté amusant ; chacun des ministres qui le composaient avait une habitude, une sorte de tic qui lui était particulier et qui se développait pendant les moments où l'attention n'était pas absolument commandée. Le roi découpait du papier en des formes bizarres et emportait soigneusement son travail à la fin de la séance. M. le Dauphin feuilletait un almanach militaire sur lequel il annotait au crayon les mutations dont, en l'abordant, le ministre de la Guerre lui remettait la liste. Du reste, il prenait peu de part aux discussions, ne les interrompait guère que pour y placer des réflexions courtes, justifiant trop souvent la phrase dont il les faisait précéder : « Je vais peut-être dire une bêtise, mais vous n'y ferez pas attention. » M. de Polignac et de Montbel couvraient de dessins à la plume les cahiers placés devant eux. M. de Chabrol passait son temps à percer des bâtons de cire avec un poinçon, non sans dommage pour ses doigts, toutes les fois que la cire se rompait... S'il arrivait que quelqu'un s'endormît, le roi, en riant, défendait qu'on réveillât le dormeur, ou, s'il voulait l'interrompre, lui faisait passer sa tabatière. » Sans doute en d'autres temps, et sous d'autres régimes, les affaires ont pu se traiter de façon moins débonnaire et plus efficace, mais où a-t-on trouvé des ministres qui aient su croquer aussi joliment de ces tableautins pour la petite histoire ?

Une dernière caractéristique des gouvernements de la Restauration, est le petit nombre des départements ministériels. Au début il n'y en eut que sept : Affaires étrangères, Justice, Intérieur, Finances, Guerre, Marine, Police. Puis, lorsqu'on eut supprimé, pour le rattacher à l'Intérieur, ce dernier ministère, « monstre né dans la fange révolutionnaire, de l'accouplement de l'anarchie et du despotisme » (Chateaubriand), il n'y en eut plus que six. Richelieu, en 1820, demanda le rétablissement du ministère de la Maison du roi, resté vacant depuis la démission de Blacas en 1815 ; Louis XVIII ne s'y prêta qu'avec répugnance, estimant, non sans raison, que l'administration de sa liste civile devait rester en dehors des luttes politiques. Comme d'autre part le président du conseil n'avait pas voulu cette fois se charger des Affaires étrangères et qu'il avait adjoint à son équipe trois ministres sans portefeuille, ce second ministère Richelieu, réunissant onze Excellences, fut le plus nombreux de ce temps. Avec Villèle, qui cumulait la présidence avec le portefeuille des Finances, on en revint au chiffre de sept.

Le règne de Charles X devait être marqué par une plus grande instabilité dans la répartition des attributions. Ce fut d'abord, en août 1824, la création du ministère des Affaires ecclésiastiques et de l'Instruction publique, qui devait, en 1828, être scindé en deux. Le ministère de la Maison du roi cessa d'exister en 1827, lorsque son titulaire, le duc de Doudeauville eut donné sa démission ; ses fonctions devaient être remplies jusqu'à la fin du règne par un « intendant de la liste civile ». Au début de 1828, on créa un ministère du Commerce et des Manufactures et l'on tenta de détacher de l'administration de la Guerre celle du personnel, qui fut confiée au duc d'Angoulême ; mais cela ne dura que quelques jours. Sous Polignac, l'instruction publique retomba dans le domaine des Affaires ecclésiastiques et le ministère de l'Intérieur récupéra le Commerce, mais, par contre, on devait en détacher, en mai 1830, les Travaux publics, pour en faire un ministère à part.

Sans doute, les attributions ministérielles étaient beaucoup moins accablantes qu'aujourd'hui, mais les ministres n'auraient pu tout de même en soutenir seuls le fardeau, surtout avec la nécessité de faire face aux discussions parlementaires. Une ordonnance de mai 1816 leur avait permis de se faire assister de sous-secrétaires d'Etat, mais ce procédé ne fut guère appliqué après 1822. Certaines directions générales constituaient de véritables « petits ministères » ; par exemple celle des Beaux-Arts, annexe de la Maison du roi, celles des Douanes, des Eaux et Forêts, dépendant des Finances ; dans le cas des Postes, rattachées aux Finances, et de la Police, qui relevait de l'Intérieur, le caractère des fonctions leur donnait une véritable importance politique.

Les ministres pouvaient encore se faire aider par le Conseil d'Etat qui avait été divisé en sections ou comités correspondant aux différents départements ministériels et siégeant dans l'hôtel même de ces ministères respectifs. L'institution elle-même n'était plus que l'ombre de ce qu'elle avait été sous Napoléon. La légitimité de son existence était vivement contestée. Les royalistes voyaient avec méfiance cette création de Bonaparte ; l'opposition libérale objectait qu'elle n'avait pas d'existence constitutionnelle dans le régime créé par la Charte; on y voyait un moyen déloyal par lequel le pouvoir exécutif cherchait à empiéter sur le domaine judiciaire, réservé en principe à une magistrature indépendante, et sur le domaine législatif, réservé aux Chambres. Pendant toute la Restauration ce fut un objet de controverses continuelles, et le Conseil d'Etat ne survécut qu'en se cantonnant dans le domaine purement administratif. Son effectif et sa composition varièrent assez souvent. En 1826, par exemple, il groupait trente conseillers, quarante maîtres des requêtes et trente auditeurs ; mais en plus de ce personnel qui représentait le « service ordinaire », on avait imaginé, pour satisfaire les vanités, le « service extraordinaire », qui permettait de décorer d'une dignité supplémentaire et de certains droits de préséance quelque quatre-vingt hauts fonctionnaires des administrations centrales et départementales.

II

Quand on feuillette un *Almanach royal* de cette époque, on a l'impression d'une machine gouvernementale relativement simple et bien adaptée à son rôle, celle même qu'avait montée le Premier Consul, mais débarrassée des constructions adventices et des cloisons artificielles qu'y avait ajoutées l'Empereur pour faciliter l'exercice de son arbitraire despotique. La modestie des effectifs qui dirigeaient ces administrations, l'économie sévère qui réglait les dépenses, offrent un contraste saisissant avec l'état de choses que nous connaissons. En 1830, le chiffre total des personnes qui, à un titre ou à un autre, émargent au budget de l'Etat, s'élève à 647.000 ; si l'on retire 245.000 pensionnés, 47.000 ecclésiastiques, 194.000 militaires des armées de terre et 42.000 pour la Marine, il reste en tout et pour tout 119.000 fonctionnaires pour tous les services civils (1). L'effectif total des employés des ministères à Paris ne dépasse pas 5.000 ; le ministère des Finances, le plus important numériquement, avec toutes les administrations annexes, en compte à lui seul plus de 3.000 ; mais les Affaires étrangères se contentent de 88 employés, la Justice de 87, l'Instruction publique de 71... Sur un budget de 1.095 millions, en 1830, le total des traitements de tous ordres s'élève à 292 millions, ; si l'on en retire tout ce qui est attribué au clergé, aux militaires et aux marins, c'est à 150 millions (23 milliards 250 millions d'aujourd'hui) que se chiffre le coût de la machine administrative, soit un peu plus de 13 % des dépenses de l'Etat.

Cela n'empêchait pas nos aïeux de gémir autant que nous sur le fardeau intolérable de la bureaucratie : « Partout d'énormes appointements, s'écriait un député, des frais de bureau immenses, des armées de commis, surchargent le trésor et insultent à la misère publique ! Les hommes de plume continuent à écraser l'Etat et à encombrer les administrations ! » Comme aujourd'hui, on se plaignait amèrement de la paperasserie, des lenteurs et des fantaisies des bureaucrates. Comme aujourd'hui, le Français se vengeait en brocardant les

(1) Au 1er avril 1950, le nombre des fonctionnaires rémunérés sur le budget de l'Etat s'élevait à 962.000.

maîtres qu'il s'était donnés : le roman de Balzac, *les Employés* (1), et les ouvrages satiriques d'Imbert, moins connus, mais tout aussi amusants, sont les dignes prototypes de ceux de Courteline. « J'ai connu un bureau, dit Imbert, qui se composait de sept personnes. Le chef étudiait le violon, et, favorisé par la position sourde et lointaine de son cabinet, s'exerçait librement pendant les heures de séance ; le sous-chef prenait des leçons d'anglais ; des deux rédacteurs, l'un crayonnait des caricatures et l'autre arrangeait des vaudevilles de circonstance ; le commis d'ordre faisait des ouvrages en carton, l'expéditionnaire des dessins pour broderie et le garçon de bureau des vestes et des culottes. Un solliciteur se présentait-il aux portes, il était accueilli par un vigoureux *Je n'ai pas le temps,* qui était répété dans les rangs comme un commandement militaire... Aussi (ce bureau) passait-il pour le plus occupé de l'administration. »

Naturellement, tout le personnel était masculin et la nécessité de tout écrire à la main faisait de la calligraphie un art indispensable pour ceux qui aspiraient aux places. Les bureaux étaient ouverts sans interruption de 9 heures du matin à 4 heures de l'après-midi, rythme de travail qui s'expliquait autant par la nécessité d'éviter les frais d'éclairage artificiel que par la difficulté qu'auraient eue les employés à rentrer chez eux pour le repas de midi. Les uns apportaient avec eux un repas froid qu'ils consommaient dans leur bureau, les autres se faisaient monter un plat chaud par le concierge du ministère qui était en même temps restaurateur ; les plus fortunés s'échappaient vers l'heure de midi pour aller au restaurant voisin, laissant à leur chapeau le soin de témoigner de leur présence. Ainsi tel ministre

(1) Le langage du temps réserve l'appelation de « fonctionnaire » aux agents supérieurs de l'administration, comme les préfets, les directeurs de services, les chefs de divisions, etc. Quant à ceux que nous appellerions aujourd'hui « employés », c'est-à-dire les garçons de bureaux, portiers, etc. c'étaient des « salariés ».

en tournée dans ses bureaux à l'heure critique, trouvait trois cents chapeaux et pas un employé.

Si le public se plaint de la bureaucratie, les employés, de leur côté, ont à se plaindre de la situation qui leur est faite. Les traitements sont misérables : 1.200 francs par an en moyenne dans les administrations financières (190.000 francs d'aujourd'hui), et il y a même des débutants qui n'ont que 800 francs. A trente ans, l'employé subalterne pourra atteindre 1.800 francs, et 6.000 francs à la fin de sa carrière. Comment font-ils pour vivre, surtout lorsqu'ils ont charge de famille ? La plupart d'entre eux s'efforcent de joindre à leur travail administratif quelque autre occupation lucrative : l'un est associé à un commerçant dont il tient la comptabilité, l'autre donne des leçons particulières ou des cours ; celui-ci fait partie de l'orchestre d'un théâtre, celui-là fabrique des vaudevilles, des mélodrames, des romances à bon marché.

Ce qui est le plus irritant pour cette plèbe bureaucratique c'est le contraste impudent qui existe entre leur misère et les gros traitements offerts aux échelons supérieurs : un ministre reçoit 150.000 francs par an, sans parler de l'indemnité de premier établissement qui s'élève à 25.000 francs, un directeur de ministère 40.000, un préfet de 20 à 30.000, un conseiller d'Etat 16.000. Ainsi, du premier au dernier échelon, la proportion est de 1 à 100 ou 150. Nul espoir, du reste, pour les employés subalternes de s'élever à la sphère supérieure qui apporte la richesse et la considération ; l'avancement n'est soumis à aucune règle, il se trouve livré aux influences politiques et parlementaires et aux recommandations de Cour, sans autre contrepoids que le népotisme et le favoritisme des directeurs d'administration. Enfin cette situation si peu enviable n'offre même pas l'assurance de la stabilité ; à chaque changement de ministère, à chaque discussion budgétaire, ce sont des réductions de traitements, des compressions de personnel, qui se traduisent par des mises à pied de centaines de pauvres hères offerts en holocauste au dieu de l'économie. Villèle, par exemple, réussissait à ramener de 4.502 à 2.137 le personnel de son ministère, et en quinze ans, les gouvernements de la Restauration supprimaient 4.000 percepteurs.

La conséquence de cet état de choses était inévitable : si la Restauration eut, en général un corps de hauts fonctionnaires remarquables, moins peut-être par la compétence, que par la haute conscience professionnelle et la scrupuleuse honnêteté, les emplois subalternes ne pouvaient attirer et retenir que des médiocres ou des incapables. De cette époque date, en France, la réputation peu flatteuse de M. Lebureau.

Si l'on en croit Balzac, la situation de l'employé en province, sans être plus lucrative, était cependant plus enviable. Le coût de la vie y était moins élevé, les conditions de travail moins pénibles et le représentant du pouvoir central y jouissait d'une considération qui était refusée au fonctionnaire parisien. Cela tenait peut-être, en partie, au fait que les fonctionnaires de province connaissaient une plus grande stabilité et qu'ils étaient presque tous des hommes du cru. Comme sous l'Ancien régime, les provinces fournissaient elles-même leurs administrateurs et leurs magistrats ; les sous-préfets étaient presque toujours choisis parmi les notables du département ou de l'arrondissement ; seuls les préfets, comme jadis les intendants, venaient d'ailleurs, mais souvent ils restaient assez longtemps en place pour s'identifier avec les intérêts du pays. A bien des égards, les préfets de la Restauration furent les dignes successeurs des grands intendants du XVIIIe siècle et Stendhal a noté, dans les *Mémoires d'un touriste* que leurs successeurs de la Monarchie de Juillet les avaient fait regretter des populations. Ils opéraient avec la même économie de moyens que les administrations centrales. En

1816, une importante préfecture, celle du Calvados, fonctionnait avec vingt-six employés de bureau, plus cinq « salariés », pour le service matériel ; les frais d'administration s'élevaient à 48.000 francs, traitements compris.

Bien qu'en principe les préfets ne fussent pas moins tenus que ceux d'aujourd'hui à rendre compte de tous leurs actes au gouvernement central, la lenteur des communications leur donnait une liberté d'initiative et, par suite, une autorité personnelle beaucoup plus grande. En ce qui concernait notamment le maintien de l'ordre public, ils étaient obligés de prendre eux-mêmes les décisions les plus graves. Leur autorité, dans le département, n'avait pour contrepoids que celles du commandant militaire et de l'évêque et dans l'ordre administratif proprement dit, elle était absolue. Les conseillers généraux et les conseillers d'arrondissements étaient nommés pratiquement par eux, puisque le gouvernement ne faisait qu'entériner leurs propositions à cet égard ; ces assemblées, au cours de leurs brèves sessions annuelles ne pouvaient guère faire autre chose que de sanctionner les propositions du préfet en matière de dépenses et d'émettre quelques vœux. Quant aux municipalités, elles étaient aussi entièrement sous la main de l'autorité préfectorale qui les nommait ; le fait que celles des villes de plus de 5.000 habitants fussent investies par ordonnance royale ne changeait rien à l'affaire, puisque ces désignations elles-mêmes étaient préparées par la préfecture.

Ainsi rien n'était changé à la rigoureuse centralisation établie par le Consulat, et Louis XVIII jouissait en fait d'un pouvoir administratif plus absolu et plus efficace que Louis XIV lui-même. Certes, ce n'était pas plus conforme à la pratique de l'ancienne monarchie qu'aux principes de la monarchie constitutionnelle établie par la Charte. Aussi, pendant toute la Restauration on parla d'une réforme administrative qui aurait ranimé la vie locale par la décentralisation. Malheureusement, le problème se trouva toujours faussé par les luttes de partis et l'on n'aboutit à rien. Au début, les plaidoyers pour la décentralisation venaient de la droite, qui songeait à ressusciter les anciennes généralités et les assemblées provinciales. Les libéraux, qui se retranchaient alors derrière la prérogative royale, se firent les défenseurs de la centralisation, aidés naturellement par les anciens serviteurs de l'Empire qui tinrent les leviers de commande jusqu'en 1820. Puis, lorsque les royalistes arrivèrent au pouvoir en 1822, les positions se trouvèrent inversées ; Villèle, qui avait été en 1816 le plus ardent défenseur des libertés locales, n'eut garde de lâcher les moyens d'action électorale que lui donnait l'administration napoléonienne. La décentralisation et les libertés locales devinrent alors au contraire un cheval de bataille pour l'opposition libérale. Martignac devait tenter, au début de 1829, de lui donner satisfaction par des projets de loi qui rendaient à l'élection les conseils municipaux et départementaux ; on verra comment ils furent torpillés.

En définitive, tandis que les partis se disputaient à force de discours les influences politiques locales, la bureaucratie ministérielle se trouva libre de poursuivre silencieusement, à coups de circulaires, sa mainmise sur les ressources de la province, et au bout du compte, pour reprendre l'excellente formule de M. Pouthas, la province se retrouva en 1830 « sous un fardeau centralisateur plus efficace, dans sa régularité, qu'en 1814 dans son arbitraire ».

Dans l'œuvre administrative de la Restauration, il n'est pas d'aspect qui soit plus justement admiré que celui des finances. Tout se passe comme si les dirigeants d'alors avaient été obsédés par le souvenir du désordre budgétaire et de la crise financière qui avaient déclenché la ruine de l'ancienne monarchie, et comme s'ils s'étaient appliqués, en conséquence, à donner pour fondement à la monarchie restaurée un système financier irréprochable. Mais il faut tenir compte aussi du contrôle sévère exercé par une Chambre élue au suffrage censitaire, c'est-à-dire par ceux qui supportaient principalement la charge des impôts.

Les premiers ministres des Finances de la Restauration, le baron Louis et le comte Corvetto, eurent pour tâche de liquider la situation désastreuse léguée par l'Empire et de faire face aux charges énormes imposées par l'indemnité de guerre et l'occupation étrangère. Economie féroce sur les dépenses intérieures, maintien des « droits réunis », en dépit des promesses faites par le comte d'Artois, retenues sur les traitements des fonctionnaires, ventes massives de bois nationaux, emprunt forcé de 100 millions sur les plus riches contribuables, tous ces expédients n'auraient pas suffi à combler le gouffre. En prenant la résolution héroïque d'honorer toutes les dettes des précédents régimes, le baron Louis ranima le crédit de l'Etat français et lui permit de trouver à emprunter les sommes nécessaires à sa libération.

Ce résultat obtenu, on put songer à asseoir le budget sur des bases plus normales. Le grand artisan de cette œuvre fut Villèle, aidé par le comte d'Audiffret, directeur de la comptabilité générale. Il est impossible d'entrer ici dans le détail, admirable mais trop technique, des grandes ordonnances qui, de 1822 à 1827, ont littéralement fondé le premier système moderne de finances publiques. Les résultats, pour ce qui est du budget, peuvent se résumer en quatre mots : unité, spécialité, annuité, sincérité. Désormais, toutes les dépenses et toutes les recettes de l'Etat, quelle que fût leur provenance, devaient être établies d'après des règles de comptabilité uniformes dans tous les services, et réunies dans un document unique : la loi de finances ; pas de recettes occultes, pas de « caisses extraordinaires », pas de budgets « annexes », pas de dépenses laissées à l'arbitraire des gouvernants. Les crédits ne seront plus votés en bloc, pour chaque ministère, mais par sections détaillées, entre lesquelles des transferts seront interdits en cours d'exercice. Le budget devra être voté avant le début de l'année financière et sans recours possible à la procédure des « douzièmes provisoires ». Toutes les dépenses prévues au budget devront avoir été ordonnancées et liquidées avant le 30 septembre de l'année suivante, de telle sorte que les comptes définitifs, arrêtés au 31 décembre, puissent servir de base à l'établissement du budget suivant ; tous les crédits qui n'auront pas été utilisés à la date du 30 septembre seront automatiquement annulés et il faudra les faire voter à nouveau. Enfin, toutes les dépenses de l'Etat, tous les maniements de fonds, seront établis suivant des règles précises qui en assureront la clarté, et avec des pièces justificatives ; le tout sera soumis au contrôle indépendant de la Cour des comptes, préparant lui-même ceux du Parlement et de l'opinion publique. « A aucune époque, et chez aucun peuple, disait le préambule de l'ordonnance du 9 juillet 1826, l'administration ne se sera livrée elle-même à une épreuve aussi difficile, si elle n'était pas le meilleur témoignage de la loyauté de ses principes et de la régularité de son action. » Et Villèle pouvait dire avec une juste fierté : « Il est impossible maintenant qu'il y ait un ministre des Finances malhonnête homme. »

Même après que la liquidation des conséquences de la guerre eut donné plus d'aisance à la trésorerie, le contrôle le plus sévère ne cessa de régner dans toutes les parties de l'administration. Villèle, à lui seul, réalisa plus de trente millions d'économies annuelles dans les différents services de son ministère. Malgré cela — et si l'on ne tient pas compte des budgets de 1815 à 1818, grevés par des charges extraordinaires — le total des dépenses et des recettes ne cessa d'augmenter lentement, comme il était normal d'ailleurs pour un pays dont la population et la production économique étaient en plein développement. De 1819 à 1829, le budget passa de 896 à 1.014 millions (161.226 millions d'aujourd'hui) ; trois fois seulement, en 1823, 1825 et 1827, il présenta un excédent de dépenses sur les recettes ; la première fois, à cause des frais de l'expédition d'Espagne, la seconde fois en raison de l'indemnité aux émigrés, et en 1827 par suite de la crise économique. Mais, grâce à la prudence et à l'adresse de Villèle, ce dernier budget fut le seul à se traduire par un réel déficit dans les comptes définitifs.

Le système des impôts ne subit pas de modifications essentielles. On conserva les quatre impôts directs en vigueur depuis le Directoire : la contribution foncière assise sur le revenu net des propriétés ; la contribution personnelle et mobilière, qui fut basée, à partir de 1820, sur la valeur locative des habitations ; l'impôt des portes et fenêtres ; et les patentes frappant les activités industrielles et commerciales. Leur rendement fut amélioré par l'établissement d'un rôle unique, commun aux quatre contributions, par l'application d'un mode uniforme d'écritures aux opérations des préposés, par la réduction du nombre des percepteurs, etc. L'achèvement du cadastre fut poussé activement : de 1821 à 1830, le nombre des communes cadastrées passa de 11.000 à 21.000, et beaucoup d'inégalités d'imposition purent ainsi être corrigées.

Comment expliquer alors que le rendement des impôts directs, qui était de 390 millions en 1819, soit tombé à 329 millions en 1829 ? C'est qu'à plusieurs reprises, les ministres des Finances avaient diminué le taux de la contribution foncière ; au total, ces dégrèvements s'élevèrent à 92 millions. L'augmentation globale des recettes provenait donc presque entièrement des contributions indirectes, et ce malgré l'abaissement du taux d'un certain nombre d'entre elles. Cette plus-value, que le comte de Chabrol, dernier ministre des Finances de la Restauration, chiffrait à 212 millions, était donc tout entière le résultat de l'activité accrue de l'économie nationale.

Enfin, cette politique d'ordre et de prudence eut pour résultat de restaurer le crédit public. Lorsque Richelieu dut négocier, en 1817, les emprunts pour la libération du territoire, il ne trouva preneur qu'au taux de 52 fr 50 pour les titres de rente d'une valeur nominale de 100 fr. Une nouvelle émission de 5 % en 1821 fut prise par les banquiers parisiens à 85 fr 50 ; et en 1824, le 5 % atteignit et dépassa le pair. C'est ce qui permit à Villèle de concevoir ses grandes opérations de conversion des rentes de 1824 et 1825. Malheureusement leur réalisation fut entravée par des facteurs politiques et passionnels, comme nous aurons à l'expliquer ci-dessous. Finalement, la dette publique se trouva représentée par trois espèces de titres : 5 %, 4 1/2 % et 3 % ; en 1830, ces titres étaient cotés respectivement à 109, 108 et 85 francs.

On aurait pu profiter de ce crédit retrouvé pour faire de nouveaux appels à l'emprunt. On s'en garda autant que possible, pour ne pas alourdir le fardeau du budget par le service des intérêts annuels. En 1815, la dette publique s'élevait à 63.307.000 francs de rentes annuelles à payer. Les différents emprunts conclus pour libérer la France et liquider le passif de l'Empire et des Cent-Jours l'augmentèrent de 143 millions ; après quoi elle ne grossit plus que de 45 millions. Mais comme dans le même temps la Caisse d'amortissement en avait racheté et annulé 16 millions, et que la conversion des rentes opérée par Villèle en avait fait disparaître pour plus de 31 millions, la dette publique, à la fin de la Restauration, se montait seulement à 204 millions et la Caisse d'amortissement qui en possédait à elle seule 38, était équipée pour en poursuivre l'extinction régulière et rapide.

Le seul reproche qu'on peut faire à cette politique financière est sa perfection même ; on le trouve suggéré par Chabrol lui-même dans la conclusion du fameux rapport de 1830 qui exposait l'ensemble de cette œuvre : « Il est prudent certes d'éviter des dépenses abusives, mais il n'est pas moins sage de remplacer de stériles épargnes par des emplois qui doivent augmenter les ressources du Trésor et celles des particuliers. » Cet appel aux investissements productifs devait être entendu et appliqué par les régimes suivants ; mais sans ces années d'austérité et de prudence le crédit de l'Etat aurait-il pu faire jaillir de l'épargne française ces flots de capitaux qui ont animé la vie du pays pendant tout le XIXe siècle ?

Dans les charges de l'Etat, les dépenses militaires absorbaient une part supérieure à ce qu'on attendrait a priori d'un régime aussi pacifique : 214.366.000 francs en 1829, soit 21 % environ du total du budget, pour un effectif théorique de 255.000 hommes et de 47.000 chevaux.

Au lendemain des événements de 1815, la reconstitution d'une armée avait posé de difficiles problèmes ; le maréchal Gouvion Saint-Cyr en jeta les bases au cours de son bref passage au ministère, de juillet à septembre 1815. Le plan était original, rompant avec la tradition de l'armée impériale, sans pour autant revenir à celle de l'Ancien régime ; l'infanterie était constituée essentiellement par 86 légions départementales, se recrutant chacune dans le département dont elle portait le nom, et comportant un nombre variable de bataillons suivant la quantité plus ou moins grande d'enrôlements volontaires. De même, la cavalerie, avec cette différence que les régiments n'étaient qu'au nombre de 47, certains départements étant jumelés. En rapprochant ainsi l'armée de la nation, on se flattait de détruire l'ancien esprit de corps des unités de l'armée impériale.

Les efforts du maréchal Clarke, qui fut ministre de la Guerre de septembre 1815 à septembre 1817, portèrent principalement sur l'organisation de la garde royale, armée d'élite, qui devait assurer la sécurité du régime.

Elle se composait de 8 régiments d'infanterie — dont deux de Suisses — de 8 régiments de cavalerie, et de 3 d'artillerie ; soit au total 1.160 officiers et 25.000 hommes. Les officiers avaient le rang et le titre immédiatement supérieur à leur grade dans l'armée ; la solde des hommes et des officiers, jusqu'au grade de capitaine inclus, était de moitié supérieure à celle de la troupe de ligne ; celle des officiers supérieurs du quart en sus. Les uniformes étaient particulièrement flatteurs : pour l'infanterie, par exemple, c'était l'habit bleu de roi avec des boutonnières et des boutons blancs, timbrés aux armes de France, le pantalon en drap bleu pour l'hiver, en toile blanche pour l'été ; les parements, retroussis, passepoils, épaulettes, de couleurs diverses suivant les corps et les spécialités ; pour coiffure, le haut bonnet à poil avec un plumet blanc. Les uniformes des différents régiments de cavalerie — grenadiers à cheval, cuirassiers, chasseurs, lanciers, hussards — présentaient encore plus d'éclat et de variété ; le plus caractéristique était celui des cuirassiers, avec leurs grandes bottes sur culotte blanche, leurs cuirasses d'acier poli et leurs casques à chenille noire et plumet blanc, que portaient aussi les dragons. Les différents corps de la garde royale se trouvaient casernés à proximité de Paris et venaient tour à tour, assurer le service des châteaux royaux pendant trois mois, concurremment avec les cinq compagnies de gardes du corps de la Maison militaire du roi.

Cependant, la garde royale ayant drainé les meilleurs éléments, le reste de l'armée végétait dans une situation peu brillante ; au 1er janvier 1817, l'effectif total des forces armées françaises n'atteignait pas 117.000 hommes. Le métier militaire n'attirait plus assez de volontaires pour réaliser l'effectif prévu et le nombre excessif des officiers qu'on avait cherché à replacer, non moins que l'arbitraire fortement teinté de politique qui commandait les choix, décourageait tout espoir d'avancement. Avant même que Richelieu eût achevé la libération du territoire, Gouvion Saint-Cyr entreprit de doter la France d'une armée digne de son rang de grande puissance. Ce fut l'objet de la loi du 12 mars 1818, qui donna lieu, dans les Chambres, à des discussions passionnées. Le recrutement, l'organisation des réserves, l'avancement : tels étaient les trois problèmes qu'elle tentait de régler [1].

Quelques semaines avant de quitter le ministère, Gouvion Saint-Cyr fit signer au roi une ordonnance qui mettait fin au système des légions départementales à recrutement local ; il s'était révélé, à l'expérience, peu avantageux : le goût du métier militaire et les aptitudes étant très différentes d'une région à l'autre, on se trouvait en face d'unités fort disparates, les unes squelettiques, les autres pléthoriques, les unes composées d'homme vigoureux et faciles à instruire, les autres, d'hominiens balourds et obtus. L'appoint des nouvelles recrues fournies par la conscription devait permettre de fondre tous ces éléments en une masse plus homogène. Les légions départementales firent donc place à 60 régiments d'infanterie de ligne et 20 d'infanterie légère, qui furent désignés, comme du temps de l'Empire, par de simples numéros ; de même les régiments de cavalerie. Les unités les plus fournies furent divisées, tandis que les moins nombreuses étaient groupées de façon à former des régiments uniformes à trois bataillons.

L'expédition d'Espagne, en 1823, servit de banc d'essai à la nouvelle armée royale. La politique extérieure plus active que prétendait mener Chateaubriand, ainsi que le maintien d'un corps d'occupation au-delà des Pyrénées, demandaient un renforcement des effectifs ; la loi du 5 juin 1824 y pourvut. D'une part, le plafond de l'armée permanente était porté de 240.000 à 400.000 hommes et celui du contingent annuel de 40 à 60.000 ; d'autre part, la durée légale du service pour tous les militaires était fixée à huit ans. En fait, et comme auparavant, on ne devait jamais incorporer qu'une partie

(1) Voir ci-dessus p. 198.

des conscrits fournis par le tirage au sort, et les effectifs de l'armée ne devaient jamais dépasser de beaucoup 250.000 hommes. Le but de la prolongation du service actif était de fournir une armée de métier, qui fût bien entre les mains des chefs ; on en revenait en somme à la conception napoléonienne, à l'armée prétorienne, comme si l'on eût craint maintenant d'avoir une armée nationale. « Il faut que le soldat prenne le goût de l'état militaire, disait le comte Curial, inspecteur général de l'infanterie, il faut laisser au bâton de maréchal le temps de se dégager de la giberne. » Pour le bâton de maréchal, c'était une sinistre plaisanterie, étant donnée la façon dont se faisait l'avancement ; mais quant au « goût du métier », il était trop vrai qu'après six ou huit ans de caserne le jeune paysan déraciné, dressé à une vie de paresse et d'obéissance passive, n'était plus bon à faire autre chose qu'un soldat. Tout ce qu'il pouvait faire après sa libération était de contracter un nouvel engagement, ou mieux, de chercher à se vendre comme remplaçant, ce qui lui rapporterait 700 francs. Il n'était pas de famille bourgeoise, ni même d'artisans ou de fermiers aisés qui ne pût fournir cette somme ; la conscription n'atteignait donc que les plus pauvres des paysans et prolétaires. Ainsi l'armée devenait, comme le dit Alfred de Vigny, « une nation dans la nation ».

Son élite se détournait du métier d'officier ; sur 4.499 sous-lieutenants nommés dans toutes les armes de 1821 à 1831, 1.952 seulement sortaient des écoles militaires ; les autres étaient d'anciens sous-officiers promus. Un grand nombre de jeunes royalistes ou d'anciens officiers des armées royales, qui s'étaient fait donner des épaulettes dans les premiers temps de la Restauration, s'étaient dégoûtés assez vite d'un métier dont on ne retirait ni fortune, ni considération, et chaque année les démissions étaient nombreuses. Pour combler les vides ainsi créés, on fit appel aux anciens officiers de l'Empire, aux fameux demi-solde, et ceux-ci, quoi qu'en dise une légende tenace, servirent aussi loyalement le roi qu'ils avaient jadis servi l'Empereur.

Ces quinze années de la Restauration, si pacifiques par contraste avec celles qui les avaient précédées, ne furent tout de même pas des années de stagnation pour l'armée. Les trois expéditions d'Espagne, en 1823, de Morée, en 1828, et d'Alger, en 1830, furent autant de succès. D'importantes initiatives furent prises pour élever la valeur technique du corps des officiers. En 1818 fut créé le corps des officiers d'état-major et l'école d'application de l'état-major ; en février 1828, naquit le Conseil supérieur de la guerre, composé de 3 maréchaux et de 12 lieutenants généraux. L'artillerie, qui n'avait guère subi de perfectionnements depuis le temps de Gribeauval, fut dotée, à partir de 1823, d'un matériel nouveau, plus mobile, qui devait servir jusqu'en 1853.

La marine, plus encore que l'armée, avait eu à souffrir des conséquences de la défaite ; il avait fallu abandonner tous les vaisseaux qui se trouvaient en 1814 dans les ports de la mer du Nord, c'est-à-dire presque la moitié de la flotte de Napoléon ; ceux qui nous restaient étaient de si mauvaise qualité qu'en 1819 il ne devait plus y en avoir à flot que 31 sur 70. L'épuration de 1815 écarta du service 400 officiers expérimentés pour faire place à d'anciens émigrés souvent peu capables. Enfin, la politique des économies réduisit la part du budget attribuée à la marine à une somme tout juste suffisante pour empêcher sa complète dissolution. En 1818, encore, elle ne s'élevait qu'à 43.200.000 francs. Le redressement ne commença qu'en décembre 1818, avec l'arrivée au ministère du baron Portal qui apportait dans la politique maritime et coloniale de la France les vues ambitieuses du grand commerce bordelais. Le budget de la Marine fut rapidement porté à 65 millions, en 1821, et il atteindra même 80 millions en 1828. On se mit sérieusement au travail pour reconstituer le matériel et le personnel. Le principal moteur en fut le Conseil de l'Amirauté, créé en 1824, dont la compétence suppléa heureusement à l'insuffisance des ministres imposés par la politique.

Une commission du génie maritime, créée en 1820, établit de nouveaux types de navires ; sa principale innovation fut celle des « murailles droites » pour les vaisseaux de ligne, disposition qui permettait un meilleur aménagement de l'artillerie et un renforcement de la mâture. Les calibres des canons furent standardisés et le commandant Paixhans mit au point l'obus explosif, qui devait à brève échéance amener la mort des vaisseaux de bois. « A certains points de vue, écrit un spécialiste de l'histoire maritime, il y a plus de distance entre la flotte de 1835 et celle du premier empire qu'entre cette dernière et les bâtiments du roi-soleil. » En 1830, la marine royale comprenait 35 vaisseaux de ligne en excellent état, 40 frégates et 209 unités diverses ; les équipages s'élevaient à plus de 20.000 hommes. La stagnation du commerce extérieur avait contracté excessivement les rôles de l'inscription maritime ; il fallut recourir à la conscription pour compléter les équipages avec des troupes d'infanterie et d'artillerie de marine. La formation des futurs officiers de marine était assurée d'abord, au point de vue théorique, au Collège royal de la Marine d'Angoulême, puis complétée au cours de périodes d'entraînement pratique sur des corvettes d'instruction.

La part glorieuse prise par la marine française à la bataille de Navarin, en 1827, consacra son relèvement, en montrant de façon éclatante l'excellence du matériel et la qualité des équipages ; elle ramena sur la marine l'attention et la fierté de la nation. La préparation et l'exécution parfaite du transport et du débarquement du corps expéditionnaire d'Alger ne devaient pas lui faire moins d'honneur.

Au ministère de la Marine se trouvait rattachée l'administration des colonies. Les traités de 1814 et de 1815 avaient rendu à la France le domaine colonial qu'elle possédait au 1er janvier 1792, moins Tabago et Sainte-Lucie dans les Antilles et l'île de France dans l'océan Indien ; mais son plus beau fleuron, Saint-Domingue, restait entre les mains de la république nègre qui s'était fondée en 1804. Les traités de Paris nous donnaient la faculté de rétablir l'autorité du roi sur la moitié de l'île qui avait appartenu à la France, et le gouvernement royal, harcelé par les récriminations bruyantes des anciens colons, y songea sérieusement à plusieurs reprises. Toutefois une reconquête par les armes apparaissait comme trop difficile, en raison surtout de l'hostilité déclarée de l'Angleterre et des Etats-Unis. Villèle, en réaliste, engagea des négociations secrètes qui aboutirent en 1825. Le roi, pour sauver la face, « accordait » l'indépendance à ses anciens sujets révoltés, et, en échange, la république d'Haïti s'engageait à verser une somme de 150 millions qui servirait à indemniser les anciens colons ; en outre, elle accordait au commerce français des conditions avantageuses. Ce règlement, si raisonnable, souleva une tempête de protestations de la part des anciens colons et fut un des thèmes principaux de l'opposition de l'extrême-droite au gouvernement de Villèle.

Quant aux autres possessions coloniales — la Guadeloupe et la Martinique, la Guyane, Saint-Pierre et Miquelon, les établissements du Sénégal, l'île Bourbon, les comptoirs des Indes, — ce ne fut pas sans peine que la France les récupéra, car l'Angleterre qui les occupait s'en fit un moyen de chantage pour obtenir l'exécution financière des traités de 1815. On avait prétendu, en 1814, rétablir intégralement dans les colonies les cadres administratifs de l'Ancien régime. Sous la pression de l'expérience, et après une longue période de tâtonnements on en vint, en 1825, à un système qui combinait les traditions de l'ancien temps avec la pratique de la métropole. Les pouvoirs se trouvaient concentrés entre les mains d'un gouverneur militaire représentant le roi ; il était assisté d'un directeur général de l'intérieur pour l'administration civile, d'un commissaire ordonnateur pour l'administration militaire, et d'un procureur général pour la surveillance des tribunaux, qui étaient calqués sur ceux de la métropole. Un conseil privé, composé de fonctionnaires et de deux notables, tenait auprès du gouverneur la place du conseil d'Etat ; enfin un conseil général, siégeant deux fois l'an, comme ceux des départements français, avait un rôle consultatif en matière budgétaire.

La partie exploitable de ce domaine colonial ne dépassait pas 5.000 km^2, moins qu'un département français. Les cultures qui avaient fait jadis la richesse des Antilles — coton, indigo, café, tabac — subissaient maintenant la concurrence de nouveaux pays producteurs dans les deux Amériques ; celle de la canne à sucre était compromise par les progrès du sucre de betterave en Europe ; et surtout, l'interdiction de la traite des noirs privait les colons de la main-d'œuvre nécessaire. Puisque les anciennes colonies périclitaient faute de bras, ne pourrait-on pas y remédier en transportant les cultures lucratives là où se trouvaient les bras ? Cette idée inspira quelques tentatives de colonisation agricole, sur des points où nous avions seulement pris pied jusque-là par des comptoirs commerciaux ou des escales navales. L'effort le plus résolu fut fait au Sénégal, où, pendant dix ans, on chercha à étendre la domination française sur les rives du fleuve et à créer de grandes plantations. Finalement, en 1826, tout fut abandonné et on en revint au régime des comptoirs purement commerciaux. Du moins les contacts pris avec les tribus soudanaises, les explorations répétées de l'arrière-pays — parmi lesquelles le célèbre voyage de René Caillié à Tombouctou en 1828 — pavèrent la voie pour les conquêtes futures.

A Madagascar, où les Français s'étaient établis à Sainte-Marie, à Fort-Dauphin et à Tintingue, les tentatives d'expansion se heurtèrent à l'hostilité armée des souverains hovas, soutenus par l'Angleterre. Un essai de colonisation européenne en Guyane, échoua lamentablement en 1824, comme les précédentes tentatives, par suite du climat meurtrier. Par ailleurs, le gouvernement encouragea les efforts infructueux des armateurs de Bordeaux pour établir des rapports réguliers avec l'Annam. Les îles du Pacifique furent explorées par Bougainville et Dumont d'Urville, avec l'idée d'y créer quelque station navale.

Tout cela ne compte guère, évidemment, auprès de la conquête d'Alger qui devait enfin ouvrir à la France les portes d'un nouvel empire.

III

Si tous les Français se trouvaient touchés, d'une façon ou d'une autre, par l'action administrative de l'Etat, la politique proprement dite restait en dehors des perspectives de la masse, et ses remous, objet de l'attention trop exclusive de l'histoire, n'atteignaient en fait qu'une couche superficielle de la nation. Il suffit, pour s'en convaincre, de se souvenir de l'énorme proportion des illettrés, de la difficulté des communications, de l'isolement dans lequel vivaient la plupart des communautés rurales. Voici deux témoignages inédits qui confirment ces données fondamentales ; le premier émane de l'ambassadeur de Suède, le comte Gustaf Löwenhielm, qui écrit, de Marseille, en août 1819, à son cousin Palmstierna : « Personne ne parle de politique... Il ne manque pas d'agitateurs, mais ils n'ont pas beaucoup de succès. Fatigue et égoïsme garantissent la tranquillité. Aussi le peuple des provinces est loin de comprendre les lois fondamentales et par conséquent on y tient peu. Certains des résultats cardinaux de la Révolution restent dans leurs cœurs : égalité devant la loi, etc., mais tout le reste est égal. Ils ne savent même pas ce que c'est que la liberté... On a tellement l'habitude d'obéir, et il faut ajouter la force de la chose existante. » L'autre témoignage est un rapport d'un observateur envoyé en province par l'ambassadeur d'Angleterre, en août 1822 ; bien qu'hostile au gouvernement royaliste, il a été frappé par l'impression de sécurité et de prospérité qui démentait les dires des journaux de Paris: « Rien ne ressemble moins à un peuple qui souffre... Hors des villes, les journaux sont peu lus, et les discussions politiques sont à peu près ignorées. On n'aime ni on ne hait le gouvernement. On s'occupe peu de sa marche, et on en sent peu l'action, soit en bien soit en mal. On dirait que les choses vont toutes seules et sans que personne s'en mêle... » Puisque toutes les assemblées locales sont nommées par le pouvoir central, la vie politique ne peut s'animer, dans les villes de province, qu'à l'approche des élections législatives ou à l'occasion d'un événement extraordinaire, comme une mission ou un grand procès politique ; les partis n'y sont représentés que par des petits cercles d'amis et tiennent tout entiers dans un salon ou dans une salle de café.

« Aujourd'hui, écrit Benjamin Constant en 1824, il n'y a de nation que dans la capitale. » A Paris seulement, les luttes politiques prennent une place importante dans les préoccupations de la classe aisée et connaissent quelque retentissement dans toutes les couches de la population, et encore cette activité se trouve-t-elle pour ainsi dire mise en veilleuse dans l'intervalle des sessions des Chambres.

La Chambre des pairs, bien qu'elle fût supérieure en dignité à celle des députés et bien qu'elle participât sur le même pied au travail législatif, ne réussit que rarement à prendre quelque ascendant sur la politique et à fixer l'attention de l'opinion publique. « Elle siégeait, il est vrai, au premier étage, dit Polignac, et la Chambre des députés au rez-de-chaussée, mais celle-ci avait l'avantage de se faire entendre dans la rue, la voix de l'autre se perdait dans les airs. » On en saisit assez facilement la cause. D'abord ses séances n'étaient pas publiques, et le *Moniteur* n'en publiait qu'un pâle résumé. Mais surtout, de quelle autorité pouvait être l'opinion d'une assemblée qui par son mode de recrutement n'était qu'une émanation du pouvoir exécutif ? Sans doute la théorie voulait qu'elle fût l'organe et le noyau d'une aristocratie nouvelle, le réceptacle de toutes les sommités nationales. En fait, qu'y trouvait-on ? Les sédiments stratifiés de tous les systèmes politiques qu'avait tour à tour essayés et rejetés la France depuis un quart de siècle : grands noms de l'Ancien régime, émigrés vendéens et conspirateurs royalistes, républicains modérés du Directoire, administrateurs, soldats et courtisans de l'Empire, créatures de Talleyrand, de Decazes et de Villèle. Quelle doctrine de gouvernement, quelle direction pouvait-on attendre de cet ensemble hétéroclite ?

Les premières nominations de pairs faites par Louis XVIII en 1814 et en 1815 s'étaient inspirées d'un véritable souci de mêler les illustrations de la France nouvelle à celles de l'ancienne monarchie. Mais bientôt les besoins de la politique partisane avaient pris le dessus. A peine la Chambre haute manifestait des velléités d'indépendance qu'on noyait son opposition sous une infusion d'éléments nouveaux choisis moins en raison de leur valeur individuelle qu'en raison du concours qu'on pouvait en attendre. Decazes en donna l'exemple par la « fournée » de pairs qu'il fit en mars 1819. Villèle devait le suivre et le dépasser même, en 1827, lorsqu'il nomma d'un seul coup 76 pairs. Les autres promotions faites par petits paquets au cours des années précédentes et suivantes apparaissent surtout comme des fiches de consolation ou comme une petite monnaie politique au service des combinaisons ministérielles. La Chambre haute était devenue, disait-on, « l'hôpital des Invalides du ministère », et le *Figaro*, parodiant la Charte, inscrivait sous l'article 24 : « Tout ministre chassé par le vœu de la nation est nommé de droit à la pairie. » A ce moment-là, c'est-à-dire à la veille de la révolution de 1830, la pairie comprenait 384 membres au lieu de 210 qu'elle comptait en 1815, mais, sur ce nombre, 46 n'avaient pas encore été admis à siéger, soit faute d'avoir atteint l'âge légal de 25 ans, soit pour n'avoir pas encore été reçus officiellement.

Quand on compare les conditions d'âge et de fortune requises pour siéger dans les deux Chambres, on se trouve devant ce paradoxe que la Chambre haute, soi-disant destinée à jouer le rôle de modérateur, était composée d'hommes plus jeunes, en général, et moins fortunés que les quadragénaires de la Chambre basse, obligés de justifier du cens légal de 1.000 francs d'impôts directs. Ces derniers, tenant leur mandat de l'élection, et ne touchant aucune indemnité parlementaire, se trouvaient donc dans une situation autrement plus forte et plus indépendante que les pairs, dont la dignité émanait du seul bon plaisir du roi et qui continuaient à dépendre de lui par les grosses pensions attachées à leur titre — 30.000 francs pour les anciens sénateurs de l'Empire, 12.000 francs pour les autres.

La Chambre des députés était donc sans conteste le centre et le pivot de la vie politique. Là seulement les grandes tendances entre lesquelles se partageait la nation — ou, du moins, son élite cultivée — se trouvaient clairement représentées par des hommes et des partis ; là seulement elles pouvaient s'exprimer librement à la face du pays. La nation ne connaissait pas d'autres luttes que celles dont l'enjeu était sa composition, et ses débats faisaient l'objet principal de la presse politique.

Le chiffre des députés, après avoir été de 402, en 1815, avait été ramené à 262 par l'ordonnance du 5 septembre 1816. La loi électorale de 1820 le porta à 430. L'étude approfondie de ce personnel parlementaire de la Restauration n'a pas encore été faite de façon systématique. Le nombre des hommes ayant joué un rôle dans la Révolution ou sous l'Empire est plus élevé qu'on ne pourrait le supposer : 54 pour les premiers, 291 pour les seconds. Naturellement la noblesse ancienne et nouvelle y tient une grande place ; jamais moins de 40 % dans les diverses assemblées, et cette proportion s'est élevée jusqu'à 58 % dans la Chambre de 1821. Comme il n'y avait pas d'incompatibilité entre le mandat de député et les fonctions administratives, les divers gouvernements ne manquèrent pas de profiter de la possibilité ainsi offerte pour se composer des majorités fidèles, soit en s'arrangeant pour faire élire des fonctionnaires, soit en nommant à des postes bien rétribués les députés une fois élus. C'est ainsi que Martignac fit d'un coup 28 conseillers d'Etat et 3 maîtres des requêtes parmi les membres de sa majorité. On voyait même des préfets se partager — Dieu sait comme ! — entre les sessions de la Chambre et l'administration de leur département. Dans la dernière assemblée du régime, la proportion des fonctionnaires s'élevait à 38,5 % ; par ailleurs, il y avait 41,5 % de grands propriétaires ; les professions économiques représentaient 14, 8 % et les professions libérales seulement 5,2 %.

L'aspect matériel de la Chambre, le règlement qui présidait au déroulement de ses séances et au travail législatif, étaient assez différents de ce qu'ils sont aujourd'hui. La salle était toujours celle qui avait été rapidement édifiée en 1797 pour l'assemblée des Cinq-Cents : décor très simple, dans le goût gréco-romain, et dont l'austérité était accentuée par un appareil visible de grosses pierres de taille ; la tribune du président, en marbre, était placée dans une sorte d'abside ménagée au milieu du mur droit du fond ; les bancs, en gradins, étaient disposés, comme aujourd'hui, en hémicycle et déjà la droite et la gauche s'entendaient par rapport au président qui leur faisait face ; le chauffage était assuré par des tuyaux circulant sous le pavé en mosaïque et l'éclairage par des lustres qu'on descendait en cas de besoin par des ouvertures ménagées dans le double plafond vitré ; mais les séances ne se prolongaient jamais au-delà de cinq ou six heures du soir. Cette salle, prototype de tant de salles d'assemblées parlementaires construites depuis, fut démolie en août 1829, et, pour la session de 1829-1830, on construisit une salle provisoire en bois dans les jardins du Palais-Bourbon, tandis que l'on travaillait à celle qui devait la remplacer et qui ne serait prête qu'en 1832.

Bien qu'il n'y eût pas d'indemnité parlementaire, les députés étaient beaucoup plus assidus aux séances qu'ils ne le sont de nos jours ; non seulement parce qu'ils avaient une haute conscience de leur mission, mais encore parce que le vote était rigoureusement individuel. Il faut dire aussi qu'ils étaient moins accablés d'occupations étrangères à leur travail et que les sessions ne duraient que six mois, commençant à la fin de l'année, en novembre ou décembre, voire même en janvier, et se terminant au plus tard en juillet, parfois plus tôt. Le début de la session était marqué par le discours du trône, prononcé par le roi, en présence des deux assemblées réunies, et dans lequel le souverain faisait un bref tour d'horizon et annonçait les principales mesures législatives qui seraient proposées à l'examen du parlement. Les Chambres y répondaient par des adresses dont les termes étaient soigneusement pesés, débattus en séance secrète, apportant parfois sous les formes les plus respectueuses des conseils et des critiques, comme on l'a vu, par exemple, pour l'adresse de 1821.

Il n'y avait pas de commissions spécialisées comme aujourd'hui, mais dès le début de la session, la Chambre se divisait en « bureaux » polyvalents formés par tirage au sort. Les projets de lois étaient examinés concurremment par tous ces bureaux et n'étaient portés devant la Chambre que lorsque les deux tiers de ces bureaux les avaient étudiés et avaient nommé un rapporteur général. Les différents articles des projets de lois, comme toutes les décisions courantes, étaient votés par *assis* et *debout*, avec contre-épreuve, mais l'ensemble de la loi donnait toujours lieu, pour terminer, à un scrutin secret : les députés défilaient à la tribune, à l'appel de leur nom, et y déposaient dans une urne une boule blanche pour *oui*, ou une boule noire pour *non* ; celle qui n'avait pas été utilisée était laissée dans une seconde urne placée sur le bureau des secrétaires et destinée à la contre-épreuve. Au moment où les ultra-royalistes étaient dans l'opposition, les boules noires que l'on retrouvait toujours en nombre égal dans tous les scrutins, étaient appelées « les prunes de Monsieur ».

Il n'y avait point alors de partis, ou de groupes organisés, avec président, comité directeur et stricte discipline de vote. Seulement, en dehors de la Chambre, et de façon toute officieuse, existaient certains points de ralliement, certains salons où les députés de même tendance se réunissaient pour confronter leurs vues et concerter leur tactique ; telle fut, pour le parti royaliste, devenu ministériel sous Villèle, la « réunion Piet » ; tels le salon de la duchesse de Broglie pour les doctrinaires, celui de Laffitte pour les libéraux, celui de Ternaux pour le centre gauche. Toutefois, les frontières des partis restaient plus ou moins flottantes, et la liberté de vote, entière, si bien que le résultat des scrutins ne pouvait jamais être prévu avec certitude ; un discours entraînant ou un incident de séance pouvait exercer une influence décisive et cette incertitude constituait un élément de puissant intérêt pour le jeu parlementaire.

Quand on parcourt les comptes rendus des séances, on est frappé du sérieux et de la dignité, de la hauteur de pensée qui régnaient alors dans l'enceinte législative. « La Charte, dit Thiers, avait transformé le forum des anciens en salon d'honnêtes gens. » Sans doute y eut-il quelques séances orageuses, sans doute les sténographes, moins habiles, ou plus discrets que ceux d'aujourd'hui, n'enregistraient-ils pas toutes les interruptions et toutes les fautes de français échappées à la passion ; sans doute était-il de pratique courante pour les députés de corriger après coup le texte de leurs interventions, voire même de faire insérer au compte rendu des discours qu'ils n'avaient point prononcés, mais, tout de même, on peut dire que jamais en France l'éloquence parlementaire n'a connu une telle qualité. La plupart des députés auraient pensé manquer de respect à la Chambre s'ils n'avaient apporté à la tribune des discours soigneusement médités et entièrement rédigés ; et on écoutait avec patience et courtoisie de longues dissertations de droit public, d'économie politique, d'histoire, ou même de philosophie. Rares étaient ceux qui, comme Benjamin Constant, osaient se livrer à l'improvisation, et leurs velléités se trouvaient bridées par la règle qui voulait qu'on ne parlât pas de sa place et qu'on ne montât pas à la tribune sans être revêtu de l'habit de député : bleu de roi, avec boutons blancs et broderies de fleurs de lys en argent au collet et aux poignets.

Jamais, non plus, les discussions de la Chambre n'eurent un si grand retentissement dans la presse, une si profonde influence sur l'opinion publique ; tel discours de Royer-Collard fut, dit-on, tiré à un million d'exemplaires. Du fait des restrictions légales qui limitèrent toujours dans une certaine mesure la liberté d'expression des journalistes, la tribune parlementaire était à peu près le seul endroit où pouvaient se donner libre cours les opinions hostiles au gouvernement, et celui-ci n'avait aucun moyen d'empêcher les journaux d'en faire état. On a dit par ailleurs quels étaient les organes principaux des divers partis, et l'histoire des régimes différents imposés aux périodiques se trouve intimement mêlée à celle des fluctuations politiques. Il reste à préciser ici ce qu'était matériellement le journal de ce temps. Quatre pages seulement, et d'un format de moitié moins grand que celui de nos journaux actuels, pas de gros titres, deux ou trois colonnes d'impression serrée, où se succèdent nouvelles de l'étranger, nouvelles de France, comptes rendus parlementaires, ou judiciaires ; les « leaders » politique ne sont jamais signés, sinon d'initiales ; les nouvelles d'ordre littéraire, les recensions théâtrales, y tiennent une grande place ; point de publicité, point de romans feuilleton, point de nouvelles à sensation, quelques faits-divers. Les journaux s'adressent à un public sérieux, qui a le temps de les lire de bout en bout.

Ils s'adressent aussi à un public fortuné ; comme il n'y a pas de vente au numéro, on ne peut les avoir que par abonnement ; or l'abonnement coûte cher : 72 francs par exemple, pour *la Quotidienne* en 1824, c'est-à-dire 11.500 francs d'aujourd'hui. Aussi les tirages restent-ils très réduits ; le *Journal des Débats* et *le Constitutionnel*, les deux journaux les plus puissants de l'époque, n'ont jamais dépassé 20.000 abonnés ; la plupart des autres restent en-dessous de 5.000. En 1826, les quatorze journaux politiques de la capitale comptent au total 65.000 abonnés dans tout le pays. Ils ont cependant un nombre beaucoup plus élevé de lecteurs, car souvent plusieurs personnes se cotisent pour faire les frais d'un abonnement, et, à Paris comme dans les principales villes de province, il y a des « cabinets de lecture » et des cafés où l'on peut, pour une modique contribution, lire régulièrement son journal préféré. Malgré tout, il est certain que la lecture des journaux, comme toutes les autres manifestations de la vie politique, reste le privilège d'une minorité ; en 1826, Dupin estime qu'il y a un abonné pour 427 Français.

Comment vivent les journaux ? Casimir Périer a

donné, à l'occasion de la discussion de la loi de 1827 sur la presse, un aperçu du budget du *Constitutionnel* : la recette brute, fruit de ses 20.000 abonnements en 1826, s'élève à 1.373.976 francs. Sur cette somme, le droit de timbre, imposé par l'Etat, dévore à lui seul 450.000 francs, et les frais de port 102.000 francs ; tous les autres frais — rédaction, administration, etc., — se montent à 394.000 francs ; reste un bénéfice net de 375.000 francs que se partagent une dizaine d'actionnaires : c'était une industrie lucrative, on le voit, que de fronder le gouvernement et l'Eglise ! Mais les journaux à petit tirage — c'est-à-dire le plus grand nombre — ne vivaient que par les largesses intéressées d'un mécène ou d'un parti ; le plus souvent par les subsides du gouvernement ; ainsi, en 1826, chacun savait que *le Drapeau Blanc* appartenait au ministre des Affaires étrangères, *l'Etoile* au Garde des Sceaux, le *Journal de Paris* au ministre des Finances, la *Gazette de France* au ministre de l'Intérieur ; tous, plus ou moins directement à M. de Villèle, président du conseil. Dans ces conditions, seuls les très gros tirages pouvaient se targuer d'une réelle indépendance, et cette réputation consolidait leur situation en leur attirant les abonnés que dégoûtait la servilité mal dissimulée de la presse ministérielle ; en 1826, les journaux ministériels, tous ensemble, n'avaient pas plus de 14.000 abonnés, contre 49.000 aux feuilles d'opposition.

Un journal, dans les dernières années de la Restauration, se tailla une place à part ; inspiré par Jouffroy, dirigé par Paul Dubois, *le Globe* n'était pas théoriquement un journal politique et son équipe de rédacteurs comprit nombre d'hommes de lettres et de penseurs, à côté de quelques doctrinaires. Se tenant au-dessus de la mêlée, dans la sphère des idées pures, il distribuait à gauche comme à droite des critiques hautaines et des sarcasmes. Il fut, pendant plusieurs années l'organe et le directeur spirituel de la jeunesse intellectuelle, et son rayonnement s'étendit au-delà des frontières : Gœthe avouait que ses articles « sévères, hardis, profonds et prophétiques » lui donnaient beaucoup à penser.

La presse provinciale, qui avait connu un moment d'activité sous le régime libéral des lois de 1819 retomba bientôt dans la nullité. Le journal départemental — quand il y en avait un — n'était qu'une petite feuille, rédigée le plus souvent dans les bureaux de la préfecture ; on y trouvait les actes officiels, quelques nouvelles locales, quelques essais littéraires, et, en fait de politique, des extraits des journaux de Paris. Dans les dernières années de la Restauration, on vit apparaître dans quelques grandes villes comme Lyon, Lille, Marseille, Bordeaux, etc., des organes d'une certaine consistance, généralement financés par l'opposition.

Mais, encore une fois, il ne peut y avoir de vie politique en province que par référence à celle de la capitale et seules les élections législatives donnent aux partis l'occasion de s'affirmer et de s'affronter.

Les chiffres nous rappellent que cette activité politique reste le privilège d'une étroite minorité. L'amertume des intellectuels évincés s'exhale dans cette note inscrite en janvier 1824 par un royaliste fidèle, Pierre-Sébastien Laurentie, dans son *Journal intime* : « La liste des électeurs de Paris vient d'être publiée. Tous sont des charcutiers, maçons, logeurs, boulangers, épiciers, ou des gens exerçant des profession analogues... Quelle pitié ! Si j'avais une patente de marchand de bas je serais électeur. Je ne le suis pas, parce que je ne suis qu'inspecteur général des études ! »

La Charte a fait de l'argent le fondement de la responsabilité politique en fixant à 300 francs d'impôts directs le cens électoral. Le pays légal se trouve ainsi constitué par quelques 90.000 électeurs, parfois un peu plus, parfois un peu moins ; autrement dit, il y a environ un électeur pour cent Français majeurs. La moitié des collèges électoraux de départements ne comptent pas plus de 1.200 électeurs ; les chiffres extrêmes sont ceux de la Seine avec 10.000 à 12.000 électeurs, et de la Corse avec 40 ; en sorte que, dans ce dernier département, un député a pu être élu par 28 voix. La loi électorale, dite loi du double vote, avait institué un privilège dans le privilège, en constituant, avec le quart des électeurs les plus imposés, des collèges départementaux ou grands collèges ; le nombre de ces grands électeurs s'éleva, en juillet 1830, à 22.445.

Celui des éligibles, limité non seulement par le cens de 1.000 francs mais aussi par une condition d'âge — quarante ans — est encore plus réduit : 16.052 en 1817, 14.548 en 1828. Cette diminution provient du fait des dégrèvements d'impôts fonciers pratiqués par le gouvernement qui se sert de ce moyen pour écarter de la Chambre des candidats jugés indésirables. Il arrive ainsi que dans certains départements il n'y a pas plus de dix personnes qui soient éligibles, et parmi ces candidats possibles il en est qui se soucient peu de briguer un mandat qui les obligerait à passer tous les ans six mois dans la capitale, sans aucune compensation pécuniaire.

La première préoccupation de ceux qui s'occupent des élections est donc de trouver des candidats ; et ici commencent les manœuvres plus ou moins frauduleuses. La question du domicile n'offre pas grande difficulté : on peut en effet transférer son domicile légal dans tout département où l'on paie une partie, même minime, de ses contributions. La condition du cens de 1.000 francs est plus difficile à régler ; un des moyens les plus courants est de procéder à l'achat fictif d'immeubles suffisamment imposés ; en même temps que l'acte de vente, le notaire établit une contre-lettre secrète qui annule l'acte officiel. Dans quelques cas, les électeurs d'un parti sont assez attachés à un candidat pour lui offrir par souscription la propriété réelle d'un domaine ; ainsi agissent les électeurs libéraux pour Dupont de l'Eure, en 1824, et ceux du parti royaliste pour Berryer, en

1830. On utilise aussi le régime de la patente : il suffit de déclarer une profession qui assujettit à une patente permettant d'atteindre la somme exigée ; on a vu par exemple un général en retraite prendre une patente de géomètre arpenteur.

Lorsqu'il s'agit d'établir les listes d'électeurs, l'administration retrouve tous ses avantages, car c'est au préfet qu'appartient ce droit. Eliminer des électeurs hostiles au gouvernement, soit en les faisant dégrever d'impôts, soit en faisant traîner les formalités prévues pour l'inscription, soit, tout simplement, en « oubliant » de les porter sur les listes ; renforcer le parti ministériel en y portant des électeurs qui n'y auraient pas droit, toutes ces manœuvres sont de pratique courante. Pour éviter les protestations intempestives, les listes sont affichées au dernier moment, ou bien elles sont imprimées sans ordre alphabétique, placardées en un seul endroit et à une telle hauteur qu'il faudrait une échelle pour aller les déchiffrer. A Paris, les opposants les plus résolus sont groupés arbitrairement dans une seule section afin de laisser le champ libre dans les autres aux manœuvres du parti gouvernemental.

Ces fraudes seront rendues plus difficiles par la loi de 1828 sur la composition des listes électorales, mais il subsistera toujours la pression administrative. Elle s'exerce sans retenue sur les fonctionnaires. Le Garde des Sceaux, Peyronnet, s'exprimait par exemple, en ces termes dans une circulaire du 20 janvier 1824 : « Le gouvernement ne confère les emplois publics qu'afin qu'on le serve et qu'on le seconde... Si le fonctionnaire refuse au gouvernement les services qu'il attend de lui, il trahit sa foi et rompt volontairement le pacte dont l'emploi qu'il exerce avait été l'objet ou la condition... Le gouvernement ne doit plus rien à celui qui ne lui rend pas tout ce qu'il doit. » Qu'en termes galants ces choses sont dites ! Pour les électeurs non fonctionnaires, on disposait d'autres arguments ; témoin le préfet de l'Aisne, qui écrivait aux électeurs de l'arrondissement de Laon : « Le sort de l'arrondissement, celui du chef-lieu, sont entre vos mains. Du parti que vous allez prendre résultera votre salut ou votre perte. Faire un choix offensant pour la majesté royale, c'est renoncer à jamais aux grâces d'un gouvernement paternel mais juste, et qui est nécessairement sévère lorsqu'il est outragé. »

Naturellement, il appartenait aussi au candidat de préparer son élection par des visites, des promesses individuelles, des dîners offerts. Point de réunions électorales, la loi les défendait ; et ce n'est que tardivement que s'imposera la coutume de faire imprimer et distribuer des professions de foi. En 1818 encore, un cas de ce genre était relevé avec indignation par le *Conservateur*, qui stigmatisait « l'effronterie démagogique avec laquelle un candidat s'est prostitué aux suffrages d'une certaine partie des électeurs ».

L'influence du gouvernement continuait à se faire sentir jusque dans les opérations électorales. Le président du collège, désigné par lui, se présentait comme son candidat officiel, et cette investiture royale lui conférait un prestige certain aux yeux des hommes pour qui le culte monarchique était une sorte de religion. Lui seul, ouvrant la session, le premier jour, avait le droit de prononcer une allocution qui était l'unique discours de la campagne électorale. Enfin, il était en position de contrôler le sens des votes émis ; sans doute, le secret du scrutin était-il théoriquement assuré, mais comme il n'était pas obligatoire, les partisans du candidat officiel, fonctionnaires ou autres, avaient généralement soin de voter à bulletin ouvert, afin de s'assurer les effets de sa bienveillance ; dès lors, quiconque remettait un bulletin clos se désignait par là même comme adversaire de l'administration ; du reste, le nombre des votants était si limité qu'il était souvent possible aux scrutateurs de reconnaître les écritures.

Les opérations électorales duraient plusieurs jours. Au matin du premier, après que le président eût désigné un bureau provisoire, on procédait à l'élection du bureau définitif, opération qui constituait une véritable épreuve de force, sur laquelle se comptaient les voix des partis en présence. Chaque électeur, avant de voter pour la première fois, émettait le serment d'usage, et chaque scrutin devait rester ouvert au moins six heures. Si l'on songe à la difficulté des communications, on ne s'étonnera pas que certains électeurs ne se soient pas dérangés, surtout lorsque, sous le régime de la loi de 1817, les élections avaient lieu dans le seul chef-lieu du département ; on compta, à cette époque, plus d'un tiers d'abstentionnistes. Après 1820, cette proportion resta tout de même de 10 à 20 %. Le deuxième jour, à supposer que l'élection du bureau définitif n'ait pas demandé plusieurs scrutins, les opérations électorales proprement dites pouvaient commencer ; chaque bulletin contenant autant de noms qu'il y avait de députés à élire, nul ne pouvait être élu aux deux premiers tours s'il ne réunissait la majorité absolue des suffrages exprimés et au moins un tiers de la totalité des membres du collège ; cette dernière clause permit plus d'une fois à une minorité de rendre impossible l'élection de ses adversaires par une abstention massive. Si après le deuxième tour, il y avait encore des sièges à pourvoir, les suffrages devaient se grouper obligatoirement sur ceux qui avaient recueilli le plus de voix dans les premiers scrutins, et l'élection avait lieu à la simple pluralité des voix.

Dans l'ensemble, et sauf en 1815 dans le Midi, les élections se déroulèrent partout dans l'ordre et dans le calme ; la chaleur des passions politiques n'empêchait pas qu'on se trouvât entre gens de bonne compagnie.

Faites dans de telles conditions, les élections ne sauraient évidemment refléter exactement l'opinion des provinces, et une carte politique de la France établie d'après leurs résultats laisserait apparaître d'étonnantes anomalies ; c'est ainsi qu'un département aussi manifestement royaliste que la Vendée a pu envoyer à la Chambre des députés libéraux comme Manuel : ils représentaient une minorité bourgeoise d'autant plus virulente dans son hostilité à la monarchie qu'elle pouvait se souvenir du temps où elle était pour ainsi dire investie dans ses villes par le flot de la chouannerie des campagnes. Les principales différences qu'on trouverait entre des cartes politiques de la France en 1825 et 1950 se situeraient d'une part dans les provinces du Nord-Est, considérées jadis comme des bastions de la gauche, et d'autre part dans celles du Midi aquitain, languedocien et provençal, qui déployaient autant d'ardeur pour le drapeau blanc qu'elles en ont montré depuis pour le drapeau rouge. Mais à défaut d'éléments d'analyse détaillés, que seul pourrait fournir le suffrage universel, on est obligé de s'en tenir à ces constatations massives et vagues.

Ce qui caractérise, en somme, la vie politique de la Restauration, c'est d'abord la stabilité des institutions, grâce à laquelle, pendant ces quinze ans, la France a pu faire pour la première fois l'apprentissage d'un régime constitutionnel permettant à la nation de prendre une part réelle à la marche des affaires. Si limitée que fût cette participation, la Charte de Louis XVIII s'est révélée, en définitive, plus utile pour l'instauration d'un régime réellement démocratique et parlementaire que les constitutions utopiques mort-nées de l'époque révolutionnaire. Pour la première fois, les partis se sont affrontés librement dans une enceinte parlementaire et dans le cadre d'institutions qui assuraient aux vaincus, à défaut des avantages du pouvoir, la satisfaction de critiquer leurs vainqueurs sans risquer la prison ou l'échafaud.

Un second caractère est l'étroitesse de cette vie politique, qui se limite à une infime minorité de privilégiés de la fortune. Sans doute l'état de la société, les contingences d'ordre économique, ne permettaient pas encore une participation consciente de la masse à la vie politique, mais on ne peut s'empêcher de trouver singulièrement mesquines et injustes les limites arbitraires imposées par le régime censitaire. Il faut noter ici que la bourgeoisie libérale, soi-disant amie du peuple, était plus opposée que les royalistes à une extension du droit de vote. Ce fut sans doute une grande faute que commirent les royalistes, une fois au pouvoir, en 1822, de ne pas avoir cherché à mettre en œuvre sur ce point les idées qu'ils avaient défendues lorsqu'ils étaient dans l'opposition.

Du même genre, et aussi grave, fut leur faute, d'avoir accepté le système de centralisation outrancière, instauré par Bonaparte, et dénoncé par eux comme funeste, de 1815 à 1820. La monarchie légitime n'avait rien à gagner à rester en tête-à-tête avec une bourgeoisie jalouse de ses conquêtes mal assurées ; elle n'avait rien à gagner à concentrer dans la seule capitale toute la vie politique du pays. La révolution de 1830, préparée par l'opposition du pays légal, imposée par l'insurrection parisienne à une France passive, devait être la sanction de cet aveuglement.

CHAPITRE IV

LA VIE RELIGIEUSE

Caractère religieux de la monarchie restaurée. — Négociation d'un nouveau concordat. — L'opposition des chambres le fait échouer. — Le nouvel épiscopat. — Reconstitution du clergé. — Lamennais. — Les congrégations religieuses. — Rôle des laïques ; sociétés et œuvres diverses. — Etat religieux de la nation. — Empire de l'Eglise sur l'éducation. — Les missions à l'intérieur. — La confusion du spirituel et du temporel. Bilan du « cléricalisme » de la Restauration. — Les protestants. — Les Israélites.

« Lorsque Dagobert fit rebâtir Saint-Denis, il jeta dans les fondations de l'édifice ses joyaux et ce qu'il avait de plus précieux. Jetez ainsi la religion et la justice dans les fondations de notre nouveau temple. » Image éclatante, réminiscences médiévales : à ces marques, on a reconnu la griffe de Chateaubriand. Dans cette phrase écrite en 1816, il exprimait le sentiment commun des royalistes : la monarchie restaurée serait religieuse ou elle ne serait pas. Position bien différente de ceux qui au XVIIIe siècle avaient cherché à régénérer l'ancienne institution monarchique en la rationalisant à l'école des Encyclopédistes pour en faire un « despotisme éclairé ». Cette révolution dans la doctrine monarchiste a été le plus souvent attribuée au mouvement d'idées qui s'était développé parmi les émigrés ; sous l'influence conjuguée de l'épreuve purificatrice et des grands penseurs comme Joseph de Maistre et Bonald, la noblesse frivole et voltairienne de l'Ancien régime avait compris qu'en s'associant aux attaques des philosophes contre la religion, elle avait sapé les fondements de l'ordre de choses dont elle était la bénéficiaire. Il y a certes beaucoup de vrai dans cette thèse traditionnelle, et l'on pourrait citer à l'appui de nombreux cas individuels, parmi lesquels celui du comte d'Artois lui-même. Il ne faudrait pourtant pas attribuer aux idées de l'émigration une importance excessive. Les œuvres de Maistre et de Bonald sont restées pratiquement inconnues en France avant 1815, et si les émigrés ont été obligés de composer avec la France nouvelle dans l'instauration du nouvel ordre politique, on comprend mal qu'ils aient pu imposer leurs idées dans le seul domaine de la religion. En fait il apparaît que le nouvel accent mis sur le caractère religieux de la monarchie tient à tout un ensemble de facteurs. Il exprime un mouvement d'opinion sorti des profondeurs mêmes de la nation autant que des milieux de l'émigration. Il s'inscrit, du reste, dans un mouvement plus large de la pensée européenne tout entière, dont le pacte de la Sainte-Alliance est une manifestation entre bien d'autres. C'est la Révolution elle-même qui a renoué les liens quelque peu relâchés entre l'autel et le trône, lorsqu'elle s'est attaquée à l'Église au moment même où elle frappait la monarchie. Ce sont les héroïques Vendéens, lorsqu'ils ont versé leur sang à la fois pour leur Dieu et pour leur roi, et cela dans un temps où à Coblence on en était encore à lire Voltaire. C'est Bonaparte lui-même, lorsqu'il proclamait, par le Concordat, la nécessité de la religion pour rétablir l'ordre dans la société, lorsqu'il faisait appel au Pape pour donner à sa nouvelle monarchie un caractère sacré. Il contribuait également à ressouder la cause de l'Eglise à celle des Bourbons lorsqu'il emprisonnait le Pape et persécutait le clergé fidèle. Sa défaite finale devait apparaître comme une revanche des forces spirituelles sur la force matérielle.

La Révolution avait prétendu déchristianiser la France, et avait abouti à l'anarchie ; l'Empire avait prétendu mettre la religion au service de l'Etat, et avait dégénéré en tyrannie. Le roi très-chrétien se devait de mettre, au contraire, l'Etat au service de l'Eglise. Si son pouvoir venait d'En-haut, n'était-il pas logique d'en conclure que sa principale obligation était de conduire ses sujets vers Dieu ? « Le trône de saint Louis sans la religion de saint Louis est une supposition absurde. » (Chateaubriand.) L'intérêt du roi coïncidait d'ailleurs avec son devoir puisque, en agissant ainsi, il assurerait à son trône la protection divine et l'appui sans réserve d'un clergé qui saurait diriger les masses. Pour tenir un pareil raisonnement, il n'était point besoin d'avoir lu Maistre ou Bonald, il n'était point besoin d'avoir quitté la France : la société secrète des Chevaliers de la Foi, qui est bien l'institution la plus représentative de ce nouvel idéal, est née en France même, et par l'initiative d'un jeune homme qui n'avait pas quitté son pays ; et ce sont des jeunes gens de la génération de Ferdinand de Bertier et d'Alexis de Noailles qui ont fourni le gros des effectifs non seulement aux Chevaliers de la Foi, mais à la Congrégation et à la Chambre introuvable.

Il faut tenir compte, enfin, du nouveau climat intellectuel de l'époque, qui s'inscrit en réaction contre le rationalisme du XVIIIe siècle. La pensée allemande s'éloigne des prestiges de l'*Aufklärung* et retourne vers Dieu par les voies obscures de la sensibilité et du mysticisme. En France, *le Génie du Christianisme* a ouvert la porte à l'apologétique du sentiment et de la beauté : « Ma conviction est sortie du cœur. J'ai pleuré et j'ai cru. » Le romantisme, à ses débuts, masque ses ferments d'anarchie individualiste sous le culte du passé médiéval, où se trouvent associées dans une admiration nostalgique la monarchie de saint Louis, la société féodale et l'Eglise de saint Bernard.

« Pierre angulaire de la légitimité », la religion figure donc en première ligne au programme de la monarchie restaurée. S'il appartient à l'Eglise seule de ressaisir les âmes, le pouvoir civil peut du moins donner au clergé les moyens d'action matériels dont il a besoin, ainsi que l'appui moral de son autorité.

On sait par quels actes Louis XVIII s'est empressé d'affirmer, dès son retour, en 1814, la nouvelle politique religieuse : le catholicisme déclaré religion de l'Etat par la Charte constitutionnelle, ordonnance du 10 juin 1814 facilitant les dons aux établissements ecclésiastiques, ordonnance du 5 octobre permettant aux évêques d'ouvrir une école ecclésiastique exempte du contrôle universitaire dans chaque département, loi du 18 décembre sur la sanctification des dimanches et fêtes, etc. Mais la grande affaire, la base de l'œuvre de restauration religieuse devait être l'annulation du Concordat napoléonien de 1801 et le retour à celui de 1516. Louis XVIII n'avait jamais pardonné à Pie VII d'avoir apporté momentanément à « l'Usurpateur » le concours de l'Eglise, et les évêques qui avaient refusé alors de se soumettre à la décision du Pape étaient considérés par lui comme seuls dignes de sa confiance. Leur influence devait être toute puissante dans le comité ecclésiastique de neuf personnes, qui remplaça en 1814 le ministre des Cultes et qui inspira toute la politique religieuse de la première Restauration.

Le 22 juillet 1814 arriva donc à Rome l'ancien évêque de Saint-Malo, Mgr Cortois de Pressigny, nommé ambassadeur du roi auprès du Saint-Siège. Ses instructions rédigées par Talleyrand lui prescrivaient de demander au Pape l'annulation de tous les actes « arrachés à sa faiblesse » depuis 1800, en particulier du Concordat de 1801 ; les anciens diocèses devaient être rétablis, l'épiscopat complètement renouvelé, et pour réaliser cette œuvre le Pape devrait envoyer à Paris un légat muni des pleins pouvoirs. Pie VII aurait vu disparaître sans regret le Concordat de 1801 qu'il n'avait accepté que pour mettre fin au schisme et parer à une situation extraordinaire, presque désespérée ; il désirait surtout voir annuler les articles organiques dont le Concordat avait été assorti par un acte unilatéral du Premier Consul et qui étaient si contraires aux libertés religieuses revendiquées par l'Eglise. Mais il n'entendait pas se déjuger et accepter la position de coupable repentant que semblaient impliquer les prétentions du roi de France. Rétablir les anciens diocèses, soit, mais le Pape se croyait, de son côté, en droit d'exiger un acte de soumission de la part de ces évêques qui lui avaient refusé obéissance en 1801, comme aussi des anciens constitutionnels dont la situation n'avait pas été éclaircie et qui avaient pu le braver grâce à l'appui du gouvernement impérial. Il s'inquiétait enfin du maintien, annoncé par la Charte, d'une législation révolutionnaire et qui était, sur de nombreux points, contraire au droit ecclésiastique.

Les négociations engagées sur un ton de récrimination mutuelle se traînèrent laborieusement. Jaucourt, qui remplaçait Talleyrand pendant son séjour à Vienne, crut bon de mettre un peu d'eau dans le vin royal ; il envoya à Rome Jules de Polignac avec des instructions plus conciliantes et plus respectueuses dans leur forme. Le retour de Napoléon devait naturellement arrêter toute l'affaire. Elle ne recommença à marquer quelques progrès qu'au printemps de 1816, lorsque Cortois de Pressigny fut remplacé à Rome par le comte de Blacas. Richelieu lui avait recommandé de ne plus insister sur un désaveu solennel du Concordat de 1801, et, entre temps, le roi avait obtenu un acte de soumission collectif des évêques survivants de ceux qui avaient refusé leur démission en 1801, en leur promettant une place dans l'Eglise reconstituée. Le cardinal Consalvi, secrétaire d'Etat, finit par donner son accord à une convention dont les termes ménageaient les susceptibilités du Saint-Siège, en stipulant seulement que le Concordat de 1801 « cessait d'avoir son effet » ; les articles organiques étaient supprimés ; les anciens évêchés seraient rétablis « en nombre convenable » et d'un commun accord ; ceux qui avaient été érigés en 1801 seraient maintenus, ainsi que leurs titulaires actuels « sauf quelques exceptions fondées sur des causes légitimes et graves » ; enfin l'indépendance matérielle de ces évêchés serait assurée par une dotation en biens-fonds ou en rentes sur l'Etat.

L'entente paraissait complète et déjà la chancellerie pontificale s'affairait à la rédaction des bulles et des brefs nécessaires à la promulgation de l'accord. Mais le roi, au reçu des communications de Blacas, prétendit insérer dans l'acte de ratification une réserve précisant qu'il était hors de son intention de « porter atteinte aux libertés de l'Eglise gallicane et d'infirmer les sages règlements que les rois, ses prédécesseurs, avaient faits, à diverses époques, contre les prétentions ultramontaines ». Du coup, le Pape refusa, lui aussi, de ratifier. Blacas et Consalvi durent se remettre à l'ouvrage. Le nouvel accord, qui en sortit au mois de juin 1817, reproduisait, à peu de choses près, le précédent ; le Pape avait accepté que l'on ajoutât à la clause du traité qui abolissait les articles organiques cette précision restrictive : « en ce qu'ils sont contraires à la doctrine et aux lois de l'Eglise » ; par contre le roi, dans une note séparée, déclarait que le serment de fidélité imposé par la Charte aux fonctionnaires ecclésiastiques « ne saurait porter atteinte aux dogmes ni aux lois de l'Eglise, ... qu'il n'était relatif qu'à l'ordre civil ».

Le Pape se hâta de ratifier le traité ainsi amendé, et dès le 27 juillet il publia la bulle qui établissait quarante-deux nouveaux diocèses français ; le lendemain furent préconisés en consistoire trois cardinaux français et trente-quatre nouveaux évêques nommés par le roi pour les sièges créés.

Cette hâte et cette publicité pouvaient se comprendre de la part du Saint-Siège : l'accord obtenu constituait incontestablement pour lui un grand succès. Mais elles devaient, au bout du compte, en provoquer la ruine. La négociation, comme il se doit en bonne diplomatie, avait été menée dans le plus grand secret, au point que les ministres eux-mêmes, à part Richelieu et Lainé, en avaient tout ignoré. Grande fut donc leur surprise, ainsi que celle de l'opinion publique, lorsque fut connue en France le texte de cette bulle ; selon la forme traditionnelle des actes pontificaux, l'acte était présenté comme émanant de « la pleine et libre autorité » du Pape ; c'était lui-même, et non le roi de France qui « assignait » aux évêchés nouveaux les dotations promises. Le vieux sang gallican entra en ébullition, et l'opposition trouva un appui dans cette fraction du ministère qui inclinait alors vers la gauche, Decazes et Pasquier principalement. Ils démontrèrent à Richelieu que le droit du roi de signer des traités sans le concours des Chambres ne pouvait s'appliquer au cas présent, puisque cet acte modifiait un texte, le Concordat de 1801, qui était devenu une loi de l'Etat ; qu'il touchait à l'organisation intérieure du royaume et qu'il devait comporter des conséquences budgétaires. Le président du conseil se laissa impressionner par les arguments juridiques de ses collègues et l'on décida de présenter aux Chambres non point le texte du traité signé par Blacas, mais une loi dont les termes auraient été choisis de façon à donner tous apaisements à l'opinion gallicane. L'article 1er disait que le roi nommait seul les évêques « en vertu du droit inhérent à sa couronne » ; l'article 5 soumettait au visa des Chambres et du roi les actes pontificaux intéressant l'Eglise de France ; l'article 11 affirmait le maintien des « maximes, franchises et libertés de l'Eglise gallicane », des lois et règlements sur les matières ecclésiastiques, c'est-à-dire des articles organiques. Ainsi le gouvernement du roi, après avoir signé et ratifié un traité avec le Saint-Siège, en déformait complètement l'esprit et la teneur par un acte unilatéral : Bonaparte n'avait pas agi autrement.

Le Pape se montra vivement blessé du procédé. La discussion du projet gouvernemental dans les commissions parlementaires se traîna au milieu de l'agitation de l'opinion publique entretenue par un flot de brochures. Le gouvernement se trouva, par sa faute, dans la position la plus embarrassante : la gauche, sur laquelle s'appuyait alors sa majorité, se refusait toujours à voter un projet qu'elle jugeait trop favorable à l'Eglise, et la droite, dont les votes auraient pu compenser cette défection, s'indignait de la sujétion que la loi prétendait imposer au clergé. Un de ses membres, le comte de Marcellus, chevalier de la foi, écrivit directement à Pie VII pour lui demander une ligne de conduite ; le Pape lui répondit par un bref où il déclarait nettement inacceptable le projet gouvernemental. Dans ces conditions, le ministère renonça à présenter son projet devant les Chambres. Mais, en attendant, on nageait en pleine confusion : la nouvelle circonscription ecclésiastique établie par la bulle pontificale de juillet 1817 n'étant pas admise par l'autorité civile, et l'ancienne ayant cessé d'être en vigueur aux yeux de l'Eglise, on ne savait plus où commençaient ni où finissaient les diocèses. Les trente-quatre nouveaux évêques nommés par le Pape, à la demande du roi, se trouvaient sans diocèses, et d'autre part il y avait des diocèses qui avaient deux évêques à la fois...

On dépêcha auprès du Saint-Siège le fils de l'ancien ministre des Cultes, Portalis, alors membre du Conseil d'Etat, afin de chercher un accommodement. Pie VII et Consalvi se refusèrent à toute modification du traité de 1817 : il avait été négocié sur la demande instante du roi, il avait été signé, ratifié, publié. Si l'on découvrait maintenant qu'on était hors d'état de l'appliquer, il n'y avait qu'à s'en tenir à ce qui existait, c'est-à-dire au Concordat de 1801. C'est à quoi on dut se résigner. Le Pape déclara maintenue provisoirement l'ancienne circonscription en cinquante diocèses, et confirmés dans leur juridiction les anciens évêques ; les trente-quatre nouveaux prélats qu'il avait institués furent invités à s'abstenir provisoirement d'exercer leur juridiction. Quant au roi, il s'engagea à augmenter graduellement, d'accord avec le Saint-Siège, le nombre des diocèses français jusqu'au chiffre de 80, à mesure que les ressources nécessaires à leur dotation se trouveraient dégagées par l'extinction des pensions ecclésiastiques. Cette promesse, du moins, fut tenue fidèlement, grâce au revirement qui s'était produit, à partir de février 1820, dans la politique intérieure. Dès octobre 1822, les trente diocèses prévus étaient érigés, et il y eut dès lors, en France, quatre-vingts évêchés, dont la circonscription était, à peu de chose près, celle même d'aujourd'hui.

La reconstitution du personnel ecclésiastique n'avait pas attendu celle des cadres territoriaux. Dès 1820, il ne restait plus de l'épiscopat napoléonien que 26 prélats, et 9 seulement en 1830, parmi lesquels deux anciens évêques constitutionnels, qui avaient donné des preuves de leur résipiscence : Montault des Isles à Angers, et Belmas à Cambrai. La plupart des autres disparurent de leur belle mort ; quelques-uns avaient, plus ou moins volontairement, donné leur démission en 1815, comme Mgr de Barral, archevêque de Tours, qui s'était compromis par sa servilité envers Napoléon, et par la célébration de la messe solennelle du Champ-de-Mai, en juin 1815.

La Restauration put donc se donner assez rapidement un épiscopat tout dévoué à la monarchie. Contrairement à ce que l'on dit généralement, il ne fut pas tout entier choisi dans l'ancienne noblesse. Sur 96 nouveaux évêques, on compte au moins 20 « roturiers ». Toutefois, la volonté de « décrasser » l'épiscopat, comme disait, paraît-il, Mgr de Quélen, est évidente. Le cas — extrême, il est vrai — de l'abbé-duc de Rohan-Chabot, est caractéristique de cet état d'esprit. Né en 1788, il était, sous l'Empire, un des piliers de la Congrégation ; la mort tragique de sa jeune femme, Armandine de Sérent, brûlée accidentellement, le décida à entrer au séminaire de Saint-Sulpice, en 1819. A peine était-il prêtre, en juin 1822, qu'il était nommé chanoine honoraire et vicaire général de Paris ; en 1828, à l'âge de 40 ans, il fut fait archevêque de Besançon, et en juillet 1830, cardinal. Son nom, son dévouement ostentatoire à la monarchie, sa bonne mine et ses relations de salons passaient pour des titres suffisants à de telle faveurs. La valeur intellectuelle et les capacités pastorales paraissent plutôt faibles chez ce prélat mondain, qui a été caricaturé par Stendhal dans *le Rouge et le Noir*, en la personne de l'évêque d'Agde. « Une riche dentelle qu'il revêtait avec grâce, écrit de son côté Sainte-Beuve, était pour lui un sujet de satisfaction et de triomphe. Il l'essayait longtemps devant son miroir... » ; et Chateaubriand : « Sa pieuse chevelure, éprouvée au fer, avait une élégance de martyr. Il prêchait à la brune, dans des oratoires sombres, devant des dévotes, ayant soin, à l'aide de deux ou trois bougies, artistement placées, d'éclairer en demi-teinte, comme un tableau, son visage pâle. »

Tous les évêques de la Restauration n'étaient pas — heureusement — de ce type, et à l'opposé on peut citer, par exemple, Mgr Devie, ancien directeur de séminaire, aussi remarquable par son œuvre doctrinale que par son zèle pastoral et ses capacités administratives ; son long gouvernement, de 1823 à 1852, devait marquer profondément le diocèse de Belley. Dans l'ensemble, cet épiscopat diffère sensiblement de celui de l'Ancien régime. Ses mœurs sont irréprochables, il garde généralement la résidence, se donne avec assiduité, sinon avec intelligence, aux devoirs de sa charge ; le traitement de 15.000 francs que lui alloue le budget de l'Etat — 25.000 pour les archevêques — ne lui permet qu'un train de vie relativement modeste. « En toute vérité, écrivait le nonce Macchi, en 1826, on peut dire que la France n'a jamais eu des pasteurs plus édifiants et plus vertueux. » Mais il ajoute : « On pourrait seulement souhaiter qu'ils fussent plus doctes et plus instruits. » Tant en raison des traditions qu'à cause des difficultés de circuler, l'évêque apparaît bien isolé de son peuple et de son clergé, dont le séparent, plus encore que les murs de son palais épiscopal, sa petite cour ecclésiastique et l'*aura* de respect et d'adulation dont on entoure toutes ses apparitions. Rien de plus médiocre que ces lettres pastorales et ces mandements où retentissent, avec les rituels gémissements sur le « malheur des temps », tout le pathos du XVIIIe siècle finissant et la logomachie vague et abstraite derrière quoi se dissimulent l'ignorance du réel et l'impuissance à s'adapter aux besoins de la société nouvelle.

Sur un point essentiel, toutefois, celui du recrutement sacerdotal, l'épiscopat de la Restauration n'a pas failli à sa tâche. Par ses efforts soutenus, et grâce, il faut le dire, à l'appui efficace du gouvernement, il a réussi à redresser en quelques années une situation qui apparaissait, en 1814, comme extrêmement critique.

Le clergé, alors, comprenait environ 36.000 prêtres, à peine la moitié du chiffre de 1789 ; 3.345 succursales sur 23.000 n'avaient pas de desservants, et, dans l'ensemble, c'étaient, au dire des évêques, 15.000 à 16.000 prêtres qui manquaient pour assurer convenablement le culte. Les perspectives d'avenir étaient plus angoissantes encore, lorsque l'on considérait l'âge de ce clergé : 18 % des prêtres à peine avaient moins de 50 ans et 4 % moins de 40. « Toutes choses allant comme elles vont, pouvait écrire Chateaubriand, en 1816, dans vingt ans d'ici, il n'y aura de prêtres en France que pour attester qu'il y avait jadis des autels. » De 1790 jusqu'en 1802, le recrutement ecclésiastique avait été pratiquement suspendu et sous l'Empire, le chiffre annuel des ordinations s'était maintenu entre 350 et 500, alors que, sous l'Ancien régime, il était de 5 à 6.000. Les évêques avaient beaucoup de mal à soutenir financièrement le séminaire et l'unique école ecclésiastique que la loi leur permettait d'avoir dans leurs diocèses ; les jeunes gens étaient écartés du sacerdoce tant par la position subordonnée et humiliée que faisait au prêtre le régime concordataire que par les traitements misérables que leur accordait le budget des cultes : 1.000 à 1.500 francs pour les curés, 350 à 500 pour les desservants ; moins encore pour les vicaires, chapelains et aumôniers dont les traitements étaient laissés à la discrétion parcimonieuse des communes. Nombre de paroisses n'avaient pas de presbytères et en bien des endroits, les prêtres, pour subsister, devaient faire appel à la charité de leurs paroissiens ou même se livrer à diverses occupations lucratives.

Le gouvernement royal s'efforça d'améliorer la situation matérielle du clergé ; par une série de décisions, prises au fur et à mesure des possibilités budgétaires, les différents traitements ecclésiastiques furent notablement augmentés ; par exemple, ceux des desservants, qui constituaient la classe la plus nombreuse des prêtres employés dans le ministère, atteignirent, en 1827, 900 et 1.000 francs. Parallèlement, des sommes considérables furent consacrées à la construction et à l'aménagement des séminaires, à la création de bourses d'études dans ces établissements, à la construction d'églises nouvelles. Le budget des cultes, dans l'ensemble, passa de 12 millions en 1815 à 33 millions en 1830. Le résultat de ces efforts devait rapidement se faire sentir, et ils peuvent se chiffrer : le nombre des grands séminaires, suivant la progression des diocèses, est passé de 50 à 80 ; celui des écoles ecclésiastiques, en d'autres termes des petits séminaires, de 53 à 144 ; l'effectif des grands séminaires a plus que doublé, atteignant 13.257 élèves en 1830. Le chiffre des ordinations s'est élevé d'année en année : 918 en 1815, 1.405 en 1820, 1.620 en 1825, 2.357 en 1830. Sous l'influence de cette infusion de jeunesse, l'âge moyen du clergé s'est abaissé : en 1830 la proportion des sexagénaires s'est trouvée ramenée à 32 % contre 42 % en 1814. Enfin, tandis que sous l'Empire, et encore bien avant dans la Restauration, le nombre des décès avait constamment dépassé celui des ordinations, à partir de 1825 c'est le contraire qui se produit, si bien qu'en 1830 il y aura finalement 4.655 prêtres de plus en activité qu'en 1814.

Mais que vaut ce clergé nouveau ? Voilà qui est plus difficile à dire. La qualité des vocations a pu se ressentir des moyens employés pour les susciter. Tous les jeunes prêtres d'alors ne sont pas, certes, des Julien Sorel, mais il serait bien étonnant que l'attrait d'une situation matérielle améliorée et d'une carrière entourée par l'Etat d'une considération nouvelle n'ait pas amené dans les rangs du clergé une certaine quantité de vocations de qualité douteuse. Lamennais écrivait à son frère, en 1816 : « L'ambition et la politique font tout, la religion rien, ou presque rien. Paris est le centre des plus viles intrigues ; il en est maintenant des places ecclésiastiques comme des places civiles ; on s'arrange pour être quelque chose et voilà tout ce qu'on voit dans la religion. »

Quoi qu'il en soit, une chose est hors de doute : ce clergé manque d'homogénéité. Les années creuses de la Révolution et de l'Empire ont élargi le fossé entre les générations. C'est un lieu commun de la littérature d'alors que d'opposer le vieil abbé d'Ancien régime, portant l'habit à la française, poudré à frimas, mais d'esprit large et cultivé, au jeune prêtre, produit des séminaires-forceries de la Restauration, la tête rase sous son bonnet carré, de manières frustes et d'une austérité affectée, rachetant son ignorance par un fanatisme à tous crins ; naturellement, le premier est fidèle aux bonnes vieilles maximes de l'Eglise gallicane, tandis que le second embrasse avec enthousiasme les doctrines ultramontaines de M. de Lamennais. La vieille génération elle-même est profondément divisée par le souvenir des anciennes querelles ; les anciens jureurs, en dépit de toutes les amendes honorables, restent frappés d'une sorte de tare qui leur interdit tout espoir d'avancement ; et à l'opposite, les partisans de la « Petite Eglise », ceux qui n'ont pas voulu admettre le concordat de 1801, s'obstinent dans leur insoumission au Pape. Enfin, chose grave dans un temps d'exceptionnelle effervescence intellectuelle, le clergé apparaît nettement déficient du point de vue de la culture humaine et même religieuse. « Autrefois, écrit Lamennais en 1828, le clergé était à la tête de la société par ses lumières. Jamais, depuis bien des siècles, le clergé pris en masse, n'avait été aussi ignorant qu'aujourd'hui, et jamais, cependant, la vraie science n'a été plus nécessaire. »

On comprend, certes, que les prêtres formés sous la Révolution, aient manqué du temps et des moyens indispensables. Mais tout de même, les séminaires étaient rouverts depuis longtemps. Qu'y faisait-on ? L'esprit qui dominait alors la formation du clergé était celui de la Compagnie de Saint-Sulpice ; on en trouve un aperçu dans ces conseils donnés, en 1825, par le supérieur de la célèbre société, M. Mollevaut, à un de ses élèves qui venait d'être nommé professeur au grand séminaire du Mans : « Redoutez les nouveautés, vous attachant à la tradition des Pères de l'Eglise. Craignez de nourrir l'esprit de curiosité qui tue l'action de la grâce, pensez que le plus grand nombre de vos auditeurs doit remplir le ministère dans les campagnes avec de bons paysans et voyez d'après cela ce qui leur sera le plus utile. »

Les bibliothèques des séminaires, pillées sous la Révolution, n'ont pas été reconstituées, les professeurs n'ont reçu, le plus souvent eux-mêmes qu'une formation improvisée, les manuels en usage sont ceux du XVIIIe siècle ; les évêques, pressés par les besoins en personnel abrègent exagérément le temps de la formation de leurs sujets, et bien souvent les séminaristes sont enlevés à leurs études pour remplir des postes de surveillants ou de professeurs dans les petits séminaires.

La carence du clergé dans le domaine de la pensée laisse à des laïcs les premiers rôles dans l'élaboration de la doctrine du nouvel ordre : les Pères de l'Eglise s'appellent alors Joseph de Maistre, Louis de Bonald, et même Chateaubriand ; c'est un laïc, Michel Picot, qui dirige le journal ecclésiastique le plus répandu à l'époque, *l'Ami de la Religion et du Roi.*

Lamennais est le seul ecclésiastique dont la voix, émergeant de l'universelle médiocrité, se fasse entendre du grand public, mais ses outrances le rendent suspect à une partie du clergé et surtout à l'épiscopat qu'il attaque sans ménagements. Ce petit homme à la mine chétive est du pays de Chateaubriand, et il a reçu comme lui le don de s'exprimer en un langage tantôt poétique et tendre, tantôt éclatant et prophétique, illuminé d'images fulgurantes, mais trop souvent aussi marqué des stridences d'une passion exaspérée et des âcretés de la polémique. « Il réveillerait un mort », disait de lui Frayssinous qui ne l'aimait pas. C'est le cœur tourmenté de scrupules qu'il est entré, en 1815, dans les rangs du clergé, sous l'influence de son frère, Jean-Marie, un apôtre au tempérament plus équilibré. L'*Essai sur l'indifférence en matière de Religion,* publié à partir de 1817, l'a porté d'un coup au premier rang des célébrités littéraires et, depuis, sa plume a connu une activité fiévreuse ; il a collaboré au *Conservateur*, au *Drapeau Blanc* ; il a fondé et dirigé successivement *le Défenseur* et le *Mémorial catholique*.

Son apologétique rompt hardiment avec le postulat qui était à la base des constructions philosophiques du passé, depuis Aristote jusqu'à Descartes : à savoir, la croyance en la valeur de la raison individuelle et en sa capacité à atteindre la vérité. Pour Lamennais, au contraire, seule la pensée collective, ou comme il dit, le sens commun, qui s'exprime par le consentement universel, présente toutes les garanties d'infaillibilité, car on y retrouve le reflet de la révélation primitive faite par Dieu. « Par la nature même des choses, dit-il, s'isoler c'est douter ; l'être intelligent ne se conserve que dans l'état de société. » Cette révélation primitive s'est transmise à travers tous les égarements du polythéisme jusqu'au moment où le Christ est venu lui donner son expression pure et suprême dont est maintenant garante l'Eglise catholique. De là vient le rôle suréminent qu'il attribue à la Papauté dans la société moderne, dont il aperçoit l'immense transformation. « Sans Pape, point d'Eglise ; sans Eglise, point de christianisme, sans christianisme point de religion et point de société ; de sorte que la vie des nations européennes a sa source, son unique source, dans le pouvoir pontifical. »

Cette phrase se trouve dans l'ouvrage intitulé *De la religion considérée dans ses rapports avec l'ordre politique et civil* (1825) et qui était une diatribe contre le gallicanisme professé par les évêques de France, et en particulier par le ministre des Affaires ecclésiastiques, Mgr Frayssinous ; c'était, disait-il, la démocratie introduite dans l'Eglise, un attentat contre sa divine constitution, une œuvre souillée de schisme et d'hérésie, qui aboutissait à placer le pouvoir spirituel dans la dépendance abjecte du pouvoir politique. Du coup, l'épiscopat réagit ; quatorze prélats réunis à Paris, cardinaux, archevêques et évêques, adressèrent au roi une lettre où ils protestaient de leur fidélité au principe de la séparation des pouvoirs et de l'indépendance de l'Etat dans l'ordre temporel. Sollicités par Frayssinous, tous les autres évêques, sauf quatre, y donnèrent leur adhésion. Lamennais, poursuivi en police correctionnelle pour provocation à la désobéissance aux lois de l'Etat, fut condamné à une amende et à la saisie de son ouvrage.

Peu après, il commençait à mettre à exécution un grand projet destiné à la régénération du clergé de France ; avec l'aide de son frère et de ses deux premiers disciples, Gerbet et Rohrbacher, il fondait une société destinée à rétablir dans les esprits l'autorité du Saint-Siège, à répandre la nouvelle philosophie du sens commun et à créer un nouveau corps de doctrine catholique, embrassant toutes les branches du savoir ; cette congrégation dite de Saint-Pierre, établit au début de 1829 son noviciat et sa maison d'études à Malestroit, dans le Morbihan, tandis que ceux des disciples qui ne songeaient pas à entrer dans les ordres ou qui cherchaient leur voie restaient groupés autour du maître dans sa propriété de la Chênaie.

A ce moment, la pensée politique de Lamennais avait profondément évolué ; ultra-royaliste au début de la Restauration, et même affilié aux Chevaliers de la Foi, si l'on en croit certain témoignage, il considérait alors la Charte comme « une maladie à base révolutionnaire qu'on avait inoculée à la monarchie pour la faire périr ». Maintenant, aigri par les rigueurs dont il avait été l'objet de la part du gouvernement royal, il invitait les catholiques à séparer leur cause de celle de la monarchie et à se joindre au mouvement inéluctable qui entraînait les peuples vers la liberté. Tel était le thème du dernier ouvrage publié par lui peu avant la chute de Charles X : *Des progrès de la Révolution et de la guerre contre l'Eglise.*

L'influence de Lamennais, combattue par l'épiscopat, s'étendait rapidement dans le clergé, surtout en Bretagne. Les prêtres y adhéraient d'autant plus facilement qu'ils pouvaient voir dans un renforcement de l'autorité du Saint-Siège en France, le seul contrepoids au pouvoir despotique dont le concordat avait investi les évêques à leur détriment.

Parallèlement à la reconstitution du clergé diocésain, se poursuivait celle des congrégations religieuses. La Révolution avait anéanti la vie religieuse en France ; l'Empereur avait toléré et même protégé, dans une certaine mesure, les congrégations féminines, celles du moins qu'il jugeait « utiles », c'est-à-dire les sociétés hospitalières et enseignantes. Mais les congrégations d'hommes restaient hors la loi, à part trois sociétés missionnaires, — Lazaristes, Missions étrangères et Missions du Saint-Esprit, — qui étaient officiellement reconnues, et deux autres, les Sulpiciens et les Frères des écoles chrétiennes, qui étaient seulement tolérées.

Le programme de restauration religieuse de la monarchie supposait évidemment un régime plus favorable aux congrégations, mais la persistance de la tradition parlementaire et gallicane, jointe aux préjugés de l'esprit philosophique, devait empêcher même les gouvernements les plus réactionnaires d'offrir aux différentes formes de vie religieuse une base juridique bien définie. Une première loi, du 2 janvier 1817, établit que les associations religieuses ne pourraient acquérir des biens que si elles étaient autorisées par une loi ; c'était reconnaître indirectement la possibilité d'existence de sociétés non autorisées mais seulement tolérées. On aurait voulu faire davantage ; en 1824, le gouvernement présenta un projet de loi tendant à lui donner le droit d'autoriser de nouvelles congrégations par simple ordonnance royale ; mais la Chambre des pairs le repoussa. Alors on se borna à faire quelque chose pour les congrégations féminines, qui soulevaient moins de défiance ; la loi du

24 mai 1825 donna au gouvernement la faculté d'autoriser par simple décision administrative les nouveaux établissements de femmes, qui pourraient alors recevoir les dons et legs.

Sous ce régime bienveillant, les religieuses se multiplièrent avec une rapidité étonnante : 1.829 maisons et 12.400 religieuses en 1815 ; quinze ans plus tard, 2.875 maisons et 25.000 religieuses, et encore les statistiques ne sauraient tenir compte des multiples organisations para-religieuses, des communautés qui en sont encore à la phase des essais, des communautés de contemplatives qui n'ont pas osé ou qui n'ont pas pensé à profiter de la loi pour sortir de la semi-clandestinité où elles avaient pris l'habitude de vivre depuis 1790. On voudrait pouvoir illustrer par quelques noms, par quelques exemples, cette floraison de vie religieuse qui a jeté sur tout le XIXe siècle ses cohortes de saintes filles, aux cornettes de toutes formes et de toutes couleurs, dont le mauvais goût très sûr permet généralement de dater l'origine. Mais c'est là une histoire qui n'a pas encore été faite : il est même impossible actuellement de dire combien de congrégations diverses se sont alors formées ; avec les fusions, les rattachements, les doublets de noms, les scissions, le plus expert doit déclarer forfait.

L'histoire de ces fondations est presque toujours la même, et pour en comprendre la déconcertante multiplicité en face de besoins qui sont identiques, il faut toujours se rappeler l'isolement dans lequel vivaient les diverses provinces l'une par rapport à l'autre. Une pieuse fille se consacre, soit spontanément, soit sur les conseils d'un prêtre, à l'éducation des enfants, à l'assistance aux malades et aux indigents ; bientôt elle s'adjoint quelques compagnes attirées par son exemple ; la châtelaine de l'endroit apporte son appui moral et financier, M. le Curé ses encouragements... ou ses entraves ; un directeur de conscience jésuite ou autre apparaît à l'arrière-plan ; bientôt la fondation s'affermit, on achète une maison, Monseigneur s'en mêle : pour obtenir sa sanction, il faut des règles, un costume, une supérieure responsable, un nom, un saint patron, un noviciat. Tout cela se cristallise peu à peu, et un beau jour on est prêt à solliciter l'autorisation du Saint-Siège et du gouvernement : une nouvelle congrégation est née.

Du côté des hommes, il est moins facile encore de donner des chiffres, car la plupart des sociétés religieuses vivent en marge de la loi, et leurs membres se présentent comme de simples prêtres diocésains. Les trois congrégations missionnaires autorisées sous l'Empire, ainsi que les Sulpiciens et les Frères des Ecoles chrétiennes, furent seuls à recevoir une autorisation légale ; sept autres sociétés de Frères ou de Clercs enseignants furent reconnues encore comme associations d'utilité publique. Mais c'est avec la simple tolérance des autorités que se fondent et prospèrent les Maristes du P. Colin, les Oblats de Marie-Immaculée de l'abbé de Mazenod, les pères du Sacré-Cœur du P. Coindre, les Marianistes du P. Chaminade, etc. Quelques ordres anciens reviennent timidement à la surface : les Chartreux à la Grande-Chartreuse, les Capucins à Marseille, les Trappistes à la Grande Trappe et à La Meilleraye, et surtout les Jésuites, dont la politique libérale grossit l'importance et l'influence hors de toute proportion avec leur nombre réel. En fait, la fameuse Compagnie eut du mal à se reconstituer en France ; en 1828, au moment où ils furent frappés à nouveau, comme on le verra ci-après, les Jésuites n'étaient qu'au nombre de 456, étudiants et novices compris.

En dehors du clergé et des sociétés de religieux et de religieuses, l'Eglise a bénéficié à cette époque de l'activité d'un nombre impressionnant d'organisations et d'œuvres laïques, qui préfigurent, sur bien des points, l'action catholique moderne. C'était quelque chose d'assez nouveau que cette intervention directe et consciente des laïcs sur un terrain qui paraissait encore réservé au clergé, et il faut remonter au XVIIe siècle, jusqu'à la fameuse compagnie du Saint-Sacrement, pour en retrouver l'analogue. Elle n'était pas seulement conçue comme un expédient destiné à pallier à l'insuffisance numérique du clergé, elle apparaissait à certains chrétiens zélés comme exigée par les nouvelles conditions sociales et politiques : « Je suis convaincu, écrivait en 1820 Ferdinand de Bertier, le fondateur des Chevaliers de la Foi, que les prêtres ne peuvent plus être les apôtres les plus efficaces. » Ce mot va loin.

On a déjà parlé de ce personnage et de sa création, mais c'était une organisation plus politique que religieuse, bien que le fondateur eût envisagé, à l'origine, d'en faire une espèce d'ordre religieux laïque comme les chevaliers de Malte. Mais l'institution, impliquée de plus en plus dans les luttes politiques et parlementaires avait fini par n'être plus qu'une sorte de contre-maçonnerie, avec toutes les petitesses inhérentes à ce genre de sociétés secrètes.

Le véritable moteur de la plupart des œuvres laïques établies sur le plan national fut la fameuse Congrégation, où se retrouvaient d'ailleurs nombre de Chevaliers de la Foi. Fondée en 1801 par un ancien jésuite, le P. Bourdier-Delpuits, elle avait dû interrompre ses réunions en 1809. Elle se reconstitua sans tarder en 1814 et un autre jésuite, le P. Ronsin en devint l'animateur spirituel. Sa direction, toutefois, restait laïque ; elle appartenait au « préfet » et aux assistants élus chaque année. Le nombre total des affiliés a dépassé le millier, mais beaucoup ne faisaient qu'y passer, les étudiants, par exemple, qui s'en retournaient dans leurs provinces, une fois leurs études achevées ; il y avait aussi des membres qu'on peut dire « honoraires », ainsi des évêques, d'autres personnalités ecclésiastiques, comme le nonce lui-même, qui n'ont certainement pas participé souvent aux activités de la société. Les assemblées se tenaient un dimanche sur deux, dans un local prêté par le séminaire des Missions étrangères. On se réunissait à 7 h. 1/2 pour entendre d'abord une lecture de la vie des saints, l'appel nominal, les avis pratiques du P. Ronsin, la proclamation des nouveaux membres ; puis venait la messe à laquelle tous répondaient, la communion générale, l'action de grâces, un sermon, une prière commune à haute voix.

La congrégation de Paris n'était pas la seule. A Bordeaux, le P. Chaminade avait fondé des congrégations très actives, qui préfigurent de façon curieuse les « mouvements spécialisés » de l'action catholique moderne, avec ses organisations distinctes pour les hommes et pour les femmes, pour les jeunes gens et pour les adultes. La congrégation de Lyon, fondée en 1802 par le P. Roger — encore un ancien jésuite — s'enfermait dans le secret le plus rigoureux. Son co-fondateur et animateur était un négociant, Benoît Coste, à qui son zèle pour toutes les œuvres devait faire donner le beau titre de « premier chrétien du diocèse ». Ces congrégations de Bordeaux et de Lyon étaient indépendantes de celle de Paris, à laquelle, au contraire, furent affiliées en vue de bénéficier de ses privilèges spirituels, la plupart de celles qui naquirent ensuite dans les villes de province, au nombre d'une soixantaine environ ; il y en eut dans les collèges, dans les petits séminaires ; il y eut même une congrégation militaire, fondée par un capitaine de la garde royale.

Presque toutes les villes du Midi avaient leurs confréries de pénitents blancs, gris, noirs, bleus, etc. ; à la fois confréries pieuses et sociétés de secours mutuel ; mais leur action restait toute locale et traditionnelle, et si l'on devait en croire le proverbe « boire comme un frère de charité », la religion pouvait servir parfois de simple prétexte à de joyeuses réunions. Les congrégations nouvelles, au contraire, devaient donner naissance à toutes sortes d'œuvres de bienfaisance et d'apostolat. La *Société des Bonnes Œuvres* représentait pour ainsi dire l'aspect actif de la congrégation ; elle était divisée en trois sections : celle des hôpitaux, celle des Petits Savoyards, celle des prisonniers. La *Société des Bonnes Etudes* était une première ébauche des cercles d'études d'étudiants, elle mettait à leur disposition un local, une bibliothèque, elle leur procurait des conférences sur des sujets religieux comme sur des questions de culture générale. La *Société catholique des Bons livres* avait été créée, en 1824, pour répondre par une action positive aux efforts trop manifestes de la presse antireligieuse ; dès la fin de 1826 elle comptait 8.000 souscripteurs et avait distribué 800.000 volumes. L'*Association de Saint-Joseph*, fondée en 1822 par l'abbé Lowenbrück, avec l'appui de Lamennais, était destinée à procurer aux ouvriers de l'ouvrage chez des maîtres chrétiens, à leur donner un abri provisoire en attendant qu'ils fussent placés, à leur offrir un lieu de réunion où ils pourraient trouver, hors des moments du travail, des distractions saines, des cours de perfectionnement, etc. L'œuvre, protégée par la Cour, aidée financièrement par le Faubourg Saint-Germain, compta jusqu'à 1.000 adhérents industriels et commerçants et 7.000 ouvriers inscrits. Les congréganistes se retrouvaient encore dans les comités d'une foules d'œuvres moins connues, fondées ou reconstituées à cette époque : Société pour l'apprentissage des orphelins, Société pour la formation des maîtres d'école chrétiens, Société des Amis de l'Enfance, Institution des Jeunes aveugles, Secours aux pauvres honteux, Société des prisonniers pour dette, etc.

La plus importante et la plus durable de ces œuvres animées par les congrégations fut sans doute la *Société pour la Propagation de la Foi.* On a pu discuter pour savoir quel était son véritable fondateur, de Benoît Coste ou de Pauline Jaricot, mais ce qui est certain, c'est qu'il s'agit là d'une œuvre purement laïque dans son origine. Plus tard, sa direction fut assurée par deux conseils centraux siégeant à Lyon et à Paris, « coiffés » par un conseil supérieur, présidé par le Grand Aumônier le cardinal de Croy, qui réglait la distribution des fonds recueillis par les premiers. La société devait compter, en 1830, plus de 50.000 membres, pour le seul conseil du Nord, avec des recettes atteignant 128.000 francs, soit plus de 20 millions d'aujourd'hui. Son organisation par dizaines et centuries rappelait étrangement celle des *carbonari* ; aussi les libéraux affectèrent de s'en épouvanter et d'y voir un des éléments de la domination jésuitique sur la société française.

L'Association pour la défense de la Religion catholique, fondée en 1828, à un moment où le parti libéral livrait un assaut contre les Jésuites et les petits séminaires, se donnait pour but de promouvoir la publication d'écrits favorables au catholicisme, de mettre en œuvre les moyens juridiques pour faire échec à la campagne de calomnies contre le clergé et pour défendre les œuvres religieuses, d'encourager enfin les hautes études ecclésiastiques. Onze pairs de France firent partie de son conseil, ainsi que des députés, des officiers généraux, des membres de l'Institut. Elle ne devait pas répondre aux espoirs qu'avait mis en elle Lamennais, qui lui reprocha, entre autres choses, d'avoir pris l'initiative de publier une revue, *le Correspondant*, qui faisait concurrence à celle qu'il éditait lui-même, *le Mémorial*.

La Révolution de 1830 devait amener la ruine de la plupart de ces œuvres, en dispersant leurs membres ; mais il n'empêche que dans leurs rangs toute une élite chrétienne s'était initiée au service de l'Eglise et des classes moins fortunées. Là se trouve la source de ce courant original du catholicisme social, qui, à travers biens des avatars, s'est continué jusqu'à nos jours.

Le catholicisme, religion de l'Etat, est-il même seulement, comme le voulait la lettre du concordat de 1801, « religion de la majorité des Français » ? Oui, certes, si l'on considère le nombre des chrétiens baptisés. Mais en pratique ? Les études concrètes et détaillées qui seraient nécessaires pour apporter une réponse satisfaisante font ici défaut. Deux choses seulement apparaissent indubitables : la situation religieuse diffère profondément d'une province à l'autre, et dans l'ensemble, l'instruction et la pratique religieuses ont subi, depuis la fin de l'Ancien régime, une baisse de niveau très sensible.

Trop de témoignages divers sont là pour attester ce dernier fait, en dehors des lamentations habituelles des mandements épiscopaux et des prédicateurs sur « l'impiété du siècle ». C'est, par exemple, celui du baron de Saint-Chamans, ancien préfet et conseiller d'Etat : « D'après ce que j'ai vu à Paris et dans diverses provinces, écrit-il en 1826, je crois pouvoir affirmer qu'en France, sur cent hommes faits, il y en a à peine cinq qui fassent leurs Pâques... Dans les Ecoles, composées de l'élite de la France, sur quatre cents, il s'en trouvait tout au plus quinze ou vingt qui remplissaient ce devoir, encore avec une sorte de mystère et comme s'en cachant. » Voici encore l'opinion du nonce, Mgr Macchi, qui en cette même année 1826, appréciait la situation, avec l'autorité que lui donnaient ses fonctions et six ans de séjour en France : « Plus de moitié de la nation est dans une ignorance complète des devoirs chrétiens et est plongée dans l'indifférence. A Paris, un huitième à peine de la population est pratiquante, et l'on peut se demander s'il y a dans la capitale 10.000 hommes à pratiquer. »

L'appui de l'Etat, l'augmentation numérique du clergé, la multiplication des sociétés religieuses et des œuvres laïques, tout cela ne pouvait que préparer indirectement le redressement nécessaire. Les deux grands remèdes sur lesquels compta l'Eglise de France pour reconquérir cette société qui lui échappait furent l'éducation de la jeunesse, et, pour les adultes, les exercices des missions.

Dès 1814, des voix nombreuses s'étaient élevées pour dénoncer l'action néfaste de l'Université napoléonienne, ces écoles, disait Chateaubriand, « où rassemblés au son du tambour les enfants deviennent irréligieux, débauchés, contempteurs des vertus domestiques ». Lamennais devait donner, plus tard, des exemples épouvantables de l'impiété et de l'immoralité qui régnaient dans les institutions de l'Etat, « séminaires de l'athéisme et vestibules de l'enfer ». « Point d'éducation si l'éducation ne redevient une partie du ministère ecclésiastique », écrivait en 1814, l'abbé Liautard, et seule la difficulté de remplacer au pied levé l'organisation universitaire devait empêcher les royalistes de droite, lorsqu'ils furent au pouvoir en 1815, de supprimer « la fille légitime de Buonaparte ». Du moins, le monopole universitaire, absolu sous l'Empire, fut démantelé de telle façon qu'il pût se constituer, en marge de l'enseignement de l'Etat, un enseignement secondaire purement ecclésiastique : petits séminaires fréquentés, en dépit des règlements, par un grand nombre d'élèves qui ne se destinaient pas au sacerdoce, écoles cléricales organisées par les curés pour un petit nombre d'enfants, collèges de plein exercice, habilités par l'ordonnance du 27 février 1821 à conférer les mêmes grades que les collèges royaux, collèges mixtes, résultant de la fusion d'un collège communal et d'une école ecclésiastique, dont le Principal et les professeurs étaient choisis par l'évêque.

Lorsque la droite revint au pouvoir en 1821, le clergé se trouva en mesure de noyauter et de dominer l'institution universitaire elle-même ; on cessa alors de réclamer sa suppression et l'on ne songea plus qu'à s'installer confortablement dans la forteresse conquise. Les fonctions de Grand-Maitre de l'Université qui, depuis 1814, avaient été remplies par une commission de six membres, furent rétablies en faveur de Mgr Frayssinous, qui devint. en 1824, ministre des Affaires ecclésiastiques et de l'Instruction publique ; la conjonction de ces deux titres était en elle-même tout un programme. Frayssinous s'attela résolument à la tâche d'épurer l'université et de l'utiliser à l'œuvre de rééducation morale et religieuse de la jeunesse française. « Les bases de l'éducation des collèges, dit l'ordonnance du 27 février 1821, sont la religion, la monarchie, la légitimité et la Charte. » Les évêques recevaient un droit de surveillance sur les collèges royaux de leurs diocèses. Frayssinous élimina peu à peu les professeurs dont les tendances étaient contraires à la religion, et il les remplaça en grande partie par des ecclésiastiques, spécialement dans les postes importants, comme ceux de recteurs d'Académies, de proviseurs de collèges royaux et de professeurs de philosophie. En 1827, par exemple, sur 80 professeurs de philosophie dans les collèges royaux, il y avait 66 prêtres, et en 1828, 139 principaux de collèges communaux sur 309 étaient des ecclésiastiques. Dans l'ensemble, on peut estimer à près d'un tiers la proportion des éléments d'Eglise dans l'Université à la fin de la Restauration.

L'enseignement proprement religieux était donné par des aumôniers investis d'une grande autorité ; mais par ailleurs rien n'était négligé pour imprimer un caractère religieux à toute l'éducation : prière au début des classes, messe quotidienne, confession mensuelle obligatoire, etc. Que de telles méthodes appliquées sans délicatesse aient eu souvent un résultat contraire au but poursuivi, cela paraît bien vraisemblable, surtout lorsqu'il s'agissait d'enfants dont les familles étaient hostiles au clergé. Mais que la religion de l'Etat fût enseignée dans les écoles de l'Etat, cela était dans la logique du système.

Dans le domaine de l'instruction primaire ou populaire, l'Eglise avait les coudées franches ; en effet, l'instruction élémentaire ne relevait pas de l'Université, mais était à la discrétion des communes. Dès le début de la Restauration, le clergé fut appelé par le gouvernement à s'associer à l'organisation de l'enseignement primaire.

Une ordonnance du 29 février 1816 créa des comités de canton, présidés par le curé du chef-lieu et chargés de la surveillance des écoles communales ; les instituteurs, avant de recevoir du recteur de l'Académie le brevet de capacité, devaient présenter un certificat de bonne conduite signé du curé et du maire de leur résidence. Plus tard, en 1824, le droit de donner l'autorisation d'enseigner fut attribué à un comité de six membres, trois ecclésiastiques et trois laïques, présidé par le délégué de l'évêque, et même à l'évêque tout seul pour les écoles qui n'étaient pas subventionnées par les communes. En outre, les Frères des écoles chrétiennes et les membres des congrégations autorisées pouvaient être appelés à enseigner dans les écoles communales sans autre formalité que la permission de l'évêque et la délégation de leurs supérieurs.

Ainsi, l'enseignement populaire se trouvait bien effectivement sous la main de l'Eglise ; mais celle-ci n'avait plus, comme sous l'Ancien régime, les ressources nécessaires pour assumer entièrement cette tâche. L'Etat continuant à s'en désintéresser, comme il l'avait fait sous l'Empire, la charge matérielle retombait entièrement sur les municipalités, et celles-ci répugnaient à tout effort financier en ce sens. L'enseignement élémentaire, lorsqu'il n'était pas assuré par des religieux, resta donc livré à la plus pitoyable incurie, le meilleur instituteur étant aux yeux de la plupart des maires, celui qui coûtait le moins cher. Martin Nadaud raconte, dans ses *Mémoires*, le genre de maîtres auxquels fut successivement livrée son enfance : d'abord un vieux marguillier d'un village voisin qui lui donnait deux heures de leçons par jour, puis un instituteur convenable, installé dans son village limousin par l'initiative d'un bon curé ; mais cela ne dure pas, le successeur de cet homme capable est un pauvre diable qui ne sait pas s'imposer aux enfants ; on envoie alors le garçon dans un autre village, où un misanthrope original consent à faire apprendre les lettres à quelques enfants. Enfin, son « éducation » sera achevée par un ancien officier des armées impériales, « qui buvait l'eau-de-vie à pleins verres ». Le cas n'était pas rare de ces anciens officiers ou sous-officiers qui, faute de mieux, s'étaient faits instituteurs ; on devine qu'en plus des lettres de l'alphabet, ces braves militaires pouvaient apprendre à leurs petits élèves bien d'autres choses moins respectables. En 1829, il y avait encore 13.984 communes, sur 38.132, qui étaient dépourvues d'écoles, et la population scolaire de toutes les écoles de garçons s'élevait à 1.372.000, et encore seulement en hiver, car en été elle tombait à 681.000.

Cette situation lamentable explique la vogue momentanée dont bénéficia la méthode de l'enseignement mutuel, inaugurée en Angleterre par Lancaster et importée en France en 1814. Utilisant les élèves les plus avancés comme moniteurs des autres, elle permettrait, croyait-on, d'étendre plus rapidement et aux moindres frais la connaissance des rudiments. Cette méthode, dont l'expérience devait d'ailleurs démentir les promesses, n'avait rien en elle-même qui pût la faire considérer comme favorable ou contraire à l'éducation religieuse ; mais, en fait, étant donné qu'elle avait d'abord été encouragée par Carnot, sous les Cent-Jours, qu'elle venait d'un pays protestant, que ses promoteurs en France étaient des hommes politiques libéraux, groupés dans une *Société pour l'encouragement de l'instruction élémentaire*, l'esprit de parti s'empara d'une querelle qui aurait dû rester sur le plan purement pédagogique. La droite et le clergé défendirent l'enseignement simultané pratiqué par les Frères des écoles chrétiennes et dénoncèrent les écoles lancasteriennes comme des foyers de corruption morale et d'esprit républicain, tandis que les libéraux soutinrent que l'opposition du clergé à cette méthode n'avait d'autres motifs que de freiner « le progrès des lumières » et d'affermir son joug sur le peuple en le maintenant dans une abjecte ignorance. Malgré leurs efforts, il n'y aura, en 1829, pas plus de 829 écoles mutuelles dans tout le pays.

Plus passionnées encore furent les polémiques soulevées par les missions, moyen sur lequel comptaient principalement le clergé et les royalistes pour ramener au christianisme les masses populaires. Le procédé n'était pas nouveau et au XVIIIe siècle encore, des équipes de missionnaires animées par des personnalités puissantes et originales comme Grignion de Montfort et Brydaine avaient atteint de vastes auditoires. Mais vingt années d'interruption devaient faire apparaître la reprise des missions comme une innovation, et surtout, jamais, jusque-là, on n'avait mené cette œuvre d'une façon plus systématique et avec autant d'activité. Dès le retour du roi, s'était créée une société de missionnaires sous le nom de Prêtres des Missions de France ; son fondateur et chef était un prêtre de Bordeaux, l'abbé Jean-Baptiste Rauzan, et son principal auxiliaire l'abbé de Forbin-Janson, le futur évêque de Nancy. Les Missionnaires de France eurent leur centre au Mont-Valérien, lieu d'un ancien pèlerinage. D'autres sociétés entrèrent bientôt dans la même carrière : les Jésuites, les Lazaristes, les Montfortains, des congrégations nouvelles comme celles des Prêtres des Sacrés-Cœurs du P. Coudrin, des Oblats de Marie-Immaculée du P. de Mazenod, qui évangélisèrent principalement les provinces méridionales, plusieurs autres sociétés diocésaines, sans parler des missionnaires indépendants et des prêtres chargés de paroisses qui venaient, à l'occasion, donner un coup de main aux missionnaires de passage.

Rien n'était épargné pour faire de la mission un événement sensationnel, qui ébranlerait les incroyants et renouvellerait la vie spirituelle des fidèles. Dès leur arrivée, les missionnaires invitaient toutes les autorités à une grande cérémonie d'ouverture, généralement présidée par l'évêque, qui comportait le plus souvent une procession à travers les rues de la ville. Puis s'organisaient les exercices réguliers, dont les horaires étaient combinés de façon à permettre à toutes les catégories de personnes d'y assister sans nuire à leurs occupations ordinaires ; toujours un exercice très matinal, destiné aux travailleurs et une réunion le soir, qui pouvait durer deux heures avec des cantiques, des avis pratiques, des conférences dialoguées, un salut du Saint-Sacrement. Là-dessus se brochaient des retraites particulières destinées aux différentes catégories de fidèles, des prédications dans les communautés religieuses, dans les hôpitaux, dans les prisons, etc. Parce que l'on croyait, avec raison, qu'il fallait atteindre les âmes populaires en frappant les imaginations et en remuant les cœurs, parce qu'il fallait réagir contre une longue tradition de respect humain, héritée du XVIIIe siècle voltairien et de vingt années d'impiété officielle, les missionnaires donnaient une grande place aux cérémonies spectaculaires : amende honorable pour les fautes privées et pardon des injures, réparation solennelle des crimes publics — cérémonie qui se faisait parfois sur l'endroit même où s'était dressé l'échafaud révolutionnaire, — rénovation des vœux du baptême, consécration à la Sainte Vierge, procession au cimetière, où il arrivait que le prédicateur parlât sur l'enfer et sur la mort en tenant un crâne à la main, communion générale, et enfin la plantation de la croix, qui était le couronnement de la mission, et pour laquelle les missionnaires ne craignaient pas de mobiliser durant une journée entière toutes les autorités civiles et militaires et toute la population d'une ville.

Que les missions aient le plus souvent produit l'effet recherché, c'est-à-dire un ébranlement dans l'opinion, un renouveau de vie chrétienne dans les âmes des fidèles, la réconciliation de nombreux chrétiens éloignés de la pratique des sacrements par la conscience de leurs fautes, il est impossible d'en douter ; les chiffres impressionnants des communions générales, l'activité des missionnaires au confessionnal, les manifestations d'enthousiasme et d'affection dont ils étaient souvent l'objet à leur départ, voilà des signes qui ne peuvent tromper ; il n'est pas jusqu'à la fureur des attaques dont ils furent l'objet de la part des incroyants qui ne témoigne de l'efficacité de leur action. Mais ceci dit, il faut reconnaître aussi qu'ils prêtaient trop souvent le flanc aux critiques par leurs excès de parole, par leur manque de tact, par l'abus des cérémonies extérieures, par la pression morale exercée sur les autorités et, à travers elle, sur les populations, pour les obliger à prendre part aux manifestations. Le grief le plus sérieux qu'on peut leur faire est d'avoir mêlé la politique à la religion en prêchant en toute occasion la fidélité au régime et de l'avoir présentée comme une partie essentielle de leur *credo*, d'avoir fait chanter :

Vive la France,
Vive le Roi !
Toujours en France,
Les Bourbons et la Foi !

De tels accents pouvaient à juste titre soulever la colère des libéraux et braquer contre la mission ceux-là mêmes qu'il aurait été le plus important de gagner. Sans doute, les missionnaires partageaient les idées de nombre de leurs contemporains lorsqu'ils croyaient inséparables la religion de saint Louis et la monarchie de saint Louis ; mais cette confusion ne pouvait qu'être en définitive funeste à l'Eglise.

On touche ici à l'un des aspects les plus discutés de l'histoire de la Restauration : cette confusion du spirituel et du temporel, cette utilisation par l'Eglise de moyens politiques pour imposer son enseignement, et, corrélativement, l'utilisation par l'Etat de l'influence de l'Eglise pour imposer un régime politique. La chose en elle-même n'était pas nouvelle, et l'on sait avec quelle rigueur avait été appliqué au XVIIe siècle, dans les pays protestants aussi bien que dans les pays catholiques le principe *cujus regio illius religio*. Même au XVIIIe siècle, l'appui mutuel que se donnaient le Trône et l'Autel, les interventions du pouvoir politique, des parlements en particulier, dans le domaine religieux, paraissaient tellement normales qu'elles ne soulevaient que des protestations isolées. Pourquoi devaient-elles provoquer un tel malaise, déchaîner pareille réaction antireligieuse après 1815 ?

Cela tient sans doute aux transformations politiques, sociales, et morales amenées en France par la Révolution et l'Empire. Jadis l'union du Trône et de l'Autel résultait de la force d'une tradition séculaire dont elle était pour ainsi dire un produit naturel et incontesté ; la masse de la nation acceptait le catholicisme comme elle acceptait la monarchie, ne concevant pas même d'autre forme de vie politique et de vie morale ; le clergé, sûr de son pouvoir, se montrait d'autant plus tolérant et plus modéré dans ses exigences qu'il se sentait plus fort, plus indépendant de l'Etat, grâce à sa fortune propre. L'action de l'Etat en faveur de la religion se trouvait elle-même tempérée par l'anarchie générale, par le scepticisme des ministres et des classes dirigeantes, et les parlementaires gallicans réprimaient avec vigueur les manifestations d'indépendance des évêques.

Les conditions étaient tout autres en 1815. Vingt-cinq ans de laïcisme avaient nettement séparé l'Etat de l'Eglise et resserré au contraire les liens de l'épiscopat français avec le Saint-siège. A la religion, Napoléon avait fait dans son système une place réduite et subalterne qui ne pouvait porter ombrage aux incroyants. Lorsque renaît, en 1815, l'union du Trône et de l'Autel, elle prend un caractère systématique et réfléchi, qui lui donne l'apparence d'une machine de guerre ; elle s'impose comme une nouveauté à une société qui en avait perdu le souvenir ; grâce à l'efficacité accrue de la machine administrative montée par Napoléon, qui maintenant sert l'Eglise au lieu de la contenir, elle prend une suite, un ensemble, une force accablantes, qui faisaient défaut aux ressorts débiles de la vieille monarchie. L'Etat n'est plus, comme jadis, entre les mains de dirigeants sceptiques ou hostiles à la religion, mais, à partir de 1822 au moins, d'une aristocratie qui se croit la mission d'imposer bon gré mal gré ses convictions au reste de la nation.

Si le gouvernement était logique avec lui-même en favorisant de tout son pouvoir la religion que la constitution proclamait religion de l'Etat, les incroyants qui représentaient, on l'a dit, une bonne partie de la nation, pouvaient, de leur côté, considérer ces efforts comme une atteinte à la liberté de pensée inscrite dans la même constitution, et un abus de pouvoir de la part de l'Eglise et de l'Etat. Le clergé lui-même, dans cette œuvre de reconquête, déployait l'ardeur fanatique des faibles qui ont connu la persécution et qui sentent leur pouvoir mal assuré ; dépouillé par la Révolution de l'organisation et des moyens matériels qui lui assuraient jadis une certaine indépendance, il devait recourir à tort et à travers au bras séculier, sans se rendre compte que chaque service reçu diminuait sa liberté d'action et l'enchaînait non seulement à un régime mais à un parti.

On ferait un livre entier des exemples d'abus de pouvoir du clergé et de pressions administratives en matière religieuse, des imprudences de langage, soigneusement relevées par la presse libérale. Même en faisant la part de l'exagération et de l'invention pure, il en resterait assez pour dresser un tableau édifiant. Ce qui nous étonne le plus aujourd'hui, c'est que certains évêques ne fussent pas encore satisfaits et se plaignissent amèrement de « la faiblesse » du gouvernement. C'est très sérieusement que le cardinal de Clermont-Tonnerre, archevêque de Toulouse, écrivait, en 1825, à un confident : « Nous avons bien à gémir sur l'état de l'Eglise et sur le peu de disposition de ceux qui nous gouvernent en faveur de la religion. « Et un an plus tard : « Les ennemis du bien se tairaient bientôt si on leur faisait sentir la force de l'autorité. »

Ce même cardinal-archevêque de Toulouse avait, à la fin de 1823, soulevé une grande émotion en publiant dans une lettre pastorale ce qu'il estimait être les revendications légitimes de l'Eglise : l'adaptation du code civil au droit canonique, la restitution au clergé des registres de l'état civil, le rétablissement des synodes et des conciles provinciaux, des fêtes religieuses chômées supprimées par le concordat, des tribunaux ecclésiastiques, des ordres religieux, une dotation du clergé qui assurerait son indépendance financière, la réorganisation des chapitres, la suppression des articles organiques. Le gouvernement était si peu désireux de s'engager dans cette voie qu'il déféra cette lettre pastorale au conseil d'Etat et en obtint un arrêt qui la déclarait supprimée comme entachée d'abus.

L'opposition n'en persista pas moins à dénoncer l'ingérence du clergé et la soumission du gouvernement à ses ordres. On dira plus loin ce que fut cette campagne qui devait exciter si vivement une partie de l'opinion contre la monarchie et contre l'Eglise. Il suffira ici d'en tirer la conclusion. On pense et on dit généralement que cette politique « cléricale » de la Restauration a été en définitive aussi funeste à l'Autel qu'au Trône et l'on s'autorise de la Révolution de 1830 pour en condamner le principe. C'est oublier d'abord que cette révolution fut un accident d'ordre purement politique et qu'il eût été possible de l'éviter. C'est oublier que cette polémique antireligieuse n'est pas née sous la Restauration et qu'elle se rattachait à un courant de pensée déjà très puissant dès la fin du XVIIIe siècle. En tout état de cause, les adversaires de l'Eglise se seraient manifestés et auraient trouvé des raisons de se plaindre. En regard d'un mouvement d'opinion anticlérical provoqué par la politique religieuse de la Restauration, on peut et on doit mettre à son crédit le rapide relèvement des forces matérielles de l'Eglise de France, les milliers d'églises rouvertes ou construites, la floraison de centaines de congrégations et d'œuvres diverses, les conversions innombrables opérées par les missions, et surtout le rajeunissement des cadres du clergé, tous résultats qui n'auraient pu être obtenus sans la protection et l'aide du gouvernement et qui devaient continuer à faire sentir leur influence bien longtemps après que furent oubliés les échos des polémiques de 1830. Sans ces quinze années de reconstruction et de reconquête, pour l'Eglise de France, aurait-elle pu soutenir et développer comme elle l'a fait au XIXe siècle, son œuvre de charité et d'apostolat ?

Un tableau de la vie religieuse de la France sous la Restauration serait incomplet s'il ne faisait une place aux protestants et aux israëlites.

Les protestants, en 1815, n'étaient pas plus de 500.000, bien que certaines statistiques leur aient attribué un nombre trois fois plus élevé. Ces exagérations tiennent au fait que les Articles organiques de 1802 fixaient à 6.000 le chiffre nécessaire pour la constitution d'une « église consistoriale » qui pourrait réclamer une subvention du gouvernement ; il était trop naturel que les pasteurs aient cherché à s'assurer cet avantage en gonflant par tous les moyens les effectifs de leurs troupeaux.

Les protestants d'Alsace, qui représentaient à peu près la moitié du total, se rattachaient à la Confession d'Augsbourg ; luthériens également, les protestants de l'ancienne principauté de Monthéliard, englobés maintenant dans les départements du Doubs et de la Haute-Saône. Les calvinistes de l'Eglise réformée de France étaient beaucoup plus dispersés ; on en trouvait dans une quarantaine de départements, et ils ne formaient des minorités assez compactes que dans le Gard, l'Ardèche et la région de Montauban.

Les protestants avaient été si longtemps maltraités par la monarchie qu'ils avaient de la peine à se défaire de leur complexe de persécution : ils étaient toujours prêts à attribuer au gouvernement royal et à l'Eglise catholique les plus noires intentions. Néanmoins, ils n'eurent pas à s'en plaindre, quand on songe que la « persécution » la plus sensible qu'ils aient eu à subir fut l'obligation de décorer leurs maisons sur le passage des processions catholiques. L'explosion de violence anti-protestante qui accompagna la Terreur blanche dans le Midi fut limitée au Gard, et fut exclusivement l'effet d'un mouvement populaire ; les autorités firent, au contraire, tout leur possible pour y mettre fin et pour assurer aux protestants la sécurité et l'égalité effective en matière de droits civils. Toutefois, comme ils étaient tenus, en général, pour favorables aux idées libérales, ils furent moins bien traités, à partir de 1822, qu'ils ne l'avaient été au temps de Decazes. Derrière l'impartialité de façade, qui respectait scrupuleusement les droits des dissidents, ceux-ci purent sentir la méfiance et la malveillance des gouvernements de droite. Ce dernier état d'esprit est suffisamment marqué par une lettre qu'écrivait Frayssinous en 1827 à son collègue le ministre de l'Intérieur, et où il lui signalait « les graves inconvénients qui résulteraient d'une trop grande protection accordée à un culte opposé à la religion de l'Etat ».

Malgré cela, les protestants se taillèrent dans le gouvernement et dans la société d'alors une place plus belle et plus imposante qu'ils n'en avaient occupé depuis le temps de Henri IV. Les royalistes ne pouvaient oublier l'appui apporté à leur cause par ces nobles protestants qui avaient combattu dans les rangs des émigrés, par ces négociants bordelais qui avaient participé à la manifestation du 12 mars 1814, par les Boissy d'Anglas et les Jaucourt qui avaient été à Paris les auxiliaires de Talleyrand en avril 1814. La Chambre des pairs comprit six protestants, les hauts cadres de l'armée, de la marine, de l'administration, de la magistrature, furent largement ouverts aux réformés, ainsi que ceux de l'Université ; il suffit de citer les noms de Guizot et de Cuvier qui fut même un moment président de la commission de l'Instruction publique avant de devenir directeur des cultes réformés au ministère de l'Intérieur. La théologie protestante eut ses facultés à Strasbourg et à Montauban. La haute société parisienne eut ses salons protestants : ceux d'Albertine de Staël, duchesse de Broglie, et de son frère Auguste; de Stapfer, ancien représentant de la Confédération helvétique à Paris ; de Mme de Gasparin, des Delaborde, du banquier Delessert, etc. A Paris, encore, les protestants se taillaient une place de choix dans la haute banque, avec les Perregaux et les Hottinger. En Alsace, les Koechlin et les Dollfuss étaient à la tête du progrès technique et du progrès social dans les industries textiles. De toute l'Europe on venait admirer les réalisation du pasteur Oberlin qui avait transformé moralement et matériellement les pauvres populations d'une vallée des Vosges, au Ban-de-la-Roche, par ses œuvres d'éducation et de religion.

Comme le catholicisme, les confessions réformées connaissaient à cette époque, une grande fermentation intellectuelle et spirituelle. Le mouvement piétiste du « Réveil », introduit de Suisse par Henri Pyt, Ami Bost, Felix Neff, et d'Angleterre par Charles Cook, ranimait la ferveur primitive, en réaction contre le moralisme rationaliste du XVIIIe siècle. Il se heurtait à l'opposition des protestants libéraux, conduits par le pasteur Samuel Vincent, de Nîmes, et les controverses amenaient un approfondissement de la doctrine. Les protestants avaient leur presse, leurs écoles, leurs groupements d'action laïque ; aux œuvres catholiques issues de la congrégation, correspondaient la *Société biblique*, fondée en 1818, la *Société des Missions évangéliques*, la *Société de la morale chrétienne*, la *Société pour l'encouragement de l'instruction primaire*, animée par Guizot, la *Société des traités religieux*, qui publiait des ouvrages et des périodiques.

En somme, pour le protestantisme français, comme pour l'Eglise catholique, c'est au cours de ces quinze années de la Restauration qu'ont été posés les fondements des réalisations fécondes du XIXe siècle.

Les Israëlites étaient au nombre de 60.000 environ, répartis en trois groupes principaux, présentant des caractéristiques sociales assez différentes. Les Juifs du Comtat-Venaissin, descendants de ceux qu'y avait attirés la protection des papes d'Avignon, s'adonnaient surtout à de petits métiers artisanaux. Ceux de Bayonne et de Bordeaux, venus de Portugal, étaient déjà très assimilés, et avaient su prendre une place importante dans le grand commerce. Ceux du rit allemand, concentrés en Alsace, gardaient beaucoup plus leurs coutumes ancestrales ; leurs professions de brocanteurs, de colporteurs, de prêteurs sur gages leur attiraient l'hostilité des populations et la méfiance des pouvoirs publics. C'est sous la Restauration que tombèrent les dernières barrières légales qui les séparaient du reste de la nation. Napoléon, en donnant un statut au culte israëlite, en 1808, les avait maintenus, au point de vue civil, sous un régime d'exception, qui devait durer 10 ans, à titre d'essai. En 1818, ce régime prit fin, et le gouvernement royal ne l'ayant pas reconduit, les Juifs d'Alsace se trouvèrent juridiquement sur le même pied que tous les Français. Au point de vue social, l'arrivée des Rothschild à Paris, les services qu'ils rendirent aux ministres des Finances et à nombre de personnes haut placées devaient frayer la voie à leurs coreligionnaires comme à eux-mêmes pour la conquête de positions avantageuses dans la vie économique et politique du pays.

CHAPITRE V

LA VIE INTELLECTUELLE

I. Conditions générales. — *Le réveil de la vie intellectuelle après 1815. — Ses causes : liberté d'expression, paix, contacts avec l'étranger.*
II. l'Élargissement des Connaissances. — *Les sciences exactes : Cauchy, Fresnel, Ampère, Carnot. — Les sciences naturelles. Lamarck, Geoffroy Saint-Hilaire, Cuvier. — La découverte du monde. L'orientalisme. Champollion. — La naissance de la conscience historique. — Les historiens : Thierry, Barante, Thiers, Mignet, Guizot.*
III. La Pensée politique et sociale. — *Fécondité et diversité. — Les idéologues. — Benjamin Constant et les libéraux. — L'école catholique et royaliste : Maistre, Bonald, Chateaubriand, Lamennais. — L'éclectisme de Victor Cousin et les Doctrinaires. — Les économistes : Say et Sismondi. Saint-Simon et son école. — Fourier.*
IV. La Révolution Romantique. — *Son triomphe après 1820. — Au départ, le classicisme dominant s'appuie sur le libéralisme. — Le renversement des alliances après 1824 et le triomphe de la littérature romantique. — Les beaux-arts. — La musique.*

I

Un jour de 1812, peu avant le départ de Napoléon pour la campagne de Russie, l'Institut de France, toutes classes réunies, était reçu aux Tuileries. L'Empereur, apercevant le poète Lemercier, l'interpella abruptement : « Eh bien, Lermercier ! Quand nous ferez-vous une belle tragédie ? — J'attends, Sire », répondit simplement l'académicien. Beaucoup d'autres, de gré ou de force, avaient fait comme lui en ces temps où, selon l'expression de Lamartine, « les hommes géométriques avaient seuls la parole ». Pour tout ce qui pensait en France, la chute de l'Empire apparut comme une délivrance de l'esprit, la possibilité de renouer la chaîne du progrès intellectuel brisée par la Révolution. Le grave Guizot, cinquante ans plus tard, retrouvera, pour rendre ses impressions de 1814, des accents frémissants d'un enthousiasme juvénile : « La première des libertés, la liberté intellectuelle, reprit alors son essor et son pouvoir. On dit que dans les pays du Nord, après un long et stérile hiver, le printemps éclate tout à coup et que la vie bouillonnante de la nature reparaît partout dans sa fécondité et sa beauté. Qui ne se souvient du grand mouvement intellectuel qui s'éleva et s'épanouit rapidement sous la Restauration ? L'esprit humain, naguère absorbé ou comprimé par les rudes travaux de la guerre, retrouva sa libre et généreuse activité. La poésie, la philosophie, l'histoire, la critique morale et littéraire, tous les genres d'exercice de la pensée reçurent une impulsion nouvelle et hardie. »

Plusieurs autres, parmi les écrivains qui devaient s'illustrer plus tard, ont exprimé la même impression en termes analogues. « C'était, dit Edgar Quinet, une aveugle impatience de vivre, une attente fiévreuse, une ambition prématurée d'avenir, une sorte d'enivrement de la pensée renaissante, une soif effrénée de l'âme, après le désert de l'Empire. Tout cela, joint à un désir consumant de produire, de créer, de faire quelque chose au milieu d'un monde vide encore. »

Que la Restauration ait été, par contraste avec l'Empire, une période d'intense production intellectuelle, c'est ce que vient corroborer la froide statistique, avec des chiffres compilés précisément par un de ces « hommes géométriques » que honnissait Lamartine, le comte Daru ; alors qu'en 1812, sur tout le territoire du Grand Empire, se publiaient 4.648 ouvrages, totalisant environ 72 millions de feuilles d'impression, en 1825, l'édition française, dans le cadre réduit de la France de 1815, publiait 7.542 ouvrages, représentant un total de 128 millions de feuilles d'impression, soit 13 à 14 millions de volumes. Sans doute beaucoup de ces livres étaient des rééditions d'auteurs du XVIIIe siècle, mais ces chiffres n'en sont pas moins significatifs, surtout quand on se rappelle que les trois quarts des Français étaient encore illettrés. Si l'on considère la presse périodique qui n'entre pas en ligne de compte dans la statistique précitée, le contraste entre l'Empire et la Restauration est encore plus marqué : 238 titres pour l'un, 2.278 pour l'autre. Certes, beaucoup de périodiques furent éphémères, mais cela formait quand même une masse d'imprimés qui s'ajoutait à celle des livres et que Daru estime à 21.660.000 feuilles pour l'année 1825.

L'histoire des grands organes de l'opinion politique est assez bien connue, et la critique littéraire s'est intéressée aussi à celle de certaines feuilles qui ont joué un rôle dans l'évolution du romantisme. Mais que sait-on aujourd'hui de ces centaines de petites publications qui ont scintillé pendant quelques mois avant de retomber dans le néant ? C'est là pourtant que se trouverait l'expression la plus vivante de cette intense fermentation intellectuelle de l'époque, avec son caractère si marqué d'individualisme, presque d'anarchie. Il n'existe pas, en effet, de centre directeur, d'arbitre du goût, ou plutôt il y en a tellement qu'ils s'éclipsent par leur multitude même. Les salons, les Académies, le Collège de France, les Facultés, les grandes écoles, les sociétés savantes de province, — qui ont repris alors pour quelques années une activité qu'elles ne pourront plus connaître lorsque la capitale aura définitivement centralisé toutes les ressources du pays, — les cénacles, les sociétés de conférences, comme l'Athénée et la Société des Bonnes Lettres, et même les cabinets de lecture, les cercles, les salles de rédaction, les cafés littéraires ; tout cela forme un public lisant, si nombreux, si divers, qu'un auteur ne sait plus, comme jadis, à qui s'adresser, à quel goût se conformer. Dès lors, l'écrivain, s'il est Chateaubriand ou Stendhal, ne consultera que son propre génie ; s'il est un Lamothe-Langon ou un Jouy, il visera au plus bas, il conformera son inspiration et son style à ceux du *Constitutionnel*, dont les 20.000 abonnés donnent la jaunisse à toute la gent écrivassière besogneuse... Mais ici l'on frôle cette frontière indécise où la littérature rejoint le commerce d'alimentation !

Trois facteurs principaux expliquent la rapidité et l'ampleur de cet essor intellectuel après 1815 : la liberté d'expression, la paix, le contact avec l'étranger.

Les protestations des libéraux contre le régime de la presse sous la Restauration ont obscurci le fait indéniable que, mis à part les premiers temps de la Révolution, la pensée n'avait jamais pu jusqu'alors s'exprimer en France avec une pareille sécurité. La censure préalable qui brida, à certains moments, la presse politique, n'atteignait pas généralement les périodiques purement littéraires. En tout état de cause, les auteurs de livres n'étaient contenus que par la crainte de se voir traduits devant les tribunaux s'ils dépassaient les limites de la décence.

La paix devait naturellement ramener vers les travaux de l'esprit les énergies nationales canalisées depuis vingt-cinq ans dans des entreprises révolutionnaires ou conquérantes. Phénomène inconnu de toute une génération que cette tranquillité s'abattant soudain sur le pays ! La littérature, les sciences, les arts s'offraient comme diversion aux administrateurs sans emploi, aux militaires rendus à la vie civile, aux jeunes gens écartés de la vie publique par le système censitaire. « Alors, dit Augustin Thierry, il y eut pour les lettres une classe d'hommes jeunes et dévoués, dont l'ambition n'avait de chances que par elles ; il y eut une passion de renouvellement littéraire, associée par l'opinion publique aux honneurs et à la popularité de l'opposition politique. Le professorat s'éleva au rang de puissance sociale ; il y avait pour lui des ovations et des couronnes civiques. »

L'essor intellectuel français d'après 1815 devait pourtant beaucoup au grand remue-ménage de l'époque précédente, même si ce résultat ne devait pas se manifester immédiatement. Jusqu'à la fin du XVIIIe siècle, les échanges culturels entre la France et les autres nations n'étaient le fait que d'une minorité d'aristocrates, d'hommes de lettres et d'artistes ; en outre, ils étaient pour ainsi dire à sens unique : la culture française, dans sa supériorité orgueilleuse, se communiquait généreusement, mais daignait peu recevoir. Or les bouleversements révolutionnaires avaient répandu sur tous les pays d'Europe, et jusqu'au-deà de l'Océan, une première vague de Français, qui autrement n'auraient jamais quitté leur patrie ; et ces émigrés, gentilshommes et prêtres pour la plupart, représentaient une élite qui fut en état de profiter au maximum de ce séjour forcé au sein de sociétés si différentes ; ils devaient ramener en France, dès les premières années du siècle, tout un ensemble d'idées nouvelles, qui, peu à peu, allaient faire leur chemin, comme l'a si bien montré M. Baldensperger. Une deuxième vague, plus forte numériquement, mais moins étendue géographiquement, et surtout moins capable de profiter de ces contacts, se répandit avec les armées révolutionnaires et impériales. Une troisième vague, beaucoup moins importante, celle de l'émigration bonapartiste d'après 1815, jettera ensuite de petits groupes dans le Proche Orient et surtout dans les Amériques, mais sans profit bien visible pour la culture française en France.

En 1814 et 1815, par un mouvement contraire, c'est l'Europe qui se déverse sur la France ; invasion militaire d'abord, peu favorable évidemment aux relations culturelles, suscitant même des réactions nationalistes ; invasion pacifique ensuite, celle des milliers de touristes anglais et des étrangers de toutes nationalités, attirés par la douceur de vivre et par le prestige de Paris, « séjour le plus désirable de l'univers pour le savant, le littérateur et l'homme studieux », comme l'écrit alors lady Morgan. Et les Français aussi, lorsque se seront estompés les souvenirs humiliants de la défaite et de l'occupation, commenceront à ouvrir les yeux sur ces étrangers qui auront cessé d'être des ennemis ; ils redécouvriront cette Angleterre dont leurs grands-pères avaient envié les institutions parlementaires, et ils admireront maintenant son essor industriel, sa prospérité commerciale, son avance technique ; comme l'a dit en une formule excellente, M. Pierre Reboul, l'Angleterre sera pour les Français de la Restauration ce que sont les Etats-Unis pour ceux d'aujourd'hui, le pays des « scènes de la vie future ». Il faut ajouter que l'Angleterre sera la grande éducatrice de la littérature française dans la voie du romantisme : Shakespeare, Byron, Walter Scott, sources inépuisables d'inspiration pour le théâtre, la poésie lyrique et le roman français de ce temps. On retrouvera aussi le chemin de l'Italie, terre de beauté et d'amour, fontaine de musique et de fantaisie pittoresque. Grâce à l'union des trônes bourboniens, une Espagne amicale se rouvrira aux voyageurs français et fournira au romantisme son tribut de couleur locale et de passion sauvage. Enfin Mme de Staël fera connaître l'Allemagne, « la nation métaphysique par excellence », peuplée de savants consciencieux, de philosophes profonds, de poètes sensibles et religieux, de citoyens vertueux et sages. « L'Allemagne, dira Michelet, en 1831, n'est que naïveté, poésie et métaphysique. » La curiosité se tournera même vers l'Amérique, celle des Indiens, chère à Chateaubriand, et que vient animer de couleurs nouvelles et plus réelles l'œuvre de Fenimore Cooper, celle aussi des institutions vraiment républicaines, idéal de La Fayette et des libéraux, asile des proscrits du régime ; un ancien consul des Etats-Unis en France, Daniel Warden, fixé à Paris, se fera le promoteur des échanges culturels entre les deux pays, publiant, en 1820, une *Description statistique, historique et politique des Etats-Unis*, en cinq volumes.

Ainsi, l'intelligence française, retrouvant sa puissance et son ouverture universelle au moment même où la force matérielle du pays connaissait une éclipse, allait remporter des triomphes moins retentissants mais plus durables que ceux de ses armées. On ne saurait prétendre dresser en quelques pages un bilan même sommaire de ces conquêtes. Tout ce qu'il est permis de tenter c'est d'indiquer à grands traits les principales directions, et d'épingler sur ce schéma quelques noms, quelques titres, quelques traits caractéristiques.

Un élargissement en tous sens du champ des connaissances, des vues originales et fécondes pour la réforme des sociétés humaines, la création d'une esthétique nouvelle dans la littérature et dans les arts : telles semblent avoir été les acquisitions de la culture française au cours de ces quinze années de labeur pacifique.

II

Un jeune Américain, Georges Ticknor, venu parfaire son éducation en Europe, communiquait, en août 1817, à son illustre protecteur Thomas Jefferson ses premières impressions de la vie intellectuelle à Paris : pour tout ce qui était de l'érudition, de la culture littéraire et historique, il n'y trouvait rien qui approchât de ce qu'il avait vu en Allemagne et en Angleterre. Mais, ajoutait-il, dans le domaine des sciences, il n'y avait rien dans le monde entier qui pût rivaliser avec la phalange de savants qui siégeaient alors à l'Académie des Sciences. Si étrange que puisse paraître cette notion aux Français d'aujourd'hui, Paris était alors, dans l'opinion des milieux cultivés, moins la capitale des lettres et des arts que celle des disciplines scientifiques. C'est que dans ce domaine, du moins, la Révolution et l'Empire n'avaient pas laissé déchoir l'activité intellectuelle, et il est juste de noter que les progrès scientifiques réalisés sous la Restauration n'ont fait que continuer et couronner ceux de l'époque précédente. L'Ecole Polytechnique, drainant méthodiquement les intelligences les mieux douées du pays, les soumettant à une préparation mathématique intensive, provoquait une émulation salutaire et facilitait l'éclosion des plus hautes valeurs. Ce qui frappe, en effet, chez les savants du temps, c'est l'admirable efficacité de leur culture mathématique, qui leur permet de formuler avec aisance dans un langage commun les phénomènes si divers de la physique expérimentale, de l'astronomie, de la chimie ; de là, ils s'élèvent sans effort aux généralisations d'ordre philosophique, bien plus, il semble que ce soit pour eux un besoin irrésistible.

Un grand nom, toutefois, s'est illustré dans le domaine des mathématiques pures, celui d'Augustin Cauchy (1789-1857), professeur à l'Ecole Polytechnique et au Collège de France, congréganiste et royaliste ardent, qui devait s'exiler en 1830 pour suivre Charles X. Ses travaux fondèrent pratiquement le calcul infinitésimal, mais par ailleurs, il n'est point d'aspect important des mathématiques qui ne soit abordé par lui dans les vingt-sept volumes in-quarto de ses œuvres complètes.

Les sciences physiques présentent l'aspect d'une armée de défricheurs en marche, faisant reculer sur tout le front de leur attaque les limites de l'inconnu, et c'est plus de vingt noms qu'il faudrait citer avec ceux de Fourier, de Laplace, de Gay-Lussac, d'Arago, de Poisson, de Biot, de Girard. De cette légion se détachent trois hardis novateurs qui, par des intuitions géniales, ont ouvert la voie, en trois direction différentes, à toute la science du XIXe siècle, en faisant des brèches profondes dans les conceptions alors régnantes : Fresnel, Ampère, Carnot.

Augustin Fresnel (1788-1827), jeune ingénieur des Ponts-et-Chaussées, se trouva mis à pied aux Cent-Jours, pour avoir manifesté son hostilité à l'Empereur. Retiré chez ses parents, à Mathieu (Calvados), il utilisa ses loisirs à approfondir le problème des interférences lumineuses. La théorie nouvelle qu'il élabora faisait litière de la conception newtonienne de l'émission de particules lumineuses et créait la théorie ondulatoire. L'audace était grande, et lorsqu'il présenta ses conclusions à l'Académie des Sciences, en 1819, les membres de la commission étaient fort prévenus contre lui. Ils durent s'incliner pourtant devant sa démonstration péremptoire, et bientôt Fresnel était admis à siéger parmi eux. A partir de cette première découverte il réussit à expliquer simplement tous les phénomènes d'optique alors connus. Son œuvre eut de son vivant une application pratique : l'adoption pour les phares côtiers des lentilles à échelons, qui sont encore en usage.

André-Marie Ampère (1775-1836) est le type même du savant pour roman de la Bibliothèque rose : une âme délicieusement naïve, des distractions légendaires, un désintéressement absolu, une œuvre géniale réalisée dans un laboratoire de fortune avec des instruments rudimentaires créés par lui-même. Et pourtant, aujourd'hui, partout où circule le fluide vital de la civilisation moderne, l'électricité, des millions de machines monstrueuses ou délicates obéissent aux lois formulées pour elles, il y a plus d'un siècle, par ce génial bonhomme. Ses recherches en divers domaines l'avaient déjà porté à la célébrité lorsqu'en 1820 son attention fut attirée sur l'expérience réalisée par le Danois Œrsted : une aiguille magnétique modifiant sa direction sous l'influence d'un courant électrique produit par la pile de Volta. Ampère en conclut que le magnétisme et l'électricité ne faisaient qu'un, et, en quelques semaines d'expériences et de calculs, il dégagea les lois de l'électro-magnétique, les propriétés des solénoïdes électrifiés, le principe de l'électro-aimant, celui du télégraphe, et il en donna les formules mathématiques. Un de ses continuateurs, le physicien anglais Maxwell, a marqué sa place dans l'histoire des sciences en l'appelant « le Newton de l'électricité ».

Un hommage plus étonnant encore se lit sous la plume d'un autre savant britannique, contemporain de Maxwell, lord Kelvin : « Dans toute l'étendue des sciences, il n'y a rien de plus grand que l'œuvre de Sadi Carnot. » Qu'a donc fait ce fils du grand Carnot, ce jeune homme solitaire et triste, qui devait mourir en 1832, à l'âge de trente-six ans ? Il n'a publié qu'une brochure d'une centaine de pages, éditée à ses frais, tirée à quelques exemplaires, et qui ne fit l'objet de communication à aucune Académie, à aucune société savante, à aucune revue. Mais ce travail a fondé d'un seul coup la thermodynamique, en libérant la physique de la notion traditionnelle qui faisait de la chaleur un fluide spécial : « La chaleur, disait Carnot, n'est autre chose que la puissance motrice, ou plutôt que le mouvement qui a changé de forme. C'est un mouvement dans les particules des corps. Partout où il y a destruction de puissance motrice, il y a en même temps production de chaleur en quantité exactement proportionnelle. Réciproquement, partout où il y a destruction de chaleur, il y a en même temps production de puissance motrice... » Et le jeune savant donnait les formules mathématiques de ces lois. De quelles conséquences pratiques elles pouvaient être en ce siècle qu'on a appelé « le siècle de la vapeur », il est facile de le deviner.

La chimie, malgré les travaux remarquables de Gay-Lussac sur l'analyse des corps organiques et ceux de Chevreul sur les corps gras, ne présente pas de découvertes aussi révolutionnaires.

Les sciences naturelles ne se prêtaient pas non plus à des découvertes sensationnelles : le progrès, ici, devait résider dans un effort sans égal de description, de classification et surtout de synthèse. Trois puissantes personnalités, fort différentes les unes des autres, se détachent de la foule de leurs émules et collaborateurs. Jean-Baptiste de Monet, chevalier de Lamarck (1744-1829), poursuivait une œuvre encyclopédique, commencée au temps de Louis XVI sous les auspices de Buffon. De 1815 à 1822, il publiait sa monumentale *Histoire naturelle des animaux sans vertèbres*, et, en 1820, son *Système analytique des connaissances positives de l'homme.* Héritier de l'esprit « philosophique » du XVIIIe siècle, il formulait le premier des hypothèses hardies sur l'évolution des êtres vivants et sur l'origine de l'homme, que devait reprendre Darwin. Etienne Geoffroy Saint-Hilaire (1772-1844) s'occupa surtout des mammifères et des reptiles ; il aperçut l'importance de l'embryologie pour l'interprétation de l'anatomie des animaux adultes et il inaugura l'étude systématique des anomalies monstrueuses : la tératologie. Esprit généralisateur et systématique, il présenta dans sa *Philosophie anatomique* une grandiose conception de l'unité du règne animal qui incorporait, sous une forme plus modérée, le transformisme de Lamarck.

C'est contre quoi s'éleva son ami Georges Cuvier (1769-1832), secrétaire perpétuel de l'Académie des Sciences, membre de l'Académie française, du Conseil d'Etat, du conseil royal de l'Instruction publique, etc. Sur la tête de cet homme heureux, tous les régimes avaient accumulé les honneurs, et il les méritait. Il exerçait une espèce de suprématie dans le monde scientifique par l'abondance et la clarté de ses travaux, par ses dons d'animateur et d'organisateur. La zoologie tout entière, et plus encore la paléontologie, que l'on peut considérer presque comme sa création, garderont pendant tout le XIXe siècle l'empreinte de ses directives. L'histoire du squelette d'animal préhistorique reconstruit tout entier d'après un seul os, illustre cette réputation d'infaillibilité. C'est ce puissant personnage qui entra en lice contre le transformisme de Geoffroy Saint-Hilaire ; pour lui, l'organisation de chacune des formes animales était celle que le Créateur lui avait assignée pour lui permettre de vivre dans des conditions fixées par une finalité générale rigoureuse. Derrière les théories de son adversaire, ce protestant fervent décelait un dangereux panthéisme et une attaque perfide contre la Bible, cette Bible dont il s'était efforcé de montrer la concordance absolue avec les données de la géologie dans son *Discours sur les révolutions du globe* (1821). La controverse se poursuivit de 1825 à 1829 à travers des publications ; elle se produisit enfin publiquement à l'Académie des Sciences, passionnant le monde intellectuel en France et à l'étranger ; en effet, il s'agissait de bien autre chose que d'une querelle de savants ; c'étaient deux conceptions philosophiques de la création qui s'affrontaient, deux méthodes scientifiques également : celle de l'esprit d'analyse rigoureuse et prudente, et celle de l'intuition et de l'imagination synthétique. Celle-ci, chez Geoffroy, était allée plus loin que ne le permettaient les connaissances positives du moment, et finalement, Cuvier terrassa son adversaire sous le poids de sa science impeccable. Du fait de l'issue de ce mémorable débat, le fixisme régna de longues années dans la science française et le transformisme ne devait renaître qu'en changeant de nationalité et de nom.

La médecine eut aussi, à cette époque, son pontife suprême, en la personne de Broussais (1772-1838), professeur à l'école du Val-de-Grâce ; son autorité étonnante tenait autant à ses dons de tribun et à sa force d'invective qu'à la valeur de ses travaux, et il fit triompher en pathologie une théorie étrange qui attribuait tous les maux à l'irritation des tissus ; peu lui importait si ses malades, affamés systématiquement, saignés à blanc, mouraient comme des mouches ! Heureusement, de grands esprits honorèrent dans le même temps la médecine française : Orfila, le créateur de la toxicologie, Dupuytren, incomparable chirurgien, Récamier, qui constitua en spécialité la gynécologie, Laënnec, enfin, un des plus purs modèles de sa profession : grâce à l'invention du stéthoscope il fit faire un pas décisif à la méthode de l'auscultation dans le diagnostic des maladies du cœur et des poumons, avant de succomber lui-même, en 1826, à la tuberculose contractée au service de la science et des hommes.

La curiosité des naturalistes fut un des ressorts principaux des nombreux voyages d'exploration qui lancèrent un peu partout les Français de ce temps sur les routes du monde. Le gouvernement royal, la Société de Géographie de Paris, le Muséum d'histoire naturelle, plusieurs autres sociétés savantes, encourageaient, finançaient les explorateurs, les aidaient à publier les résultats de leurs découvertes. La géologie, la géographie, l'ethnographie, la linguistique, la botanique, la zoologie, en profitaient pour élargir en tous sens leurs horizons, et une abondante littérature de voyages apportait à l'homme de la rue les prestiges de l'exotisme et les joies du dépaysement.

L'esprit d'aventure est admirablement incarné par René Caillié. Fils obscur d'un boulanger de Niort, il est fasciné par l'image d'une cité fabuleuse, Tombouctou, la ville interdite, où nul Européen n'avait pu entrer. Au prix d'années de patientes manœuvres d'approche, de souffrances et de dangers, Caillié verra enfin, en avril 1828, la ville que ses rêves lui avaient représentée resplendissante de tous les trésors du continent africain : hélas, il ne trouvera qu'un misérable amas de maisons de boue, au milieu d'une immensité aride. N'importe, la France fit à ce héros une réception triomphale.

A la même époque, la flore d'Amérique du Nord était étudiée par Alexandre Lesueur, et les pays d'Amérique du Sud étaient parcourus par Alcide d'Orbigny et plusieurs autres. La marine royale, inspirée par le grand commerce de Bordeaux, s'attache à reconnaître en tous sens l'Océan Pacifique ; ce sont alors les grands voyages de circumnavigation de *l'Uranie*, avec Louis de Freycinet (1817-1820), de *la Coquille* avec Duperrey (1822-1825), de *la Thétis* avec Bougainville (1824-1826), et surtout de *l'Astrolabe*, avec Dumont d'Urville (1826-1829) ; ce dernier, ayant parcouru 25.000 lieues, rapportait 1.600 plantes, 900 échantillons minéraux, des cartes, des matériaux de valeur inappréciable pour la connaissance des populations d'Océanie ; en outre il avait retrouvé les épaves des navires de La Pérouse, naufragé quarante ans plus tôt sur les récifs de Vanikoro dans les Nouvelles-Hébrides.

Le Proche Orient a été mis à la mode par Chateaubriand et plus encore, à partir de 1820, par la guerre d'indépendance hellénique. Firmin-Didot, Forbin, Marcellus, Laborde, et d'autres encore, voudront refaire leur *Itinéraire* et suivre les traces de Childe Harold. On ira plus loin même, sur les pas d'Alexandre le Grand, en Asie centrale, et en 1828, Victor Jacquemont, l'ami de Stendhal, partira pour visiter les Indes.

L'orientalisme n'est pas seulement itinérant, il n'est pas seulement une mode littéraire et artistique, c'est aussi une science de cabinet, dont Paris est le foyer mondial incontesté. Sur treize chaires non scientifiques du collège de France, six sont consacrées aux langues orientales. Abel Rémusat publie des *Eléments de grammaire chinoise* (1822) et fait connaître la littérature d'Extrême Orient. Eugène Burnouf découvre les secrets des langues anciennes de la Perse et des Indes. Silvestre de Sacy publie une *Chrestomathie* et une *Anthologie grammaticale* arabes ; il dirige l'Ecole spéciale des langues orientales créée par le gouvernement, et, avec Rémusat, fonde en 1822 le *Journal asiatique*.

Les Français avaient aussi, depuis l'expédition de Bonaparte, une sorte de monopole de l'égyptologie. Jean-François Champollion, arrachant leur secret aux hiéroglyphes, ouvrit, en 1822, une province nouvelle à l'histoire ancienne ; la munificence de Charles X devait lui permettre, au cours des années suivantes, de créer au Louvre la plus belle galerie d'antiquités égyptiennes.

Les années de la Restauration coïncident en France avec la naissance de la conscience historique moderne. C'est là une étape si importante dans l'évolution de la pensée humaine qu'il sera permis de s'y arrêter un instant pour chercher à dégager les causes qui ont amené la maturation de ce progrès à ce moment précis.

Aux siècles précédents, l'évolution historique, dans ses aspects sociaux, se déroulait si lentement que le mouvement ne pouvait être saisi par ceux qui s'y trouvaient plongés. Les événements proprement politiques, guerres, diplomatie, intrigues de cour, n'arrivaient pas jusqu'à la masse du peuple. Au contraire, depuis 1789, des bouleversements prodigieux l'avaient soudain ébranlée jusque dans ses couches les plus profondes ; leur sucession haletante imposaient aux esprits des relations de cause à effet ; ils transposaient en termes de sang et de feu ces images de marbre léguées par l'antiquité gréco-romaine : Marathon c'était Valmy. Sylla c'était Robespierre, et César, Napoléon. L'histoire surgissait de la poussière des livres et vous prenait à la gorge. « Les grandes invasions de 1814 et de 1815, écrit Edgar Quinet, avaient laissé dans ma mémoire un fond d'impressions, d'images, à travers lesquelles j'entrevoyais toutes choses. L'écroulement d'un monde avait été ma première éducation. Je m'intéressais dans le passé à tout ce qui pouvait me présenter quelque ressemblance avec ces immenses bouleversements d'hommes qui avaient d'abord frappé mes yeux. Grâce à cette analogie, l'histoire que je ne pouvais pas souffrir devenait une chose vivante, de morte qu'elle était auparavant... Moi aussi, j'avais entendu, en 1814 et en 1815, retentir le marteau d'Attila sur nos campagnes. J'avais vu, revu, les Goths, les Visigoths, hier encore ils arrivaient la tête ombragée de rameaux verts, comme les forêts qui marchent dans le songe de Macbeth. »

On peut deviner, à travers ce témoignage, une autre circonstance favorable au retour vers le passé : le romantisme, avec sa recherche des couleurs, des émotions étranges, avec ce même besoin de dépaysement qui jetait les Caillié à la découverte des mondes lointains. Voyez naître des vocations historiques. Un enfant pâle et nerveux découvre l'envoûtement du passé parmi les sculptures médiévales rassemblées au Musée des monuments français à Paris : « Je me rappelle encore, écrira-t-il plus tard, l'émotion qui me faisait battre le cœur quand, tout petit, j'entrais sous ces voûtes sombres et contemplais ces visages pâles ; quand j'allais et cherchais. Quoi ? je ne le sais ; la vie d'alors, sans doute, et le génie des temps. » Cet enfant, c'est Michelet. Vers la même époque, au collège de Blois, un autre jeune garçon vient de découvrir *les Martyrs*, de Chateaubriand ; transporté d'enthousiasme, il va et vient dans le cloître ; faisant sonner ses pas sur le pavé, il déclame l'hymne des Francs : « Pharamond ! Pharamond ! nous avons combattu avec l'épée ! » Cet écolier s'appelle Augustin Thierry.

Troisième facteur favorable : le réveil de la vie politique, avec ses luttes parlementaires et le choc public des doctrines ; les partis en présence, obligés de convaincre au lieu de guillotiner, devaient chercher leurs arguments dans le passé récent. A vrai dire, la passion politique pouvait être pour l'histoire aussi dangereuse qu'elle lui était utile, comme du reste aussi les philtres du romantisme.

Heureusement, les circonstances offraient des bases plus solides à un sain développement de l'histoire. La coupure de la Révolution allait mettre entre les mains des érudits une masse de parchemins et de papiers conservés jalousement jusqu'alors par les administrations, les établissements religieux, les familles ; soit parce que les prétentions ou les droits qu'ils servaient à justifier étaient devenus caducs, soit parce qu'ils devenaient inutiles au travail des administrations fondées sur des bases nouvelles. Déjà l'incurie et l'ignorance, autant que le fanatisme révolutionnaire, avaient anéanti une bonne partie de ce patrimoine national ; le gouvernement royal se préoccupa de sauver les restes du naufrage. Une ordonnance de février 1821 créa l'Ecole des Chartes, placée sous la surveillance de l'Académie des Inscriptions et Belles-Lettres, et où douze jeunes gens devraient apprendre « à lire les divers manuscrits et à expliquer les dialectes français du moyen âge. « Il est amusant, aujourd'hui que l'on sait les services immenses rendus par cette institution, de rappeler les sarcasmes dont elle fut l'objet de la part de l'opposition libérale, qui affecta d'y voir une mesure de réaction féodale. Béranger lui décocha une chanson intitulée *l'Enfant de bonne maison* :

Seuls arbitres
Du sceau des titres
Chartriers, rendez-moi l'honneur.
Je suis bâtard d'un grand seigneur (bis)
De votre savoir qui prospère,
J'attends parchemins et blasons.

Tous les opposants, heureusement, n'étaient pas aussi bassement démagogues ; les plus intelligents d'entre eux comprirent parfaitement l'appui que leurs idées pouvaient trouver dans l'étude sérieuse des institutions de l'ancienne France. Ainsi Guizot lança une grande collection de *Mémoires relatifs à l'histoire de France* et une autre de *Documents relatifs à l'histoire d'Angleterre* ; au même moment l'ex-conventionnel Daunou, destitué en 1816 de la Direction des Archives du royaume, donnait au Collège de France des leçons très suivies de méthode historique.

L'histoire, sous toutes ses formes, connut donc, en ces années, une vogue inouïe. Elle s'insinuait partout :

dans les discussions politiques, dans les traités des réformateurs sociaux, dans les plaidoiries d'avocats, dans le roman, dans le théâtre, dans la poésie, dans la peinture. Si, comme on l'a dit, le nombre global annuel des ouvrages publiés en France a presque doublé de 1812 à 1825, celui des livres d'histoire a plus que triplé (1.073 contre 306). Et quel heureux temps, celui où les lecteurs et les éditeurs pouvaient digérer sans sourciller une histoire de France en 31 volumes, comme celle que publia Sismondi à partir de 1821 ! On était particulièrement avide de mémoires, et ce goût rencontrant le besoin qu'avaient nombre de personnages de justifier leur conduite des années précédentes, les éditeurs faisaient des affaires d'or ; à défaut de souvenirs authentiques, d'habiles barbouilleurs, comme le fécond Lamothe-Langon, produisaient à la chaîne des *Mémoires secrets*, farcis de « révélations » piquantes et d'anecdotes grivoises. Le *Magasin Pittoresque*, lancé en 1830, promettait « de l'histoire pour toutes les bourses » à deux sous la livraison.

Toute cette immense production — à part les publications de caractère documentaire — est aujourd'hui caduque ; non seulement parce que l'histoire est plus exigeante de nos jours en matière de documentation et de critique, mais aussi parce que la plupart de ces auteurs étaient « engagés » dans les luttes politiques de leur temps et cherchaient avant tout à illustrer des thèses préconçues. C'est seulement à titre d'œuvres d'art que l'on peut encore en admirer aujourd'hui quelques-unes.

Si l'on écarte Michelet, dont le talent ne portera tous ses fruits qu'après 1830, le plus grand de ces artistes de l'époque est sans doute Augustin Thierry. Son chef-d'œuvre, les *Récits des temps mérovingiens*, ne devait paraître que plus tard, mais il avait donné, dès 1825, la mesure de son talent d'évocation dans son *Histoire de la conquête de l'Angleterre par les Normands*, où l'on pouvait retrouver l'influence de Walter Scott ; on y voyait aussi, transplantée au-delà de la Manche, la thèse séduisante et fausse qui était à la base de sa conception de l'histoire de France : l'antagonisme irréductible d'un peuple conquis — les Gaulois — et d'un peuple conquérant — les Francs — se perpétuant au cours des siècles à travers les luttes de leurs descendants respectifs, le Tiers-Etat et la Noblesse. Ses *Lettres sur l'Histoire de France*, publiées d'abord dans *le Censeur Européen* et rassemblées ensuite en 1827, voulaient faire admirer, à travers les épisodes colorés des soulèvements des communes médiévales, l'effort du peuple vers un gouvernement libre et démocratique.

Prosper de Barante, pair de France, et administrateur en chômage, depuis la chute de son patron Decazes, était un aristocrate isolé au milieu des cohortes d'historiens issus de la bourgeoisie. Ne cherchant qu'à plaire aux salons, il y réussissait à merveille avec son *Histoire des ducs de Bourgogne*, brillante mosaïque adroitement composée avec des extraits des chroniqueurs d'une époque fertile en récits pittoresques. En outre l'écrivain avait su garder au style de son adaptation cette dose d'archaïsme conventionnel dont la joliesse affectée devait faire pâmer d'aise les gentes damoiselles.

Les deux *Histoire de la Révolution française*, publiées presque en même temps par Thiers (1823-1827) et par Mignet (1824), étaient par contre des œuvres de combat. Il s'agissait pour eux de faire l'apologie de la Révolution, dont l'historiographie officielle du régime ne retenait que les aspects les plus hideux et les plus désastreux. Mignet disait : « Lorsqu'une réforme est devenue nécessaire et que le moment de l'accomplir est arrivé, rien ne l'empêche et tout la sert. » Thiers expliquait : « La résistance intérieure a conduit à la souveraineté de la multitude et l'agression du dehors à la domination militaire. » Avec des tonnes d'imprimé, tous les apologistes de la Révolution ne diront pas autre chose. La passion politique qui avait inspiré ces œuvres en fit aussi le succès ; ni leur valeur historique ni leur valeur littéraire ne pouvaient le justifier. Leur récit, basé seulement sur les comptes rendus officiels et quelques mémoires, s'en tenait à la surface des faits : les luttes sociales sous-jacentes , les transformations administratives, les idées et les mœurs, les aspects de la révolution dans les provinces, tout cela avait échappé à Thiers et à Mignet.

Tout compte fait, on n'aperçoit pour cette époque qu'une seule œuvre historique sérieuse, celle de François Guizot. La politique et l'administration l'avaient absorbé jusqu'en juillet 1820, et sa disgrâce momentanée allait lui fournir l'occasion d'une admirable maturation intellectuelle. Certes, pas plus que les autres, il n'était exempt de préoccupations politiques, et ses travaux historiques visaient, au départ, à montrer le régime constitutionnel représentatif comme l'aboutissement suprême de l'effort des siècles. A mesure qu'il avançait, il s'élevait à une conception plus noble du rôle de l'historien et du professeur, repoussant les artifices que ses collègues utilisaient pour se faire applaudir. Des trois « Grands » qui régnèrent alors sur l'enseignement des Lettres à la Sorbonne, — Guizot, Cousin, Villemain — le premier était le plus « enseignant », au dire de Legouvé ; ses leçons, ajoute-t-il, avaient « une solidité, un sérieux, qu'augmentait encore sa belle voix grave ». Surtout, Guizot, à l'exemple des historiens allemands qu'il admirait, enseignait à ses élèves le recours aux sources, leur discussion critique, la bibliographie ; il montrait une conscience, très originale pour son temps, de la complexité des phénomènes historiques, de la valeur des faits de civilisation économiques et spirituels ; ainsi ce protestant allait mettre en lumière le rôle de l'Eglise au moyen âge, et dans des termes que n'eût point désavoués Bonald. Son *Histoire du gouvernement représentatif en Europe*, et ses *Essais sur l'his-*

toire de France étaient encore assez fortement marqués des intentions politiques qui lui avaient fait choisir ces sujets comme thèmes de ses cours en 1820 et 1822. Il en fut puni par la suppression momentanée de son enseignement, et néanmoins son *Histoire de la Révolution d'Angleterre*, fruit de cette retraite forcée, s'élevait déjà à plus d'objectivité. Et lorsqu'il put reprendre ses cours, en 1828, pour faire successivement l'*Histoire de la civilisation en Europe* et l'*Histoire de la civilisation en France*, depuis la chute de l'Empire romain jusqu'en 1789, il y apporta toutes ses hautes qualités d'historien.

III

Bonald écrivait, dès 1802 : « La Révolution a été réservée à ces derniers temps pour l'instruction finale de la race humaine, et maintenant qu'elle s'est déroulée, la science de la société peut enfin être portée à sa perfection. » Que l'histoire, et surtout l'histoire contemporaine eût pour fonction principale de nourrir la réflexion politique, ce fut le sentiment général de toute cette génération, et les facteurs qui expliquent l'essor historique rendent compte de la même façon de celui de la littérature politique et sociologique. Jusqu'en 1814 toutefois, cette forme de pensée avait subi plus que toute autre l'effet du régime de compression. Comme en 1789, la nation s'enivra du plaisir retrouvé de raisonner sur les affaires de l'Etat et sur la réforme de la société ; la pensée politique, économique et sociale se répandit en un flot torrentiel dans des centaines de traités, des milliers de brochures et de pamphlets, des dizaines de milliers de discours et d'articles. La politique contamina plus ou moins tous les domaines de la pensée, avec ce résultat déplorable que le succès des œuvres littéraires, et surtout celui des pièces de théâtre, était le plus souvent en fonction des allusions que pouvaient y trouver les partis. La science elle-même n'était pas à l'abri des luttes du forum ; le succès des théories médicales de Broussais, par exemple, tint en partie à ce qu'elles apportaient de l'eau au moulin libéral par leurs postulats philosophiques matérialistes.

Il n'est pas facile d'introduire quelque ordonnance dans cette immense production. A peine croit-on avoir délimité quelques grandes « écoles » de pensée, que l'on découvre des influences qui établissent des connexions inattendues entre des théories apparemment étrangères l'une à l'autre, ou que, au contraire, apparaît l'originalité irréductible de systèmes qu'une première vue avait associés. Conceptions philosophiques, religieuses, politiques, sociales, économiques, donnent, par leur dosage et leurs articulations infiniment variés, des composés dont la complexité ne pourrait s'exprimer qu'en des formules analytiques figurées analogues à celles qu'utilise la chimie organique.

On reconnaît habituellement, dans le domaine de la pensée politique pure, trois écoles principales, correspondant aux trois attitudes que l'on pouvait prendre vis-à-vis du régime : l'école libérale, qui le repoussait de toute sa fidélité aux immortels principes de 1799, l'école traditionaliste catholique, qui prétendait forger une nouvelle armature idéologique à l'œuvre de réaction du parti ultra-royaliste ; enfin l'école doctrinaire ou constitutionnelle, qui cherchait à concilier le passé et le présent et croyait trouver dans la Charte de 1814 la base du nécessaire compromis. Chacune de ces tendances se rattachait, sur le plan philosophique, à un système défini : la première à celui des idéologues, héritiers des encyclopédistes du XVIIIe siècle, la seconde à la foi catholique, la troisième à l'éclectisme.

Mais cette division, toute satisfaisante qu'elle apparaisse, est loin de couvrir tout le champ de la pensée du temps. En marge de ce cadre se placent ceux qui refusaient de se laisser impliquer dans les luttes politiques du moment, qu'ils jugeaient périmées, et qui prétendaient inaugurer un ordre social nouveau, fondé sur une science nouvelle ; ceux, aussi, qui prenaient pour objet principal de leur méditation les impératifs économiques et sociaux de l'ère industrielle naissante. Pour tous ces penseurs, les lignes de partage sont loin de coïncider avec celles que l'on a cru reconnaître dans les domaines politique et philosophique. Ainsi la pensée d'Auguste Comte et celle de Saint-Simon laissent voir des affinités aussi bien avec celle des idéologues qu'avec celle des théocrates comme Joseph de Maistre.

Faute de mieux, toutefois, et sans oublier le caractère artificiel de cette classification, on se résignera à suivre, pour l'exposé de ces doctrines, le schéma indiqué ci-dessus.

Les « idéologues » s'en tenaient aux principes dominants de la philosophie du siècle précédent : sensualisme, déisme ou athéisme, foi dans la raison et dans le progrès, individualisme ; mais la fécondité en paraissait épuisée. Cabanis était mort en 1808 ; Volney allait survivre jusqu'en 1820 et Garat jusqu'en 1833, mais le premier se cantonnait dans des études linguistiques, et le second, expulsé de de l'Institut, retiré à la campagne, revenait à la pratique religieuse, au grand scandale de ses amis. Le principal représentant de cette école qui avait régné sur l'Institut dans les premières années du siècle, était Destutt de Tracy (1754-1836). Ses *Eléments d'Idéologie* étaient réédités en 1824 et son *Commentaire sur l'Esprit des Lois de Montesquieu,* publié d'abord aux Etats-Unis, voyait le jour à Paris, en 1819. Fidèle, en psychologie, à l'empirisme sensualiste de Condillac, Destutt de Tracy croyait, en politique, à « la démocratie de la raison éclairée », et demandait un gouvernement qui assurât le plus de liberté possible à l'individu. Le grave Daunou, de son côté, revendiquait les « libertés nécessaires » de l'homme et du citoyen dans son *Essai sur les garanties individuelles* (1818).

On aurait tort, croyons-nous, de minimiser l'influence du courant de pensée matérialiste — déiste ou athée — sur l'esprit de l'époque. S'il n'a point produit beaucoup d'œuvres nouvelles, il était alimenté par contre de rééditions innombrables des auteurs du XVIIIe siècle. Un rapport de la direction de la Librairie estime que de 1817 à 1824 on a publié 1.598.000 volumes des œuvres de Voltaire, 492.000 volumes de celles de Rousseau ; dans le même temps, *les Ruines*, de Volney, ont connu onze rééditions, et les œuvres d'Helvétius, de Diderot, de Raynal, de Saint-Lambert, de Condorcet, d'Holbach, ont connu une vogue semblable. L'idéologie a fourni une philosophie simple et accessible à tous ceux qui s'opposaient à la religion de l'Etat ; elle a pénétré la pensée économique de Jean-Baptiste Say, la pensée sociale de Saint-Simon et d'Auguste Comte, et naturellement aussi les synthèses de l'école éclectique ; elle a inspiré les théories scientifiques de Lamarck et de Broussais ; dans le domaine littéraire elle a été la religion de toute l'école de Voltaire et, par sa doctrine de l'analyse des sensations, elle a infusé un sang nouveau dans le roman psychologique et formé, entre autres, le génie de Stendhal ; elle a donné naissance à un genre littéraire, celui des « Physiologies », dont la première en date est celle de Brillat-Savarin, la *Physiologie du goût* (1825), ce chef-d'œuvre d'humour et de finesse. En politique enfin, tous les tenants du libéralisme — alors même qu'ils répudient l'athéisme — lui doivent les postulats fondamentaux de leurs systèmes : le caractère sacré des droits de l'homme, la foi en la raison libre, la croyance que l'Etat est au service du bonheur des individus.

Le plus complet, le plus clair, le plus durable de ces théoriciens du libéralisme est sans doute Benjamin Constant de Rebecque, cet étonnant Protée de l'intelligence et du cœur, qui pouvait faire souffrir les femmes tout en les adorant, qui pouvait servir Napoléon en 1815, après l'avoir couvert d'insultes, qui pouvait écrire le plus subtil et le plus tendre roman psychologique, *Adolphe*, et se révéler dans le journalisme un polémiste éblouissant et cruel, qui pouvait vivre en sceptique, prêter son talent à la plus violente politique anticléricale, et faire l'œuvre de sa vie d'un grand ouvrage en cinq volumes sur la religion. Sa pensée politique se trouve dans son *Cours de politique constitutionnelle* (1818-1820) qui n'est autre chose que le recueil de ses œuvres inspirées par les circonstances. La base de son système est la souveraineté populaire, et la liberté apparaît comme la garantie suprême de tous les autres droits naturels. Pour en assurer la sauvegarde contre les excès de la démocratie, il veut une monarchie parlementaire à l'anglaise, où seuls auraient le droit de vote les citoyens assez fortunés. Quant au domaine économique, il repousse, à la suite d'Adam Smith, toute ingérence du pouvoir.

Parmi la masse des écrivains de second rang qui ont monnayé pour le grand public la doctrine libérale, il faut du moins citer Paul-Louis Courier, helléniste raffiné, et l'un des plus grands pamphlétaires de tous les temps ; rarement plus de mauvaise foi et plus de bassesse de pensée ont été enveloppées d'un style plus attique, d'une ironie plus cinglante, d'une maîtrise plus grande dans le sous-entendu polisson ou calomnieux.

L'école catholique et royaliste, dite encore traditionaliste, théocratique ou ultramontaine, fournit l'apport, sinon le plus original, du moins certainement le plus caractéristique de l'époque de la Restauration ; elle en est pour ainsi dire la projection sur le plan intellectuel. « Les rois légitimes sont replacés sur le trône, écrivait Haller, en 1816, nous allons y replacer aussi la science légitime, celle qui sert le souverain Maître, et dont tout l'univers atteste la vérité. » Plus que les autres courants de pensée, elle constitue vraiment une école, grâce à l'unité fondamentale que donne à ses diverses voix l'acceptation commune des principes du catholicisme. Elle présente aussi un caractère plus européen, ayant pris naissance dans les milieux de l'émigration, au contact des philosophes allemands et de l'œuvre contre-révolutionnaire de Burke.

Ainsi c'est un gentilhomme savoyard, le comte Joseph de Maistre (1753-1821) qui a posé la première pierre de l'édifice réactionnaire dans ses *Considérations sur la France*, publiées à Lausanne en 1795. Sans doute, il n'a presque pas vécu en France et il est mort dès 1821, mais son œuvre appartient incontestablement à la pensée française de la Restauration par l'influence énorme qu'elle y exerça. Ses deux œuvres majeures, *Du Pape* et *les Soirées de Saint-Pétersbourg* furent publiées à Paris en 1819 et en 1821. Il a trouvé des formules inoubliables pour écraser l'orgueil humain, la raison, la philosophie athée, les principes de la Révolution française. Pour lui, il n'y a de salut que dans le retour au régime monarchique, émanation naturelle de l'ordre social providentiel, et comme il ne reconnaît d'autre souveraineté légitime que celle qui émane de Dieu, les princes temporels, dans son système, sont subordonnés au Pape, représentant de Dieu sur la terre.

Avec moins de splendeur dans l'expression, moins d'illuminations prophétiques, mais plus de profondeur, plus de rigueur logique, plus d'abondance, le vicomte de Bonald (1754-1840) devait exposer les mêmes idées. « Est-il possible, lui écrivait Maistre en 1818, que la nature se soit amusée à tendre deux cordes aussi parfaitement d'accord que votre esprit et le mien ? » C'est en émigration aussi que Bonald a écrit son premier ouvrage, *Théorie du pouvoir politique et religieux dans la société civile* (1796). Rentré en France à la fin du Directoire, il publie coup sur coup l'*Essai analytique sur les lois naturelles de l'ordre social* (1800), *Du divorce*

(1801), *La législation primitive* (1802). Après quoi, il se tait, malgré la faveur de Napoléon qui l'a appelé au conseil de l'Université. La Restauration le porte au premier plan ; député, puis pair de France en 1823, il est dans les assemblées l'oracle du parti ultra-royaliste. Mais en outre il collabore à plusieurs périodiques, écrit des brochures de circonstance, et publie deux autres grands ouvrages : *Recherches philosophiques sur les premiers objets des connaissances morales* (1818), et *Démonstration philosophique du principe constitutif de la société* (1828). L'individu, dans le système de Bonald est encore moins ménagé que chez Joseph de Maistre. « L'homme n'existe que pour la société, écrit-il, la société ne le forme que pour elle-même. » Et ailleurs : « Dans la société, il n'y a pas de droits, il n'y a que des devoirs. » La prétention de l'homme à s'ériger en législateur de la société est aussi insoutenable que le serait celle de donner de la pesanteur aux corps ; la constitution de la société, soit religieuse, soit politique, dérive nécessairement de sa nature. L'Etat, tel que le conçoit Bonald, est de type patriarcal : une grande famille, formée de plusieurs sociétés domestiques obéissant à des lois communes. Le monarque a le droit d'intervenir dans la vie matérielle et morale des cellules qui composent son peuple ; il doit faire « peu pour les plaisirs des hommes, assez pour leurs besoins, tout pour les vertus. »

L'auteur d'une formule de gouvernement aussi austère ne pouvait guère espérer recueillir beaucoup de popularité. Il ne la rechercha point, et n'en eut point, laissant à d'autres le soin de captiver l'opinion publique.

Parmi ceux-ci se détachent au premier rang Chateaubriand et Lamennais. Avec la Restauration, l'auteur du *Génie du Christianisme* était descendu dans l'arène politique, et son activité de plume était devenue celle d'un journaliste et d'un pamphlétaire : mais avec quel génie ! quelle éclatante supériorité sur ses pâles comparses ! Cette partie de son œuvre souffre aujourd'hui de l'ignorance générale des circonstances qui l'inspirèrent, mais aux connaisseurs elle est encore capable de procurer le frisson d'admiration que l'on ressent à la vue de l'estocade décisive portée par le matador après une série de passes éblouissantes. Mais il y a mieux que ces œuvres de combat. *La Monarchie selon la Charte*, publiée en septembre 1816 pour la défense de la Chambre introuvable, contient tout un programme de gouvernement à la fois monarchique, religieux et parlementaire.

La personnalité et l'œuvre de Lamennais ont été évoquées ailleurs (1). Il est évident qu'on le doit compter, avant 1828 du moins, parmi les porte-parole de l'école théocratique, et c'est même à lui, plus qu'à aucun autre que s'appliquerait ce vocable. Son génie littéraire, son ardeur de polémiste devaient lui assurer l'audience d'une large couche de lecteurs que n'atteignaient point les dissertations métaphysiques de Bonald.

Si l'on ne tenait compte, pour jauger les auteurs, que de l'influence exercée sur leur temps, on pourrait passer sous silence l'œuvre de Pierre-Simon Ballanche (1776-1847), qui ne fut connue que d'un cercle restreint d'amis. Il apparaît aujourd'hui comme le plus original et peut-être le plus attachant des écrivains de l'école ; aussi souple que Bonald est rigide, aussi ouvert aux idées adverses que Maistre est muré dans ses partis pris. Le titre seul de son œuvre maîtresse fait lever les sourcils : *Essai de palingénésie sociale* (1827-1829) ; mais si l'on veut bien y pénétrer on y trouve des vues originales et parfois prophétiques, énoncées dans une langue poétique.

On doit enfin mentionner l'œuvre considérable de Louis de Haller, bernois d'origine et protestant converti au catholicisme, qui s'était fixé en France et y avait même obtenu un poste au ministère des Affaires étrangères. Sa *Restauration de la science politique* avait d'abord été publiée en allemand ; elle parut en français, à partir de 1824 et connut une large audience.

(1) Voir ci-dessus p. 420.

Entre le matérialisme de l'idéologie et la théologie catholique, les dernières années de l'Empire avaient vu naître, avec la bénédiction du pouvoir, une tentative curieuse de créer une philosophie spiritualiste fondée sur l'observation psychologique et la raison. Les initiateurs en avaient été, dans l'université impériale, Laromiguière, un disciple de Condillac, professeur aimable et disert, et Royer-Collard, dont le système s'inspirait de celui de l'Ecossais Thomas Reid. Il allait revenir à Victor Cousin, qui avait remplacé, en 1815, Royer-Collard, dans sa chaire de philosophie, de donner à cette sorte de « troisième force » philosophique son expression la plus achevée et la plus populaire. Le XVIIIe siècle, disait-il, a été l'âge des destructions ; le XIXe doit être celui des réhabilitations intelligentes : « Il lui appartient de trouver, dans une analyse plus profonde de la pensée, le principe de l'avenir, et, avec tant de débris, d'élever enfin un édifice que puisse avouer la raison. » « Ce que je recommande c'est un éclectisme éclairé, qui jugeant avec équité et même avec bienveillance toutes les écoles, leur emprunte ce qu'elles ont de vrai et néglige ce qu'elles ont de faux. » Mais sur quels critères opérer cette distinction du vrai et du faux ? C'est tout simple, la nouvelle philosophie doit défendre les idées saines, nobles, généreuses, qui ne portent pas atteinte à la religion ni à l'ordre social. Ainsi s'appuiera-t-elle sur les axiomes éternels « du Vrai, du Beau, du Bien » (1). Le succès de ce système, malgré sa faiblesse évidente, ne tint pas seulement au fait qu'il répondait à un besoin du moment, mais aussi au talent extraordinaire avec lequel son auteur l'exposait dans ses leçons à la Sorbonne, de 1815 à 1821, puis de nouveau à partir de 1828. Taine l'a appelé « le plus admirable tragédien

(1) C'est le titre de l'ouvrage qu'il devait publier beaucoup plus tard, en 1854, mais qui reproduisait son enseignement du temps de la Restauration.

du siècle ». On conçoit aussi que cette manière d'envisager la philosophie devait pousser l'école française vers l'histoire des doctrines plutôt que vers la recherche indépendante.

Cette école spiritualiste a pourtant produit, à cette époque, deux esprits remarquables tournés vers la recherche intérieure : Maine de Biran (1766-1824) et Jouffroy (1796-1842). « Il est notre maître à tous », disait du premier Royer-Collard ; ses analyses profondes, raffinées et souvent douloureuses, ne devaient être publiées qu'après sa mort. Quant à Jouffroy, professeur à l'école normale, « converti » du christianisme au scepticisme, il continuait à chercher le salut sous un autre nom, ramenant toute la philosophie au problème de la destinée humaine.

Le but de Victor Cousin n'était pas plus purement philosophique que ne l'était celui des deux autres écoles entre lesquelles il cherchait à tracer une *via media* ; il s'agissait de fournir une base spirituelle à ce parti constitutionnel ou doctrinaire qui prétendait trouver, lui aussi, un moyen terme entre la tradition monarchique et les principes de 1789, répondant ainsi aux aspirations de la bourgeoisie censitaire.

Royer-Collard, le chef incontesté des Doctrinaires, n'a point laissé d'exposé systématique de sa pensée politique et il faut la chercher dans ses discours parlementaires, rassemblés et commentés plus tard par son disciple Barante. Pour lui, la souveraineté ne réside pas dans le peuple, ni dans le roi seul, mais dans l'ensemble de ces pouvoirs indépendants, résultant de l'évolution historique : le roi, la pairie héréditaire, la Chambre élective. Celle-ci n'est pas l'organe de la nation, mais celui d'une catégorie d'intérêts, ceux des citoyens assez fortunés pour être dignes d'intervenir dans la vie politique. Guizot, lui, ne reconnaissait de souveraineté de droit que celle de la Raison ; quant au pouvoir de fait, il devait être réparti entre les capacités qui se dégagent et s'affirment à mesure du progrès des sociétés.

La fortune de ces trois écoles de pensée a été liée intimement à celle des partis politiques. Les débats autour du programme de la Chambre introuvable donnèrent un premier élan à l'école catholique et royaliste ; le gouvernement constitutionnel de Decazes s'inspira des théories doctrinaires, ou, plutôt, celles-ci naquirent du besoin de justifier cette tentative ; l'avènement du ministère royaliste de 1822 ramena un moment la prépondérance à l'école de Bonald, mais elle fut affaiblie bientôt par la défection de Chateaubriand, que sa vengeance personnelle poussait dans les bras des libéraux et par celle de Lamennais qui levait l'étendard de l'ultramontanisme intégral contre le catholicisme gallican de Frayssinous. Le libéralisme reprit des forces sous le ministère Martignac, et les doctrinaires, acceptant son alliance, précipitèrent la défaite du système royaliste et religieux en même temps que celle du régime qui s'était identifié avec lui.

La pensée des théoriciens qu'il nous reste à signaler doit peu, au contraire, aux circonstances politiques du temps.

Le libéralisme économique, admis sans discussion par tous les partis, trouva son meilleur interprète en la personne du Lyonnais Jean-Baptiste Say (1767-1832). Non seulement il clarifiait la doctrine d'Adam Smith, mais il la complétait sur des points importants et introduisait dans la science économique une méthode objective et descriptive rappelant celle des sciences naturelles. « A la tête d'un gouvernement, disait-il, c'est déjà faire beaucoup de bien que de ne pas faire de mal. » Et Decazes semblait approuver ses vues en créant pour lui une chaire d' « économie industrielle » au Conservatoire des Arts et Métiers.

Que les libéraux et même les doctrinaires n'aient pas séparé le libéralisme économique du libéralisme politique, cela se conçoit aisément, mais il est plus difficile de comprendre aujourd'hui que les hommes d'Etat de la droite aient pu s'accommoder d'un tel idéal, alors surtout que dans le même temps se produisait une doctrine beaucoup plus conforme à l'esprit de la monarchie chrétienne. Les *Nouveaux principes d'économie politique* de Sismondi avaient été publiés en 1819. L'auteur dénonçait avec vigueur les méfaits de la libre concurrence, qui aboutissait à la misère des classes laborieuses, le caractère inhumain d'un système économique qui ne se préoccupait que d'augmenter à tout prix la production des biens sans veiller à leur juste répartition. « Ce n'est pas le profit du fabricant qui constitue l'intérêt national, c'est le bénéfice que la fabrication répartit entre toutes les classes qui y concourent... Si l'administration devait se proposer pour but l'avantage d'une des classes de la nation aux dépens des autres, ce sont justement les journaliers qu'elle devrait favoriser. Assurer leur bonheur, c'est rendre heureuse la grande masse de la nation. » Cette même note humaine et chrétienne devait se retrouver chez les précurseurs du catholicisme social, dont le plus connu, Alban de Villeneuve-Bargemont, avait pu constater, comme préfet du département du Nord, les horribles abus du système industriel.

Ces réformateurs, tout en réclamant une intervention de l'Etat dans le domaine économique, ne mettaient pas en cause la structure traditionnelle de la société ; ils ne touchaient pas au droit de propriété et restaient attachés au christianisme.

La pensée de Saint-Simon, au contraire, ouvre la voie à une réorganisation révolutionnaire de tout l'édifice social et même moral. Rien de plus étrange que la carrière et la personnalité de ce gentilhomme qui a combattu pour l'indépendance américaine, s'est jeté dans le torrent révolutionnaire, y a constitué, puis perdu, une énorme fortune dans des spéculations sur les biens nationaux, puis soudain se transforme en un intellectuel besogneux et meurt dans le rôle de Messie d'une religion nouvelle. De 1814 à 1825, date de sa mort, il proclame son message dans une foule d'écrits disparates, parmi lesquels trois périodiques qu'il a successivement fondés : *l'Industrie, le Politique, l'Organisateur*. Pour lui, la méthode qui a permis aux sciences physiques d'établir des lois d'ordre général doit servir à dégager pour l'ordre social des lois analogues sur lesquelles pourront être fondées des applications efficaces pour le bonheur de l'humanité. Il constate que, dans la société contemporaine, l'industrie détient la force productive et créatrice, mais que le pouvoir politique est resté entre les mains des militaires et des propriétaires terriens, dont l'utilité réelle est périmée. Remettre le pouvoir politique entre les mains de la classe productive, telle est la solution de l'avenir. La nouvelle société ne connaîtra point d'oisifs, et le nouveau christianisme, religion de fraternité et d'amour, remplacera le catholicisme féodal.

L'éminence de Saint-Simon ne tient pas tellement à son action personnelle sur son temps, qui fut presque nulle, ni à ses idées elles-mêmes, trop confuses et trop contradictoires pour qu'elles puissent s'imposer à un large public, elle tient au fait que sa personnalité magnétique et la richesse audacieuse de sa pensée ont suscité deux puissants courants spirituels qui ont irrigué tout le XIXe siècle : le socialisme et le positivisme. Après la mort de Saint-Simon, ses disciples s'organisèrent en une sorte de secte religieuse, sous la direction d'un ancien carbonaro, Bazard, et d'un ancien polytechnicien, Enfantin. Dans leur *Exposition de la doctrine saint-simonienne* ils donnèrent à la doctrine du maître une allure systématique, qui la modifiait sur certains points. L'abolition de la propriété et de l'hérédité préparera l'avènement de la société nouvelle, où il n'y aura plus d'exploitation de l'homme par l'homme. Elle sera gouvernée par une hiérarchie d'industriels, de savants et de prêtres, et elle aura pour loi fondamentale : « A chacun selon ses capacités, à chaque capacité selon ses œuvres. » Les extravagances d'Enfantin devaient amener, quelques années plus tard, la dissolution de la secte, mais plusieurs de ses membres allaient jouer un rôle important dans le développement économique du pays, en particulier dans la création des chemins de fer.

L'aspect plus purement philosophique de la pensée de Saint-Simon allait être développé par Auguste Comte, qui fut son secrétaire et collaborateur intime de 1817 à 1824. L'histoire du positivisme n'appartient pas, à vrai dire, à l'époque de la Restauration, mais on ne saurait oublier que le *Système de politique positive* a été publié sous sa première forme dès 1822, et que c'est en novembre 1829 que Comte a commencé à faire paraître son *Cours de philosophie positive.*

Charles Fourier (1772-1837) ne connut même pas, de son vivant, la notoriété de Saint-Simon. Ce petit employé de commerce, autodidacte et isolé, poursuivit tout seul, pendant trente ans, son rêve intérieur, et ses ouvrages, publiés à ses frais, ne connurent pas la moindre audience. Leur style étrange, leur composition baroque étaient bien faits pour déconcerter : ne lit-on pas en tête des chapitres des indications comme celles-ci : Prélude, Cis-lude, Citer-Pause, Trans-appendice, Ulterlogue, Postalable, etc. ? Le monde idéal qu'il a imaginé fait penser aux peintures des modernes surréalistes par la minutie hallucinante des détails et la luxuriance de sa fantasmagorie. « L'ordre sociétaire », ou « harmonie universelle » qu'il a inventé résultera d'un minutieux recensement des inclinations et des passions humaines qui sont au nombre de 810 ; il suffira de leur laisser libre jeu pour voir s'établir de lui-même un ordre vrai, générateur de bonheur. L'élément de base de cet ordre libérateur sera la « phalange », groupant 1.620 hommes et femmes, représentant toutes les variétés de caractères, de façon que chacun trouve parmi les travaux d'utilité commune celui qui est plus conforme à ses goûts. On vivra ensemble dans un « phalanstère », sorte de cité-jardin, où l'autorité sera inutile, si parfaite sera l'adaptation des désirs de chacun avec l'intérêt général. Certaines des anticipations de Fourier prêtent à sourire, comme lorsqu'il décrit le monde transfiguré par le travail de la société harmonienne : les océans transformés en limonade, sillonnés par des convois de vaisseaux traînés par des baleines domestiquées, l'homme prolongeant son existence jusqu'à 144 ans, faisant 7 repas par jour, les déserts rendus fertiles, labourés par des lions apprivoisés, etc. D'autres apparaissent prophétiques : le percement des canaux de Suez et de Panama, l'emploi du « magnétisme » comme énergie industrielle, la transmission des nouvelles par relais astraux, etc. A certains points de vue, Fourier se révèle comme un théoricien de l'anarchie, mais sa critique pénétrante du régime libéral capitaliste, certaines de ses vues sur la production, le commerce, l'action coopérative, l'éducation, le rôle des femmes dans la société, sont passées dans la plupart des systèmes socialistes.

« La Révolution française, écrit M. Gouhier, avait été trop profondément sentie comme fait spirituel pour ne pas imposer un problème spirituel de la Restauration. Le XIXe siècle tout entier, et même le nôtre, n'ont pas épuisé la fécondité des réponses infiniment variées qui furent proposées à ce problème, au cours de ces années de prodigieuse fermentation intellectuelle.

IV

Il est fort douteux, toutefois, que les contemporains aient eu conscience de la grandeur de leur époque à cet égard. Si l'on avait pu faire un référendum sur ce qu'ils estimaient avoir été sa plus importante conquête dans l'ordre intellectuel, ils auraient sans doute répondu : le triomphe du romantisme sur le classicisme.

La révolution romantique, on le sait, n'appartient pas en propre à la France ; elle avait déjà triomphé en Angleterre et en Allemagne lorsqu'elle conquit notre pays. Elle n'appartient pas davantage en propre à la Restauration : beaucoup de ses œuvres caractéristiques verront le jour seulement après 1830. Et d'autre part, les bases en avaient été posées dès la fin du XVIIIe siècle. Sous l'Empire, elle eut d'éclatants précurseurs en la personne de Chateaubriand et celle de Mme de Staël. Mais c'est incontestablement entre les années 1820 et 1830 que l'esthétique romantique réussit à se dégager des anciens cadres, où s'enfermait jusque-là l'ensemble de la production littéraire et artistique.

Cherchons à comprendre le caractère à la fois tardif et rapide de la révolution qui s'opéra alors dans le goût. Il faut mettre en ligne d'abord les circonstances que l'on a évoquées au début de ce chapitre et qui rendent compte du renouveau général de l'activité intellectuelle après 1815. Mais encore, pourquoi le romantisme n'a-t-il réussi sa percée que dans les dernières années de la Restauration ? Une première explication se présente : c'est seulement à partir de 1820 que l'influence étrangère, celle de Byron, de Walter Scott, de Schiller, de Gœthe et des autres, a pu se faire sentir à plein. Dans les premières années de la Restauration, l'orgueil national, meurtri par la défaite et l'occupation, a considéré comme une sorte de trahison le fait d'admirer les productions littéraires étrangères. Ainsi Mme de Staël a été prise à partie pour son livre enthousiaste sur l'Allemagne et la première tentative d'une troupe anglaise pour présenter l'œuvre de Shakespeare au public parisien, en 1822, se heurta à un « patriotique » chahut ; ne disait-on pas que ce vaurien de Shakespeare était un aide de camp de Wellington ? L'année 1821 verra paraître en même temps la traduction du théâtre de Schiller par Barante, une nouvelle édition de celle de Shakespeare par Letourneur, et les premiers volumes de la collection des chefs-d'œuvre du théâtre étranger publiée par Ladvocat.

Un autre élément d'explication serait l'émersion, au cours de ces années d'une nouvelle génération, étrangère aux modes de pensée et d'expression du XVIIIe siècle. On a déjà noté ce phénomène social (1), et l'on peut ajouter que cette génération, formée à une époque où le système d'éducation était en plein désarroi, a été, moins que d'autres, imprégnée de l'esprit des précédentes, qu'elle s'est formée, pour ainsi dire, elle-même. La dissolution de l'ancienne société était bien faite aussi pour affaiblir les anciens critères du goût littéraire. Le public nouveau, plus plébéien, moins cultivé, abreuvé du spectacle quotidien des tragédies révolutionnaires et des exploits militaires, demandait des émotions nouvelles et violentes. Une jeune colonel disait à Stendhal : « Il me semble, depuis la campagne de Russie, qu'*Iphigénie en Aulide* n'est plus une aussi belle tragédie. »

L'influence des conjonctures politiques, enfin, est indéniable. Le romantisme a été essentiellement une révolte contre un ordre établi. Or jusqu'en 1820, l'ordre établi, c'est Louis XVIII, partisan déclaré du classicisme, c'est l'Académie française, composée de vétérans qui ont fait leur réputation littéraire dans les cadres anciens, c'est un gouvernement qui favorise l'idéologie rationaliste et libérale ; l'opposition, au contraire, c'est Chateaubriand, c'est Lamennais, c'est *le Conservateur*. A partir de 1820, ce parti royaliste a le vent en poupe, il conquiert le pouvoir, Louis XVIII vieillissant s'efface derrière son frère, on dirait qu'une ère nouvelle s'ouvre. Les romantiques qui, à ce moment, ont partie liée avec l'extrême-droite, ont été portés par cette vague, ils ont pu en profiter pour faire la brèche dans le mur que leur opposait jusque-là une coalition adverse de forces sociales et

(1) Voir ci-dessus p. 320.

politiques. Cela fait, et dans la mesure où la nouvelle administration royaliste allait prendre avec Villèle le visage trop réaliste, trop « mathématique » des précédentes, les romantiques allaient se dégager de cette alliance, qui était, au fond, contre nature, et se trouver libres de lier leur cause avec ceux qui étaient devenus les opposants à l'ordre établi : la nouvelle génération libérale.

C'est là, peut-être, un des faits essentiels de l'époque, et qui peut éclairer dans une large mesure l'échec spirituel de la Restauration, cette sorte de désertion de l'esprit public dont elle fut victime dans ses dernières années et qui la laissa pour ainsi dire à sec sur les écueils de 1830. Reprenons donc une vue sommaire de la bataille romantique dans son cadre chronologique.

Les premières années de la Restauration trouvaient le classicisme solidement établi dans les forteresses de l'Académie et de l'Université, régnant sans conteste sur l'opinion publique. En face de lui, le romantisme n'a ni règles, ni théories, ni chefs, ni modèles. De tous côtés, même, on s'interroge sur le sens à donner au mot qu'a introduit chez nous Mme de Staël. En 1823, encore, Victor Hugo dira qu'il « ne sait pas ce que c'est que le genre classique et le genre romantique ». En gros, toutefois, *romantique* désigne tout ce qui s'éloigne des traditions littéraires du XVIIe et du XVIIIe siècles. C'est à ce titre qu'il apparaît comme une menace pour le patrimoine national et qu'il s'attire les railleries et le mépris de la critique établie.

Un représentant typique de la poésie classique de ce temps est Népomucène Lemercier. Ce grand homme avait analysé *Athalie* à vingt-six points de vue différents et constaté que vingt-six fois Racine avait satisfait aux conditions exigibles ; *Athalie* était donc une tragédie parfaite, et pour en faire d'aussi bonnes il n'était que d'appliquer les vingt-six recettes infaillibles ! De même l'étude de *Tartuffe* révélait vingt-trois règles pour la comédie, et celle de l'*Iliade* vingt-quatre pour l'épopée. Joignant l'exemple au précepte, Lemercier écrivait vingt-deux tragédies (*Agamemnon, Camille, Charlemagne, Christophe Colomb, Charles VI*, etc., etc.) et cinq épopées, dont une *Mérovéïde* en 14 chants et une *Atlantiade* en 6.000 vers. Et combien d'autres comme lui, qui croyaient alors atteindre l'immortalité en filant des milliers de vers au ronron de l'alexandrin, et que la poussière d'une seule génération a suffi pour ensevelir dans l'oubli : Raynouard, Arnaud, Etienne, Andrieux, Duval, Picard, Lemontey, Jouy, Dupaty, Moreau, Tissot, Viennet...

Scrupuleusement fidèle à *l'Art poétique* et aux conventions du style « noble », le vrai poète d'alors, pour parler du cidre et du fromage se croyait obligé de dire « la liqueur du pommier » et « le laitage durci dans l'osier des corbeilles » ; une averse orageuse devenait, sous sa plume : « Des Hyades l'urne effrénée ». « Il fallait, dit Lamartine, avoir un dictionnaire mythologique sous son chevet si l'on voulait rêver des vers. »

A Lamartine, précisément, revient la gloire d'avoir affranchi la poésie française de cette emprise tyrannique de l'antiquité païenne et d'avoir donné le premier modèle d'un lyrisme personnel et religieux, pénétré du sens de la nature. Ses *Méditations poétiques*, parues en 1820, provoquèrent une commotion telle que le monde littéraire n'en avait pas connu depuis *le Génie du Christianisme*. « On ne se figure plus aujourd'hui, écrit Sainte-Beuve, ... quel enthousiasme, quel transport ce fut, pour les premiers vers de Lamartine, parmi ceux de notre âge ; ... nous ressentions là le contrecoup d'une révélation ; un soleil nouveau nous arrivait et nous réchauffait déjà de ses rayons. » Dans le camp classique, ce fut, par contre, la consternation et l'horreur. Legouvé raconte qu'un ami d'Andrieux, secrétaire perpétuel de l'Académie, le trouva chez lui, arpentant son cabinet de travail comme un forcené ; dans ses mains, un exemplaire des *Méditations* que, dans sa rage, il disloquait. « Ah ! pleurard, criait-il, tu te lamentes ! Tu es semblable à une feuille flétrie, et poitrinaire ! Qu'est-ce que cela me fait, à moi ? Le *Poète mourant !* le *Poète mourant !* Eh bien, crève, animal ! Tu ne seras pas le premier ! » Andrieux pouvait bien écumer, la trouée était faite et par elle passera une horde de Renés mélancoliques et ardents. Au premier rang se distinguait bientôt Victor-Marie Hugo, « l'enfant sublime » dont les premières *Odes* allaient être publiées en juin 1822.

Ce premier romantisme fut royaliste et catholique. Comme les traditionalistes, il répudiait le culte de l'antiquité païenne qui avait exalté l'imagination des républicains de la Révolution et paré l'Empire des prestiges de Rome ; comme eux, il se tournait vers le moyen âge chrétien pour y trouver un idéal plus conforme à l'esprit national ; comme eux il haïssait Voltaire et l'ironie sceptique du XVIIIe siècle, comme eux il trouvait ses partisans dans les milieux aristocratiques que l'émigration et la politique de la Sainte-Alliance ouvraient plus volontiers aux influences étrangères que les milieux libéraux, imbus du nationalisme jacobin ou bonapartiste. « La littérature nouvelle, déclare Victor Hugo, en 1824, est l'expression de la société religieuse et monarchique qui sortira de tant d'anciens débris et de tant de ruines récentes. » Et Ulric Guttinguer : « Etre romantique, c'est chanter, son pays, ses affections, ses mœurs et son Dieu. »

Les libéraux, au contraire, pour qui Voltaire était la loi et les prophètes, dénoncèrent avec fureur ces « saturnales de la littérature ». Le *Constitutionnel* stigmatisa Hugo et ses amis, qui, pour atteindre à de nouveaux effets, se permettaient « d'outrager le goût, d'insulter à la raison, de descendre à la trivialité la plus dégoûtante ou de se perdre dans les régions illimitées de l'absurde ». Une partie des royalistes, ceux surtout qui appartenaient aux générations les plus anciennes ne s'effrayaient pas moins des atteintes à ce qui était pour eux le legs de la France de Louis XIV. Leurs efforts conjugués aboutirent en avril 1824, à une excommunication solennelle fulminée au nom de l'Académie française, par Auger, dans une séance réunissant l'Institut tout entier : « Faut-il donc attendre, s'écria-t-il, que la secte du romantisme... en vienne jusque-là qu'elle mette en problème toutes nos règles, insulte à nos chefs-d'œuvre et pervertisse par d'illégitimes succès cette masse d'opinions dont toujours la fortune dispose ? » L'Université entra en lice également, par la voix de Frayssinous ; à la distribution des prix du concours général, en août 1824, il prononça un réquisitoire contre ces romantiques qui ne se complaisaient « que dans ce qui est faux, bizarre, nébuleux ». De tous côtés, par le journal, la chanson, le pamphlet, les novateurs se trouvèrent tournés en ridicule. La *Muse française* qui avait été leur organe, en 1823 et en 1824, fut abandonnée par un de ses fondateurs, Soumet, qui aspirait à l'Académie ; elle dut disparaître et le groupe n'eut plus d'autre point de ralliement que le salon hospitalier de Charles Nodier, bibliothécaire de l'Arsenal. Victor Hugo lui-même crut devoir protester de son respect pour les saines règles du langage : « Il est bien entendu que la liberté ne doit pas être l'anarchie, que l'originalité ne peut en aucun cas servir de prétexte à l'incorrection ; plus on dédaigne la rhétorique, plus il sied de respecter la grammaire. On ne doit détrôner Aristote que pour faire régner Vaugelas. »

Cette relative modération ne devait pas durer longtemps. Les lignes précédentes sont d'octobre 1826 ; un an plus tard, en décembre 1827, dans la *Préface de Cromwell*, Victor Hugo lève l'étendard de la révolte : « Les auteurs ont le droit d'oser, de hasarder, de créer, d'inventer leur style et de mener en laisse la grammaire. » Que s'est-il donc passé dans l'intervalle ? D'abord, les œuvres d'inspiration romantique se sont multipliées, écrasant par leurs « illégitimes succès » celles de leurs médiocres adversaires. En 1824, *Eloa* de Vigny, et les *Nouvelles Odes* de Hugo ; en 1825, le *Théâtre de Clara Gazul*, de Mérimée, *Racine et Shakespeare* de Stendhal ; en 1826, *Bug-Jargal* de Hugo, *Cinq-Mars* de Vigny, et du même les *Poèmes antiques et modernes.* Au cours de ces années, la littérature romantique anglaise, en particulier les romans de Walter Scott, a envahi la France, et en juillet 1827 de nouvelles représentations de Shakespeare par des acteurs anglais ont connu un vif succès.

D'autre part, s'est produit un véritable renversement des alliances : le romantisme a déserté le camp royaliste pour rallier celui de l'opposition libérale. Pour quoi et comment ? Le gouvernement de Villèle par son terre à terre, son fixisme, a déçu les espoirs mis en lui par l'extrême-droite catholique et idéaliste ; il a persécuté l'ultramontanisme en la personne de Lamennais, le génie poétique en la personne de Chateaubriand, la liberté de penser par sa tentative maladroite de 1827 pour brider la presse. Il a réussi à faire paraître le royalisme aussi contraire aux aspirations de la génération nouvelle que l'était en 1814 le despotisme napoléonien. Une nouvelle race de libéraux s'est levée ; encouragée par *le Globe*, elle répudie toutes les vieilleries, aussi bien celles de la Révolution que celles de l'Ancien régime. Entre les deux oppositions, celle de droite et celle de gauche, Chateaubriand jette le pont, et la cause de l'indépendance hellénique fournit un terrain commun de lutte et d'enthousiasme, permettant d'unir les aspirations vers la liberté à la défense du christianisme et à la tradition militaire. Hugo a senti de quel côté soufflait le vent, de quel côté on pouvait recueillir le plus d'applaudissements. L'*Hymne à la Colonne*, de février 1827, est l'indication qu'il a fait son choix. Le gouvernement royal, qui l'a couvert d'honneurs et de pensions, ne s'est pas encore aperçu de l'évolution. La rupture décisive se fera à l'occasion de *Marion Delorme* : le gouvernement, malgré toute sa bienveillance pour le poète, ne croira pas pouvoir autoriser la représentation d'une pièce où un roi de France était peint comme un idiot mélancolique et Richelieu comme le génie du mal. Hugo refusera avec hauteur la compensation pécuniaire qu'on lui offrira, et ce sera la guerre ouverte. Il va enfin proclamer sa nouvelle allégeance politique dans la préface d'*Hernani* : « Le romantisme... n'est, à tout prendre... que le libéralisme en littérature. Le libéralisme littéraire ne sera pas moins populaire que le libéralisme politique. La liberté dans l'art, la liberté dans la société, voilà le même but auquel doivent tendre d'un même pas tous les esprits conséquents et logiques. Les *ultras* de tout genre, classiques ou monarchiques auront beau se prêter secours pour refaire l'Ancien régime de toutes pièces... chaque pas de la liberté fera crouler tout ce qu'ils auront échafaudé. »

Avec *Hernani* triomphait aussi, est-il besoin de le rappeler, le drame romantique. Victoire décisive, si l'on songe à l'importance sociale du théâtre à cette époque. Le succès de la poésie lyrique ou épique ne se pouvait mesurer qu'en termes de librairie ou dans les conversations de salons ; au théâtre seulement s'opérait le contact immédiat entre l'auteur et le public, et les spectateurs, échauffés par leur rassemblement, manifestaient violemment leurs sentiments. Coïncidence significative, l'Académie française elle-même semblait ratifier tardivement le verdict du public en admettant Lamartine au nombre des Immortels, en avril 1830.

Quels furent les résultats, pour la littérature française, de cette révolution esthétique ? Quand on aura dit qu'elle a détruit les anciennes règles de la poésie, mêlé des genres reconnus distincts depuis le XVIIIe siècle, proposé de nouvelles sources d'inspiration, modifié la langue, on n'aura rien ajouté à ce que chacun sait déjà. Mais comment faire davantage sans déborder du cadre de cette étude ? Comment, surtout, rendre justice en quelques lignes à des génies aussi divers que Vigny et Béranger, Alexandre Dumas et Eugène Scribe, Sainte-

Beuve et Villemain, Stendhal et Balzac ? Il faut donc abandonner à l'histoire littéraire l'inventaire de ces richesses. Sans elles, pourtant, on ne garderait de la Restauration qu'une vue incomplète, et mutilée précisément de ce qui apparut à beaucoup des Français de ce temps comme leur principale affaire, de ce qui, aujourd'hui encore, nous permet de communier le plus intimement à leurs émotions et à leurs intérêts.

Le renouveau créateur de l'esprit français à cette époque se retrouve dans le domaine des arts. L'architecture, il est vrai, subit les conséquences de la politique financière parcimonieuse des gouvernements ; et il n'était pas question pour la monarchie, sous le régime restrictif de la liste civile, de bâtir de nouveaux châteaux alors qu'elle pouvait à peine sauver de la ruine ceux que l'ancien régime lui avait légués. On se préoccupa seulement de terminer — lentement, très lentement — certaines constructions entreprises sous les gouvernements précédents : la nouvelle façade de Versailles commencée par Gabriel, la Madeleine, l'arc de triomphe de l'Etoile. Dans les rares édifices nouveaux — la chapelle expiatoire, les églises de Notre-Dame de Lorette et de Saint-Vincent de Paul — règnent les formules du néo-classicisme de la fin du XVIIIe siècle. La mode du faux gothique ne fera son apparition qu'à la fin du règne de Charles X, et principalement dans l'ornementation des maisons particulières, dans le mobilier et dans les arts mineurs. Viollet-le-Duc n'aura que 16 ans en 1830.

La sculpture est rebelle aussi aux influences romantiques. Le grand maître du temps est le baron Bosio, dont toute l'ambition est de pasticher Canova. Pradier commence, sous ses auspices, sa longue carrière d'amateur de la beauté féminine, qui le conduira de nymphes en odalisques jusqu'aux polissonneries du second Empire.

Rude est rentré en France en 1827, après un exil volontaire en Belgique, auprès de David, mais ce n'est qu'après 1830 qu'il donnera libre cours à la fougue de son tempérament. David d'Angers multiplie les portraits aigus de ses contemporains, mais quand il aborde les sujets plus ambitieux, il reste fidèle jusqu'à l'absurde aux canons pseudo-antiques, représentant, par exemple, le général Foy, le grand orateur libéral, à la tribune de la Chambre, dans le noble et simple costume d'Archimède sortant de son bain !

La peinture seule s'est ouverte aux souffles nouveaux qui ont, à cette époque, révolutionné la littérature. Le point de départ est le même : un classicisme figé dans le respect idolâtrique d'une antiquité de convention ; un académisme qui s'épuise à la poursuite du « beau idéal », que le secrétaire perpétuel de l'Académie des Beaux-Arts, Quatremère de Quincy, définit comme « un être composé, dont l'observation et la science, l'imagination et le sentiment, rassemblent les parties ». David, bien qu'exilé, fait encore la loi. Les récompenses académiques, les commandes officielles et la faveur du public vont à ceux qui savent représenter les héros grecs et romains exhibant leurs nudités de plâtre exsangues dans les poses plastiques du répertoire officiel des émotions. Seul, le délicat Prud'hon, dédaigné par les autres, sauve, dans ses vaporeuses mythologies, quelque chose de la fantaisie voluptueuse de Watteau et de Fragonard.

Les trois principaux élèves de David, Girodet, Gros et Gérard — les trois G — continueront à produire selon ses recettes. Toutefois la nécessité de satisfaire aux commandes officielles les obligera à s'abaisser plus souvent à sortir de l'antiquité et à habiller leurs personnages. Gros peindra le départ de Louis XVIII en mars 1815 et l'embarquement de la duchesse d'Angoulême à Bordeaux ; Gérard l'entrée de Henri IV à Paris et le sacre de Charles X, Girodet les portraits de Bonchamps et de Cathelineau, avec le même zèle et la même correction académique qu'ils avaient mis à illustrer l'épopée napoléonienne. Cependant le moyen âge envahissait la peinture : au salon de 1819, les Jeanne d'Arc, les saint Louis, les Mérovingiens et les troubadours détrônaient les Epaminondas et les Diane. Ce même romantisme historique et purement thématique devait inspirer le pinceau infatigable d'Ary Scheffer, ceux de Delaroche, d'Horace Vernet et de Léopold Robert ; les sujets religieux se multipliaient aussi du fait des commandes des églises, qui cherchaient à réparer les dévastations de l'époque révolutionnaire.

Le renouvellement devait venir d'ailleurs. Au salon de 1819, précisément, une toile sombre et tragique jetait à travers le bric-à-brac antique et médiéval une note saisissante de réalisme : *le Radeau de la Méduse*, de Géricault. Malheureusement, ce précurseur des Courbet et des Manet allait périr prématurément, en 1824, victime de sa passion pour les chevaux, qu'il peignait avec prédilection. Ingres, lui aussi, à sa manière, avait d'abord combattu le classicisme davidien au nom de la vérité ; il répudiait la notion du beau idéal, s'insurgeait contre la superstition de l'antiquité, introduisait l'Orient dans la peinture, et d'un crayon infaillible fixait la physionomie de ses contemporains. Toutefois, la recherche du style, à l'école de Raphaël, le culte de la beauté des formes, et surtout, peut-être, sa hargne contre Delacroix allaient faire de lui le point de ralliement de l'école davidienne en déroute. L'*Apothéose d'Homère*, dévoilée en 1827 consacra son autorité.

Le romantisme, avec tout ce qu'il comporte de passion, d'audace, de liberté dans l'expression, fut vraiment incarné par Eugène Delacroix. Ses trois grandes toiles de l'époque, *la Barque du Dante* (1822), *les Massacres de Chio* (1824), *la Mort de Sardanapale* (1827), révélaient un monde nouveau de sentiments et de couleurs. Les classiques poussèrent des cris d'horreur : « On ne sait qu'y blâmer davantage, écrivait la *Gazette de France*, à propos des *Massacres de Chio*, ou l'épouvantable naïveté de tous ces égorgements, ou la façon plus barbare encore dont M. Delacroix les a retracés sans égard aux proportions du dessin. »

Devéria, dont la *Naissance d'Henri IV*, exposé au salon de 1827, fut accueillie avec enthousiasme par les romantiques, ne devait pas ensuite tenir ses promesses. Tandis que Corot, qui commençait modestement sa carrière, cette même année 1827, avec quelques paysages romains, allait ouvrir la lignée féconde des paysagistes français du XIXe siècle. L'exemple de Constable et de Bonington, non moins que l'inspiration romantique contribuaient heureusement à ramener la peinture française au sens de la nature, si totalement évacué des ateliers classiques.

L'histoire de l'art doit enfin tenir compte de l'apparition d'un procédé nouveau, celui de la lithographie, plus souple et plus économique que la gravure sur cuivre; sans parler de l'élan qu'il donna à la production industrielle des estampes et caricatures populaires, ce moyen nouveau fut ennobli par les travaux de Devéria, de Célestin Nanteuil et de Tony Johanot. Grâce à lui aussi, le livre illustré connut une nouvelle prospérité. Personne ne fit attention à la curieuse expérience d'un certain M. Niepce (Nicéphore) qui était arrivé, en 1822, à fixer sur une plaque la première image photographique.

Ce que Delacroix avait été pour la peinture, le génie isolé et critiqué, mais placé par la postérité plus haut que tous ses détracteurs, Berlioz devait l'être pour la musique, et d'une façon plus marquée encore. Sans lui, le renouveau musical n'aurait guère été représenté en France que par des étrangers ; Weber, avec son *Freyschutz* (1824) et Rossini, avec son *Guillaume Tell* (1829) furent accueillis avec enthousiasme à l'Opéra de Paris. A vrai dire, la musique pure n'avait en France que peu d'amateurs ; en dehors de la scène, on n'appréciait que la chanson gauloise ou la fade romance. Les musiciens à la mode, Auber, Boïeldieu, Hérold, restaient fidèles aux formules de Méhul et de Cherubini qui régnaient sur le Conservatoire. Le pittoresque romantique ne pénétra le drame musical que par ses sujets de livrets ; ainsi celui de *la Dame Blanche,* le plus grand succès de Boïeldieu (1825), était inspiré de Walter Scott.

Rien de tout cela n'annonçait le génie frénétique qui se manifesta en 1825 par une Messe exécutée à Saint-Roch ; déchaînant, selon ses propres expressions, « des flots de vibrations sinistres », Hector Berlioz, cherchait à épouvanter les « philistins » du Conservatoire. L'incompréhension du public qu'il bravait ne l'empêcha point de produire : en 1828, c'étaient les ouvertures des *Francs-Juges* et de *Waverley* et en 1830 les morceaux essentiels de ce qui devait devenir la *Symphonie fantastique* et la *Damnation de Faust.* On ne saurait mieux rendre l'impression produite par cette musique qu'en citant l'auteur lui-même, à propos de l'ouverture des *Francs-Juges* : « Le jour du concert, cette introduction a produit un effet de stupeur et d'épouvante qui est difficile à décrire. Je me trouvais à côté du timbalier, qui, me tenant un bras qu'il serrait de toutes ses forces, ne pouvait s'empêcher de s'écrier convulsivement, à divers intervalles : « C'est superbe ! C'est sublime, mon cher !... C'est effrayant ! Il y a de quoi en perdre la tête ! » De mon autre bras, je me tenais une touffe de cheveux que je tirais avec rage : j'aurais voulu m'écrier, oubliant que c'était de moi : Que c'est monstrueux ! colossal, horrible ! » Par sa vie orageuse, par ses écrits, autant que par sa musique, Berlioz reste une des incarnations les plus complètes de l'âme romantique.

Aux yeux de l'histoire-bataille, tout éblouie des exploits de l'Empire, la Restauration a pu paraître une époque de décadence ; l'histoire libérale, victime de ses préjugés antimonarchiques, a pu la peindre comme un temps d'obscurantisme. Il n'est pas certain qu'aujourd'hui encore les Français aient une conscience suffisante de la grandeur réelle d'une époque qui a produit dans le même temps des œuvres et des personnalités aussi diverses et aussi décisives que celles de Fresnel et d'Ampère, de Lamarck et de Cuvier, de Burnouf et de Champollion, de Benjamin Constant et de Bonald, de Lamennais et de Chateaubriand, de Saint-Simon et d'Auguste Comte, de Victor Hugo et de Lamartine, de Delacroix et de Berlioz.

Par leurs efforts à tous, la France reprit en quelques années cette primauté intellectuelle et morale qu'elle avait exercée depuis le XVIIe siècle et que sa crise d'impérialisme militaire lui avait fait perdre ; et ce résultat fut obtenu d'autant plus facilement que les circonstances excluaient toute idée d'hégémonie politique. Paris redevint le lieu de rencontre de tout ce qui, en Europe, s'intéressait aux produits de l'esprit. Le vieux Gœthe, à Weimar, attendait avec impatience l'arrivée du *Globe*, ce seul journal qui lui « donnait à penser », et Mazzini, dans ses pérégrinations ne voulut jamais se séparer de sa collection des revues publiées à Paris sous la Restauration.

Peut-on espérer que l'histoire d'aujourd'hui, se dégageant des œillères anciennes, voudra bien accepter la conclusion que nous fournit un des plus pénétrants historiens de l'école italienne contemporaine, le regretté Adolfo Omodeo : « La grande transformation par laquelle l'homme cultivé du XIXe siècle, si profondément différencié de celui du XVIIIe siècle, par sa sensibilité morale, par ses intérêts intellectuels, par sa vocation active, par cette grande foi nouvelle des Européens, le progrès, par sa capacité de considérer historiquement la réalité... et de donner un développement à cette vision du monde dans une nouvelle somme scientifique et dans un nouvel ordre politique, tout cela fut l'œuvre de la pensée française entre 1814 et 1830... » ?

QUATRIÈME PARTIE

LE RÈGNE DE CHARLES X

CHAPITRE PREMIER

VILLÈLE ET L'ÉCHEC DE LA RÉACTION

Charles X. — Les débuts du règne. — Premières déceptions. — L'indemnité aux émigrés. — La loi sur les congrégations religieuses. — La loi sur les sacrilèges. — Le sacre du roi (29 mai 1825). — La campagne anticléricale. — Les pairs repoussent le projet de loi sur les successions. — Echec de la loi sur la presse. — Manifestation de la garde nationale de Paris (29 avril 1827). — Situation critique du ministère à la fin de la session de 1827. — Elections de novembre 1827. Défaite et retraite de Villèle.

La pluie obstinée qui tombait en cette journée du 27 septembre 1824 n'empêcha point la foule parisienne de faire un accueil chaleureux à son nouveau roi Charles X, lorsqu'il fit sa joyeuse entrée dans la capitale. Quel changement d'allure dans la majesté royale ! Au lieu du gros homme, transporté comme une idole dans son fauteuil ou sa calèche, on pouvait admirer un monarque élégant et jeune encore d'allure, sur son cheval arabe à la robe argentée. A soixante-sept ans, Charles X gardait encore la souveraine aisance de manières et la désinvolture aimable qui en avaient fait jadis l'enfant gâté de la cour de Versailles et le prince charmant des dames. Un visage allongé, encadré de courts favoris blancs, de grands yeux bruns, au regard presque enfantin, une lèvre inférieure un peu trop forte et pendante, lui composaient une physionomie d'une bienveillance un peu ovine, mais non sans distinction. Mme de Boigne, peu suspecte de partialité envers Charles X, avoue : « Je n'ai jamais vu personne avoir plus complètement l'attitude, les formes, le maintien, le langage de la Cour, désirables pour un prince. » A la différence de Louis XVIII, qui eut des admirateurs et des favoris mais point d'amis, Charles X inspirait à ses familiers un dévouement sentimental et presque féodal. « Quand il disait *Bonjour*, rapporte l'un d'eux, sa voix semblait si bien partir du cœur, il avait quelque chose de si caressant, qu'il était impossible de ne pas être touché. » Un exemple de sa manière : le vicomte de Vaudreuil, après une algarade, lui avait écrit une lettre assez vive, où il lui rappelait qu'il l'avait servi depuis trente ans ; la réponse du prince fut ce billet : « Tais-toi, vieux fou, avec tes trente ans d'amitié. Il y aura demain trente-quatre ans que je te connais et que je t'aime ! »

Il est plus difficile de définir ce que recouvrait cet aimable extérieur. Un bagage intellectuel fort médiocre, en tout cas ; son éducation première avait été scandaleusement négligée, et lui-même s'était peu soucié ensuite de la compléter. Moins intelligent que son frère, il n'était sans doute pas aussi dénué de moyens qu'on le croit généralement. Pasquier, tout aussi peu prévenu en sa faveur que sa bonne amie Mme de Boigne, rapporte qu'il eut l'occasion une fois d'assister à un conseil présidé par le roi : « Je fus alors très frappé de l'intelligence avec laquelle Charles X saisissait les principaux points de la discussion et de sa facilité à les résumer... Il fallait que l'habitude de présider le conseil et d'entendre discuter eût singulièrement mûri son esprit. » On pourrait citer d'autres témoignages concordants sur ce point. Le roi avait aussi de belles qualités morales : un sens très élevé de son devoir d'Etat, qui lui faisait donner presque tout son temps aux affaires, un vif désir d'assurer la grandeur et le bonheur du pays, une simplicité de goûts qui se refusait à toute dépense somptuaire pour lui-même, jointe à une générosité presque excessive quand il s'agissait d'aider les autres. « Il avait considéré sa liste civile, dit La Rochefoucauld, comme une sorte d'emprunt qui, levé sur la nation au profit de sa grandeur, devait lui retourner en luxe, en magnificence, en bienfaits. » Enfin une dignité parfaite dans sa vie privée ; depuis ce jour de 1804, où, agenouillé auprès du lit de mort de sa dernière maîtresse, Mme de Polastron, il avait juré d'être tout à Dieu, il avait loyalement et scrupuleusement tenu parole. Sa dévotion, un peu étroite et formaliste, était du reste indulgente aux écarts des autres, et jamais il ne fit mauvais visage à ceux qui ne partageaient pas ses convictions religieuses.

Que manqua-t-il donc à cet excellent homme pour faire un bon roi ? Peut-être surtout de n'être pas monté sur le trône à un moment où des qualités ordinaires auraient suffi. On peut même observer que ses vertus devaient le desservir autant que ses déficiences, car s'il eût été plus sceptique, plus jouisseur, moins résolu à faire son devoir de roi, semblable, en un mot, aux souverains anglais, ses contemporains, il n'aurait pas affronté les conflits qui devaient le perdre. S'il devait se lancer tête baissée dans la lutte, c'est qu'il était inébranlablement fidèle à une conception du droit royal incompatible avec un régime parlementaire. Un jour qu'un de ses ministres alléguait l'exemple de l'Angleterre pour le convaincre de la nécessité d'avoir une majorité dans les Chambres : « Cela est vrai, répliqua-t-il avec vivacité, mais en Angleterre ce sont les Chambres qui ont fait la part du roi, et ici c'est le roi qui a fait la part des Chambres. » Il disait également qu'il préférerait scier du bois que de régner comme le roi d'Angleterre. En somme, son défaut majeur paraît avoir été une incapacité radicale, non pas seulement d'accepter, mais même de comprendre, le point de vue des nouvelles générations de Français issus de la Révolution.

Les autres défauts qu'on a pu lui reprocher — et sans doute à juste titre — composent un portrait curieusement contradictoire. Ainsi, on l'a représenté à la fois comme entêté dans ses opinions et facile à influencer, comme trop franc dans ses propos, trop facile dans le choix de ses confidents et en même temps affecté d'une mentalité de conspirateur, porté aux combinaisons secrètes. Il est certain, en tout cas, que les influences de Cour et d'Eglise devaient prendre, sous son règne, plus d'importance apparente que sous Louis XVIII, et cela devait être nuisible à l'autorité morale de la couronne.

A ces influences on pouvait attribuer déjà le remaniement ministériel opéré par Villèle, quelques jours avant la mort de Louis XVIII. Le duc de Doudeauville avait été nommé ministre de la Maison du roi, à la place de Lauriston, que devait consoler un bâton de maréchal ; Sosthène de La Rochefoucauld, fils du nouveau ministre, s'était vu confier une direction des Beaux-Arts et des Lettres, formée par prélèvement sur les attributions du ministère paternel, et qui devait lui donner le privilège, depuis longtemps convoité par cet intrigant agité, de travailler directement avec le roi. L'évêque d'Hermopolis, Mgr Frayssinous, Grand Maître de l'Université depuis 1821, était devenu ministre des Affaires ecclésiastiques et de l'Instruction publique. Les Affaires étrangères, restées sans titulaire depuis la disgrâce de Chateaubriand, avaient été attribuées au baron de Damas, jusque-là ministre de la Guerre ; la nullité du personnage, aussi étranger aux affaires qu'il était possible, devait permettre au Président du Conseil de continuer à les diriger. Clermont-Tonnerre passait de la Marine à la Guerre, et pour remplir ses précédentes fonctions, Villèle avait fait appel au comte Chabrol de Crouzol, ancien préfet et directeur général des domaines et de l'enregistrement. « Brave homme, roide comme un pieu, écrit de lui Frénilly, et qui, sous une apparence de fer, couvrait une douceur de mouton et une faiblesse d'enfant. » Et on pourrait ajouter : en particulier, une faiblesse incorrigible pour le maroquin ministériel.

Cette dernière nomination manifestait la tendance de Villèle de chercher dans l'appui du centre droit une compensation aux oppositions croissantes qu'il rencontrait à l'extrême-droite. La même politique se remarquait plus encore dans les remaniements qui avaient affecté au même moment le Conseil d'Etat et les directions ministérielles ; plusieurs des hommes de droite qui avaient parlé ou écrit contre le ministère, au cours de la précédente session, perdirent leurs situations dans l'administration, ce qui ne fit qu'augmenter leur irritation et celle de leurs amis. Le Président du Conseil avait eu l'habileté de faire endosser ces diverses mesures par le roi défunt. Le nouveau règne put ainsi s'ouvrir dans une atmosphère générale de satisfaction et d'espoir ; le ministère pouvait justement se féliciter d'avoir assuré dans les meilleures conditions cet avènement que l'on croyait, quelques années plus tôt, de nature à ouvrir une crise fatale au régime.

Charles X, de son côté, faisait de son mieux pour se concilier l'opinion. Au lendemain même de la mort de Louis XVIII, il déclarait à une délégation des Chambres sa résolution de respecter fidèlement la Charte ; il accordait une large amnistie aux condamnés politiques ; enfin, passant outre aux objections de Villèle, il décidait la suppression de la censure. Du coup, la presse libérale elle-même entonna la louange du nouveau roi. Pour quelques jours, ce fut une idylle sans nuages entre Charles X et son peuple.

Le caractère généreux du monarque se manifesta encore de façon bien remarquable à l'égard de son cousin le duc d'Orléans. Louis XVIII s'en défiait et avait durement maintenu les distances entre la branche aînée et la branche cadette des Bourbons. Charles X, au contraire, multiplia les bons procédés : le duc reçut le titre d'Altesse royale, ainsi que ses enfants et sa sœur, l'ambitieuse Mme Adélaïde ; le jeune duc de Chartres fut nommé colonel d'un régiment de hussards ; enfin le roi fit insérer, dans la loi instituant sa propre liste civile, un article qui donnait valeur légale à la récupération, accordée au prince, des restes de l'immense apanage de Philippe-Egalité. On sait de quelle façon la reconnaissance du prince devait se manifester en 1830.

La trêve ne fut pas longue. La première déception infligée par le roi à ses panégyristes d'occasion fut le maintien en fonctions du ministère Villèle. A droite comme à gauche, les adversaires du président du conseil n'avaient enflé la louange du roi que pour mieux accabler les ministres. « Il existe, écrivait Chateaubriand, un fait unique dans l'histoire des monarchies : l'acquiescement général et complet au nouveau règne, avec l'opposition générale et complète à l'administration. » Que le ministère disparût, et tout irait pour le mieux. Mais pourquoi donc Charles X se serait-il séparé de Villèle ? N'avait-il pas composé lui-même ce ministère ? Et depuis, l'homme avait-il démérité ? Ne lui devait-on pas, au contraire, d'avoir assuré l'heureux passage d'un règne à l'autre ? Et par qui remplacer ce précieux Villèle qui avait réponse à tout ? Comment appuyer une nouvelle combinaison viable sur des programmes aussi disparates que ceux des oppositions de droite et de gauche ? Villèle, donc, resta, transférant au nouveau règne le capital de rancunes dont il avait chargé les derniers temps du précédent.

Et il ne devait point tarder à en augmenter le poids. Le 2 décembre fut publiée une ordonnance qui mettait à la retraite les officiers généraux qui, ayant atteint la limite d'âge, n'avaient pas été activement employés depuis 1823. Rien de plus normal et même de plus justifié au point de vue financier. Mais il se trouvait que les deux cent cinquante intéressés étaient presque tous des anciens officiers de l'Empire. La presse libérale qui avait trouvé fort bonnes des mesures analogues prises quelques années plus tôt par Gouvion Saint-Cyr, lorsqu'elles touchaient des officiers sortis de l'émigration, fit éclater une vive indignation : quoi ! c'était cela le don de joyeux avènement du nouveau roi aux restes glorieux des armées impériales ! Et avoir choisi pour cela cette date du 2 décembre, l'anniversaire d'Austerlitz ! Le pauvre Charles X, tout marri de cette explosion, s'efforça de rattraper la maladresse en multipliant les exceptions individuelles, mais on ne fit qu'annuler ainsi le bénéfice financier de la mesure sans pouvoir en réparer le détriment moral.

L'opposition ne manqua point de mettre en parallèle avec cet acte le projet d'indemnité aux émigrés, que le gouvernement préparait dans le même temps et qui fut annoncé en effet dans le discours du Trône à l'ouverture de la session parlementaire, le 22 décembre.

Parce que cette mesure se présente chronologiquement au début du règne de Charles X, on l'a souvent interprétée comme le signe évident de l'aveugle esprit de réaction que l'on attribue au nouveau roi, comme le premier abandon de la politique prudente et conciliatrice de Louis XVIII, comme la première concession faite par Villèle aux vœux de la majorité ultra-royaliste de la Chambre retrouvée. Rien n'est moins exact. En fait, ce projet répondait à une des idées les plus chères de Louis XVIII, et seules les difficultés financières en avaient ajourné la réalisation. Villèle lui-même n'avait pas besoin d'être talonné sur ce point ; les efforts qu'il avait faits dans la session de 1824 pour créer les conditions financières indispensables, son irritation devant l'opposition de la Chambre des pairs, en sont la preuve.

Ce qui était en cause, en effet, ce n'étaient pas seulement les intérêts, certes fort respectables, d'une catégorie de Français malheureux, c'était un des plus graves problèmes qui se posaient à la monarchie restaurée : l'immense et redoutable question des biens nationaux. Une solution radicale — et qui pouvait se justifier en droit — eût été de déclarer nulles toutes les spoliations et de rendre les biens à leurs premiers propriétaires, quitte à indemniser d'une façon ou d'une autre les acquéreurs de bonne foi. Mais on risquait ainsi de déchaîner la guerre civile, et, du reste, Louis XVIII s'était fermé cette voie, en proclamant, dès son retour, le caractère irrévocable de ces transferts de propriétés. Une autre solution eût été de laisser le temps faire son œuvre, en espérant qu'il finirait par éteindre les revendications des uns et les inquiétudes des autres. Mais une juste considération de l'intérêt de la dynastie, et tout simplement de l'intérêt national, ne devait pas permettre de s'en tenir à cette solution paresseuse. Louis XVIII avait bien pu, en 1814, céder à une nécessité impérieuse, mais il avait conservé le regret douloureux d'avoir paru fouler aux pieds les droits de ses fidèles, au moment même où triomphaient les siens propres, grâce, en partie, à leur dévouement. Après tout, n'avaient-ils pas été frappés pour avoir répondu à son appel ? Pouvait-on décourager, exaspérer, ceux qui étaient par nature les meilleurs soutiens du trône ? Et que devenait le principe de la légitimité, que devenait la morale chrétienne et naturelle si l'on faisait litière du droit de propriété ? Dès 1814, l'injustice des confiscations avait été reconnue, puisque l'on avait décidé la restitution des biens nationaux qui n'avaient pas encore été liquidés. Pouvait-on abandonner les propriétaires moins favorisés pour cette seule raison qu'ils avaient eu moins de chance ?

A ces considérations de principe, s'en ajoutaient d'autres plus pratiques. Les anciens propriétaires ne pouvaient se résigner facilement à leur spoliation, et les récriminations qu'ils formulaient, appuyées souvent par le clergé, imprimaient à ces biens nationaux une sorte de flétrissure morale qui en rendait la négociation difficile, les amputait donc d'une partie de leur valeur. Enfin, tant que leur situation resterait douteuse, les nouveaux propriétaires seraient inquiets, ne pourraient se rallier franchement au régime. En faisant accepter aux anciens possesseurs une indemnité, on devait éteindre leurs revendications, on devait effacer toute distinction entre les biens nationaux et les autres, on devait leur permettre de retrouver leur valeur normale, on devait rassurer les acquéreurs, leur ouvrir la voie d'un ralliement sincère, et ôter ainsi aux ennemis de la monarchie leur plus sûre clientèle.

La seule objection valable que l'on pût faire à cette grande mesure d'intérêt monarchique et national était la difficulté de trouver l'argent nécessaire sans ruiner les finances de l'Etat, qu'on avait eu tant de mal à relever. D'après les enquêtes préliminaires, la valeur totale des propriétés dont on se proposait de compenser la perte ne se montait pas à moins d'un milliard de francs. Villèle avait appliqué à la solution de ce problème toutes les ressources de son génie pratique, et, au début de 1824, il avait cru en avoir trouvé le moyen dans une conversion des rentes. C'est là une opération dont personne aujourd'hui ne conteste la légitimité et qui a été plus d'une fois pratiquée, mais, pour l'époque, c'était une chose assez neuve, et plusieurs, faute de la bien comprendre, y devaient voir même une sorte de malhonnêteté. Depuis l'unification de la dette publique sous le Directoire, elle était représentée par des titres de 100 francs rapportant 5 % d'intérêt. Or, en 1824, le cours de ces titres en Bourse, qui n'avait dépassé la cote de 90 francs qu'une seule fois, en 1807, avait atteint et dépassé même leur valeur nominale. Les capitalistes étaient donc disposés à donner plus de 100 francs pour un revenu annuel de 5 francs ; ce qui signifiait que le taux réel de l'argent, tel qu'il résultait de la loi de l'offre et de la demande, s'établissait à un niveau inférieur à 5 %. Dans ces conditions, il n'y avait aucune raison pour l'Etat d'assurer aux prêteurs des avantages au détriment des contribuables. On leur offrirait donc l'alternative suivante : ou bien ils accepteraient le remboursement de leurs titres de rente au cours de 100 francs — et ils ne pourraient s'estimer lésés, puisqu'ils les avaient achetés le plus souvent à des prix très inférieurs — ou bien, s'ils tenaient à conserver la position de créanciers de l'Etat, on leur donnerait en échange des titres nouveaux portant un revenu de 3 %, et comme on les leur donnerait sur la base de 75 francs par titre de 100 francs, leur revenu réel serait porté à 4 %. Etant donné la masse des titres de rentes alors en circulation, l'économie budgétaire ainsi réalisée sur le service des intérêts de la dette publique devrait s'élever à 30 millions. Cette somme correspondait à un capital nominal d'un milliard de rentes à 3 %, et c'est ce capital d'un milliard que l'on distribuerait aux émigrés sous forme de titres de rentes.

Cette solution, si élégante qu'elle fût, au point de vue financier, offrait pourtant un grave inconvénient politique, qui était de faire payer par les rentiers, bourgeois parisiens en très grande majorité, les dettes de la Révolution et de la Monarchie envers l'émigration. On faisait observer que les rentiers, petites gens pour la plupart, ne se souciaient guère de réaliser une plus-value sur leur capital, et qu'ils ne constateraient qu'une chose, a savoir que leur revenu annuel allait se trouver amputé d'un cinquième. Pour cette raison, et pour d'autres encore, de caractère plus technique, le projet de conversion des rentes avait rencontré, dans la Chambre des députés, une forte opposition, et finalement avait été repoussé par la Chambre des pairs. le 3 juin 1824 (1).

(1) Voir ci-dessus p. 380.

Villèle avait tiré les leçons de son échec, et, pour la session de 1825, il adopta une autre tactique, visant à séparer les aspects technique et politique de l'opération. On ferait d'abord voter le principe de l'indemnité et les modalités de sa répartition ; après quoi, les Chambres ne pourraient refuser les dispositions financières destinées à fournir les sommes nécessaires.

Un premier débat s'engagea donc en février 1825 sur le projet de loi créant, au profit des anciens possesseurs de biens nationaux, trente millions de rentes à 3 %, représentant un capital nominal d'un milliard. La discussion, comme il fallait s'y attendre, fut longue et orageuse, et, de l'enceinte des Chambres, les polémiques débordèrent sur le pays entier, portées par les journaux et des quantités de brochures. Les défenseurs de la Révolution et ceux de l'émigration se heurtèrent violemment, réveillant les passions que l'on se proposait d'éteindre. Les orateurs de l'extrême-droite, La Bourdonnaye en particulier, allèrent jusqu'à contester la valeur de l'article 9 de la Charte, qui déclarait irrévocables les ventes de biens nationaux ; Louis XVIII, disait l'un d'eux, n'avait eu le droit de disposer des biens des émigrés pas plus que ceux-ci n'auraient eu le droit de disposer de sa couronne. Ils tentèrent, par des amendements, de donner à la mesure le caractère d'une restitution due en stricte justice. La gauche s'efforça de discréditer le projet en soulignant que trop de députés étaient personnellement intéressés à son adoption. Oubliant que beaucoup de Français n'avaient quitté leur patrie que pour sauver leur tête, elle flétrit toute l'émigration comme un crime ; à ces mauvais Français on ne devait aucune compensation, parce que la confiscation avait été une juste punition. Ainsi l'indemnité serait une amende infligée à la France en faveur de ceux qui l'avaient trahie, et une insulte pour l'armée que l'on réduisait, dans le même temps, à la portion congrue. « A-t-on le droit de punir la nation, dit le député Méchin, jusqu'à ce que l'on ait prouvé que l'affranchissement du sol, l'égalité devant la loi, l'égalité de l'impôt, la liberté de la conscience et de la pensée ne sont pas des biens appréciables ? En doit-il coûter un milliard à 29 millions de Français pour avoir voulu ce que repoussaient cinquante mille ? » En fin de compte, la loi d'indemnité, après avoir été légèrement amendée par la Chambre des pairs, fut votée à la Chambre des députés par 221 voix contre 130.

La discussion des moyens financiers, moins passionnée, ne fut pas moins acharnée. Mais les projets de Villèle furent finalement acceptés. Au lieu de chercher les trente millions annuels nécessaires dans une conversion des rentes, comme l'année précédente, le ministre des Finances avait mis sur pied un système plus complexe : la moitié de la somme devait être fournie par la caisse d'amortissement, l'autre moitié par la plus-value escomptée des rentrées budgétaires, de la taxe sur les transactions en particulier ; enfin il s'y joignait une nouvelle conversion, facultative celle-là, du 5 % en 4 1/2 %. Il est impossible de suivre ici le détail technique de toutes ces opérations. Au bout du compte, estime M. Gain, auteur d'une thèse définitive sur la question, l'indemnité aux émigrés devait coûter à la France 25.995.000 francs de rentes à 3 %, représentant un capital nominal de 866.510.000, et, compte tenu du cours moyen de ce titre qui s'établit en fait très en-dessous de la parité, un capital réel de 630 millions de francs environ. On est donc assez loin de compte du milliard de la légende.

Dans l'état de prospérité du pays, le Trésor supporta aisément cet alourdissement de la dette publique. Mais ce règlement fut-il suivi des effets que l'on s'en promettait ? Pas entièrement. Les biens nationaux, libérés de l'hypothèque morale qui les dépréciait, se trouvèrent bien réévalués, mais l'augmentation des recettes sur les taxes de transactions ne correspondit pas à ce que l'on attendait. L'indemnité ne permit pas aux émigrés de retrouver, comme certains l'avaient espéré, leur fortune territoriale ; par suite du jeu des successions, il y avait environ 70.000 ayants droit, et la valeur moyenne de l'indemnité pour chacun se réduisait à 1.377 francs de rentes, 45.000 francs en capital nominal, beaucoup moins en fait ; en outre l'indemnité réelle était, pour la plupart, très inférieure à cette moyenne, du fait de quelques grosses liquidations, celle, par exemple, du duc d'Orléans, qui s'élevait à 12.704.000 francs de capital. Mais, tout de même, le résultat essentiel fut atteint : il n'y eut plus, après 1825, deux sortes de propriétés, deux sortes de propriétaires, il n'y eut plus d'obstacle matériel à une véritable réconciliation nationale.

Malheureusement, celle-ci dépendait bien plus encore de facteurs d'ordre passionnel, et sur ce plan, la discussion de la loi d'indemnité devait élargir momentanément le fossé entre les Français qui avaient profité de la Révolution et ceux qui en avaient souffert. Le ministère aussi y laissait des plumes. La plupart des bénéficiaires de l'indemnité ne lui surent aucun gré d'une compensation jugée par eux trop inférieure à ce qu'ils avaient perdu. L'opposition de gauche put ajouter à son arsenal le thème des pauvres petits rentiers dépouillés au profit des seigneurs avides...

... Sombre jour, où ton noir 3 %
Aux rentiers consternés apparut menaçant
Dédaignant les douleurs de la France outragée
Et méprisant les cris de la Bourse insurgée.

Villèle perdit aussi un peu de sa réputation d'habileté dans l'échec partiel de ses combinaisons financières ; et les avantages apparemment excessifs offerts par lui aux banquiers qui le soutenaient, Rothschild en particulier, permirent de dénoncer sa collusion avec la haute finance, et de faire planer des doutes injustes sur son désintéressement.

Tandis que les députés s'occupaient de l'indemnité aux émigrés, la Chambre des pairs avait été saisie de deux projets de lois d'inspiration purement religieuse, l'une concernant le régime légal des congrégations, l'autre sur le sacrilège. Il est hors de doute que Villèle, en les présentant, obéissait moins à des convictions personnelles qu'à la nécessité de donner satisfaction aux sentiments du roi et aux exigences d'une partie de sa majorité, celle qui s'inspirait de l'idéal des Chevaliers de la Foi, et qui réunissait, à la Chambre, plus de cent voix. Le rapporteur de la première de ces lois, à la Chambre des pairs fut Mathieu de Montmorency lui-même, le grand-maître de la société secrète.

Le concordat de 1801 ignorait les congrégations religieuses ; celles-ci avaient pu néanmoins profiter de la tolérance bienveillante des divers gouvernements de la Restauration pour se reconstituer (1). Toutefois, l'absence de statut légal offrait des inconvénients pratiques : ne jouissant pas de la personnalité civile, les congrégations ne pouvaient acquérir des biens immeubles ou des titres de rente qu'à l'aide de personnes interposées ; elles ne pouvaient davantage recevoir dons et legs. Une loi de janvier 1817 précisait que les congrégations ne pourraient acquérir de biens que si elles étaient autorisées par un acte législatif. N'était-ce point paralyser pratiquement la reconstitution des sociétés religieuses que de soumettre ainsi chaque fondation à la lourde et indiscrète procédure parlementaire ?

Dès le mois de juillet 1824, le gouvernement avait présenté à la Chambre des pairs un projet qui donnait au roi la faculté d'accorder aux congrégations la reconnaissance légale — et le bénéfice de la loi de 1817 — par simple voix d'ordonnance délibérée en Conseil d'Etat. Ce projet avait été repoussé par une majorité

(1) Voir ci-dessus p. 423.

de pairs, comprenant non seulement la fraction libérale et voltairienne, plus nombreuse qu'à la Chambre élective depuis la fournée de 1819, mais aussi des catholiques fidèles à la tradition du gallicanisme parlementaire et obsédés de la crainte des jésuites.

Le nouveau projet, présenté à la Chambre haute au début de 1825 tenait compte de ces répugnances en précisant qu'il ne s'agissait que des communautés de femmes. Les facilités qu'on voulait leur accorder étaient en outre entourées de précautions restrictives : toutes les opérations sur les biens qui se feraient au nom de la congrégation devraient être soumises à l'autorisation ministérielle, et aucune religieuse ne pourrait disposer, en faveur de sa communauté, de plus du quart de ses biens personnels.

Cela ne parut pas encore suffisant à ceux qui craignaient que le principe posé dans la loi ne permît bientôt d'en étendre le bénéfice aux congrégations d'hommes ; une brochure de Lamennais, publiée dans le même temps, l'avait proclamé sans réticence. Ainsi, la Chambre adopta, sur la proposition de Pasquier, un amendement qui limitait les avantages du régime proposé aux congrégations existant au 1er janvier 1825 et à leurs fondations nouvelles. Quant aux autres qui se formeraient à l'avenir, ainsi que pour toutes les congrégations d'hommes, elles ne pourraient acquérir la personnalité civile que par une loi. Charles X fut affecté de ce demi-échec au point de vouloir retirer la loi ; cependant il s'y résigna comme à un moindre mal. Ce fut également dans cet esprit que l'accepta la Chambre des députés, malgré la déception de sa majorité. Lamennais, exaspéré, écrivit que la loi allait faire des religieuses « une classe de parias ».

Le même Lamennais n'avait pas manqué non plus de verser sa dose de passion outrancière dans le débat beaucoup plus important qui s'engagea à la suite du précédent, devant la Chambre des pairs, sur la loi contre les sacrilèges. Le motif d'abord mis en avant était le nombre inquiétant des vols de vases sacrés commis dans les églises : 538 en quatre ans. Mais il était impossible de s'y tromper ; ce que voulait la majorité de la Chambre, c'était, comme le dit le Garde des Sceaux, « une expiation nécessaire, après tant d'années d'indifférence ou d'impiété » ; c'était une première réalisation du vœu exprimé par Bonald : « La Révolution qui a commencé par la déclaration des droits de l'homme, finira par la déclaration des droits de Dieu » ; c'était une première brèche dans le système concordataire qui faisait de l'Eglise et de l'Etat deux puissances alliées, mais distinctes. « La religion catholique, écrivait Lamennais, doit être tenue pour vraie et les autres pour fausses; elle doit faire partie de la constitution de l'Etat et de là se répandre dans les institutions politiques et civiles ; autrement l'Etat professe l'indifférence des religions, il exile Dieu de ses lois, il est athée. »

Le projet de loi établissait une échelle de criminalités et de peines suivant que la profanation aurait été commise sur des vases sacrés ne contenant point de saintes espèces, sur des vases contenant des hosties consacrées, enfin sur les hosties elles-mêmes. Dans le premier cas, le coupable devait être puni des travaux forcés à perpétuité ; dans le second, c'était la mort ; dans le troisième, il devait subir le supplice des parricides, c'est-à-dire avoir le poing coupé avant de perdre la tête. Ces dispositions, effrayantes à première vue, étaient rendues, en fait, inopérantes par les conditions inscrites dans le texte même de la loi. Pour qu'il y eût sacrilège, l'attentat devait être commis « volontairement, publiquement et par haine ou mépris de la religion ». Or, où avait-on jamais vu de vol de ce genre commis « publiquement » dans une église ? Et comment prouver qu'il avait été perpétré « volontairement, par haine ou mépris de la religion » ?

Cette inconséquence fut soulignée par les orateurs de l'opposition, Chateaubriand notamment : « La religion que j'ai présentée à la vénération des hommes, dit-il encore, est une religion de paix, qui aime mieux pardonner que punir, qui doit ses victoires à ses miséricordes, et qui n'a besoin d'échafauds que pour le triomphe de ses martyrs. » Le duc de Broglie exprima l'inquiétude que pouvait inspirer aux protestants le précédent que l'on voulait créer : « La liberté des cultes repose à l'abri de cette grande maxime qu'entre toutes les questions qui divisent les consciences... le législateur restera, non pas indifférent, mais neutre... Violez une seule fois cette maxime, tirez une seule fois le glaive à l'appui d'une vérité purement théologique, le principe d'intolérance des consciences, le principe de persécution est à vos côtés. »

En sens contraire, Bonald, poussé par sa logique impitoyable, laissa tomber des paroles atroces. « On se récrie sur la peine de mort appliquée au sacrilège. Osons proclamer ici des vérités fortes. Si les bons doivent leur vie à la société comme service, les méchants la lui doivent comme exemple. Oui, la religion ordonne à l'homme de pardonner, mais, en prescrivant au pouvoir de punir... Et d'ailleurs en punissant le sacrilège, que fait-on si ce n'est de le renvoyer devant son juge naturel ? »

Finalement, il se trouva une majorité de pairs pour accepter l'argument fondamental invoqué par le rapporteur Breteuil : « Pour parvenir à faire respecter nos lois, commençons par faire respecter la religion. » Et le projet du gouvernement fut voté par 127 voix contre 92, avec une seule modification, demandée d'ailleurs par Bonald : à la peine des parricides était substituée une amende honorable.

Dans la discussion à la Chambre des députés, l'opinion des catholiques intransigeants s'exprima par la voix du député d'Ille-et-Vilaine, Duplessis de Grénédan, qui protesta contre l'inefficacité de la loi. Que dirait la Chambre, demanda-t-il, si on proposait de ne punir le régicide que s'il était commis *volontairement, publiquement* et *par haine ou mépris de la royauté* ? Le grand événement de la discussion fut le discours de Royer-Collard contre le projet. « Non seulement, dit l'orateur, il introduit dans notre législation un crime nouveau, mais ce qui est bien plus extraordinaire, il crée un nouveau principe de criminalité, un ordre de crimes, pour ainsi dire surnaturels... Ainsi la loi remet en question et la religion et la société civile, leur nature, leur fin et leur indépendance respective... Les gouvernements sont-ils les successeurs des apôtres ? Ils n'ont pas reçu d'en-haut la mission de déclarer ce qui est vrai en matière de religion et ce qui ne l'est pas. » Si le dogme entrait dans la loi, il n'y avait pas de raison de s'arrêter, et ce serait bientôt une théocratie absolue où le prêtre serait roi. Ce grand morceau d'éloquence ne pouvait rien changer au sort de la loi, qui fut adoptée par 210 voix contre 95, mais par son retentissement immense au dehors de la Chambre, il acheva de la perdre devant l'opinion publique.

Comme il était facile de le prévoir, les conditions mises à la définition du crime étaient tellement irréalisables que la loi ne devait jamais être appliquée. Ses auteurs se satisfaisaient de la pensée d'avoir fait une manifestation éclatante en faveur de leur religion ; comment n'ont-ils pas vu qu'en associant pour ce faire les autels aux échafauds, ils ranimaient contre elle les souvenirs les plus sinistres de l'Inquisition ?

Dès lors, dans tout ce que firent le roi et son gouvernement en faveur de la religion de l'Etat, on ne voulut voir que des signes effrayants de l'emprise mystérieuse et croissante de la société ecclésiastique sur la société civile. Cette interprétation malveillante devait prévaloir notamment au sujet du sacre de Charles X, qui eut lieu le 29 mai 1825, aussitôt après la clôture de la session parlementaire.

L'inspiration en était pourtant avant tout politique ; elle entrait même dans la logique du régime qui s'était donné pour tâche de « renouer la chaîne des temps ». Le roi très-chrétien pouvait-il se montrer moins soucieux de faire consacrer religieusement son pouvoir que ne l'avait été Napoléon ? Le sacre du roi était prévu dans l'article 74 de la Charte, et Louis XVIII lui-même au début de la session de 1819, avait publiquement annoncé son intention de recevoir l'onction royale. Si ses infirmités l'avaient finalement obligé à y renoncer, son successeur n'avait aucune raison de s'y dérober. La cérémonie de Reims, permettant à toute la nation de communier dans une manifestation de ferveur monarchique, marquerait, par l'éclat de ses fastes, que la France était enfin sortie du recueillement imposé par ses malheurs ; elle serait un acte de foi dans la grandeur de ses nouvelles destinées.

C'est pourquoi rien ne fut épargné pour lui donner le plus de splendeur possible. Des précautions furent prises aussi pour écarter tout ce qui aurait pu inquiéter certaines catégories de Français ; l'archevêque de Reims expliqua, dans un mandement, que le pouvoir royal avait sa source dans le droit héréditaire préexistant au sacre ; on avait modifié la formule du serment prononcé par le roi, afin d'y inclure une mention de la Charte ; on avait supprimé les expressions qui parlaient de l'extinction de l'hérésie et qui auraient pu blesser les protestants ; on avait donné, dans la cérémonie, une place de premier plan aux représentants de la France nouvelle : les maréchaux Moncey, Soult, Mortier et Jourdan avaient été chargés de porter les insignes du pouvoir royal : l'épée du connétable, le sceptre, la main de justice, la couronne. Enfin, à une très large amnistie pour les condamnés politiques, s'ajoutait, pour toutes les catégories de mérites, une pluie généreuse de décorations, de cordons, de titres, de pensions, etc. Les ministres, à qui revenait en partie le soin de cette distribution, eurent la rare élégance de s'en exclure, ainsi que les membres de leurs familles.

Le roi fit son entrée à Reims, au début de l'après-midi du 28 mai. L'immense carapace dorée de la voiture du sacre passa d'abord sous une voûte presque continue d'arcs-de-triomphe et de banderolles de verdure qui commençait à plus d'une lieue de la ville ; de la porte de la cité à celle de la cathédrale, les rues étaient sablées, jonchées de fleurs ; les façades des maisons tendues de tapis et de guirlandes, « tout Paris aux fenêtres et tout Reims aux toits ». Selon l'usage, le roi assista aux vêpres, à un *Te Deum* solennel, et entendit un sermon qui fut prononcé par le cardinal de la Fare, le même qui avait prêché pour l'ouverture des Etats-Généraux en 1789.

Le 29 mai, dès les premières heures du jour, la foule des invités officiels se presse dans la vieille basilique toute tapissée intérieurement de velours et de soie, resplendissante de girandoles de bougies dont les feux se réfléchissent en scintillant dans les crépines d'or et d'argent. Le cortège royal fait son entrée un peu avant huit heures, précédé des hallebardiers en grand costume à la Henri IV. Le roi est vêtu de satin blanc brodé d'or, coiffé d'une toque ornée de plumes et de diamants. Il prononce d'abord les serments prévus, et reçoit les éperons et l'épée. Après une longue prière, pendant laquelle il est prosterné de tout son long, l'archevêque lui fait les sept onctions rituelles ; puis on le revêt des habits et des insignes royaux. Enfin, l'archevêque, assisté des deux premiers princes du sang, pose la couronne sur sa tête. Son cri, trois fois répété *Vivat Rex in aeternum !* déchaîne un tumulte joyeux : les assistants le reprennent de toute leur voix, le clergé chante le *Te Deum,* soutenu par le grondement des orgues et des fanfares de trompettes, les femmes pleurent et agitent leurs mouchoirs, les portes de la cathédrale ouvertes admettent un flot de peuple, et, sous les voûtes, des colombes lâchées à ce moment, tournent effarées dans les nuages d'encens. Au dehors, l'artillerie tonne sur les remparts, et, sur les places, les troupes tirent des salves de mousqueterie ; toutes les cloches sonnent à la volée, et dans les rues, le peuple s'égosille d'acclamations et se dispute les médailles d'argent que jettent, à pleines poignées, les hérauts d'armes. « L'Univers vieilli rêve qu'il voit renaître un nouvel âge d'or », chantera Lamartine.

Mais tous les efforts des chantres officiels, toutes les fêtes organisées par les autorités, ne devaient pas réussir, en fin de compte, à éveiller dans le reste du pays l'enthousiasme de Reims. Les modifications de détail apportées au cérémonial, ne pouvaient prévaloir contre le fait essentiel, seul perceptible pour la masse : la résurrection de l'ancien régime dans une de ses formalités les plus archaïques et les plus chargées de signification religieuse. Lorsque le roi fit sa rentrée solennelle à Paris, le 6 juin, tout le monde remarqua la froideur relative de la population, qui contrastait de façon pénible avec l'exubérance de son accueil au mois de septembre précédent.

La plume démagogique de Béranger traduisit ce sentiment dans la chanson fameuse du *Sacre de Charles le Simple* :

> *Aux pieds de prélats cousus d'or*
> *Charles dit son* Confiteor.
> *On l'habille, on le baise, on l'huile,*
> *Puis, au son des hymnes sacrés,*
> *Il met la main sur l'Evangile.*
> *Son confesseur lui dit : « Jurez !*
> *Rome que l'article concerne,*
> *Relève d'un serment prêté.* »

Ce couplet n'est qu'un exemple, entre mille, du ton qu'avait pris alors la polémique antireligieuse. L'amplitude de ce mouvement, la violence et l'ingéniosité de ses attaques, l'audace avec laquelle étaient produites les accusations les plus absurdes, la facilité avec laquelle on les accueillait, tout cela présente, avec le recul du temps, un tableau déconcertant et même un peu humiliant pour l'honneur de l'esprit français.

Il est assez difficile de se l'expliquer de façon satisfaisante. Il ne suffit pas d'invoquer une réaction normale contre les prétentions excessives et les abus de pouvoir du clergé, contre les errements d'un régime qui mettait la religion au service de la politique autant que la politique au service de la religion (1). La disproportion reste trop évidente entre le péril réel et la violence presque hystérique de la contre-attaque. On est donc amené à y soupçonner une tactique réfléchie de l'opposition libérale et certains aveux enregistrés plus tard confirmeraient cette explication. Les ennemis du régime, écrasés aux élections de 1824, avaient dû reconnaître que toutes leurs attaques directes contre la dynastie avaient échoué. Charles X ayant solennellement juré de respecter la Charte, et le problème des biens nationaux étant réglé, les résultats essentiels de la Révolution, en matière économique et sociale, se trouvaient consolidés, et il n'y avait plus de questions proprement politiques qui pussent soulever les passions de la masse. Dans ces conditions, la seule ressource pour l'opposition était de faire appel à l'attachement si chatouilleux des Français pour la liberté de pensée et d'expression, d'évoquer le spectre d'une domination cléricale visant à opprimer les consciences et les intelligences. Une telle ligne d'attaque avait toutes sortes d'avantages : elle permettait de saper le régime tout en multipliant les protestations de fidélité au roi et à la Charte ; elle pouvait même s'allier à un respect apparent pour la religion dont on séparait la cause de celle de ses ministres imprudents ; elle chatouillait l'amour-propre national en se présentant comme une défense des libertés de la vénérable

(1) Voir ci-dessus p. 438.

Eglise gallicane contre les ingérences romaines ; elle donnait enfin un moyen de diviser les royalistes vainqueurs, car si une partie d'entre eux mettaient sur le même plan la défense de l'autel et celle du trône, d'autres restaient fidèles à l'esprit voltairien ou au gallicanisme parlementaire du XVIIIe siècle.

Ainsi orientée, la campagne se développe de façon prodigieuse au cours des années 1825 et suivantes, utilisant tous les moyens d'influencer l'opinion : les caricatures, les chansons, les poèmes satiriques, les pamphlets, le théâtre, les journaux, les propos de cafés, les manifestations publiques. Des pièces de monnaie étaient mises en circulation, où Charles X était affublé en jésuite et Louis XVIII en chanoine. Une société répandait avec profusion les œuvres de Voltaire, de Rousseau et des autres auteurs irréligieux du XVIIIe siècle (1). Des chahuts étaient organisés par les étudiants dans les églises ou prêchaient les missionnaires ; on y jetait des pétards, des boules puantes, on versait de l'encre dans les bénitiers ; à Lyon, à Rouen, à Brest, des incidents dégénéraient en véritables émeutes que la troupe devait réprimer. Les représentations de *Tartuffe*, réclamées de toutes parts, fournissaient l'occasion de manifestations antireligieuses. C'était une bonne fortune aussi lorsque mourait quelque célébrité, comme Talma, qui n'avait pas reçu les derniers sacrements, et que l'on pouvait porter au cimetière sans passer par l'église, en cortège triomphal, avec accompagnement obligé d'un discours par quelque personnalité libérale.

Quelques thèmes, quelques sujets favoris, alimentent ce concert. C'est d'abord l'intolérance du clergé, qui permet d'évoquer à tout propos l'Inquisition, Galilée, la Saint-Barthélemy et les dragonnades. Le *Constitutionnel* a une rubrique spéciale où sont recueillis quantité de petits faits réels, exagérés ou même simplement inventés ; il n'y est question que d'enfants protestants

(1) Voir ci-dessus p. 468.

enlevés à leurs parents pour être mis dans des établissements catholiques, de jeunes filles exaltées s'enfermant au couvent contre le gré de leurs pères, pour obéir à leurs confesseurs, de sacrements refusés, de protestants et de jansénistes persécutés, d'instituteurs révoqués à la demande des curés, de billets de confession exigés des pauvres et des ouvriers, de livres brûlés comme impies, d'élèves expulsés des collèges pour n'avoir pas manifesté assez de dévotion, de faux miracles préconisés, de pratiques ridicules. On a soin, du reste, de présenter cela de façon assez vague pour que la vérification et le démenti deviennent impossibles.

Avec précaution aussi — car il faut compter avec la justice — on insinue des doutes sur les mœurs du clergé. Voici un exemple typique tiré du *Constitutionnel* : « Le Fr. Redon [c'était un missionnaire lazariste] qui dirigeait le chant à la mission de Crouy avait d'abord entrepris les jeunes filles de dix ans : leurs voix muaient ; puis celles de quinze : leurs voix n'étaient point encore assez formées ; il en est aujourd'hui aux filles de dix-huit ans et paraît fort content. » Le *Frondeur*, passant en revue les crimes de la semaine, la présente comme « une esquisse hebdomadaire de la moralité que nous ont faite tous ceux qui font de la morale jésuitique ».

L'ultramontanisme est un autre thème fécond, et les exagérations de Lamennais ne manquent jamais pour soulever l'indignation des gallicans. Un de ceux-ci, l'avocat Dupin, trouve, en 1825, cette formule célèbre : « Les pharisiens du jour nous préparent des supplices. Sentez les coups de cette épée dont la poignée est à Rome et la pointe partout ! »

Le thème de l'influence du clergé dans le gouvernement se cristallise vers 1825 dans le mythe de la Congrégation ou du parti-prêtre. On l'imagine comme une vaste société secrète, étendant partout son réseau d'affiliés, et visant à détruire la Charte pour instituer une théocratie. « Elle dispose des emplois, du crédit, des récompenses, écrit Alexis Dumesnil, tout est prodigué à ceux qui font vœu d'être siens ; elle séduit, elle corrompt jusque sur les marches du trône. » En province la Congrégation forme des coteries qui sont l'épouvantail des magistrats, des commandants, des préfets et des maires. A Paris, elle domine le ministère et la Cour, et à la Chambre ses affiliés sont au nombre d'une centaine. Cette légende pouvait s'accréditer d'autant plus facilement que la Congrégation existait bel et bien (1). Qu'on ait pu lui attribuer une influence politique, cela s'explique assez naturellement, si l'on tient compte de l'existence des Chevaliers de la Foi, et du fait que plusieurs dirigeants de la société étaient connus comme membres de la Congrégation.

Rien ne contribua davantage à créer cette confusion que le pamphlet publié à la fin de février 1826 sous le titre bizarre de *Mémoire à consulter sur un système religieux et politique tendant à renverser la religion, la société et le trône*. L'auteur était le comte de Montlosier, un vieux gentilhomme auvergnat, connu surtout jusque-là comme un pilier de la réaction nobiliaire. Qu'un tel personnage se lançât dans la campagne anticléricale, voilà qui témoignait de l'efficacité de la nouvelle tactique des libéraux ; aussi, oubliant ses antécédents, ils le couvrirent de fleurs, l'acclamèrent comme le « Tirésias d'Auvergne », et surent utiliser à fond ce nouvel allié. Le « système » dénoncé par Montlosier avait quatre aspects : la Congrégation, les Jésuites, l'ultramontanisme, l'esprit d'envahissement chez les prêtres.

L'émotion soulevée dans le public par ce pamphlet, et par d'autres, incita le ministre des Affaires ecclésiastiques, Mgr Frayssinous, à se prononcer publiquement sur la politique religieuse du gouvernement. En mai 1826, dans un long discours, il s'efforça de détruire les mythes créés par la propagande, en leur opposant quelques faits. Comment, pouvait-on prétendre, par exemple, que l'éducation de la jeunesse était livrée aux jésuites,

(1) Voir ci-dessus p. 426.

alors qu'ils ne dirigeaient que sept petits séminaires sur cent, et qu'il y avait à côté de cela 86 collèges royaux, 60 collèges communaux, 800 institutions privées où il n'y avait pas l'ombre d'un jésuite ? N'importe, on ne retint de son exposé qu'une chose : c'est qu'il avait reconnu l'existence de la Congrégation et surtout des jésuites, dont l'établissement était illégal en France, depuis le règne de Louis XV.

Dès lors, le feu de la polémique anticléricale se concentra surtout sur les jésuites. Tout ce qui pouvait soulever la méfiance dans les activités religieuses leur était attribué : missions, congrégation, confréries, société de la propagation de la Foi, ultramontanisme, dévotions sentimentales, etc. Les laïcs dévoués à l'Eglise étaient des « jésuites de robe courte », les femmes dévotes et les religieuses des « jésuitesses ». Le *Journal des Débats* assure que « le ministère n'a qu'un objet en vue, le rétablissement d'un ordre dont l'orageuse carrière est renfermée entre la pyramide de Jean Châtel et l'échafaud de Damiens, un ordre dont les clameurs ont retenti parmi les clameurs factieuses des Seize, les gémissements des dragonnades et les orgies de Mme du Barry ». Stendhal écrit, en mai 1826 : « On croirait aujourd'hui que le génie de la nation n'a rien d'autre à faire qu'à railler les jésuites. » Dans cet ordre, on ne recule pas devant les absurdités les plus énormes : ainsi on imprime qu'à Montrouge, au noviciat de la Compagnie, les jeunes jésuites sont entraînés à poignarder les ennemis de leur ordre, qu'on y accumule des armes pour une nouvelle Saint-Barthélemy des patriotes, qu'on s'y exerce au tir du canon dans les souterrains ! Montlosier poursuit son premier succès en lançant, en juillet 1826, une *Dénonciation aux cours royales relativement au système religieux et politique* signalé dans le *Mémoire* à consulter, et ensuite par une *Pétition à la Chambre des Pairs* sur le même sujet, ce qui amène la magistrature et la Chambre haute à se prononcer sur l'illégalité de l'existence des jésuites en France.

Béranger lance sa chanson célèbre sur les « Révérends Pères » :

Hommes noirs d'où sortez-vous ?
Nous sortons de dessous terre,
Moitié renards, moitié loups.
Notre règle est un mystère,
Nous sommes les fils de Loyola.
Vous savez pourquoi on nous exila,
Nous rentrons, songez à vous taire !
Et que vos enfants suivent nos leçons.

. . . .

Un pape nous abolit,
Il mourut dans les coliques.
Un pape nous rétablit,
Nous en ferons des reliques.

. . . .

Les missionnaires sont tous,
Commis-voyageurs trafiquant pour nous.
Les capucins sont nos cosaques,
A prendre Paris nous les exerçons.

. . . .

Enfin reconnaissez-nous
Aux âmes déjà séduites.

. . . .

Nous sommes, nous sommes jésuites !
Français, tremblez tous, nous vous bénissons !

Charles X assistait, désolé, à ce déchaînement, pour lui incompréhensible. Plus la religion était attaquée, plus il croyait devoir témoigner ouvertement sa dévotion. Ainsi, lorsque le jubilé de 1825 fut étendu à la France, en 1826, et que l'archevêque de Paris eut prescrit des processions publiques, le roi voulut les suivre, à pied, cierge en main, entouré de sa famille et des représentants des corps constitués. Comme il était habillé de violet, couleur de deuil pour les rois de France, cela donna naissance au bruit qu'il avait été consacré évêque et qu'il disait secrètement la messe aux Tuileries !

Profondément déconsidéré devant l'opinion, réduit à une défensive sans espoir sur ce terrain des questions religieuses, le ministère subit encore, dans la session de 1826, une grave défaite sur le terrain politique et parlementaire.

La majorité royaliste de la Chambre des députés avait poussé le gouvernement à présenter un projet de loi modifiant les dispositions du code civil sur le régime des successions, de façon à freiner le morcellement indéfini des propriétés foncières, et par suite, à consolider la situation de l'aristocratie rurale. C'était l'idée même qui avait inspiré à Napoléon l'institution des majorats. D'après le code, le père de famille avait la faculté d'augmenter la part d'héritage d'un de ses enfants en disposant en sa faveur du « préciput légal », ou « quotité disponible », équivalent à une part d'héritage ; mais, en fait, très peu de personnes usaient de ce droit. Le projet de loi élaboré par le gouvernement ne faisait que retourner ces dispositions du code. Désormais, pour qu'il y eût partage égal entre les enfants, le père de famille devrait le signifier expressément par une disposition testamentaire, sinon, le préciput légal serait automatiquement attribué à l'aîné de ses enfants. En somme, de facultative qu'elle était, l'inégalité devenait la règle générale, et l'égalité, cessant d'être automatique, restait facultative. A cela se bornait l'audace d'un projet que l'opposition devait présenter comme un retour au droit d'aînesse. Sa portée était encore limitée du fait que ses dispositions ne devaient s'appliquer qu'aux successions payant au moins 300 francs d'impôts directs, c'est-à-dire à environ 80.000 familles sur les 6 millions que comptait la nation.

En somme, le ministère avait voulu, par ce projet boiteux, répondre à deux nécessités contradictoires : satisfaire aux vœux formels d'une partie de sa majorité et ménager les répugnances qu'il pressentait dans l'opinion. L'émotion populaire dépassa les prévisions : journaux et brochures dénoncèrent en termes effrayants ce retour à l'ancien régime, cette attaque effrontée contre la société moderne. Le *Constitutionnel* expliqua gravement que la loi avait été inspirée par les jésuites qui voulaient repeupler les couvents en contraignant les cadets de famille et les filles à s'y réfugier, faute de pouvoir subsister autrement.

Le projet fut présenté d'abord à la Chambre des pairs, où il donna lieu à un long et important débat, du 11 mars au 8 avril 1826. Les meilleures têtes de l'opposition : Molé, Pasquier, Roy, Barante, Decazes, Siméon, Cornudet, alignèrent tous les arguments concevables contre la modification du code civil. Le coup final fut porté par le duc de Broglie qui éleva le débat en s'attaquant moins aux dispositions assez anodines du projet qu'aux intentions dont il s'inspirait. « Cette loi, dit-il, n'est pas une loi, mais une déclaration de principes... un manifeste contre l'état actuel de la société... Le droit de primogéniture, c'est le fondement de l'inégalité des conditions, c'est le privilège pur, absolu, sans déguisement ni compensation... C'est l'inégalité des conditions pour elle-même... Ce qui se prépare ici c'est une révolution sociale et politique, une révolution contre la Révolution qui s'est faite en France il y a quarante ans. »

La Chambre haute repoussa finalement le projet par 120 voix contre 94. Cette décision fut acclamée avec un enthousiasme extraordinaire ; la presse libérale remercia les pairs d'avoir sauvé la France d'une loi « antisociale » ; il y eut dans la rue des manifestations bruyantes, des illuminations, des pétards tirés, comme à la nouvelle d'une grande victoire.

Depuis deux ans, le gouvernement s'était trouvé soumis au feu d'une polémique de plus en plus vive, de plus en plus déloyale, et tous ses efforts pour contenir ces attaques avaient été inutiles. C'est qu'il était pratiquement désarmé : il n'osait rétablir la censure, le roi n'en voulait pas d'ailleurs. Les grands organes de l'opposition n'étaient pas à acheter : les 43.000 abonnés de la presse libérale, auxquels s'ajoutaient les 6.000 de celle de la contre-opposition de droite, écrasaient de leur masse les 14.000 abonnés que totalisaient péniblement les feuilles du gouvernement. Surtout, la magistrature qui aurait pu contraindre les publicistes à plus de modération par des condamnations *post factum*, se laissait entraîner, par le désir de flatter l'opinion publique, à une indulgence systématique envers les journalistes. Ainsi, lorsque le gouvernement, à la fin de 1825, avait déféré à la Cour royale de Paris le *Constitutionnel* et le *Courrier français*, pour atteinte à la religion de l'Etat, ce tribunal avait acquitté les deux journaux avec des considérants qui constituaient un camouflet pour le gouvernement et qui avaient sérieusement renforcé l'audace de l'opposition. C'est pour éviter semblable déconvenue qu'on avait renoncé à engager des poursuites contre le pamphlet de Montlosier.

Après les échecs de la session de 1826, il apparaissait difficile de gouverner indéfiniment contre l'opinion dominante dans la presse et dans la population parisienne. Le roi, les ministres et la majorité de la Chambre auraient pu en tirer la conclusion qu'ils avaient fait fausse route et qu'il était temps de changer de politique. Mais, à leurs yeux — comment s'en étonner ? — c'était l'opposition qui était dans son tort, et si l'opinion la soutenait, c'était qu'elle avait été corrompue par les mensonges de la presse.

Si donc les journaux étaient à l'origine de tout le mal, si l'on ne voulait pas de la censure, si les lois existantes ne suffisaient pas à les contenir, il fallait une loi nouvelle. Villèle faisait en somme comme le mauvais médecin qui s'attaque à la fièvre sans chercher à guérir ses causes organiques.

Le projet de loi présenté à la Chambre des députés, le 29 décembre 1826, par le Garde des Sceaux Peyronnet, se composait de deux parties, car l'on voulait atteindre non seulement les journaux, mais aussi les pamphlets et brochures de toutes sortes qui faisaient autant de mal, sinon plus, que les périodiques.

Tous les écrits non périodiques devaient être déposés à la direction de la librairie cinq jours au moins avant leur sortie de l'imprimerie ; ainsi la police pourrait les faire saisir au besoin s'ils paraissaient subversifs. En outre, les écrits de moins de cinq feuilles d'impression — les plus dangereux, estimait-on — seraient imposés d'un droit de timbre de 1 franc pour la première feuille, plus 10 centimes pour chacune des feuilles suivantes. Enfin les infractions à ces dispositions seraient rigoureusement punies, la moindre irrégularité devant entraîner une amende de 3.000 francs et la suppression intégrale de l'édition.

Quant aux périodiques, le droit de timbre serait de 10 centimes par feuille de 30 centimètres carrés, avec un supplément de 1 centime pour chaque décimètre carré en plus. Nul périodique ne pourrait se créer sans une déclaration préalable de l'identité des propriétaires dont le nom devrait être imprimé en tête de chaque exemplaire, et l'association des propriétaires ne pourrait comprendre que cinq personnes. La loi ayant un effet rétroactif, les journaux existant auraient un délai de trente jours pour se conformer à ces dispositions. Les pénalités prévues par les lois en vigueur contre les délits de presse seraient considérablement alourdies, et les poursuites seraient désormais dirigées contre les propriétaires eux-mêmes et non plus contre les gérants qui leur servaient de paravent.

A l'énoncé de ces dispositions draconiennes, Casimir

Périer s'écria : « Autant vaudrait proposer un article unique qui dirait : l'imprimerie est supprimée en France au profit de la Belgique ! » L'opposition tout entière, tant celle de droite que celle de gauche, éclata en protestations indignées. Lamennais qualifia le projet de « monument unique d'hypocrisie et de tyrannie ». Et Chateaubriand de « loi vandale ». Les imprimeurs et libraires de Paris, entre autres celui du *Moniteur*, publièrent une pétition où ils représentaient la ruine inévitable de toutes les industries qui vivaient de l'édition, la misère menaçant cent mille familles. L'Académie française elle-même, sur la proposition de Lacretelle et de Michaud, vota une adresse de protestation au roi. Le Garde des Sceaux essaya de défendre son œuvre dans un article du *Moniteur* ; par une incroyable maladresse, il y déclarait qu'elle était une « loi de justice et d'amour ». L'opposition sauta sur l'expression et elle devait servir désormais à désigner ironiquement le projet.

Le soulèvement de l'opinion intimida la majorité gouvernementale de la Chambre, et la commission nommée par elle amenda sérieusement le projet, atténuant son aspect fiscal et assouplissant sur presque tous les points la réglementation primitivement prévue. Mais cela ne diminua en rien l'ardeur de l'opposition, et le débat qui eut lieu du 13 février au 12 mars devait rester dans les annales parlementaires comme l'un des plus mémorables de ce temps. Tous les arguments pour ou contre la liberté de la presse furent développés et ressassés par les quarante-six orateurs de l'opposition et les trente-deux champions du gouvernement. Dans ce flot d'éloquence on devait retenir surtout le discours de Royer-Collard, qu'on peut considérer encore aujourd'hui comme l'un des sommets de l'éloquence politique. « Dans la pensée de la loi, dit-il avec une ironie hautaine, il y a eu de l'imprévoyance, au grand jour de la création, à laisser l'homme s'échapper libre et intelligent au milieu de l'univers ; de là sont sortis le mal et l'erreur. Une plus haute sagesse vient réparer la faute de la Providence, restreindre sa libéralité imprudente, et rendre à l'humanité sagement mutilée, le service de l'élever enfin à l'heureuse innocence des brutes !... Le mouvement des esprits ne vient pas seulement des livres. Né de la liberté des conditions, il vit du travail, de la richesse et des loisirs ; les rassemblements des villes et la facilité des communications l'entretiennent. Pour asservir les hommes, il est nécessaire de les disperser et de les appauvrir ; la misère est la sauvegarde de l'ignorance. Croyez-moi : réduisez la population, renvoyez les hommes de l'industrie à la glèbe, brûlez les manufactures, comblez les canaux, labourez les grands chemins. Si vous ne faites pas tout cela, vous n'aurez rien fait ; si la charrue ne passe pas sur la civilisation tout entière, ce qui en restera suffira pour tromper vos efforts. »

A cette majestueuse harangue, il faut, pour être juste, opposer le point de vue du gouvernement. On le trouve dans une péroraison du Garde des Sceaux, qui n'est certes pas indigne de celle de son grand adversaire. Benjamin Constant venait d'imaginer ce qu'il ferait si, occupant la place des ministres, il avait eu l'intention d'étouffer la presse. « Je me demande à mon tour, dit Peyronnet, ce que je ferais si j'avais résolu de préparer et d'amener insensiblement de nouvelles agitations dans mon pays. Ce que je ferais, le voici. N'osant d'abord attaquer ouvertement le trône, j'attaquerais la religion, sur laquelle le trône est appuyé ; je la représenterais superstitieuse, ambitieuse, oppressive. Intolérant et persécuteur pour elle seule, je lui reprocherais de manquer de tolérance et de charité ; j'évoquerais à tout prix de vieilles querelles qu'on ne comprend plus... Si j'apercevais autour du trône des hommes, sinon signalés par leurs services, au moins recommandables à la bienveillance du prince et à l'estime des honnêtes gens, je voudrais qu'ils perdissent cette bienveillance et cette estime pour que leur courage devînt au moins impuissant. Si je ne parvenais pas à les fatiguer et à les faire fléchir, je les abreuverais de dégoûts, je les accablerais d'injustices. Si le pays était prospère, je ne parlerais que de sa détresse ; si le peuple avait de l'aisance, je lui prouverais qu'il est misérable. J'instruirais le peuple à secouer le frein des lois ; je l'amènerais à croire, selon l'expression d'un autre orateur, que la résistance peut devenir une espèce de point d'honneur. Et quand j'aurais fait tout cela, Messieurs, que vous en semble ? Serait-il temps d'arrêter les progrès d'un pareil ouvrage ? Faudrait-il toujours écouter ceux qui diraient : « Laissez dire et laissez faire ! »

Galvanisée par ces paroles, la majorité se serra autour du ministère et la loi fut adoptée par 233 voix contre 134. Si l'on se souvient qu'en avril 1824 cette même Chambre ne comptait que 20 opposants déclarés à gauche, on peut mesurer le terrain perdu depuis. Chose plus grave peut-être, les deux oppositions de droite et de gauche avaient tenu le même langage et la discussion avait créé entre leurs représentants une sorte de solidarité.

Lorsque la loi fut portée ensuite à la Chambre des pairs, celle-ci nomma une commission composée de personnalités hostiles au projet, et qui se mit à le bouleverser de fond en comble. Ce que voyant, le gouvernement se résigna à retirer la loi. Encore une fois, il y eut des manifestations de joie populaire ; encore une fois, le ministère et sa majorité avaient soulevé contre eux l'animosité de l'opinion sans obtenir en compensation le moindre résultat concret.

Quelques jours plus tard, le roi lui-même eut l'occasion de s'en apercevoir. Sur la proposition du maréchal Oudinot, commandant de la garde nationale de Paris, Charles X avait décidé de passer en revue la milice de la capitale, chose qu'il n'avait pas faite depuis son avènement. Les ministres, qui n'avaient pas été consultés, furent effrayés à l'idée des manifestations qui pourraient se produire ; néanmoins, la presse ayant annoncé l'événement, il leur sembla qu'éluder l'épreuve serait un aveu de faiblesse. Toutes les précautions furent prises pour la sécurité du souverain, les journaux de l'opposition eux-mêmes donnèrent des consignes de calme.

Au jour convenu, le 29 avril, le roi se rendit donc au Champ-de-Mars, où 20.000 gardes nationaux l'attendaient, rangés en bataille en présence d'une foule immense de spectateurs. Les acclamations ne manquèrent point, mais dans les rangs de certaines légions, aux cris de *Vive le roi !* se mêlèrent ceux de *Vive la liberté de la presse ! Vive la Charte ! A bas les ministres ! A bas les jésuites !* A un moment, le roi poussa son cheval vers un homme qui était sorti des rangs pour mieux se faire entendre, et lui dit sévèrement : « Je suis venu ici pour recevoir des hommages et non des leçons. » Malgré tout, comme il s'attendait à bien pire, Charles X se retira assez soulagé. Mais d'autres incidents allaient aggraver la manifestation : la duchesse d'Angoulême et la duchesse de Berry, dont les calèches stationnaient devant l'Ecole militaire, furent insultées par des cris d'*A bas les jésuitesses !* Une légion de la garde nationale, rentrant de la revue, passa devant le ministère des Finances, et conspua énergiquement le président du conseil. Villèle, outré, persuada au roi que la sauvegarde de sa dignité exigeait une sanction immédiate et exemplaire. Le soir même, une ordonnance prononça la dissolution de toute la garde nationale de Paris, et dans la nuit, tous les postes occupés par elle furent relevés par des troupes de ligne.

Certes, on ne pouvait laisser passer sans réplique l'insolente manifestation, mais il était bien maladroit de frapper l'ensemble du corps pour punir quelques coupables — leur proportion, aux estimations les plus sûres, n'avait pas dépassé 5 % —. Pour tous ceux qui avaient fait les frais d'un équipement neuf en vue de la circonstance c'était une perte matérielle sensible ; mais surtout c'était signifier officiellement à toute la bourgeoisie parisienne qu'on la rangeait au nombre des ennemis du régime. Certains des ministres l'avaient compris et avaient protesté contre la brutalité maladroite de la mesure. Villèle passa outre. Le duc de Doudeauville, ministre de la Maison du roi, donna sa démission plutôt que de s'associer à cette bêtise. Çà et là, aux devantures des boutiques parisiennes, on vit exposés des uniformes de la garde nationale, avec l'étiquette : *Habit à vendre, fusil à garder*. Les fusils devaient servir en effet... à la fin de juillet 1830.

La session parlementaire de 1827 se clôtura le 22 juin, dans une atmosphère d'irritation et d'inquiétude générale. Deux jours après, la censure fut rétablie ; c'était la riposte du gouvernement au refus que lui avait opposé la Chambre des pairs. Bonald, nommé président du conseil de surveillance de la presse, justifia la décision en disant : « La censure est un établissement sanitaire fait pour préserver la société de la contagion des fausses doctrines, tout semblable à celui qui éloigne la peste. »

Chateaubriand annonça la création d'une *Société des Amis de la liberté de la presse*, qui devait mettre en commun les ressources de l'opposition libérale et de la contre-opposition de droite et suppléer au silence forcé des journaux par des séries de brochures. Il exhortait tous les ennemis du ministère à profiter d'une loi qui venait d'être votée et qui permettait aux électeurs de contrôler les listes électorales dont la composition était jusque-là plus ou moins livrée à l'arbitraire des préfets. Pour cette tâche spécialisée se forma une autre société, sous le titre *Aide-toi, le ciel t'aidera* et qui fut animée par Guizot. En quelques mois, elle réussit à faire rétablir quinze mille noms sur les listes électorales.

A tout le monde, il semblait en effet que le ministère

était à bout de course et qu'il pourrait difficilement affronter une nouvelle session sans quelque grande résolution. Castellane notait dans son *Journal*, au 1er octobre 1827 : « M. de Villèle a juste en France le nombre de partisans qu'aurait la peste si elle donnait des pensions. » L'opposition libérale avait regagné, et au-delà, le terrain perdu dans l'opinion de 1820 à 1824. Surtout, les royalistes, si fortement unis quand ils étaient dans l'opposition, étaient maintenant profondément divisés ; la contre-opposition de droite, représentée à l'origine par quelques ambitieux déçus, comme La Bourdonnaye, s'était renforcée successivement de divers éléments. A la Chambre des députés, jusqu'en 1825, la « bannière » des Chevaliers de la Foi avait maintenu une certaine cohésion dans la droite, mais au début de 1826, les fondateurs de la société, Montmorency et Bertier, mécontents de l'usage qu'en faisait Villèle, avaient fait décider sa dissolution. Dès lors l'effritement de la majorité sur sa droite fut plus rapide, et on en avait vu les résultats dans le vote sur la loi de presse. Il eût sans doute été possible à Villèle de désarmer une partie des opposants en leur faisant une place au pouvoir, où ils se seraient forcément assagis, ou bien tout simplement par des faveurs matérielles. Plusieurs fois il avait été question de rappeler au ministère Mathieu de Montmorency, mais Villèle n'en voulait pas, et il avait manœuvré adroitement pour le mettre sur une voie de garage en le faisant nommer gouverneur du duc de Bordeaux au début de 1826 ; Montmorency devait d'ailleurs mourir subitement, en mars de la même année. Au lieu de rechercher l'appui de personnalités fortes et indépendantes, Villèle semblait rétrécir sans cesse les bases morales de son pouvoir, en écartant et en frappant tout ce qui avait quelque supériorité ; quiconque le critiquait était un ennemi du roi et devait être précipité incontinent dans les ténèbres extérieures ; ses rancunes se manifestaient en persécutions mesquines, et sa finesse manœuvrière dégénérait souvent en duplicité. Sa politique étrangère sans grandeur humiliait l'amour-propre national, paraissant mettre la France à la remorque de l'Angleterre. Sa réputation de financier elle-même était ébranlée : la crise économique de 1827, en diminuant le rendement des impôts, mettait le budget de cette année en déficit de 38 millions et compromettait le succès de ses trop ingénieuses combinaisons sur les rentes. A la cour, on le critiquait ouvertement, et le roi, à qui l'on répétait que l'impopularité de son ministère atteignait la couronne, commençait à perdre cette confiance aveugle qu'il avait mise jusque-là dans l'habileté de son « cher Villèle ».

Dans ces conjonctures, le parti le plus digne et le plus adroit en même temps eût sans doute été, pour le ministère, de se retirer volontairement et de laisser à ses adversaires le soin d'administrer la preuve expérimentale de leur incapacité à gouverner mieux que lui. Mais Villèle — faut-il lui reprocher cette faiblesse si générale chez les hommes d'Etat ? — s'accrochait au pouvoir, se persuadant de bonne foi, sans doute, qu'il était irremplaçable, et il y était forcément encouragé par sa clientèle qui avait tout à perdre à un changement. Le roi se laissa facilement convaincre qu'une modification de son gouvernement opérée sous le feu de l'opinion serait interprétée comme un signe de faiblesse de sa part ; on n'avait rien à gagner, pensait-il, à faire des concessions aux « factieux » ; seule une fermeté inébranlable de sa part pourrait « leur en imposer ». Un voyage qu'il fit dans la région du Nord, au mois de septembre, et au cours duquel les populations lui firent le meilleur accueil, le confirma dans l'idée qu'il était assez fort pour tenir tête à une opposition égarée, et il se résolut finalement à soutenir Villèle envers et contre tout.

Toutes les mesures législatives que l'on pouvait imaginer devaient se heurter — l'expérience le prouvait —

à l'opposition de la Chambre des pairs. Il fallait donc, avant tout, changer sa majorité comme l'avait fait Decazes en 1819. Où prendre les nouveaux pairs sinon parmi les députés fidèles de la majorité ? On serait alors obligé de pourvoir, par des élections partielles, aux sièges rendus vacants, une quarantaine, pour le moins. Or le temps paraissait travailler pour l'opposition ; ne valait-il pas mieux la prendre par surprise et tenter d'obtenir encore une majorité favorable pour une nouvelle législature qui durerait sept ans ? Villèle calcula peut-être aussi qu'en face d'une opposition libérale renforcée, les royalistes dissidents se sentiraient obligés de faire taire leurs rancunes pour se serrer autour du trône... et du ministère.

Le *Moniteur* du 6 novembre 1827 publia trois ordonnances. La première nommait soixante-seize nouveaux pairs, parmi lesquels quarante députés et cinq archevêques : « Le palmarès de la Congrégation », dit-on à ce propos. La seconde dissolvait la Chambre et convoquait les collèges électoraux pour les 17 et 24 novembre. La troisième supprimait la censure, comme l'exigeait la loi de 1822 pour les périodes électorales.

Le coup ne prit pas l'opposition au dépourvu ; partout, des comités électoraux étaient déjà en place, et la société *Aide-toi, le ciel t'aidera* montrait aux électeurs comment déjouer les manœuvres des préfets. Les oppositions de droite et de gauche présentèrent en beaucoup d'endroit des listes communes. Les collèges d'arrondissements, votant les premiers, le 17 novembre, donnèrent 195 sièges aux deux oppositions contre 83 aux ministériels ; à Paris, le nombre des voix libérales était passé de 3.522 en 1824 à 6.500 en 1827, sur un total de 7.800 électeurs. Le gouvernement, consterné, chercha en dernière heure à négocier avec les opposants de droite. Les manifestations de rue, dans la capitale, d'abord joyeuses, dégénérèrent en émeute, lorsque certains éléments excités se mirent à lapider les fenêtres de ceux qui ne se décidaient pas à illuminer ; quelques barricades s'élevèrent dans les quartiers populaires du centre, la troupe dut intervenir et il y eut des morts et des blessés. Les libéraux, pour dégager leur responsabilité, soutinrent que ces troubles étaient une manœuvre du « parti-prêtre », destinée à effrayer les électeurs en vue du second tour de scrutin. Les grands collèges, plus conservateurs, donnèrent 110 sièges environ aux candidats du gouvernement, et une cinquantaine à l'opposition. Au bout du compte, et à première vue, la nouvelle Chambre ne devait compter que 150 à 180 royalistes « villèlistes », contre un nombre de libéraux à peu près égal et 60 à 80 royalistes de la contre-opposition.

Un changement de ministère était inévitable si l'on ne voulait pas sortir du cadre de la constitution. Dès le 6 décembre, Charles X y était décidé. La formation d'un nouveau gouvernement fut retardée néanmoins pendant un mois encore par la difficulté de trouver une combinaison viable. Chacun des trois groupes principaux — royalistes indépendants, villèlistes, et gauche — se subdivisant en deux ou trois nuances, les intrigues et les négociations se multiplièrent dans une confusion qui entretenait les hésitations du roi. Villèle en profitait pour tâter tous les partis dans l'espoir de se maintenir, malgré tout, au pouvoir ; enfin, faute de mieux, il favorisa la formation d'une équipe de personnalités secondaires qui continuerait sa politique mais il fut très déçu lorsque les ministres pressentis mirent pour condition à leur acceptation qu'il serait élevé à la pairie, c'est-à-dire mis en dehors de la politique active. Le *Moniteur* du 5 janvier 1828 annonça enfin la formation du nouveau ministère, et Villèle se retira plein d'amertume.

Certes il ne méritait pas les insultes déversées sur lui par la haine de l'opposition, et la postérité a rendu justice à son talent d'administrateur. Il reste tout de même à son passif un fait indéniable : la situation de la monarchie, excellente en 1824, était devenue inquiétante en 1827. Sans doute il ne fut pas seul responsable de cette dégradation, mais, après tout, il tenait la barre, et la confiance absolue que lui témoignait le roi est tout le contraire d'une circonstance atténuante. En dehors des faux pas qu'on a signalés, trois erreurs fondamentales peuvent expliquer son échec. La première fut de s'être prêté à certaines mesures de réaction exigées par une partie de sa majorité et qu'il jugeait, quant à lui, néfastes : avec plus de franchise et moins d'attachement au pouvoir, il eût pu leur mettre le marché en main et les obliger à choisir entre sa démission et leur soumission. La seconde fut de n'avoir pas pris les moyens d'empêcher la division des royalistes ; un peu plus de générosité et quelques places données à bon escient auraient pu, du moins, en atténuer beaucoup la gravité. La troisième fut de méconnaître la puissance des idées et des sentiments, d'avoir confondu bonne politique et bonne administration, d'avoir cru qu'il suffisait pour gouverner de s'assurer l'appui des pouvoirs inscrits dans la constitution, le roi et les Chambres, et d'avoir négligé de courtiser ce pouvoir, souverain en régime représentatif : l'opinion publique.

CHAPITRE II

LA POLITIQUE EXTÉRIEURE DE 1824 A 1829

Les conceptions de Villèle. — Il subit les volontés de l'Angleterre pour les colonies espagnoles et pour le Portugal. — Le soulèvement de la Grèce. — Attitude des Puissances jusqu'en 1824. — Motifs et manifestations de la politique prudente de Villèle. — Le mouvement philhellénique en France. — L'initiative de la Russie oblige l'Angleterre et la France à sortir de la réserve. — La bataille de Navarin et ses conséquences. — L'expédition française en Morée. — Naissance de la Grèce indépendante.

La politique étrangère du gouvernement de Villèle avait fortement contribué aussi à son impopularité, et fourni à l'opposition quelques-uns de ses thèmes les plus stridents. Chateaubriand, on l'a vu (1), avait voulu donner à la France un rôle actif et prestigieux, qui aurait été de nature à flatter l'amour-propre national, alors même qu'il pouvait prêter à critiques par son audace. Villèle, par amour de la paix autant que par pusillanimité, devait la ramener dans les voies de la médiocrité et de la passivité.

Ses conceptions fondamentales se trouvent assez bien exprimées dans une lettre qu'il écrivait, en 1825, à Poli-

(1) Voir p. 264.

gnac, alors notre ambassadeur à Londres : « Nous ne sommes assez forts ni pour résister seuls sur mer à l'Angleterre, ni pour lutter sur le continent avec l'alliance formidable qui y existe. Que faire dans cette situation ? Défendre notre honneur et notre sûreté envers et contre tous, si jamais on cherchait à y porter atteinte ; mais renoncer à la prétention d'imposer aux autres des lois que nous ne sommes pas en état de faire exécuter... Avec cette conduite, peu brillante mais sûre, maintenir le plus longtemps la paix générale dont nous avons tant besoin... » En fait, cette prudence allait, de par les circonstances, prendre tous les aspects d'une soumission complaisante aux volontés de la politique britannique, dirigée depuis la mort de Castlereagh, en août 1822, par l'impérieux Canning.

L'intervention de la France en Espagne s'était faite contre la volonté de l'Angleterre ; Canning profita sans tarder de la chute de Chateaubriand pour marquer des points à son tour. La logique du système de la Sainte-Alliance, auquel la France s'était associée, aurait demandé que les gouvernements européens prêtassent leur aide au roi d'Espagne pour ramener à son obédience les colonies d'Amérique qui s'étaient déclarées indépendantes. Mais le gouvernement des Etats-Unis avait clairement signifié, en décembre 1823, par la voix du président Monroe, qu'il ne tolérerait pas une intervention de ce genre. Chateaubriand avait cherché, d'accord avec la Russie, une solution qui aurait donné une satisfaction de principe à l'Espagne et évité de laisser passer les nouveaux Etats sous l'influence exclusive des puissances anglo-saxonnes. Villèle se hâta de couper court aux projets du tzar et de Metternich en déclarant, dès le 18 juin 1824, qu'il n'accorderait en aucun cas l'appui de la France à la politique de la Sainte-Alliance. Canning, sûr dès lors de la neutralité française, reconnut officiellement les nouvelles républiques, leur donnant ainsi l'appui moral et financier de l'Angleterre et obtenant, en contrepartie, la possibilité pour les négociants britanniques de s'emparer du monopole de ce vaste marché sud-américain.

Le pacifisme de Villèle fut également exploité à fond par Canning dans les affaires du Portugal. Dans ce pays aussi, s'opposaient une faction libérale et une faction absolutiste, dont le porte-drapeau était le prince héritier dom Miguel. Une tentative de ce dernier pour imposer ses volontés à son père, le faible Jean VI, avait échoué en avril 1824. D'autre part, le Portugal n'avait pu empêcher le Brésil de se proclamer indépendant, sous le sceptre du fils aîné du roi, dom Pedro, qu'on avait envoyé, pour ramener la colonie à l'obéissance. Au début de 1824, l'ambassadeur français, Hyde de Neuville, avait offert à Jean VI l'appui des troupes françaises d'occupation en Espagne, ce qui aurait permis au roi d'envoyer son armée au Brésil. Les partisans de dom Miguel espéraient bien en profiter pour renverser le gouvernement constitutionnel, et déjà, profitant de la complaisance du gouvernement espagnol, ils s'infiltraient à travers la frontière et fomentaient des désordres.

Canning réagit avec vigueur. Il fit savoir à Villèle que l'entrée de troupes françaises au Portugal serait un *casus belli* et, en même temps, se basant sur les anciens traités d'alliance, annonça l'envoi d'un corps de troupes anglaises au Portugal. Villèle manifesta encore une fois sa volonté de paix en rappelant Hyde de Neuville (décembre 1824), et Jean VI, sous la pression de l'Angleterre, reconnut l'indépendance du Brésil (mai 1825). La mort du vieux roi, en mars 1826, pouvait tout remettre en question. Canning s'entremit entre Lisbonne et Rio : dom Pedro, empereur du Brésil, renonça à la couronne du Portugal en faveur de sa fille aînée, dona Maria, qui devait épouser son oncle Miguel, quand elle serait nubile. En attendant — la pauvrette avait sept ans ! — la régence serait exercée par sa tante. Dom Miguel, impatient de régner, recommença ses intrigues, soutenu par Ferdinand VII et par l'ambassadeur de France, le marquis de Moustier. Canning vint voir Villèle à Paris, et obtint de lui qu'il rappelât son ambassadeur et le laissât débarquer 10.000 hommes de troupes britanniques à Lisbonne pour contenir le parti absolutiste.

Le ministre anglais claironna orgueilleusement son triomphe dans un célèbre discours prononcé en décembre 1826 à la Chambre des Communes : « J'ai vu l'Espagne et les Indes [occidentales]. J'ai, dans ces dernières contrées, appelé à l'existence un nouveau monde... pendant que je laisse à la France son fardeau... Quant à la guerre, je sais... que si elle éclatait, notre pays verrait se ranger sous sa bannière... tous les mécontents... qui, justement ou injustement, s'irritent de la condition actuelle de leur patrie... Il existe un pouvoir entre les mains de la Grande-Bretagne, plus terrible qu'on n'en vit jamais en action... la situation de notre pays peut être comparée à celle du maître des vents telle que la décrit le poète :

... Celsa sedet Æolus arce
Sceptra tenens... »

Cet appel non déguisé aux forces libérales et nationales qui fermentaient en Europe souleva la plus vive irritation dans les cabinets de la Sainte-Alliance. En France, on retint surtout ce que ces paroles avaient d'insultant à notre égard. « Jamais la France n'a été plus grièvement outragée, écrivit *la Quotidienne*. M. Canning a essayé de flétrir la gloire de nos armes, et cependant M. de Villèle est son allié, M. de Villèle se tait. » Chateaubriand, à la Chambre des pairs, releva en termes splendides et hautains l'attaque de Canning. Villèle, lui, se contenta de faire lire par le baron de Damas une déclaration assez terne, où l'on reconnaissait à l'Angleterre le droit d'intervenir au Portugal. Canning qui craignait fort la réaction de Paris fut stupéfait d'une telle mansuétude : « Damas est un saint, écrivit-il sans rire, à son ambassadeur, et Villèle un ange ! »

Dans cette affaire, Villèle n'avait eu contre lui que l'opposition de droite ; les libéraux ayant vu sans déplaisir l'échec infligé aux partis absolutistes de la péninsule. Au contraire, dans la question hellénique l'opposition de gauche s'était, dès le début, prononcée contre la politique de Villèle et ce n'est qu'un peu plus tard qu'elle devait être rejointe sur ce terrain par la contre-opposition de droite.

Les Grecs s'étaient soulevés en mars 1821 contre la domination du sultan et leur premier élan leur avait permis de chasser ou de massacrer les garnisons turques du Péloponèse et de l'Attique. Mais ces succès avaient été sans lendemain : leurs divisions, l'intervention de l'armée égyptienne, l'abstention des Puissances européennes allaient les conduire, en 1824, à une situation désespérée. Le conseil exécutif hellène, qui s'était formé en 1822 sous la présidence d'Alexandre Mavrocordato, était dominé par des éléments bourgeois et ecclésiastiques ; il se trouva en butte à l'hostilité de plus en plus prononcée des rudes partisans montagnards du Péloponèse, et à celle des pirates de l'archipel qui faisaient trop souvent la guerre pour leur propre compte, rançonnant équitablement amis et ennemis. Les divisions entre les deux partis, qui devaient aller jusqu'à une véritable guerre fratricide, paralysèrent la résistance des Grecs devant la contre-offensive turque. Le sultan Mahmoud avait fait appel à son puissant vassal, le pacha d'Egypte, Mohamed-Ali, qui s'était constitué, grâce aux officiers français passés à son service, une armée de type européen, munie d'une bonne artillerie, et une flotte excellente. En juillet 1824, l'armée égyptienne, commandée par Ibrahim-pacha, fils aîné de Mohamed-Ali, et brillant homme de guerre, débarqua en Crète et s'empara de l'île, qui constituait le prix offert par le sultan pour l'intervention. Puis, en mars 1825, Ibrahim passa en Morée, établit sa base d'opérations à Navarin, s'empara de Tripolitsa et se mit à ravager systématiquement le pays, traquant les guerillas avec des colonnes mobiles, déportant et décimant les malheureuses populations. En même temps, une forte armée turque, commandée par Rechid-Pacha, attaquait la Grèce continentale et mettait le siège devant Missolonghi ; la chute de cette citadelle, en avril 1826, après une défense héroïque, semblait sonner le glas de l'indépendance hellénique.

Jusque-là, les gouvernements européens étaient restés pratiquement inertes en face du drame. Le tzar Alexandre, protecteur naturel des populations chrétiennes orthodoxes des Balkans, s'était trouvé freiné dans ses velléités d'intervention par la crainte d'encourager les mouvements révolutionnaires européens et par l'opposition de Metternich. Quant à l'Angleterre, elle était aussi soucieuse de conserver ses bonnes relations avec Constantinople que d'éviter toute intervention russe dans les Balkans.

Et la France ? Certes, comme grande puissance méditerranéenne, elle ne pouvait rester indifférente aux événements. Mais jusqu'en 1824, les conjonctures extérieures et intérieures avaient été tout à fait contraires à une action quelconque. De 1822 à 1824, on l'a vu, les affaires d'Espagne avaient absorbé toute son attention, et le besoin absolu qu'elle avait alors de l'appui de la Russie et de l'Autriche l'avaient obligée à se conformer à leurs vues dans les questions d'Orient. D'autre part, le parti libéral ayant embrassé avec ardeur la cause des insurgés — et pour des motifs qui n'étaient pas purement humanitaires — le gouvernement royaliste, qui venait de faire face à l'intérieur aux dangereuses tentatives des carbonari, se trouvait naturellement porté à considérer la révolte des Grecs comme un cas particulier du vaste mouvement libéral et national qui agitait au même moment l'Allemagne, l'Italie et l'Espagne.

En 1824 seulement, l'affaire d'Espagne étant réglée, la question d'Orient émergea au premier plan des préoccupations de la diplomatie française ; c'est-à-dire qu'il revint à Villèle de fixer son attitude. Or il ne manquait pas de bonnes raisons pour l'incliner vers la prudente abstention que souhaitait sa mentalité de comptable, ennemie de toute croisade. S'il s'était résigné à l'expédition d'Espagne, c'est qu'il y avait été poussé l'épée dans les reins par son parti ; or dans la circonstance, ce parti, malgré des voix de plus en plus nombreuses qui s'élevaient en faveur des Grecs, demeurait, jusqu'en 1824, hostile à la cause des insurgés. Les rapports que lui envoyaient les représentants français dans le Proche Orient, ambassadeurs, consuls, officiers de la marine royale, représentaient les Grecs sous un jour peu favorable : ils persécutaient les catholiques, alors que les Turcs avaient pour eux des égards spéciaux ; ils se livraient à des cruautés aussi abominables que celles de leurs adversaires, et parfois sur leurs propres compatriotes ; ils commettaient de nombreux actes de piraterie au détriment du commerce français. Allait-on, pour leur venir en aide, s'aliéner l'amitié traditionnelle de la Turquie, compromettre la situation privilégiée que le régime des Capitulations faisait à nos représentants dans les Echelles du Levant ? L'Angleterre n'en profiterait-elle pas pour nous évincer et pour nous infliger un échec en Méditerranée ? Enfin, l'intervention du pacha d'Egypte introduisait dans l'affaire un facteur nouveau et important. Mohamed-Ali faisait figure de client de la France et il apparaissait à certains — en particulier au consul général de France en Egypte, l'actif Drovetti — comme destiné à recueillir un jour la succession de Mahmoud qui n'avait pas de descendants. Mohamed-Ali régnant à Constantinople ! Quelles perspectives pour la France : l'Empire ottoman se modernisant comme l'Egypte avec l'aide de ses ingénieurs, de ses soldats, de ses administrateurs, devenant une sorte de protectorat français ! Dans cette optique séduisante, l'affaire grecque pouvait apparaître comme un accident désagréable qu'il fallait tenter de traverser sans compromettre les chances futures.

Telles étaient les raisons qui pouvaient justifier la politique de neutralité que pratiqua Villèle jusqu'en 1827. Son parti pris se manifesta en deux circonstances principales. Au début de 1824, le tzar Alexandre avait proposé un plan qui aurait eu pour effet de diviser la Grèce en trois principautés autonomes, sous la souveraineté lointaine du sultan. L'Autriche et l'Angleterre, très hostiles au fond à ce projet qui aurait permis à la Russie d'étendre son influence dans les Balkans, acceptèrent néanmoins de le discuter. Deux conférences eurent donc lieu à Saint-Pétersbourg, en juin 1824 et en février 1825. Les manœuvres dilatoires de Metternich et de Canning furent favorisées par Villèle qui calqua son attitude sur la leur. Les Grecs eux-mêmes ne voulaient pas entendre parler d'une division du pays, et, finalement, l'initiative de la Russie fut enterrée avec tous les honneurs de la diplomatie. Alexandre, répugnant à rompre l'alliance européenne qui avait été la grande pensée de son règne, n'insista point.

En avril 1825, quelques Français philhellènes imaginèrent, d'accord avec un groupe de dirigeants grecs, d'offrir le trône de Grèce au duc de Nemours, le second fils du duc d'Orléans ; c'était — pensaient-ils — le moyen de décider la France à faire un effort en faveur de l'indépendance de la Grèce. Des émissaires furent donc envoyés simultanément à Villèle et au duc d'Orléans. Villèle les éconduisit sans hésiter, et le duc d'Orléans, à qui le projet eût sans doute souri, fut obligé de décliner également cette proposition.

Les Grecs mirent alors tous leurs espoirs dans l'Angleterre. Ils appelèrent au commandement de leur flotte un officier anglais, l'amiral Cochrane, qui s'était mis spontanément à leur disposition, et ils envoyèrent à Canning une députation, pour lui demander de prendre leur pays sous son protectorat. Canning, soucieux de ménager le sultan, se déroba officiellement ; mais il se mit à préparer une médiation qui, en appelant à l'existence un nouvel Etat, comme on l'avait fait en Amérique du Sud, permettrait d'installer solidement l'influence anglaise dans les Balkans et constituerait un barrage de remplacement contre les ambitions russes sur la Méditerranée orientale.

Une péripétie imprévue fit avorter ce grand projet : le tzar Alexandre mourut, en décembre 1825, et son frère et successeur Nicolas Ier, se décida immédiatement à une action énergique, sans plus se soucier du concert européen. Au début de 1826, l'affaire grecque entra donc dans une nouvelle phase active, mettant en jeu les rivalités des Puissances en Méditerranée. La France ne pouvait plus se tenir à l'écart sans renoncer à son rôle de grande nation.

A l'intérieur aussi, les conditions avaient bien changé. Le mouvement philhellène, d'abord confiné aux milieux libéraux, avait gagné, à partir de 1824, l'adhésion des royalistes de droite. La religion, la politique, les sentiments humanitaires, le mouvement littéraire, tout y avait contribué. Les catholiques, comme Montmorency et Bonald, ne pouvaient accepter qu'on laissât massacrer un peuple chrétien par les musulmans. « C'est la

Vendée de la chrétienté », disait la duchesse de Duras. Les philanthropes s'indignaient de l'inconséquence d'un gouvernement qui condamnait la traite des nègres et restait les bras croisés lorsque les Turcs vendaient par milliers des captifs grecs. Les libéraux accusaient Villèle d'être de connivence avec Metternich pour laisser écraser un peuple héroïque qui luttait pour sa liberté, et les royalistes de la contre-opposition y trouvaient l'occasion de dénoncer une fois de plus l'abjecte pusillanimité d'un ministre qui sacrifiait l'honneur national et mettait la France à la traîne de l'Angleterre. Les hommes de lettres et les artistes de l'école classique s'émouvaient des malheurs de la patrie d'Homère, de Périclès et de Phidias, tandis que les romantiques s'enthousiasmaient pour le folklore de la Grèce moderne révélé par Fauriel, frémissaient devant les massacres de Chio peints par Delacroix, pleuraient Byron, leur poète favori, mort à Missolonghi. S'il fallait faire le bilan du philhellénisme littéraire, ce sont presque tous les noms illustres de l'époque qu'il faudrait citer.

Chateaubriand, le prince des lettres, prenait lui-même la tête du mouvement ; une *Note sur la Grèce*, en 1825, un discours retentissant à la Chambre des pairs, en mai 1826, une préface à la réédition de l'*Itinéraire*, en 1827, lançaient des appels de plus en plus pressants en faveur du peuple martyr. Sous sa présidence, se formait une *Société philanthropique pour l'assistance aux Grecs* qui réunissait des hommes de droite, comme Fitz-James, et des hommes de gauche, comme La Fayette et Laffitte ; ce comité organisait des quêtes et des collectes, publiait des brochures de propagande, envoyait des vivres, des vêtements, de l'argent, des armes — « de la poudre et des balles », comme le demandait l'enfant grec aux yeux bleus — ; il organisait le départ des volontaires, faisait même construire des navires pour les insurgés.

Villèle, le trop raisonnable, ne comprenait rien à cet enthousiasme. « Les écus n'aiment pas les coups de canon », devait-il noter sur son carnet, après Navarin.

Son ministre des Affaires étrangères, l'inepte Damas, eut le malheur de laisser échapper dans un discours à la Chambre des députés : « Ce n'est pas l'intérêt de telle ou telle localité que les gouvernements doivent considérer, mais l'intérêt commun de tous les peuples. » La Grèce, une *localité* ! Ainsi, pour le ministère, la terre sacrée de l'Attique, la patrie de Socrate, de Platon, de Démosthène, n'était qu'une *localité* ! Ce fut un beau tapage dans l'opposition.

Charles X, cœur généreux, était gagné, en dépit de Villèle, par l'émotion générale et il se déclarait fortement résolu à ne point laisser anéantir le peuple héroïque. Ainsi lorsque l'action décidée de la Russie fit sortir les grandes Puissances de leurs hésitations, l'opinion française était prête à soutenir une intervention armée, et, sous sa pression, le gouvernement, d'abord timide, devait s'engager peu à peu, au point même qu'il allait prendre finalement la direction des opérations diplomatiques.

Toutefois, tant que Villèle tiendra la barre, la France restera plus ou moins à la remorque de l'Angleterre et cherchera par-dessus tout à maintenir la paix ; mais à partir de janvier 1828, le nouveau ministère pourra donner une allure plus active et plus digne à la politique française.

Les grandes manœuvres diplomatiques commencèrent au mois de mars 1826, lorsque le tzar Nicolas adressa un ultimatum aux Turcs. A vrai dire il n'y était question que des provinces roumaines dont la Russie exigeait l'évacuation, conformément à un traité de 1812. Toutefois, il apparaissait évident que la guerre une fois déclenchée, les troupes moscovites ne s'arrêteraient pas au Danube, et que le tzar serait à même de dicter la solution du problème grec. Canning, désireux d'éviter cette action unilatérale, envoya Wellington à Saint-

Pétersbourg ; de ces entretiens sortit, le 4 avril 1826, un protocole qui préparait une médiation anglo-russe entre le sultan et ses sujets révoltés. La France n'avait pas été consultée ni même avertie ; elle se voyait ainsi traitée comme une quantité négligeable. Villèle éleva une protestation. Canning, tout disposé à en tenir compte — car l'appui de la France pouvait être utile pour freiner la Russie —, proposa à Villèle d'adhérer à la convention du 4 avril 1826 ; pour faire disparaître l'espèce d'inégalité humiliante que cette procédure impliquait à l'égard de la France, il fut entendu que cet acte serait remplacé par un nouveau traité, à l'élaboration duquel participeraient les représentants français.

En attendant, cette manifestation intimida le sultan, et, en octobre 1826, il se décida à donner satisfaction aux Russes sur la question roumaine, par la convention d'Ackerman. Mais cela ne touchait en rien au sort de la Grèce. La tragédie de Missolonghi, en avril 1827, décida les gouvernements européens à faire un nouvel effort. L'Angleterre, la Russie et la France exigèrent une réponse écrite à leurs propositions de médiation. Cette démarche arrivait au plus mauvais moment : l'Acropole d'Athènes, la dernière citadelle des Grecs venait de tomber entre les mains des Turcs ; le sultan répliqua par une note hautaine, où il repoussait absolument toute intervention étrangère dans un conflit purement intérieur ; il ne s'agissait, selon les principes mêmes de la Sainte-Alliance, que de ramener à l'obéissance des sujets révoltés contre leur souverain légitime.

Dès lors, il fallut envisager l'emploi de la force. Les trois Puissances s'y décidèrent par le traité de Londres, signé le 6 juillet 1827 : il n'y était pas question encore de déclarer la guerre à la Porte, mais seulement d'imposer une médiation, et, en attendant, une suspension d'armes. Villèle et Canning espéraient maintenir la paix et arrêter les armées russes ; mais les événements devaient déjouer ce calcul.

A cause des distances, les gouvernements avaient dû donner des instructions assez larges aux commandants de leurs flottes en Méditerranée, à qui revenait la tâche délicate d'imposer la suspension d'armes. L'amiral de Rigny, commandant de la flotte française, devait avoir un rôle prépondérant, en raison des rapports cordiaux qu'il entretenait depuis longtemps avec Ibrahim-pacha. Il essaya de s'entendre avec lui pour établir, en dépit du sultan, l'armistice que l'on désirait. Ibrahim, qui avait lui-même à se plaindre des Turcs, accepta d'arrêter ses opérations en attendant de nouvelles instructions qu'il envoyait demander en même temps à Constantinople et à Alexandrie. Mais les Turcs ne voulaient rien entendre, et leurs troupes continuèrent leurs dévastations et leurs massacres en Morée. Alors les trois amiraux se réunirent et décidèrent de faire une démonstration devant Navarin, pour obliger les flottes turque et égyptienne à se disloquer et à rentrer dans leurs bases, ce qui paralyserait leurs armées de terre, en les privant du ravitaillement nécessaire à la poursuite de leurs opérations.

Le 20 octobre, donc, les escadres alliées, sous le commandement suprême de l'amiral Codrington, se présentèrent à l'entrée de la rade de Navarin, où se trouvaient concentrées les flottes musulmanes avec une multitude de transports. En principe, on ne voulait pas de bataille, mais il est hors de doute que les officiers européens, les Français surtout, espéraient un incident qui leur permettrait de se distinguer. Il ne manqua point : des coups de feu tirés sur des parlementaires anglais, un coup de canon essuyé par la frégate-amirale française, la *Sirène*, déclenchèrent une bataille confuse et meurtrière ; les vaisseaux entassés les uns contre les autres, se foudroyaient à bout portant. Les musulmans très supérieurs en nombre — 64 bâtiments contre 26 — furent rapidement accablés par la précision et la rapidité du tir de leurs adversaires occidentaux. En deux heures, la flotte ottomane fut anéantie. L'escadre française ne compta que 43 morts et 117 blessés.

L'événement modifiait sérieusement la situation, mais sans rapprocher d'une ligne la solution du problème grec. L'armée turco-égyptienne, isolée en Morée, était à la merci d'un blocus naval des Alliés ; les Grecs reprirent courage. Mais le sultan, indigné de ce qu'il considérait comme un attentat inqualifiable, fut moins que jamais disposé à entendre parler d'un accommodement pacifique, tandis que les Russes, mis en appétit, se préparaient à une guerre de grande envergure.

L'Angleterre, au contraire, y était plus que jamais opposée. Un important changement venait de se produire dans son gouvernement ; George Canning était mort au début d'août, et ses successeurs, Goderich et Wellington, faute d'imagination, s'accrochaient obstinément à la politique traditionnelle de l'intégrité de l'empire ottoman. Wellington qualifia la victoire de Navarin « d'accident sinistre », d'accord en cela avec Metternich pour qui c'était « une épouvantable catastrophe ».

A la fin de 1827, tout faisait craindre un conflit anglo-russe qui pouvait dégénérer en guerre générale, où le sort des malheureux Grecs risquerait fort d'être oublié.

Ce fut donc une chance, à la fois pour eux et pour l'Europe, que la France sortît à ce moment de l'immobilité où l'avait confinée Villèle, pour prendre des initiatives hardies et raisonnables, qui allaient permettre de sauver la Grèce tout en sauvant la paix générale.

Le mérite en revient, en premier lieu, au comte de la Ferronnays, qui avait reçu le portefeuille des Affaires étrangères dans le nouveau ministère constitué au début de janvier 1828. Ajoutons, pour être juste, qu'il eut l'appui sans réserve de Charles X, soucieux de remettre la France à son rang de grande nation : « La France, dit-il un jour, quand il s'agit... d'un grand service à rendre à un peuple cruellement opprimé, ne prend conseil que d'elle-même. Ainsi, que l'Angleterre veuille ou ne veuille pas, nous délivrerons la Grèce. » La Ferronnays, qui avait été ambassadeur à Saint-Pétersbourg, avait également la confiance du tzar, et il sut tirer parti de cet atout pour éviter une rupture ouverte entre l'Angleterre et la Russie.

En avril 1828, Nicolas Ier, constatant que la convention d'Ackerman n'avait pas été exécutée, déclara la guerre au sultan et fit entrer ses troupes en Moldavie. L'opinion britannique s'émut, et le gouvernement anglais renforça de manière menaçante ses escadres méditerranéennes. La Ferronnays, et son ambassadeur à Londres, Polignac, s'efforcèrent de convaincre les Anglais qu'on ne pouvait empêcher les Russes de trop exploiter la situation qu'en s'associant d'une façon quelconque à leur action. C'était, en somme, la politique de Canning, mais maintenant les situations étaient renversées : Londres était à la traîne de Paris. La France proposa un partage des zones d'opération : que les Russes fussent libres de mener leur campagne dans le nord des Balkans, et que les Anglo-Français agissent en Méditerranée. Mais Wellington s'obstina : il ne voulait à aucun prix d'une action anglaise contre la Turquie. Alors La Ferronnays proposa hardiment que la France prît toute la responsabilité des opérations militaires : la participation de l'Angleterre se bornerait à fournir des transports. Cette solution déplut également aux Anglais : non seulement ils ne voulaient rien faire, mais encore il ne fallait pas que d'autres suppléent à leur carence. La Ferronnays leur fit comprendre qu'on se passerait au besoin de leur assentiment, et ils finirent par s'incliner avec la mauvaise humeur la plus prononcée.

Sans perdre un moment, le gouvernement de Charles X organisa un petit corps expéditionnaire de 15.000

hommes, commandés par le général Maison. Il fut débarqué en Morée au début de septembre 1828 ; sa mission était d'obtenir le départ des troupes égyptiennes, par un arrangement à l'amiable autant que possible. De fait, grâce aux bonnes relations de Rigny avec Ibrahim, les choses s'arrangèrent avec un minimum d'effusion de sang. Maison, bien conseillé, eut soin de sauvegarder l'amour-propre d'Ibrahim : entre les deux généraux ce fut un assaut de procédés courtois et chevaleresques. Aux chefs turcs qui faisaient mine de résister dans quelques-unes des citadelles, on accorda le « baroud d'honneur » indispensable pour leur éviter les effets de la colère de leur Seigneur. Les officiers français auraient bien voulu franchir l'isthme de Corinthe et libérer Athènes, mais le gouvernement du roi, soucieux de ménager l'Angleterre, le leur interdit. Avec la Morée, il possédait un gage suffisant pour imposer aux parties en cause la solution de son choix.

Et en effet, dans les conférences qui eurent lieu, d'abord à Constantinople à la fin de 1828, puis à Londres, au début de 1829, ce fut le point de vue de la France qui triompha sur la principale question en litige, la définition des frontières de la Grèce indépendante. Le nouvel Etat devait jouir d'un statut autonome, sous la suzeraineté nominale du sultan, mais sous l'autorité effective d'un prince chrétien. Le protocole de cet accord fut signé le 22 mars 1829.

La question n'était pas close pour autant. Les Turcs qui n'avaient point participé à ces négociations, refusaient obstinément d'en agréer les résultats. Les troupes russes, arrêtées sur le Danube à l'automne de 1828, reprirent leurs opérations au printemps de 1829. Lorsqu'elles arrivèrent aux portes de Constantinople, dans les derniers jours d'août, le sultan se résigna enfin à subir la volonté des vainqueurs. Le traité d'Andrinople, signé le 14 septembre 1829, régla selon les vœux du tzar la situation des provinces roumaines et celle de la Serbie. Quant à la question grecque, qui était toujours restée secondaire dans les perspectives de Nicolas Ier, la Turquie acceptait purement et simplement l'accord du 22 mars précédent.

Ainsi naquit la Grèce moderne. L'héroïsme de son peuple et le poids des armes russes avaient été sans doute les facteurs principaux de son indépendance ; mais la France de Charles X, par son intervention heureuse au moment favorable, avait évité une crise européenne et facilité la solution humaine et raisonnable qui prévalut ; ce succès, que n'entachait aucun mobile intéressé, jetait un lustre nouveau sur sa diplomatie et consacrait son rétablissement au rang des grandes puissances.

CHAPITRE III

LE MINISTÈRE MARTIGNAC

Les nouveaux ministres. — Difficulté de leur position. — Premières concessions et premiers changements. — Modifications dans le régime des élections et de la presse. — Les ordonnances du 16 juin sur les petits séminaires. — Les exigences de la gauche et les résistances du roi. — Tentative manquée pour faire entrer Polignac au ministère. — Echec de la réforme administrative. — Derniers remaniements ministériels. Conclusion.

Incolore, faible et peu homogène, la nouvelle équipe ministérielle appelée au pouvoir au début de 1828, reflétait dans sa composition les embarras et les compromis qui avaient présidé à sa naissance. Elle comprenait deux des membres du précédent gouvernement, Mgr Frayssinous, ministre des Affaires ecclésiastiques et Chabrol, ministre de la Marine. Se rattachaient également à l'administration de Villèle, où ils avaient servi fidèlement au second rang : Martignac, ancien directeur de l'enregistrement et des domaines, nommé ministre de l'Intérieur ; Saint-Cricq, ancien directeur des douanes, pour qui était créé un nouveau ministère du Commerce et des Manufactures ; le général de Caux, qui était promu à la dignité ministérielle, en conservant l'administration de la Guerre, — les questions touchant au personnel militaire devaient, en effet, rester entièrement entre les mains du Dauphin, qui, de toute façon, avait entrée au conseil. Le nouveau titulaire des Affaires étrangères, le comte de La Ferronnays, était un diplomate de carrière, sans appartenance bien définie, ayant vécu à Saint-Pétersbourg depuis 1819 ; la générosité chevaleresque de son caractère, l'amitié intime qui l'avait lié jadis au duc de Berry, devaient lui assurer la confiance du roi, et la possibilité de donner, comme on l'a vu, une direction nouvelle et heureuse à la politique extérieure. Le comte Roy revenait aux Finances qu'il avait déjà gérées avec succès dans le second ministère Richelieu ; ce grand bourgeois anobli par la Restauration, après avoir été enrichi par la Révolution — on lui attribuait une fortune de 40 millions de l'époque — n'avait rien d'un libéral, mais il avait souvent combattu la politique financière de Villèle, à la Chambre des pairs, et sa nomination pouvait paraître une concession à l'opposition. Il en allait de même pour Portalis, nommé Garde des Sceaux ; ce fils du ministre des Cultes de Napoléon, gallican comme son père, avait conquis la faveur de la presse de gauche en se prononçant contre les jésuites dans le rapport qu'il avait fait à la Chambre des pairs, en janvier 1827, sur la pétition de Montlosier ; du reste, ce légiste expert et subtil, ce pourfendeur de jésuites, avait l'aspect benoît et replet d'un curé d'imagerie populaire.

En somme, c'était ce que nous appellerions aujourd'hui un ministère de techniciens, avec une teinte centre-droit. Il n'y avait pas de président du conseil ; soit parce que le roi avait conservé l'espoir de ramener Villèle au pouvoir, soit parce qu'il voulait satisfaire son envie d'exercer une direction plus active sur la politique, soit, tout simplement, parce qu'il n'avait pas trouvé de personnalité ayant l'autorité morale suffisante. Toutefois, Martignac, ancien avocat bordelais, seul véritable orateur du ministère, devait devenir son porte-parole habituel devant les Chambres et finir par faire figure de chef de gouvernement. Par ses qualités comme par ses déficiences, il l'incarnait d'ailleurs assez bien. « C'était, dit Barante, un homme d'un caractère doux, facile, aimable, d'un talent incontestable ; son langage était clair, élégant, à la portée de tous, plein de séduction et de grâce... c'était un charme de l'entendre parler ou lire... Dans sa jeunesse, il avait été à Berlin, lorsque Siéyès y était ambassadeur. Il avait composé des chansons et des vaudevilles, de sorte que ses façons tenaient plus du secrétaire d'ambassade et de l'homme de lettres que de l'avocat. En fait d'opinion, il était sans convictions, mais éloigné de tout excès. Son jugement était bon, mais amolli par l'insouciance et la paresse. Il était libertin, assez publiquement en société avec des actrices et des danseuses, ce qui ôtait un peu de la considération due à son mérite... »

La formation du ministère ne mit pas fin à la confusion politique d'où il était sorti, et il fallut un certain temps pour qu'il trouvât son assiette. Dans l'idée du roi, le changement de personnel ne signifiait nullement un changement de politique. Lorsque les nouveaux ministres vinrent lui prêter le serment d'usage, il leur dit : « Je dois vous déclarer que je me sépare avec regret de M. de Villèle ; l'opinion a été trompée sur son compte ; son système était le mien, et j'espère que vous vous y conformerez de votre mieux. » Pendant les premiers mois de 1828, Charles X devait, du reste, entretenir une correspondance presque quotidienne avec Villèle, le consultant sur tous les détails des affaires. L'opinion s'en doutait : « Le personnage principal, écrivait le *Constitutionnel*, n'a quitté la scène que pour se réfugier dans le trou du souffleur. »

Le rôle que Charles X prétendait imposer à son ministère n'était pas seulement humiliant et faux, il était intenable du point de vue parlementaire : si l'on prétendait continuer Villèle sans Villèle, il n'y avait pas à compter sur ses adversaires de droite et de gauche, qui, ensemble, allaient disposer maintenant de la majorité. On n'était pas même sûr de recueillir toutes les anciennes voix villélistes. Il fallait donc à tout prix trouver le moyen d'élargir la base parlementaire du ministère à droite ou à gauche.

Le premier mouvement des ministres fut de demander au roi l'autorisation de faire des avances à Chateaubriand ; celui-ci mit pour condition à son ralliement l'entrée au ministère de Royer-Collard, des places pour Bertin et Vaux et pour Salvandy, et 500.000 francs pour le *Journal des Débats*. Ces exigences parurent inacceptables. Alors on se retourna vers l'extrême-droite et l'on proposa à La Bourdonnaye le ministère de la Marine. L'ambitieux orateur de la contre-opposition était fortement tenté d'accepter, mais il n'osa s'engager sans consulter ses amis : ceux-ci lui firent entendre qu'il leur fallait également des places et des avantages ; le ministère n'était pas disposé à les leur accorder, et La Bourdonnaye dut décliner, à contre-cœur.

Faute de mieux, on chercha donc à calmer l'opinion par quelques concessions. Des séides de Villèle furent immolés, au nombre desquels Franchet d'Esperey, directeur de la police générale ; son ami Delavau, préfet de police de Paris, qui passait pour un instrument de la Congrégation, fut remplacé par Debelleyme, procureur du roi au tribunal de première instance de Paris ; la fonction de directeur de la police était supprimée. Le roi rendit leurs places aux trois académiciens qui avaient été disgrâciés pour avoir pris l'initiative d'une protestation contre la « loi de justice et d'amour » : Michaud, Lacretelle et Villemain ; ce dernier, ainsi que Guizot et Cousin, put reprendre ses cours à la Sorbonne. Une commission fut nommée, le 22 janvier, pour « examiner les mesures que pouvait nécessiter l'exécution des lois du royaume dans l'enseignement des écoles ecclésiastiques secondaires ». Enfin, décision plus significative encore, une ordonnance du 10 février détacha l'Instruction publique du ministère des Affaires ecclésiastiques et ce nouveau portefeuille fut attribué à un laïque, l'ancien magistrat Lefebvre de Vatimesnil.

Cependant, le roi avait ouvert, le 5 février, la session parlementaire. Les scrutins pour l'élection du bureau de la Chambre des députés manifestèrent la confusion des partis. Un premier vote pour la désignation des candidats à la présidence avait donné l'avantage à la droite, en plaçant en tête La Bourdonnaye ; le second, qui était définitif, fut, au contraire, un succès pour la gauche ; c'est que, dans l'intervalle, elle avait négocié une entente avec une fraction de la contre-opposition qui refusait toute réconciliation avec les villélistes ; ce groupe d'une trentaine de députés suivait les inspirations de Chateaubriand et reconnaissait pour chef de file le député Agier ; en raison de sa situation, ces trente voix de la « défection », — comme on les appela — se trouvèrent, malgré leur nombre restreint, en position d'arbitres de la majorité parlementaire. Le roi donna immédiatement une satisfaction à la coalition qui venait de se dégager en nommant Royer-Collard président de la Chambre.

La défection Agier se joignit encore à la gauche lors de la rédaction de l'adresse et y fit insérer une phrase qui qualifiait de « système déplorable » le gouvernement de Villèle. Charles X en fut tellement blessé qu'il pensa un moment refuser d'en entendre lecture. Chabrol et Frayssinous ne crurent pas pouvoir rester en présence d'une Chambre qui condamnait en termes aussi nets un gouvernement dont ils avaient fait partie. Leurs démissions parurent à Martignac une bonne occasion pour se rallier les voix si importantes de la « défection ». Le ministère de la Marine fut d'abord offert à Chateaubriand, qui le repoussa du pied : cette situation était par trop inférieure à celle qu'il avait perdue en 1824 ; il consentit pourtant à faire sa paix avec le gouvernement et à lui apporter l'appui du *Journal des Débats* ; sur sa demande, le ministère de la Marine fut donné à son ami Hyde de Neuville, ancien ambassadeur à Washington et à Lisbonne, qui alliait comme lui un passé de militant ultra-royaliste à certaines tendances libérales. Chateaubriand lui-même devait accepter, en gage de réconciliation, d'aller occuper l'ambassade de Rome. Quant aux Affaires ecclésiastiques, elle furent attribuées à Mgr Feutrier, évêque de Beauvais, prélat conciliant, aimable et mondain, qui passait pour ennemi des jésuites (4 mars).

Dès lors la situation parlementaire fut un peu plus claire : la gauche, renforcée encore par des élections partielles qui eurent lieu le 20 avril et qui portèrent sur 40 sièges, se trouva en position d'imposer ses volontés au ministère, à condition toutefois d'avoir l'appui de la « défection », ce qui devait maintenir ses exigences dans certaines limites. L'opposition était représentée par l'ancienne droite villéliste ; et il devait s'y joindre la fraction de l'ancienne contre-opposition de droite qui suivait La Bourdonnaye, une trentaine de députés environ ; en partie par ambition déçue, en partie par convictions de principe, ils allaient refuser de s'associer aux mesures inspirées par la gauche, et ils allaient se rapprocher de leurs adversaires de la veille ; il y eut même des pourparlers entre Villèle et La Bourdonnaye et ce dernier défendit en plusieurs occasions la conduite du précédent gouvernement.

Tout cela ne rendait pas beaucoup plus confortable la position du gouvernement : composé par le roi comme un sous-produit du ministère Villèle, il était entraîné, pour se maintenir en vie, à renier son origine et à s'appuyer sur la gauche ; mais il ne pouvait lui donner entièrement satisfaction sans perdre la confiance du roi. Celui-ci, déçu de la tournure imprévue prise par les événements, se décida à temporiser ; il s'enferma dans une attitude de neutralité et d'indifférence affectée, en attendant que les exigences croissantes de la gauche refissent l'union de tous les éléments de la droite.

La politique intérieure du gouvernement Martignac devait donc être une suite de concessions à la gauche, mais faites avec réticence et comme à contre-cœur ; de sorte que ces mesures qui lui aliénaient le roi et irritaient la droite, ne devaient même pas réussir à lui concilier solidement la gauche.

Comme premier os à ronger, Martignac offrit à la Chambre un projet de loi qui modifiait les dispositions existantes sur l'établissement des listes électorales. L'idée était de mettre fin aux pratiques abusives de l'administration préfectorale, pratiques dont la vérification des pouvoirs au début de la session avait permis de dénoncer de nombreux exemples. Désormais la liste des électeurs serait permanente ; arrêtée au 1er janvier de chaque année, elle serait affichée dans toutes les communes ; le nom de chaque électeur serait accompagné du chiffre de ses contributions et de la liste détaillée des endroits où il les payait ; les réclamations concernant l'inscription ou la radiation devraient être soumises au conseil de préfecture ; tout citoyen inscrit sur les listes aurait le droit de demander pour des tiers l'inscription ou la radiation et les percepteurs devraient délivrer les extraits du rôle et les certificats qu'on leur demanderait à l'appui. La Chambre fit encore ajouter à ce dispositif un article qui permettait d'en appeler aux cours royales contre les décisions des conseils de préfecture. La droite protesta vainement : cette loi, dit-elle, légalisait l'éviction de l'influence légitime du gouvernement au profit de celle des comités électoraux, elle corrigeait un abus par une usurpation, un scandale par une guerre civile. L'organe villéliste, la *Gazette de France*, gémit : « C'est l'organisation du principe démocratique, l'enrôlement et le recrutement à perpétuité de la milice des révolutions. »

Après le régime des élections, celui de la presse. Le

14 avril, Portalis présenta un projet de loi qui s'inspirait des vœux exprimés par certains membres de l'opposition, l'année précédente, lors de la discussion du projet malencontreux de Peyronnet. On supprimait trois des principaux instruments de compression que Villèle avait trouvés dans la loi de 1822 : la faculté de rétablir la censure dans l'intervalle des sessions parlementaires, la nécessité de l'autorisation préalable, remplacée par une simple déclaration, enfin les procès de tendance. La Chambre et la presse accueillirent d'abord avec faveur ce projet, mais bientôt on découvrit dans les autres dispositions des mesures qui faisaient contrepoids aux concessions annoncées : il y aurait un gérant responsable, obligatoirement choisi parmi les propriétaires du journal, le cautionnement serait étendu aux journaux littéraires et son taux serait fortement augmenté ; fortement alourdi aussi le tarif des amendes ; les tribunaux correctionnels resteraient seuls compétents pour les délits de presse, et, en outre, ils auraient le droit de suspendre pour trois mois les journaux coupables de récidives. L'extrême-gauche, avec Benjamin Constant, et l'extrême-droite, pour des raisons différentes, combattirent le projet de Portalis. L'éloquence de Martignac et une intervention sensationnelle de Chateaubriand à la Chambre des pairs réussirent à le sauver, et il fut adopté finalement avec des amendements qui diminuaient le montant du cautionnement et des amendes. C'était le cinquième régime légal imposé à la presse depuis 1815 !

On avait pu constater, dans cette discussion sur la presse, combien était disparate la majorité qui s'était manifestée au début de la session ; la gauche elle-même avait divisé ses votes. Une seule chose pouvait maintenir un semblant de cohésion : la haine contre Villèle. Avec beaucoup d'à-propos, un député de l'extrême-gauche, Labbey de Pompières, formula, le 14 juin, une proposition de mettre en accusation les précédents ministres. Les amis de Villèle s'associèrent à cette demande : c'était le meilleur moyen de parer le coup ; une commission d'enquête fut désignée. Naturellement, elle ne devait aboutir à aucun résultat mais la menace qu'elle faisait planer sur l'ancien président du conseil devait être un obstacle à son retour éventuel au pouvoir et l'agitation entretenue contre lui servait à maintenir l'union précaire de la gauche avec la « défection ». C'est pourquoi, malgré l'issue trop prévisible, on eut soin de faire traîner en longueur les travaux de la commission d'enquête jusqu'à la fin de la session.

La proposition Labbey de Pompières avait servi également comme moyen de pression pour décider le roi à signer les ordonnances du 16 juin sur les petits séminaires. C'était l'aboutissement de la campagne menée depuis des années par les libéraux contre les jésuites et contre l'emprise du clergé sur l'éducation. Dès le début de l'année, le ministère avait amorcé une action dans ce sens en nommant une commission d'enquête, puis en détachant l'Instruction publique du ministère des Affaires ecclésiastiques. Un troisième pas fut l'ordonnance du 21 avril 1828 qui retira aux évêques une partie des pouvoirs qu'on leur avait donnés, en avril 1824, sur les écoles primaires ; désormais, le soin de leur surveillance appartiendrait à des comités départementaux où siégeraient, à côté de trois ecclésiastiques, six autres personnalités désignées par le préfet et par le recteur de l'académie.

Cette mesure passa presque inaperçue. Ce qui passionnait l'opinion, c'était le sort des maisons d'éducation secondaire dirigées par les jésuites. Ceux-ci profitant du privilège qu'avaient les évêques d'ouvrir des petits séminaires en marge de l'Université, avaient créé, sous cette étiquette, de véritables collèges secondaires qui accueillaient les enfants de la haute société. Celui de Saint-Acheul, près d'Amiens, particulièrement célèbre et bien fréquenté, comptait, en 1827, plus de 800 élèves. On sait que Mgr Frayssinous avait publiquement avoué, en 1826, l'existence de ces maisons de jésuites et que la Chambre des pairs, en 1827, avait signifié solennellement l'illégalité de cette situation. Portalis, qui avait été son rapporteur en la circonstance, avait l'intention bien arrêtée d'y mettre bon ordre. La commission qu'il avait nommée en janvier 1828 ne remit son rapport que le 28 mai suivant : elle avait constaté que pour 126 écoles ecclésiastiques régulièrement autorisées, il y en avait 54 qui échappaient indûment à la surveillance de l'Université, et elle proposait diverses mesures pour mettre fin à l'abus que constituait l'admission dans les petits séminaires d'élèves qui n'avaient pas la moindre intention d'entrer dans les ordres. Sur la question des jésuites, la commission s'était divisée, mais la majorité de ses membres — cinq contre quatre — soutint que les évêques avaient le droit de faire appel à qui leur plaisait pour diriger leurs petits séminaires ; les jésuites, disait-elle, avaient été choisis par eux à titre individuel et non comme membres d'une société que la loi ignorait. Cette déclaration souleva la fureur de la gauche et son mécontentement se manifesta vivement dans la discussion de la loi sur la presse.

Le ministère, menacé d'être mis en minorité, décida de donner une satisfaction substantielle à l'opinion libérale et il soumit au roi le texte de deux ordonnances. D'après la première, contresignée par le Garde des Sceaux, les écoles ecclésiastiques qui n'étaient pas de véritables petits séminaires, ou qui étaient dirigées « par des personnes appartenant à une congrégation religieuse non légalement établie en France » seraient soumises désormais au régime de l'Université ; et à l'avenir nul ne pourrait exercer une fonction quelconque dans l'enseignement avant d'avoir attesté par écrit qu'il ne faisait point partie d'une congrégation non autorisée. La seconde ordonnance, présentée par le ministre des Affaires ecclésiastiques, réglementait le régime des petits séminaires de façon à éviter que les évêques pussent en faire des collèges secondaires camouflés : le nombre global des élèves ne devait pas dépasser 20.000, chiffre largement suffisant pour assurer le recrutement normal du clergé ; les écoles ecclésiastiques ne pourraient recevoir que des internes et les élèves de plus de 14 ans seraient tenus, après deux ans de séjour, de porter la soutane ; les nominations de professeurs devraient être approuvées par le ministre. Enfin, pour compenser la perte matérielle qu'entraînerait l'exclusion d'une catégorie d'élèves, le gouvernement devait consacrer une somme de 1.200.000 francs à la création de bourses dans les petits séminaires.

La conscience du roi lui permettrait-elle de prendre la responsabilité de pareilles mesures ? Il hésita longuement, consulta Frayssinous et même le P. Ronsin, provincial des jésuites. Un refus l'obligerait évidemment à remplacer ses ministres. Mais par qui ? Finalement, il se résigna, pour éviter une crise dangereuse. Les ordonnances, signées le 16 juin, parurent le lendemain au *Moniteur*. La gauche exulta : « Le sceptre de l'Inquisition est brisé ! » s'écriait le *Journal des Débats*. Dans l'autre camp, les expressions de fureur dépassèrent toute mesure. La *Gazette de France* écrivit : « La Révolution triomphe... il ne reste plus qu'à consommer l'avènement de la République et l'érection des autels de la déesse Raison. » — « Applaudissez, race d'impies et de sacrilèges, disait *la Quotidienne*, écrivains factieux, applaudissez ! Voici un prêtre qui vous livre le sanctuaire, voici un magistrat qui vous livre le pouvoir. Vous vouliez que l'épiscopat fût enchaîné, on l'immole. On fait plus encore, on le méprise assez pour lui offrir quelques pièces de monnaie et pour lui payer d'avance le prix d'une bassesse sur laquelle on n'a pas craint de compter. » Portalis et Feutrier furent comparés à Dioclétien, à Julien l'apostat, à Saint-Just...

Les jésuites, habitués à plier devant les orages, se soumirent sans bruit et se dispersèrent dans de petites résidences d'où ils purent continuer à exercer d'autres ministères. Mais l'épiscopat, excité par la presse de droite, réagit avec vigueur. Un comité de sept évêques, présidé par l'archevêque de Paris, rédigea un mémoire de protestation auquel 70 prélats adhérèrent. Dans ce document, ils repoussaient les principales dispositions qu'on voulait leur imposer comme attentatoires à la liberté de l'Eglise et concluaient, « ils [les évêques] se contentent de dire, avec respect, comme les apôtres : *non possumus.* « Cependant, Charles X, troublé par cette levée de boucliers, avait envoyé un émissaire secret au pape pour lui demander son avis, et le ministère, de son côté faisait agir son ambassadeur à Rome. Léon XII déclara que les ordonnances ne violaient pas les droits épiscopaux et il fit dire aux évêques « qu'ils devaient se confier en la haute piété et en la sagesse du roi pour l'exécution des ordonnances et marcher d'accord avec le trône ». Charles X chargea son homme de confiance, Mgr de Latil, archevêque de Reims, d'entreprendre individuellement ses collègues. La plupart d'entre eux se soumirent alors. Toutefois quelques-uns refusèrent encore de fournir les documents demandés par le ministère. Clermont-Tonnerre, cardinal-archevêque de Toulouse, répondit en ces termes hautains : « Monseigneur, la devise de ma famille qui lui a été donnée par Calixte II en 1120 est celle-ci : *Etiamsi omnes, ego non.* C'est aussi celle de ma conscience. J'ai l'honneur d'être, etc... » Pour cette insolence, il lui fut interdit de paraître à la cour.

Au bout du compte, le gouvernement avait eu gain de cause, et il se montra assez accommodant dans l'exploitation de sa victoire ; ainsi il n'exigea point des professeurs de séminaires la déclaration écrite que l'ordonnance prescrivait.

Si le ministère avait cru se concilier, par ces mesures, la bienveillance définitive de la gauche, il s'était bien trompé. La session parlementaire était à peine close, au début d'août, que la presse libérale reprenait ses attaques contre la « faiblesse » du gouvernement et formulait de nouvelles exigences. « M. de Martignac est un homme qui parle, disait le *Figaro*, mais ce n'est pas un homme de parole. » On se plaignait surtout du fait que l'administration restait peuplée des créatures de Villèle ; ainsi, dans les départements, continuait le « système déplorable » et le « règne de la Congrégation ». Les ministres auraient voulu amener le roi à se prononcer franchement pour ou contre la politique qu'ils suivaient. Ils lui adressèrent donc un important mémoire pour lui expliquer comment ils avaient été contraints par la situation parlementaire de chercher un appui à gauche ; ce qu'ils voulaient, c'était rallier les deux centres, gauche et droit, autour d'un programme franchement constitutionnel. Si le roi voulait changer de système, il lui faudrait dissoudre la Chambre ; mais il était hors de doute que des élections nouvelles ne feraient que renforcer le côté gauche. Et alors ? « Alors, concluaient-ils prophétiquement, il ne resterait plus à Votre Majesté que cette double alternative, ou de baisser son front auguste devant la Chambre, ou de recourir au pouvoir constituant à jamais aliéné par la Charte, et qu'on n'invoquerait follement une fois que pour plonger la France dans de nouvelles révolutions, au milieu desquelles disparaîtrait la couronne de saint Louis. »

Charles X était moins que jamais disposé à plier devant le parlement. Au début de septembre, il avait fait un voyage officiel dans les provinces de l'Est, où dominait, dans la bourgeoisie, l'opinion libérale ; partout, il avait été accueilli avec des démonstrations d'enthousiasme et d'affection. Au lieu d'en savoir gré au ministère, dont la politique avait sans doute contribué à ce retour de popularité, le roi en conclut qu'il aurait l'appui du peuple et de l'armée, le jour où il voudrait secouer le joug parlementaire. Il lui échappa de dire devant Martignac que s'il avait su ce qu'il venait d'apprendre sur le véritable esprit des populations, il n'aurait pas accepté certaines choses.

Quand donc les ministres lui demandèrent de consentir à ce remaniement du haut personnel administratif que réclamait la presse de gauche, Charles X ne voulut sacrifier que neuf préfets et quatre conseillers d'Etat villélistes. Ces changements annoncés le 14 novembre furent qualifiés par le *Courrier français* de « triste avortement des espérances entretenues par les promesses des ministres ». Pourtant, plus encore que des mesures législatives, ils achevaient de rendre impossible toute réconciliation du ministère avec la droite villéliste.

A ce moment déjà, le gouvernement Martignac et sa politique étaient à peu près condamnés dans l'esprit du roi, et, dès la fin de 1828, il songeait à renverser la vapeur. Pour cela, il lui fallait trouver une majorité nouvelle et des hommes nouveaux. On pouvait compter sur la Chambre des pairs, où Villèle avait noyé la vieille garde impérialiste et constitutionnelle sous un afflux d'éléments de droite empruntés à la « Chambre retrouvée » de 1824. Dans la Chambre des députés elle-même, il n'était pas impossible de trouver une majorité de droite, si l'on parvenait à faire l'union des villélistes avec le centre droit et toutes les fractions de l'ancienne contre-opposition : l'ancien président de la Chambre, Ravez, s'en portait garant. Pour opérer ce regroupement, il serait nécessaire de conserver quelques hommes du centre droit, Martignac entre autres, dont le roi goûtait assez l'entregent, et de leur ajouter des personnalités de droite et d'extrême-droite, comme La Bourdonnaye et Ravez. Le pivot de cette nouvelle équipe devait être Polignac. C'était devenu une idée fixe chez Charles X de faire arriver au pouvoir son « cher Jules », seul capable de comprendre et de faire prévaloir sa conception du gouvernement monarchique. Quelques années plus tôt, pourtant, il le jugeait assez médiocre. « Ce pauvre Jules, il est si incapable », disait-il alors ; c'est que Villèle, qui craignait en lui un rival, s'était attaché à lui inculquer cette idée. Pourtant, Polignac avait fait du bon travail comme ambassadeur à Londres, et La Ferronnays, plus généreux, s'était attaché à mettre en relief ses mérites. Il ne souhaitait pas lui abandonner son portefeuille, mais il reconnaissait l'intérêt de faire entrer au ministère un homme qui posséderait vraiment la confiance du monarque ; les autres ministres, en effet, ne pouvaient se dissimuler qu'ils ne l'avaient point, et c'était pour le gouvernement une grande faiblesse.

Un accident imprévu obligea le roi à démasquer prématurément ses projets, ce qui amena leur échec... provisoire. La Ferronnays tomba gravement malade, au début de janvier 1829, et il devint nécessaire de pourvoir à son remplacement. Les ministres proposèrent à Charles X de faire appel à Chateaubriand. Le roi refusa ; il confia à Portalis la gestion intérimaire du portefeuille vacant et fit mander secrètement à Paris Polignac, en même temps que Ravez. Lorsqu'il annonça son intention de faire entrer au conseil ces deux personnages, les ministres protestèrent qu'ils ne pouvaient accepter en aucun cas de faire place à Polignac. « Comment, dit le Dauphin, à Martignac, le roi n'a-t-il pas le droit de faire un ministre ? — Il peut en nommer neuf, répondit-il, et nous n'aurons qu'à nous soumettre. » Le roi, irrité, envisagea un moment d'en venir là, et lorsque Polignac arriva dans la capitale, le 21 ou le 22 janvier, on lui demanda de former incontinent un ministère nouveau. Il eut des pourparlers décousus avec toutes sortes de personnalités, tandis que la presse libérale, alertée par ce retour subit, se livrait contre lui à un furieux tir de barrage. Mais le temps faisait défaut pour mettre au point une combinaison viable. L'ouverture de la session parlementaire avait été annoncée pour le 27 janvier. Le roi ne pouvait pas plus présenter aux Chambres un ministère en voie de formation qu'un ministère en sursis de condamnation ; il se décida donc à donner un démenti aux rumeurs de changement en signifiant officiellement à Polignac l'ordre de regagner son poste à Londres. Toutefois, avant de s'exécuter, le prétendant déconfit prononça devant la Chambre des pairs un grand discours où il protestait de son attachement à la Charte et aux institutions parlementaires. Quant au ministère des Affaires étrangères, il resta provisoirement confié à Portalis.

Les ministres avaient pu mesurer, à travers ces fausses manœuvres, la faiblesse de leur position vis-à-vis du trône. Réussiraient-ils du moins à se concilier l'appui du parlement ? Une des conditions mises par la gauche à son soutien était la réforme administrative, dont on parlait depuis le début de la Restauration sans jamais avoir esquissé le moindre geste en ce sens. Etait-il normal, dans un régime qui associait les représentants du pays à la direction de l'Etat, de leur refuser la moindre part à l'administration locale ? N'était-il pas contraire à l'esprit de l'ancien régime comme à celui de la monarchie constitutionnelle de maintenir intégralement le carcan centralisateur imposé à la France par Bonaparte ? Villèle, après avoir dénoncé cette anomalie quand il était dans l'opposition, s'en était servi sans scrupules lorsqu'il était arrivé au pouvoir. La gauche, maintenant, attachait d'autant plus d'importance à démanteler cette organisation qu'elle y voyait se perpétuer les instruments du « système déplorable », préfets, sous-préfets et maires ; elle était d'autant plus anxieuse de faire intervenir l'électorat dans les affaires locales qu'elle voyait poindre à l'horizon la menace d'une dictature royale ; des conseils élus, dans les départements, pourraient, éventuellement, fournir une base de résistance à l'arbitraire. Pour la même raison. Charles X était fort peu pressé d'introduire la politique et les luttes électorales sur le plan local. Toutefois, Martignac s'était engagé, dès le début de son gouvernement, à faire quelque chose ; le 28 février 1828, une commission avait été nommée pour préparer une réforme administrative ; elle n'était composée que d'hommes hostiles aux idées libérales, aussi les projets qu'elle avait élaborés et qui furent présentés, le 9 février 1829, à la Chambre, comme le morceau de résistance de la session, restaient bien en-deçà des souhaits de la gauche. Martignac ne pouvait l'ignorer, mais c'était le maximum de concessions qu'il avait été possible d'arracher au roi, et il s'efforça de désarmer les critiques par un brillant exposé de motifs, plein de belles déclarations libérales. Un coup d'œil sur les dispositions du projet devait malheureusement suffire à en montrer le caractère fallacieux. D'abord, à tous les degrés, la centralisation administrative était maintenue : préfets, sous-préfets, maires continueraient à être nommés par le gouvernement : « Choisir à un ministre ses agents..., expliquait Martignac, et le déclarer en même temps responsable des actes de ceux qu'on l'a contraint d'employer, ce serait une inconséquence et une injustice... » Les attributions des conseils locaux n'étaient pas augmentées ; ils restaient purement consultatifs, et même la tutelle administrative en matière de finances était renforcée. La seule concession notable portait sur la désignation des membres des conseils municipaux, d'arrondissements et de départements ; ils devaient être élus au lieu d'être nommés par le gouvernement. Mais ici encore, la timidité conservatrice du projet était patente : on avait imaginé un dispositif compliqué qui aboutissait à réserver le droit de vote et d'éligibilité à une petite minorité de notables et de riches propriétaires fonciers. Ainsi, dans les villages, lorsqu'il s'agissait d'élire les conseils municipaux, il ne devait y avoir que 30 électeurs pour 500 habitants ; et dans les villes, beaucoup moins encore. Pour les élections des conseils généraux, un électeur pour 1.000 habitants.

Naturellement, la gauche protesta contre l'insuffisance de ces dispositions et se prépara à les bouleverser à coups d'amendements. Martignac avait divisé sa réforme en deux projets de lois distincts : l'un sur l'administration communale, l'autre sur l'administration départementale. Le premier, mieux étudié, ne soulevait que peu d'objections, et paraissait pouvoir être adopté rapidement ; le second, au contraire, subit l'assaut des plus vives critiques au sein de la commission. Son rapporteur, Sébastiani, démontra qu'avec le système proposé on aboutissait à ce paradoxe de faire élire les conseils généraux par moins de 40.000 électeurs, alors que le corps électoral de la Chambre des députés en comptait deux fois plus.

La bataille s'engagea sur l'ordre de priorité à donner à l'examen des deux projets. Le gouvernement était naturellement désireux de faire discuter d'abord l'organisation communale, car il espérait remporter sur ce point une décision favorable. La gauche, au contraire, prévoyant que la session serait trop courte pour mettre au point les deux parties de la réforme, voulait commencer par la loi départementale, afin d'expulser sans retard des conseils généraux les hommes de Villèle. La droite saisit cette occasion d'infliger un échec au ministère ; alors qu'elle eût dû, pour satisfaire à ses principes, faire tout son possible pour bloquer la réforme départementale, elle vota avec la gauche pour lui donner la priorité. Elle savait en effet que le roi était décidé à ne tolérer aucun amendement important au projet du ministère, et qu'il retirerait l'ensemble de la réforme plutôt que d'y consentir. C'est ce qui arriva. Le 8 avril, on discutait un amendement qui tendait à supprimer les conseils d'arrondissements ; malgré les supplications des ministres, la gauche et le centre gauche se levèrent en sa faveur ; si le reste de la Chambre avait voté en sens contraire, la mesure pouvait être repoussée, mais, à la contre-épreuve, la droite qui avait assisté silencieuse et ironique au débat oratoire, resta obstinément assise ;

par cette abstention tactique, le gouvernement était battu, et l'amendement adopté. Aussitôt, Martignac et Portalis quittèrent la salle pour aller porter la nouvelle au roi. « Je vous le disais bien, observa Charles X avec satisfaction, il n'y a aucun moyen de traiter avec ces gens-là. Il est temps de nous arrêter. » Quelques moments plus tard, les deux ministres rentraient en séance et donnaient lecture d'une ordonnance royale qui retirait purement et simplement les deux projets de lois. La droite exulta : elle avait obtenu le résultat cherché ; la gauche déconfite se rendit compte qu'elle avait été manœuvrée par ses adversaires : pour avoir trop demandé, elle perdait même le peu qu'on était disposé à lui concéder, et, en outre, elle avait porté le coup de grâce à un ministère qu'elle n'aimait pas, mais qui, pourtant, s'ingéniait à lui donner satisfaction dans la mesure où le roi le lui permettait.

Après cela, le ministère paraissait à tous condamné. Martignac, désabusé, déclarait dans l'intimité : « Nous faisons ce que nous pouvons. Mais ce que nous pouvons c'est de reconduire la monarchie jusqu'au bas de l'escalier, tandis qu'on la jetterait par les fenêtres. » Le roi qui était tout à fait décidé à le remplacer, trouva préférable de le maintenir jusqu'à la fin de la session, afin de lui laisser le soin de faire voter le budget. Comme cela, pensait-il, ses successeurs seraient soulagés de cette formalité indispensable et ils disposeraient du délai des vacances parlementaires pour se consolider, avant d'affronter la Chambre.

Un dernier remaniement ministériel, au mois de mai, rendit manifeste l'intention du roi de ne rien faire pour infuser un sang nouveau à l'équipe condamnée. Il fallait donner un titulaire au ministère des Affaires étrangères : Charles X refusa encore une fois d'y appeler Chateaubriand. Portalis accepta de prendre le portefeuille ; mais pour cela il fallut lui promettre, pour le jour où il quitterait le gouvernement, la place inamovible et très enviée de président de la Cour de cassation ; par une précaution bien digne d'un robin, il exigea même d'avoir l'ordonnance de nomination toute signée, avec la date en blanc ! Quant aux Sceaux, ils furent donnés à Bourdeau, député du centre gauche qui avait exercé depuis janvier les fonctions de sous-secrétaire d'Etat pour la Justice.

Les choses étant ainsi arrangées, le roi put s'occuper tranquillement de la formation du ministère royaliste qu'il rêvait. Pour assurer le secret des négociations, il se servit de l'ancien député de Paris, Ferdinand de Bertier, qui avait été un des membres les plus en vue de la contre-opposition dans la Chambre de 1824. Ce personnage avait conservé de bonnes relations avec beaucoup de députés, et son rôle comme créateur et animateur de la défunte société secrète des Chevaliers de la Foi lui assurait dans les milieux politiques une influence et des moyens d'action plus étendus qu'on ne l'aurait soupçonné. Villèle l'avait puni de son opposition en le chassant du Conseil d'Etat, mais Martignac lui avait rendu cette place et il en avait profité pour regagner la confiance du roi et lui inspirer dans des audiences secrètes tout un plan d'action. Il fut entendu que les deux piliers du ministère futur seraient Polignac et La Bourdonnaye et qu'on y ferait entrer des personnalités de toutes les nuances de la droite, y compris la « défection ».

Aussitôt close la session, Polignac, que Bertier avait tenu au courant des négociations, arriva à Paris et prit contact avec le roi et avec La Bourdonnaye. L'influence prédominante de ce dernier fit exclure les hommes du centre droit, comme Lainé ou Decazes que Polignac aurait voulu enrôler ; il fit également exclure, comme trop « congréganiste », le pauvre Bertier qui s'était donné tant de mal pour le porter au pouvoir. La liste des ministres fut arrêtée le 8 août, et le *Moniteur* du lendemain fit enfin cesser l'incertitude de l'opinion en annonçant la formation du nouveau gouvernement.

L'expérience Martignac — celle d'un gouvernement à la fois monarchique et libéral — avait donc échoué. Peut-on même parler d'expérience ? Il aurait fallu pour cela qu'elle fût engagée comme telle, et qu'elle fût menée de part et d'autre avec un minimum de bonne volonté et de bonne foi. Pour Charles X, le ministère de janvier 1828 n'avait été à l'origine qu'un expédient rendu nécessaire par le retraite de Villèle, et l'orientation libérale imposée à Martignac par la situation parlementaire, n'avait jamais eu son adhésion. Chez les libéraux, il y avait sans doute un certain nombre d'esprits qui étaient prêts à accepter la monarchie, mais à condition qu'elle se prêtât aux transformations qui la videraient de son sens traditionnel. Impatients d'aboutir, ils se laissèrent trop facilement mener par les extrémistes ; ils ne surent pas oublier leurs rancunes ; ils ne surent pas ménager les sentiments du roi ni rassurer la fraction importante de la société qui voyait en eux des fourriers de révolution. Le ministère, enfin, dépourvu de toute doctrine, et soucieux avant tout de se maintenir, se contenta de louvoyer entre le roi et l'opinion libérale, sans réussir à s'imposer ni à l'un ni à l'autre.

Au bout du compte, et malgré l'espèce de trêve qu'il avait établie après la chute de Villèle, il laissait le régime en plus mauvais état qu'il ne l'avait trouve. Il n'avait pas réussi à dégager au parlement la majorité centriste et modérée, dont les éléments existaient pourtant, et sa faiblesse, laissant au roi de façon plus évidente la responsabilité de son gouvernement, exposait la couronne au choc direct de l'impopularité, que Villèle, du moins, avait détournée sur sa tête.

CHAPITRE IV

LE MINISTÈRE POLIGNAC

I. *Portrait des ministres. — L'opinion se déchaîne contre eux. — Inaction et affaiblissement du gouvernement. — La résistance s'organise. — Le discours du trône et l'adresse des 221. — Dissolution de la chambre et remaniement du ministère. — Les élections ; défaite du gouvernement.*

II. *La politique extérieure de Polignac. L'Alliance russe et le « Grand projet ». — Origines de l'expédition d'Alger. — Préparation militaire et diplomatique. — La conquête d'Alger. — Conséquences.*

I

L'idée du roi et de ses conseillers occultes avait été de former un ministère qui pourrait réunir toutes les nuances de la droite pour arrêter les progrès du libéralisme et faire prévaloir une interprétation monarchique de la Charte. Mais le manque de psychologie dont on fit preuve dans le choix des personnalités, leur incapacité et leur maladresse, ainsi que des défections inattendues, aboutirent à ce résultat paradoxal de présenter à l'opinion l'équipe ministérielle la plus capable de l'inquiéter et de l'irriter, et en même temps la moins capable de faire face à la gravité de la situation par une action intelligente et énergique.

Jules de Polignac, qui fut son porte-drapeau plutôt que son chef véritable, cumulait déjà sur sa tête un nombre exceptionnel de motifs d'impopularité : fils de l'ancienne favorite de Marie-Antoinette, sur qui s'étaient acharnés les pamphlétaires du temps, émigré, ultra-royaliste, prince par la grâce du Saint-Siège, congréganiste, époux d'une Anglaise et anglophile. Il est peu de personnages, dans notre histoire, qui soient aussi universellement antipathiques : les uns lui en veulent de son dévouement aveugle à la monarchie, les autres ne lui pardonnent pas d'avoir ruiné la cause qu'il était chargé de défendre. Une biographie récente, composée sur des archives familiales inédites, apporte quelques retouches à l'image traditionnelle, un peu trop simpliste dans sa noirceur. Polignac y apparaît comme un individu estimable, sensible et fin, un parfait homme du monde, de rapports agréables et même charmants, sincèrement religieux, et d'une religion éclairée, sans rien de cette exaltation de visionnaire qu'on lui prête sur la foi de quelques témoignages discutables. Il a supporté avec un courage admirable des épreuves de toutes sortes, en particulier une interminable captivité. Compromis, en effet, dans la conspiration de Cadoudal, en 1802, il avait été condamné à deux ans de prison, mais Napoléon l'avait arbitrairement maintenu en détention jusqu'au début de 1814. On a l'impression que c'est en grande partie par cette longue captivité que s'expliquent certains aspects de sa personnalité : cette sorte de propension à vivre dans ses rêves, cette incapacité de mordre sur le réel, cette puissance de dissimulation qui s'exerçait auprès de ses meilleurs amis, cette mélancolie distinguée : tous traits qui se retrouvent curieusement chez un autre illustre produit du régime des prisons, Napoléon III. Deux autres déficiences de caractère sont encore à retenir : un extraordinaire entêtement, et une confiance imperturbable en soi-même.

Malgré tout, l'arrivée au pouvoir de Polignac ne surprit personne : depuis si longtemps il en était question.

Celles de La Bourdonnaye au ministère de l'Intérieur et de Bourmont à celui de la Guerre étaient plus inattendues et plus choquantes aux yeux de l'opinion. Pour elle, le premier incarnait la réaction royaliste de 1815 dans ce qu'elle avait eu de plus odieux et de plus violent. « Le nom seul de cet homme suffirait pour arracher un cri d'épouvante à la France », écrivait le *Journal des Débats*. Il s'était fait, à la Chambre, une spécialité du langage le plus intransigeant et aucun ministre n'avait trouvé grâce à ses yeux. A la différence de Polignac, il affichait un grand mépris pour la Congrégation et pour le clergé. L'homme était d'ailleurs antipathique, si l'on en croit le portrait qu'en a tracé un de ses collègues : « Une figure chagrine, un air de dureté qu'il excelle à lui donner, des yeux perçants, insolemment fixés sur les interlocuteurs et recouverts de sourcils sans cesse froncés, une bouche habituellement contractée par un rire plus méchant que malin, ... une conversation saccadée, distraite, dédaigneuse, et qui ne s'anime que lorsqu'elle prend un caractère désobligeant et fâcheux. »

Le choix de Bourmont, dont la responsabilité incombait à la sottise du duc d'Angoulême, apparaissait encore plus malencontreux. Il était sans doute un militaire capable, un homme de décision, mais, sans parler d'un passé de chouan, son nom était en exécration auprès de tous ceux qui restaient sentimentalement attachés aux souvenirs glorieux de l'Empire. A la veille de Waterloo, il avait déserté l'armée impériale et l'on prétendait que les renseignements apportés par lui aux ennemis leur avaient permis de remporter la victoire ; c'était inexact, mais il faut toujours des traîtres à l'amour-propre des vaincus. On lui en voulait aussi de sa déposition accablante au procès du maréchal Ney.

Auprès de ce brelan de croquemitaines, les autres ministres faisaient plutôt figures de comparses. Charles X aurait voulu conserver Martignac et Roy, mais ils refusèrent absolument de s'associer à une combinaison manigancée en dehors d'eux et si manifestement destinée à heurter l'opinion. De ce fait, on perdait encore un moyen de rallier le centre droit. Du moins l'opinion villéliste était bien représentée par Chabrol, qui avait accepté les Finances, et surtout par un nouveau venu, le comte de Montbel, qui avait succédé à Villèle comme maire de Toulouse et qui était entièrement dévoué à l'ancien président du conseil ; on lui avait attribué le ministère des Affaires ecclésiastiques et de l'Instruction publique, qui se trouvaient ainsi de nouveau réunis dans les mêmes mains. Le choix de Courvoisier pour la Justice témoignait des velléités maladroites qu'on avait eues d'élargir sur la gauche l'assiette parlementaire du nouveau ministère ; c'était un magistrat qui avait, comme député, de 1816 à 1824, combattu à la Chambre dans les rangs du centre gauche ; esprit bizarre et même un peu déséquilibré, brusquement converti du voltairianisme à un catholicisme exalté. Signe symptomatique et inquiétant : il cherchait à interpréter les événements de son temps par l'Apocalypse ! Enfin, le roi avait voulu parer son gouvernement d'un rayon de gloire militaire en y appelant l'amiral de Rigny, le vainqueur de Navarin ; il était le neveu du baron Louis, l'ancien ministre des Finances de Decazes ; c'est dire à quelle opinion politique il pouvait se rattacher et aussi combien il était vain d'espérer l'embarquer sur cette galère. Que Charles X et Polignac aient cru pouvoir annoncer sa nomination avant même d'avoir eu son consentement, voilà qui donne la mesure de leur inconscience. Lorsque Rigny, à leur grande surprise et à leur grand mécontentement, se fut récusé, ils se rabattirent sur un administrateur dévoué, mais sans compétence spéciale, le baron d'Haussez, qui était préfet de carrière. Il devait se révéler un homme d'Etat énergique et capable ; malheureusement, sa qualité de nouveau venu dans la politique et le caractère un peu secondaire de son ministère le confinèrent, surtout au début, dans un rôle subalterne.

⁂

Le déchaînement immédiat de la presse contre le ministère dépassa en violence tout ce que l'on avait pu craindre, et le roi lui-même ne fut pas ménagé. Quelques exemples donneront le ton. Voici le *Globe*, organe qui se piquait de garder en tout l'objectivité : « Dans notre simplicité, nous ne voulions pas croire à des desseins plus stupides encore qu'ils ne sont coupables. Avions-nous donc oublié qu'il est un lieu où dominent le caprice et la prévention, l'entêtement et l'étourderie ; un lieu où ne sont écoutées ni comprises les leçons les plus frappantes et les plus dures ; un lieu où l'Histoire nous dit que se sont décidés tant de fois, entre la chasse et le confessionnal, les coups d'Etat qui excitent les nations et emportent les dynasties ? Ce lieu, c'est la cour. De là vient, et de là seulement, le ministère nouveau. L'intrigue l'a préparé, le bon plaisir l'a formé. Son avènement sépare la France en deux : la Cour d'un côté, de l'autre la nation. » Et le *Journal des Débats* : « Ainsi le voilà encore brisé ce lien d'amour et de confiance qui unissait le peuple au monarque. Voilà encore la cour avec ses vieilles rancunes, l'émigration avec ses préjugés, le sacerdoce avec sa haine de la liberté, qui viennent se jeter entre la France et son roi. Ce qu'elle a conquis par quarante ans de travaux et de malheurs, on le lui ôte ; ce qu'elle repousse de toute la force de sa volonté..., on le lui impose violemment. Quels conseils perfides ont pu égarer Charles X et le jeter à cet âge où le repos autour de soi est la première condition du bonheur dans une nouvelle carrière de désordre ? Malheureuse France ! Malheureux Roi ! » (10 août.) « Coblence, Waterloo, 1815 ! voilà les trois principes, les trois personnages du ministère... Pressez, tordez ce ministère, il ne dégoutte qu'humiliations, malheurs et dangers. » (15 août.)

Sur un autre registre, le satirique *Figaro* publie, le

10 août une feuille encadrée de noir ; dans une série de petites nouvelles imaginaires, il détaille les projets prêtés au ministère : ce ne sont que lettres de cachet, lits de justice, oubliettes, droits féodaux, lieutenants criminels, baillis et sénéchaux, bref, toute la panoplie des institutions médiévales ; à l'entendre, Polignac se prépare à relever la Bastille, à supprimer le système métrique, à livrer le pays aux jésuites et aux capucins. Et cette dernière insolence à l'adresse du roi : « M. Roux, chirurgien en chef de l'hôpital de la Charité, doit incessamment opérer de la cataracte un illustre personnage. » Ce pamphlet eut un tel succès que certains exemplaires furent revendus jusqu'à 10 francs.

En province la protestation libérale se manifestait avec éclat à l'occasion d'un voyage fait par La Fayette dans le Sud-Est. Partout étaient organisées pour lui des réceptions triomphales ; à Grenoble, une couronne de feuilles de chêne en argent lui était offerte, « comme l'emblème de la force que les Grenoblois, à son exemple, sauraient mettre à soutenir leurs droits et la constitution ». Et à Lyon, il était accueilli par une escorte de 500 cavaliers, harangué comme un souverain. Dans le même temps, le Dauphin, visitant la Normandie, était reçu tout à fait froidement.

Symptôme plus inquiétant, un certain nombre de personnalités en place, des conseillers d'Etat, des diplomates, le préfet de police Debelleyme, et d'autres, allaient donner leur démission pour ne pas lier leur sort à celui d'une équipe aussi impopulaire. La plus grave de ces défections fut celle de Chateaubriand ; il s'était pourtant montré favorable d'abord à l'idée d'un ministère Polignac réunissant toutes les nuances de la droite. Au moment de sa formation, il se trouvait aux eaux de Cauterets, et il ne repoussa point les avances qui lui étaient faites par le ministère ; il tenait, au fond, à cette ambassade de Rome, qui lui fournissait une heureuse et digne retraite. Mais quand il rentra dans la capitale, il fut investi par ses amis qui avaient déjà pris position ; on lui représenta que c'en serait fait de sa popularité s'il se solidarisait avec Polignac. La mort dans l'âme, il donna sa démission. De ce fait s'écroulaient les calculs qu'on avait faits à la fin de la session précédente, et d'après lesquels on devait théoriquement réunir une majorité à la Chambre pour soutenir le ministère. En effet, pour arriver au chiffre indispensable, il fallait inclure non seulement l'ancienne contre-opposition représentée par La Bourdonnaye, non seulement la droite villéliste, représentée par Montbel, non seulement le centre droit fort peu assuré, mais aussi le petit groupe de la défection : Agier, Hyde de Neuville et consorts ; ceux-ci n'ayant pas été représentés au ministère, Chateaubriand seul pouvait les empêcher de passer à l'opposition.

Dans ces conditions, il était absolument vain de compter gouverner constitutionnellement, c'est-à-dire avec l'accord de la Chambre. Dès lors, il aurait fallu agir énergiquement et rapidement, faire immédiatement ce coup d'Etat auquel tout le monde s'attendait. Or, au lieu de cela, le gouvernement perdit six mois entiers dans une inertie politique presque complète, s'affaiblissant par ses divisions, enhardissant ses adversaires par ses atermoiements, décourageant ses partisans par sa nullité. On rapporte ce dialogue entre Polignac et Michaud, le directeur du journal ultra-royaliste *la Quotidienne* : « Nous ne ferons pas de coup d'Etat. — Je m'en afflige. — Et pourquoi ? — Parce que, n'ayant pour vous que les hommes qui veulent des coups d'Etat, si vous n'en faites pas, vous n'aurez personne. »

Polignac, en effet, n'était nullement le suppôt de l'absolutisme que la presse d'opposition présentait à l'opinion ; son séjour en Angleterre l'avait transformé en partisan sincère d'un régime libéral et représentatif, solidement contenu par une forte prérogative royale et une forte aristocratie. Tout cela se pouvait faire, pensait-il, dans le cadre de la Charte. *Le Moniteur* du 17 septembre publia une sorte de manifeste ministériel où l'on pouvait lire : « A moins d'avoir perdu le sens commun, les ministres ne sauraient même concevoir l'idée de briser la Charte et de substituer le régime des ordonnances à celui des lois. » Les autres ministres n'avaient pas plus d'idées et de résolution que Polignac. Montbel écrivait le 12 août son défaitisme à Villèle : « On ne peut avoir confiance en nous, parce que nous n'en avons pas en nous-mêmes. Point de précédents, point d'habitude des affaires, point de cette puissance sur l'opinion qui prévient en faveur des ministres qu'on peut être forcé de prendre. Il faudrait un Hercule pour conduire tout cela. »

La Bourdonnaye, par contre, était, en paroles du moins, un partisan de la manière forte ; on lui prêtait des propos sinistres, celui-ci par exemple : « On peut très bien gouverner avec des potences et des filles. » Pourtant, lui non plus, ne faisait rien, et son arrivée au ministère n'avait même pas été marquée par ces destitutions et ces changements dans le personnel des préfectures auxquels on s'attendait. Arrivé au sommet de ses ambitions, ce grand démolisseur s'était révélé rapidement d'une totale incapacité administrative ; mauvais coucheur, « mégère masculine », il se rendit aussi insupportable à ses collègues. Sans doute La Bourdonnaye se rendait-il compte lui-même de la fausseté de sa position et cherchait-il l'occasion de tirer son épingle du jeu. Elle lui fut donnée par la question de la présidence du Conseil. Lors de la formation du ministère, il avait posé comme condition qu'il n'y en aurait pas. Chabrol et d'Haussez saisirent ce moyen d'éliminer leur incommode collègue. Feignant d'ignorer cette condition, ils demandèrent, le 17 novembre, le rétablissement de la présidence en faveur de Polignac. Aussitôt, comme ils s'y attendaient, La Bourdonnaye donna sa démission ; il devait recevoir comme compensation le titre de ministre d'Etat avec une pension de 12.000 francs et la promesse de la pairie. Pour couvrir sa défaite d'un prétexte honorable, il déclara : « Quand je joue ma tête, j'aime à tenir les cartes. » Montbel aurait voulu en profiter pour ramener Villèle au gouvernement, mais Polignac ne voulait partager avec personne la gloire de sauver la monarchie et Villèle était trop avisé pour se compromettre dans une partie aussi mal engagée. Finalement, Montbel lui même prit le ministère de l'Intérieur et pour occuper sa place on alla chercher le procureur général de Lyon, Guernon-Ranville, dont on ne savait pas grand-chose, sinon qu'il était bon royaliste et bon orateur.

Polignac espérait que l'élimination de l'homme de 1815 rassurerait l'opinion sur la pureté de ses intentions constitutionnelles. La presse libérale conclut seulement que le ministère, s'il était un peu moins *prévôtal* serait un peu plus *jésuite*. Et elle redoubla d'audace, encouragée par la complaisance de la magistrature, qui acquittait une fois sur deux les journalistes que lui déférait le gouvernement.

Sous diverses formes, la résistance s'organisait. La société *Aide-toi, le ciel t'aidera* remettait en activité ses comités électoraux et en créait de nouveaux. Le *Journal du Commerce* lançait l'idée d'une association pour le refus de l'impôt au cas où le gouvernement prétendrait se passer des Chambres pour le budget. A Paris, sous le patronage de La Fayette, elle réunissait presque toutes les sommités de l'opposition, et elle s'étendait dans quinze départements. En janvier 1830, se constituait parmi les étudiants de Paris une société républicaine, dont l'organe était la *Jeune France*, fondée par Armand Marrast. Ce groupe était, à vrai dire, peu nombreux encore et peu influent. Bien plus dangereux était le parti orléaniste qui prenait consistance sous l'inspiration très cauteleuse de Talleyrand. Grâce à son patronage occulte se fondait, en 1830, un nouveau journal, *le National*, dont le grand bailleur de fonds était Jacques Laffitte, le banquier libéral et le grand homme d'affaires du duc d'Orléans. Les rédacteurs en étaient Armand Carrel, Thiers et Mignet ; ils s'efforçaient de répandre l'idée que le régime constitutionnel désiré par la nation était incompatible avec le maintien sur le trône de la branche aînée des Bourbons. Pour assurer la liberté, il n'était même pas besoin de révolution, il suffisait d'appliquer loyalement la Charte, et pour cela de remplacer un monarque obstiné dans les errements de l'ancien régime par un autre qui comprendrait son temps. Il n'y avait, en somme, qu'à imiter ce qu'avaient fait les Anglais en 1688 : « Tout s'est opéré alors dans le plus grand calme. Il y eut une famille remplacée par une autre famille... Jacques II a été détrôné parce qu'il a aimé ce que son peuple repoussait... L'Angleterre fut si peu révolutionnaire à cette époque que respectant autant qu'il se pouvait le droit antique, elle choisit la famille la plus proche parente du prince déchu. » C'était parler assez clair !

La presse d'extrême-droite apportait d'ailleurs imprudemment de l'eau au moulin libéral en exaltant sur tous les tons le pouvoir constituant du roi ; et déjà elle commentait l'article 14 de la Charte, y découvrait la faculté pour le souverain de prendre, en des circonstances critiques, un pouvoir dictatorial. Le ministère, lui, continuait à faire le mort. « Le ministère est très décidé, ironisait *le Globe*, mais il ne sait pas à quoi. » En fait, Polignac et ses collègues étaient très absorbés par la préparation de l'expédition d'Alger. Quand à la situation intérieure, ils agitaient des plans plus ou moins chimériques sans réussir à se fixer une ligne de conduite bien nette. Toute leur habileté se réduisit, au bout du compte, à retarder jusqu'au début de mars l'ouverture de la session parlementaire. On ne devait y présenter que le budget et un projet de grands travaux qui serait financé par une nouvelle conversion des rentes.

Les termes du discours du trône furent minutieusement pesés au conseil des ministres. Les Chambres se réunirent le 2 mars 1830 pour l'entendre. Après le tour d'horizon habituel sur la situation extérieure et l'annonce des travaux qui seraient proposés au Parlement, Charles X ajouta, en accentuant fortement le ton : « La Charte a placé les libertés publiques sous la sauvegarde des droits de ma couronne ; ces droits sont sacrés : mon devoir envers mon peuple est de les transmettre intacts à mes successeurs. Pairs de France, députés des départements, je ne doute pas de votre concours pour opérer le bien que je veux faire : vous repousserez avec mépris les perfides insinuations que la malveillance cherche à propager ; si de coupables manœuvres suscitaient à mon gouvernement des obstacles que je ne veux pas prévoir, je trouverais la force de les surmonter dans ma résolution de maintenir la paix publique, dans la juste confiance des Français, et dans l'amour qu'ils ont toujours montré pour leur Roi. »

Quelle serait la réaction des Chambres à cette prise de position menaçante ? L'adresse de la Chambre des pairs resta vague et modérée, en dépit d'un discours corrosif de Chateaubriand. La Chambre des députés montra quelle serait l'orientation de la majorité en élisant comme candidats à la présidence Royer-Collard et derrière lui Casimir Périer. Avec l'appoint des voix du centre gauche et de la « défection », la gauche allait donc être en mesure de faire échec au ministère, et, en effet, la commission de l'adresse fut entièrement composée de députés opposants. Royer-Collard intervint dans la rédaction du projet pour lui assurer une forme digne de la gravité de l'avertissement qu'il s'agissait de donner au roi. La discussion en séance donna lieu à un grand débat où s'affrontèrent deux conceptions constitutionnelles, deux interprétations de la Charte ; on y vit se produire aussi pour la première fois deux des plus grands talents parlementaires du siècle : Guizot et Berryer.

Le point de vue de l'opposition fut clairement énoncé par Sébastiani : « Les choix de la couronne doivent nécessairement tomber sur des hommes qui inspirent assez de confiance pour rallier autour de l'administration l'appui des Chambres... Lorsque les conseillers de la couronne ne jouissent pas de cette confiance nécessaire à l'action et à la force du gouvernement, leur devoir est de résigner leur charge. » A quoi, Guernon-Ranville, au nom du gouvernement, répondit que le roi ne pouvait s'incliner devant la volonté de la Chambre sans renoncer aux prérogatives et à l'indépendance du pouvoir exécutif, inscrites dans la Charte : « Les ministres sont les hommes du roi, dépositaires de la pensée du gouvernement... Comment admettre cet étrange renversement d'idées dont le résultat serait de contraindre dans le chef de l'Etat ce qu'il y a de plus libre au monde : la confiance ?... Le jour où la couronne se laisserait ainsi dominer par les Chambres, le jour où de pareilles injonctions pourraient être faites et reçues, la monarchie constitutionnelle aurait cessé d'exister, bientôt nous n'aurions plus ni trône, ni Charte, ni Chambre... l'anarchie la plus violente... recommencerait ses aberrations. »

En dépit de ses efforts, le projet de la commission fut voté par 221 voix contre 181 ; il est à remarquer qu'un déplacement de 30 voix — celles de la « défection » — aurait suffi pour empêcher ce résultat. « La Charte, disait l'adresse, ... consacre comme un droit l'intervention du pays dans la délibération des intérêts publics... Elle fait du concours permanent des vues politiques de votre gouvernement avec les vœux de votre peuple la condition indispensable de la marche régulière des affaires publiques. Sire, notre loyauté, notre dévouement nous condamnent à vous dire que ce concours n'existe pas. Une défiance injuste des sentiments et de la raison de la France est aujourd'hui la pensée fondamentale de l'administration ; votre peuple s'en afflige parce qu'elle est injurieuse pour lui ; il s'en inquiète parce qu'elle est menaçante pour ses libertés. » Et le texte s'achevait par un appel respectueux à la prérogative du roi pour qu'il rétablisse l'harmonie des pouvoirs en changeant son ministère.

Personne n'attendait sérieusement que le roi obéît à cette injonction, et la dissolution qui porterait le conflit devant le pays légal apparaissait à tous comme la suite logique de cette première passe d'armes. L'opposition ne redoutait pas de nouvelles élections, certaine qu'elle était d'y gagner de nouveaux sièges. Toutefois, dans le ministère, Guernon-Ranville et d'Haussez demandèrent qu'on ne se hâtât point de prendre cette mesure sur un seul vote de principe défavorable ; il fallait établir plus clairement aux yeux du pays la responsabilité de l'opposition. Ne serait-on pas plus fort pour engager la lutte, si, par exemple, la Chambre refusait de voter le budget ou les crédits pour l'expédition d'Alger ? D'Haussez se faisait fort, du reste, d'obtenir le ralliement d'une quarantaine de voix si l'on voulait y mettre le prix. Mais Charles X repoussa vivement l'idée d'avoir recours à la corruption des consciences comme l'avaient fait Decazes et Villèle, et comme devaient le faire systématiquement les gouvernements de Louis-Philippe.

Le principe de la dissolution étant ainsi admis, il aurait été peut-être habile de faire immédiatement les nouvelles élections, afin d'éviter que les adversaires eussent le temps de s'organiser. Mais ici, l'irrésolution fatale du gouvernement prit encore une fois le dessus : une ordonnance du 19 mars décida la prorogation de la session parlementaire au 1er septembre suivant : c'était une demi-mesure qui permettrait de choisir le moment favorable pour de nouvelles élections. Mais quel serait ce moment ? On pensa d'abord à le reculer le plus possible ; ainsi on aurait le temps de reviser les listes électorales et l'on pourrait disposer, en cas de besoin, des troupes du corps expéditionnaire d'Afrique, qui aurait terminé sa tâche. Mais Villèle, consulté par le roi, le convainquit de la nécessité de sortir au plus tôt du régime provisoire financier ; très probablement, l'ancien président du conseil, encouragé par les avances que lui faisaient un groupe de députés du centre, espérait revenir au pouvoir et avait hâte de voir disparaître cette Chambre qui avait voté sa mise en accusation et avec laquelle il ne pouvait décemment collaborer. Le 16 mai, parut donc l'ordonnance royale qui prononçait la dissolution de la Chambre et convoquait les collèges électoraux pour le 23 juin et le 3 juillet.

Une troisième question se posait enfin : à supposer que les élections donnassent encore une majorité hostile au ministère, que ferait-on ? Dès la fin d'avril, les ministres avaient considéré cette éventualité. Polignac parla de recourir à l'article 14 de la Charte pour modifier par ordonnance le régime des élections et de la presse. Mais Courvoisier et Chabrol s'y déclarèrent irréductiblement opposés, et décidés à donner leur démission plutôt que d'y consentir. Ce désaccord au sein du ministère faillit entraîner sa dissolution complète, chacun des ministres — sauf Polignac — multipliant les démarches pour faire accepter sa démission par le roi. Après quatre semaines d'intrigues et de comédies, Charles X et Polignac réussirent à replâtrer tant bien que mal leur équipe : Courvoisier fut remplacé par Chantelauze, président de la Cour royale de Grenoble ; le brave Montbel, maître Jacques du ministère, accepta de relever Chabrol aux Finances, et laissa ainsi le ministère de l'Intérieur à Peyronnet, l'ancien Garde des Sceaux de Villèle, toujours aussi fendant et sûr de lui-même ; le roi comptait beaucoup sur l'énergie du personnage pour diriger les élections, mais sa rentrée au gouvernement ne fit qu'irriter un peu plus l'opinion publique en ajoutant à l'impopularité de Polignac celle d'un des membres les plus décriés du ministère Villèle. Enfin, du ministère de l'Intérieur était détachée la direction des Travaux publics qui devenait un département ministériel pour le baron Capelle, ex-préfet de Seine-et-Oise : il passait pour un maître-queux émérite en matière de cuisine électorale.

De part et d'autre, on se prépara avec ardeur au combat. Toutes les nuances de l'opposition, depuis les républicains jusqu'aux monarchistes du centre et de la défection, unirent leurs forces, en donnant comme consigne de réélire les 221 députés qui avaient voté l'adresse. Leur presse donna de la voix sur tous les tons, et les comités électoraux de la société *Aide-toi, le ciel t'aidera* mobilisèrent tous leurs moyens pour assurer le maximum de participations au vote. La presse gouvernementale ripostait en mettant en avant la prérogative royale comme l'avait fait Decazes en 1816. Le *Drapeau Blanc* alla jusqu'à soutenir que tout électeur qui persisterait à donner son suffrage à un candidat frappé par le roi d'incapacité législative se rendrait coupable d'un délit. Les évêques, sur la demande expresse du gouvernement, firent des mandements pour recommander les candidats gouvernementaux et les ministres usèrent à fond de tous les moyens ordinaires de pression : circulaires aux fonctionnaires, promesses, menaces, destitutions. Le roi lui-même ne craignit point de se compromettre et de descendre dans l'arène ; il lança, le 14 juin, une proclamation qui devait être publiée dans toutes les communes. « Maintenir la Charte constitutionnelle et les institutions qu'elle a fondées a été et sera toujours le but de mes efforts. Mais pour atteindre ce but, je dois exercer librement et faire respecter les droits sacrés qui sont l'apanage de ma couronne... La nature du gouvernement serait altérée si de coupables atteintes affaiblissaient mes prérogatives... Electeurs, hâtez-vous de vous rendre dans vos collèges, ... qu'un même drapeau vous rallie ! C'est votre Roi qui vous le demande ; c'est un père qui vous appelle. Remplissez vos devoirs, je saurai remplir les miens. »

En dernière heure, le ministère eut recours à une manœuvre qu'il justifia par le prétexte que les cours royales, débordées par le nombre des réclamations d'électeurs, n'avaient pu se prononcer sur tous les cas : dans la Seine et dix-neuf départements où l'opposition était plus forte, les élections furent ajournées respectivement aux 13 et au 19 juillet. On croyait éviter ainsi le mauvais exemple que constitueraient pour les collèges départementaux les échecs prévisibles devant les collèges d'arrondissement, et impressionner au contraire les électeurs indécis de ces vingt départements par l'annonce des succès que l'on se promettait ailleurs. Ainsi, la période électorale, avec l'agitation des esprits qui en était l'accompagnement obligé, devait durer presque un mois.

Le résultat final donna 274 sièges à l'opposition, contre 143 au ministère, et 11 indécis ou non pourvus. Sur les 221 votants de l'adresse, 202 étaient réélus. La défaite se manifestait profonde, indéniable, et, grâce à l'imprudence du roi et de ses conseillers, le coup, au lieu d'atteindre seulement le ministère responsable, tombait en plein sur la couronne. Sans doute, rien n'était perdu encore pour la dynastie et pour le régime ; les députés de l'opposition, très satisfaits de leur victoire, étaient tout disposés à se montrer magnanimes et à ménager l'amour-propre du vieux roi ; ils étaient prêts à accepter provisoirement n'importe quel ministère pourvu qu'on en changeât ; certains même, comme Casimir Périer et Sébastiani, faisaient des avances à Polignac et envisageaient de le conserver au gouvernement, si le roi voulait bien faire appel à eux. La perspective d'une révolution violente, d'un mouvement populaire, faisait horreur à ces bourgeois bien nantis.

Mais l'idée de se replier en bon ordre ou de se soumettre ne fut pas considérée un moment par Charles X et Polignac. Dans leur simplicité féodale, ils ne voyaient qu'une chose : on était attaqué, il fallait se battre sans esprit de recul ; à force de courage, le bon droit triompherait ! Leur résolution se trouva fortifiée par le brillant succès que remportait au même moment leur politique extérieure, avec la prise d'Alger, qui fut connue à Paris le 9 juillet.

II

La politique de La Ferronnays dans la question d'Orient avait amené un rapprochement de la France et de la Russie, et détendu au contraire les liens avec l'Angleterre, que Villèle avait mis tant de soins à ménager. L'arrivée de « milord » Polignac au ministère des Affaires étrangères fut généralement interprétée comme le signal d'un nouveau renversement. N'avait-il pas été, à Londres, l'instrument actif de l'entente franco-britannique ? Ne disait-on pas que Wellington avait favorisé la formation de son gouvernement ? « Son avènement, écrivit Metternich, sera un coup de foudre pour le cabinet russe. » Et le *Journal des Débats* : « Le cabinet français est livré pieds et poings liés à l'Angleterre. »

C'était oublier que la politique extérieure de la France était dirigée maintenant par le roi autant que par son ministre et que les sympathies personnelles ne pouvaient prévaloir contre des intérêts permanents. Bien plus, Polignac allait pouvoir utiliser sa connaissance intime des dirigeants britanniques pour mieux leur faire échec.

A peine était-il installé, qu'il fit une démarche auprès de l'ambassadeur du tzar pour l'assurer que la base de la politique française serait toujours l'alliance russe. Celle-ci répondait du reste à une tendance constante dans le parti ultra et, depuis 1824, dans la contre-opposition.

Richelieu, Montmorency, Chateaubriand, en avaient fait tour à tour le pivot de leur diplomatie. Chateaubriand, on l'a vu, avait envisagé un moment de s'en servir pour obtenir une revision des traités de 1815 sur la frontière du Rhin. Quel triomphe pour la monarchie si elle pouvait effacer l'humiliation qui pesait sur sa restauration ! Et quelle riposte aux partis de gauche, qui en avaient fait leur cheval de bataille !

Polignac se mit presque immédiatement à l'œuvre pour tenter de concrétiser ce mirage. Au mois d'août 1829, les armées moscovites avançaient irrésistiblement sur Constantinople : l'empire ottoman n'allait-il pas s'écrouler ? Notre ambassadeur à Saint-Pétersbourg, le duc de Mortemart, demanda des indications sur la conduite qu'il aurait à tenir dans cette éventualité. La réponse de Polignac, datée du 4 septembre, constitue l'un des documents les plus ahurissants de notre diplomatie, et l'on croit rêver quand on nous dit qu'il avait été délibéré en conseil des ministres. Se plaçant donc dans l'hypothèse d'un effondrement de l'empire turc, Polignac disait que la France devrait s'entendre avec la Russie et la Prusse pour imposer un remaniement général de la carte d'Europe. L'Autriche, isolée sur le continent, ne pourrait s'opposer aux volontés conjuguées des trois Puissances, et on obtiendrait son consentement en lui offrant une part alléchante du gâteau : la Serbie et la Bosnie. La Russie recevrait les provinces roumaines et sur sa frontière arménienne une bonne tranche d'Asie-Mineure. L'Egypte deviendrait indépendante et le califat pourrait passer sur la tête de Mohamed-Ali. La Grèce formerait un grand Etat chrétien indépendant, comprenant tous les territoires habités par des Grecs, tant en Europe qu'en Asie, avec Constantinople pour capitale. La France, elle, ne demanderait rien en Orient, mais en compensation, elle réclamerait la dissolution du royaume des Pays-Bas dont la destruction se trouvait déjà préparée par de graves tiraillements intérieurs ; la Belgique reviendrait à la France et la Hollande à la Prusse.

Quant au roi Guillaume..., rien de plus simple, il irait régner à Constantinople sur le nouvel empire byzantin. L'Angleterre, évidemment s'opposerait à cette opération, mais que pourrait-elle faire contre une Europe continentale unie ? Les Autrichiens et les Russes débouchant en Méditerranée auraient tout intérêt à unir leurs flottes à celles de la France pour briser la prépondérance navale des Anglais, et de même la Prusse devenue puissance maritime par l'acquisition de la Hollande. Tel était le « Grand projet » de Polignac, dont il est superflu de souligner le caractère hautement chimérique.

On ne le communiquait, à vrai dire, à Mortemart que comme un canevas de conversation pour le cas où le tzar aborderait avec lui la question du démembrement de l'empire ottoman. Or, cette hypothèse ne devait pas se réaliser : lorsque l'ambassadeur reçut ces papiers, la paix d'Andrinople venait d'être signée ; il n'eut donc pas à en faire usage. Comment le tzar aurait-il accueilli de telles propositions ? Un sondage, tenté quelques semaines plus tard par Mortemart, permet de l'imaginer. Un projet de partage de la Turquie d'Europe ayant été soumis par l'Autriche, notre ambassadeur insinua que dans ce cas la France pourrait demander des compensations sur sa frontière du Nord ; aussitôt Nicolas Ier l'interrompit en lui disant qu'il n'y fallait pas songer. Ainsi s'évapora sans avoir eu le moindre début de réalisation le « Grand projet » de Polignac. Il fallut en revenir à la politique plus modeste et plus pratique de La Ferronnays. C'est dans son esprit que fut réglée l'affaire grecque.

L'Angleterre, pleine de mauvaise humeur contre un arrangement qui avait été imposé pratiquement par la Russie et par la France, souleva encore bien des difficultés, tant sur la question des limites à donner au nouvel Etat que sur le choix du souverain. Il est sans intérêt d'entrer ici dans le détail de ces négociations ; des concessions furent consenties de part et d'autre, et l'accord, finalement acquis le 30 novembre 1829, fut entériné dans un protocole signé le 3 février 1830. La Grèce était un peu moins grande que ne l'avaient voulu d'abord la France et la Russie, mais elle était totalement indépendante du sultan, et la couronne du nouvel Etat devait être offerte au prince Léopold de Saxe-Cobourg, gendre du roi d'Angleterre.

La conquête d'Alger, qui est l'œuvre propre du ministère Polignac, se présente à certains égards, comme un corollaire des affaires d'Orient. Elle procède, en tout cas, des mêmes inspirations et des mêmes méthodes : celles d'une politique entreprenante et ferme, s'appuyant sur la Russie et nuancée d'un souci des intérêts généraux de l'Europe, d'une politique de prestige, visant moins à augmenter la puissance matérielle de la France qu'à renforcer sa position morale devant l'Europe et celle de la monarchie devant la nation.

Les origines du conflit étaient lointaines et complexes. Depuis longtemps, les puissances occidentales cherchaient à mettre fin à la piraterie algéroise. En 1819, à la suite du congrès d'Aix-la-Chapelle, la France et l'Angleterre s'étaient mises d'accord pour faire conjointement une démarche comminatoire auprès du dey d'Alger, Hussein. Celui-ci n'en avait tenu aucun compte, mais l'irritation qu'elle lui avait causée l'avait porté à donner un tour plus malveillant à deux affaires pendantes entre la France et lui : la question des concessions d'Afrique et celle de la créance Bacri et Busnach. Depuis le début du XVIe siècle, la France possédait, sur la côte nord-africaine quelques comptoirs, dénommés « concessions », qui jouissaient du monopole du commerce avec l'intérieur, ainsi que de celui de la pêche du corail. Naturellement, les guerres de la Révolution et de l'Empire avaient interrompu ces activités. En 1817, le dey d'Alger avait consenti à renouveler le privilège des concessions moyennant une redevance annuelle de

60.000 francs. Sitôt après la démarche de 1819, il prétendit l'élever d'un seul coup à 214.000 francs. Il multiplia les brimades contre nos administrateurs. En même temps, Hussein souleva des prétentions sur un autre terrain. Le Directoire avait fait d'importants achats de blé à une firme de Juifs livournais, Bacri et Busnach, qui avaient une position privilégiée dans le commerce de la Régence d'Alger. Les bénéfices qu'ils prétendaient en tirer étaient tellement scandaleux que Bonaparte avait refusé de les payer. La Restauration examina leur créance comme toutes les autres dettes françaises des vingt années précédentes, et, en 1820, le gouvernement décida de leur accorder 7 millions, au lieu des 14 qu'ils réclamaient. Le dey, qui avait lui-même une créance de 250.000 francs sur Bacri et Busnach demanda impérieusement au gouvernement français de lui verser à lui-même les sommes destinées aux négociants juifs. Naturellement, on refusa d'envisager une procédure aussi contraire aux lois françaises. Hussein en rendit responsable le consul de France, Deval, et demanda son rappel ; ce qui lui fut également refusé. Le 30 avril 1827, Deval s'étant présenté à une audience protocolaire, Hussein lui reprocha de s'être entendu avec les Juifs pour le frustrer ; emporté par la colère, il le frappa trois fois du manche de son chasse-mouches.

A la nouvelle de cette insulte, la France envoya six vaisseaux de guerre pour réclamer des réparations. Sur le refus hautain du dey, l'escadre française embarqua Deval et tous les Français qui résidaient dans la Régence et commença le blocus d'Alger. Cette mesure se révéla bien inefficace ; on pouvait bien, en effet, empêcher les Algérois de sortir, mais on ne pouvait arrêter les navires battant d'autres pavillons. Clermont-Tonnerre, ministre de la Guerre dans le gouvernement Villèle, proposa une expédition punitive, appuyée d'un débarquement de troupes. Mais Villèle ne voulut pas en entendre parler ; d'ailleurs, à ce moment, les forces navales françaises étaient nécessaires en Méditerranée orientale, et une partie de son armée de terre se trouvait retenue en Espagne. Pour des raisons analogues — l'expédition de Morée — le gouvernement Martignac ne se trouva pas en mesure d'agir en force, et La Ferronnays, engagé dans une délicate partie diplomatique entre la Russie et l'Angleterre, désirait éviter toute cause de friction. Toutefois, il fut décidé de faire une nouvelle tentative pour obtenir du dey quelque satisfaction minime que l'on pourrait monter en épingle, afin de donner une conclusion honorable au conflit. Le capitaine de vaisseau La Bretonnière fut envoyé en parlementaire. Hussein, encouragé par le représentant de l'Angleterre, opposa un refus arrogant ; bien plus, le vaisseau parlementaire, *la Provence*, essuya 80 coups de canon à la sortie du port (3 août 1829).

La nouvelle de cet attentat parvint à Paris au moment où Polignac prenait le pouvoir. Malgré son désir de renforcer le prestige de son gouvernement par des succès de politique extérieure, il devait hésiter assez longtemps devant une intervention. Peut-être pensait-il trouver beaucoup mieux dans son fameux « grand projet » ; plus probablement, avait-il en vue une autre solution non moins chimérique. Mohamed-Ali, pacha d'Egypte proposait au gouvernement français de lui servir d'exécuteur des hautes œuvres. Il se faisait fort de régler son compte à Hussein, pourvu qu'on l'aidât en lui avançant 20 millions et en lui donnant quatre vaisseaux de ligne pour appuyer ses forces terrestres qu'il prétendait pouvoir conduire en Algérie à travers la Tripolitaine et la Tunisie. Polignac trouva l'idée excellente : ainsi on ne commettrait pas les armées du roi de France contre un adversaire indigne d'elles et l'affaire se réglerait entre musulmans, ce qui éviterait tout risque de guerre sainte contre les chrétiens d'Orient. Charles X et d'Haussez se cabrèrent contre l'idée de céder à l'Egypte des vaisseaux français et Bourmont réussit, non sans peine, à faire comprendre à Polignac l'impossibilité pratique d'acheminer une armée de 40.000 hommes à travers

3.000 km de déserts. On pouvait soupçonner l'astucieux pacha de chercher surtout, dans cette entreprise, l'occasion d'accroître à bon compte et sa flotte et son trésor.

Le 31 janvier 1830, le conseil des ministres se rallia donc au principe d'une intervention directe en Afrique du Nord, et, quelques jours plus tard, les préparatifs étaient mis en train. Militairement, l'entreprise était pleine de dangers ; « Alger la bien gardée », Alger qui avait tenu tête à Charles-Quint et à onze expéditions chrétiennes, avait la réputation d'être imprenable. Les meilleures têtes du conseil de l'amirauté multiplièrent les objections techniques et l'on eut même toutes les peines du monde à trouver un amiral qui consentît à risquer sa réputation dans une telle entreprise. Duperré, qui accepta finalement sans conviction, déclara que l'expédition ne pourrait être prête avant le printemps de 1831. Heureusement, le roi trouva en d'Haussez un homme capable de mettre l'épée dans les reins à ces guerriers trop timides ; son ardeur communicative, son talent d'organisateur, firent des prodiges : en trois mois, tout fut à pied d'œuvre à Toulon : 103 bâtiments de guerre, 350 transports, 27.000 marins, 37.000 hommes de troupe, 83 pièces de siège, un matériel immense.

Polignac, il faut lui rendre cette justice, devait assurer avec le même bonheur la préparation diplomatique. Une circulaire du 12 mars annonça aux Puissances les intentions de la France : « Notre but, disait-il, est un but d'humanité ; nous poursuivons, outre la vengeance de nos propres injures, l'abolition de l'esclavage des chrétiens, la destruction de la piraterie, la suppression des humiliants tributs que les Etats européens payent à la Régence. » Et il donnait l'assurance que la France se concerterait avec ses alliés lorsqu'il s'agirait du nouvel ordre de choses à établir en Afrique du Nord. Le tzar accueillit avec la plus grande cordialité cette communication et son attitude contribua à obtenir l'assentiment de la Prusse et de l'Autriche. L'Angleterre, au contraire, réagit avec vivacité, et seul le fait que le gouvernement de Wellington connaissait à ce moment de graves difficultés intérieures devait sans doute l'empêcher de recourir à la force. Du moins, sur le plan diplomatique, aucune démarche, aucun moyen de pression directe ou indirecte, ne fut épargné pour empêcher la France de poursuivre son dessein. Par des interventions répétées et insistantes, tant à Londres auprès de notre ambassadeur, qu'à Paris, auprès des ministres et du roi, lord Aberdeen, chef du Foreign Office, tenta d'obtenir un engagement écrit comme quoi la France se bornerait à une expédition punitive et ne chercherait pas à se maintenir en permanence dans sa conquête. Polignac se déroba adroitement, en alléguant que l'Angleterre pouvait se contenter des assurances générales fournies à toutes les Puissances ; donner à l'une d'entre elles un acte spécial ferait perdre à l'expédition le caractère d'intérêt international qu'on entendait lui conserver. Wellington, exaspéré, déclara que Polignac était « un des hommes les plus habiles et les plus faux ». L'ambassadeur lord Stuart essaya de l'intimidation auprès du ministre d'Haussez ; il s'attira une verte réponse : « Milord, je n'ai jamais souffert que même vis-à-vis de moi, simple individu, on prît un ton de menace ; je ne souffrirai pas davantage qu'on se le permette à l'égard du gouvernement dont je suis membre. Je vous ai déjà dit que je ne voulais pas traiter cette question diplomatiquement ; vous en trouverez la preuve dans les termes que je vais employer : la France se f... de l'Angleterre ! » Charles X, plus royalement, mit fin aux instances de Stuart en lui disant : « Monsieur l'ambassadeur, tout ce que je puis faire pour votre gouvernement c'est de n'avoir pas écouté ce que je viens d'entendre. »

L'opposition vint aussi de l'intérieur. Comme lors de l'expédition d'Espagne, les libéraux ne pouvaient souffrir la perspective d'un succès pour un gouvernement détesté, et leurs passions partisanes étouffaient leur patriotisme. A les en croire, l'expédition était une folie, un crime. Comment ! on avait engagé les dépenses nécessaires sans le consentement préalable des Chambres ! « Voilà, écrivait le *Journal des Débats*, la véritable insulte que la France doit ressentir, plus que le coup d'éventail d'un barbare sur la joue d'un imprudent ! » La presse libérale n'hésita même pas à publier des informations confidentielles sur les forces mises en ligne et sur les plans du débarquement ; chose qui aurait pu avoir les plus fatales conséquences avec tout autre adversaire. Par des chansons défaitistes, on s'efforçait de miner le moral de la troupe :

Ah ! n'allons pas à ces chiens
d'Algériens
Faire la guerre.
Ces cadets ne me plaisent guère.
Laissons en paix ces vauriens,
Ou, bientôt vexés,
Nos soldats lassés
Vont avoir de l'Afrique assez !

Mais, pas plus qu'en 1823, ce tapage ne réussit à prévaloir contre la satisfaction du militaire de sortir des casernes et d'avoir l'occasion de se distinguer. Et ce fut dans une atmosphère d'enthousiasme que se fit, du 25 au 27 mai, le départ du corps expéditionnaire.

Le commandement en chef avait été donné à Bourmont qui brûlait d'effacer par un succès national la pénible réputation qui pesait sur son nom. Par précaution, il emportait dans son portefeuille une ordonnance royale qui lui subordonnait Duperré, dont la mauvaise volonté inspirait quelque méfiance. Ce dernier montra en effet une prudence excessive ; comme on arrivait, le 30 mai, en vue des côtes d'Afrique, les vents parurent contraires ; il dirigea toute la flotte sur Palma de Majorque ; or, en fait, le site choisi pour le débarquement était abrité des vents d'est et il aurait pu se faire sans difficultés spéciales. Les dix jours perdus en attente à Majorque ne servirent qu'à fatiguer et impatienter les troupes et à permettre au dey d'Alger de réunir les contingents de ses vassaux.

Les vents ayant enfin tourné, on remit à la voile, le 10 juin ; encore une fois, Duperré voulut ajourner ; Bourmont fut obligé d'user de son autorité et, le 14 au matin, le débarquement commença dans la baie de Sidi-Ferruch, à 20 km à l'ouest d'Alger. Il devait durer quatre jours, gêné moins par quelques attaques sporadiques d'éléments ennemis que par une tempête qui s'éleva dans la nuit du 15 au 16 et fit craindre un moment le désastre. Le 19, enfin, l'armée de Hussein attaqua en force ; elle était commandée par l'agha Ibrahim, gendre de Hussein et pouvait compter de 50.000 à 60.000 hommes. L'armée française, bien moins nombreuse, mais supérieurement armée et commandée, résista sans peine à l'assaut fougueux des cavaliers arabes, et, passant à la contre-offensive, elle s'empara de l'artillerie ennemie et du plateau de Staouëli où Ibrahim avait établi son camp. Bourmont ne put toutefois profiter de ce succès, car il lui fallait attendre le reste de son matériel et, en particulier son artillerie de siège, retardée à Majorque par les ordres de Duperré. La marche en avant ne put reprendre que le 24 juin ; les colonnes françaises progressèrent péniblement, harcelées sans trêve par les cavaliers de l'armée algérienne. Le 29 juin, au soir, la tranchée fut ouverte devant le fort l'Empereur, position-clef qui dominait de ses 214 mètres d'altitude la ville et la Kasbah. L'artillerie de siège, mise en place, commença le 4 juillet au matin son travail de destruction. Quelques heures plus tard, les défenseurs du fort abandonnaient ses murs écrasés, en faisant sauter le magasin à poudres.

Le dey envoya demander à Bourmont ses conditions ; le général en chef dicta les termes de la capitulation :

les Français occuperaient la ville ; le dey conserverait ses biens et serait libre de se retirer où il lui plairait, ainsi que ses mercenaires turcs ; la liberté, les biens et la religion des habitants seraient respectés. Le 5 juillet, le drapeau français fut hissé sur la Kasbah et sur les forts d'Alger. « Vingt jours ont suffi, dit fièrement Bourmont, dans sa proclamation aux troupes, pour la destruction d'un Etat dont l'existence fatiguait l'Europe depuis trois siècles. » Rarement aussi, conquête plus lourde de conséquences coûta moins cher. Les 48 millions trouvés dans le trésor du dey devaient couvrir, et au-delà, les frais engagés pour l'expédition ; les pertes de l'armée se montaient à 415 tués et 2.160 blessés.

En tout autre pays et en toute autre circonstance, la nouvelle de ce brillant succès aurait soulevé l'enthousiasme de la nation et concilié sa gratitude au monarque et au gouvernement qui l'avaient assuré. Mais l'opinion, aveuglée par la lutte politique intérieure, n'en tint aucun compte : aux élections, la candidature du ministre d'Haussez échoua dans neuf départements. Et quant au roi... Avant de disparaître, pourtant, Charles X rendit un dernier service à la France. Le sort futur de la conquête resta quelques jours en suspens ; vers le 20 juillet, le roi décida qu'Alger serait conservé en tout état de cause. Aux demandes écrites d'explications formulées par l'ambassadeur britannique, Charles X répondit de sa main : « Pour prendre Alger, je n'ai considéré que la dignité de la France, pour le garder ou le rendre, je ne considérerai que son intérêt. »

La mauvaise humeur consécutive de l'Angleterre et de son représentant à Paris allaient peser d'un poids — non décisif certes, mais appréciable tout de même, — dans le drame des journées de Juillet.

A un autre point de vue encore, le succès de la prise d'Alger devait être funeste à Charles X. Il raffermit en effet sa résolution de résister coûte que coûte à la volonté du pays légal. Les libéraux avaient prédit, avaient souhaité ouvertement l'échec de l'expédition ; pourquoi leurs prévisions et leurs menaces ne pourraient-elles pas aussi être déjouées sur le plan intérieur par cette même fermeté qui avait triomphé en Afrique du Nord ? La masse de la nation qui avait pu juger dans ce dernier cas de la justesse bienfaisante des vues du roi, n'accepterait-elle point ses décisions politiques ? L'archevêque de Paris, Mgr de Quélen, l'encourageait ; il écrivait, dans le mandement par lequel il ordonnait un *Te Deum* d'actions de grâces : « Trois semaines ont suffi pour humilier et réduire à la faiblesse d'un enfant le musulman si superbe. Ainsi soient traités partout et toujours les ennemis de notre seigneur et roi ; ainsi soient confondus tous ceux qui osent se soulever contre lui ! »

CHAPITRE V

LA CHUTE DU TRONE

La préparation du coup d'Etat. — Les quatre ordonnances. — Les « trois glorieuses ». — L'intrigue orléaniste et l'abdication de Charles X. — Retour sur les événements. — L'exode de la famille royale.

Les résultats des collèges électoraux d'arrondissements furent connus le 29 juin, et le conseil des ministres dut se préoccuper des mesures à prendre pour faire face à la défaite électorale dès lors inévitable. On se trouva d'accord pour estimer justifié un recours à l'article 14 de la Charte. Mais sous quelle forme ? Dans les jours suivants, Polignac et Chantelauze proposèrent des plans divers qui furent écartés comme impraticables. Finalement, le 6 juillet, on se rallia au principe de trois mesures suggérées par Peyronnet : dissoudre la Chambre nouvelle aussitôt terminées les élections, faire élire une autre assemblée d'après un nouveau système électoral, suspendre la liberté de la presse. Le roi sanctionna cet avis et il motiva sa décision en ces termes : « L'esprit de la révolution subsiste tout entier dans les hommes de la gauche ; en attaquant le ministère, c'est à la royauté qu'ils en veulent, c'est le système monarchique qu'ils veulent renverser. J'ai malheureusement plus d'expérience sur ce point que vous, Messieurs, qui n'êtes pas d'âge à avoir vu la Révolution ; je me souviens de ce qui se passa alors : la première reculade que fit mon malheureux frère fut le signal de sa perte... Ils feignent de n'en vouloir qu'à vous, ils me disent : « Renvoyez vos ministres et nous nous entendrons. » ... Je ne vous renverrai pas ; d'abord parce que j'ai pour vous tous, Messieurs, de l'affection, et que je vous accorde toute ma confiance, mais aussi parce que, si je cédais cette fois à leurs exigences, ils finiraient par nous traiter comme ils ont traité mon frère... »

En conséquence, Peyronnet fut chargé de préparer le texte des ordonnances. Celui qu'il apporta, le 10 juillet, fut minutieusement discuté les jours suivants par ses collègues. Le 24 enfin, la rédaction définitive fut adoptée. Guernon-Ranville et d'Haussez avaient combattu jusqu'au bout les mesures proposées. Le premier estimait, comme en mars, qu'on aurait dû d'abord mettre à l'épreuve la nouvelle Chambre ; le second critiquait le système électoral ; tous deux appréhendaient une explosion populaire et doutaient de l'efficacité des mesures prises par Polignac, qui exerçait, en l'absence de Bourmont, les fonctions de ministre de la Guerre. Pourtant le préfet de police, Mangin, se montrait plein de confiance : « Quoi que vous fassiez, devait-il dire à Guernon-Ranville, Paris ne bougera pas. Marchez hardiment, je réponds de Paris sur ma tête, j'en réponds. » Finalement, les deux opposants se résignèrent à suivre l'opinion de la majorité du Conseil ; plus le péril leur paraissait grand, plus ils se sentaient engagés par l'honneur à ne pas abandonner le roi et leurs collègues, à la veille du combat décisif.

Le lendemain, 25 juillet, Charles X réunit ses ministres à Saint-Cloud, après la messe. Il se fit relire deux fois les textes préparés, puis s'adressant à son fils : « Vous avez entendu ? — Oui, mon père. — Qu'en pensez-vous ? — Lorsque le danger est inévitable, il faut l'aborder franchement et aller tête baissée. Un péril où l'on se sauve. — C'est votre avis, Messieurs ? reprit le roi en promenant ses regards autour de la table. — Oui, Sire, répondit d'Haussez, nous sommes d'accord sur la fin, mais non sur les moyens » ; et il reproduisit ses objections. « Vous ne voulez donc pas signer, lui dit le roi. — Je signerai, Sire, parce que je considérerais comme un crime d'abandonner dans une telle circonstance la monarchie et le roi... » Alors, raconte Guernon-Ranville, Charles X s'est absorbé dans une profonde réflexion ; il s'est tenu pendant plusieurs minutes la tête appuyée sur sa main, et la plume à deux pouces du papier ; puis il a dit : « Plus j'y pense, et plus je demeure convaincu qu'il est impossible de faire autrement. » Et il a signé... Nous avons ensuite tous contresigné dans le plus profond silence... Avant de se retirer, Charles X dit encore : « Voilà de grandes mesures ! Il faudra beaucoup de courage et de fermeté pour les faire réussir. Je compte sur vous, vous pouvez compter sur moi. Notre cause est commune. Entre nous c'est à la vie et à la mort. »

Tout ceci avait eu lieu dans le plus profond secret, Charles X et Polignac, surtout, étant persuadés que l'effet de surprise était indispensable au succès de l'opération. Ainsi, pour mieux donner le change, on avait été jusqu'à envoyer aux députés des lettres de convocation pour l'ouverture de la session parlementaire et Polignac travaillait ostensiblement à la rédaction du discours du trône. Cela peut expliquer également qu'aucune précaution militaire n'eût été prise : on voulait éviter de donner l'éveil par des mouvements de troupes. De ce fait, le gouvernement, pour tenir tête à l'émeute, n'aurait que les forces ordinaires de la garnison de Paris, 12.000 hommes environ, plus 1.300 gardes du corps ; beaucoup d'officiers se trouvaient dans les départements où ils étaient allés voter. A onze heures du soir, seulement, Chantelauze remit les textes à Sauvo, rédacteur en chef du Moniteur, avec ordre de les faire paraître le lendemain. « Qu'en pensez-vous ? lui demanda Montbel, qui était présent, après lui avoir laissé le temps de les parcourir. — Dieu sauve le Roi et la France, répondit cet honnête homme. Messieurs, j'ai cinquante-sept ans, j'ai vu toutes les journées de la Révolution et je me retire avec une profonde terreur ! »

Le texte des ordonnances était précédé d'un rapport au roi, ou exposé de motifs, qu'avait rédigé Chantelauze. C'était surtout un réquisitoire vigoureux contre les excès de la presse : « Une polémique ardente, mensongère et passionnée, remplie de scandale et de haine... excite parmi nous une fermentation toujours croissante et pourrait, par degrés, nous ramener à la barbarie... Les faits, quand ils ne sont pas entièrement supposés, ne parviennent à la connaissance de plusieurs millions de lecteurs que tronqués, défigurés, mutilés de la manière la plus odieuse... Contre tant de maux, la loi et la justice sont également réduites à proclamer leur impuissance.. » Chantelauze justifiait aussi le recours aux mesures d'exception : « Nous ne sommes plus dans les conditions ordinaires du gouvernement représentatif... Une démocratie turbulente tend à se substituer au pouvoir légitime. Elle dispose de la majorité des élections par le moyen de ses journaux et le concours d'affiliations nombreuses. Elle a paralysé... l'exercice régulier de la plus essentielle prérogative de la couronne... Par cela même la constitution de l'Etat est ébranlée. Le droit comme le devoir d'en assurer le maintien est l'attribut essentiel de la souveraineté... »

Suivaient quatre ordonnances, dont voici la substance.

1° Le régime existant pour la presse est suspendu. Désormais, nul périodique, nulle brochure de moins de vingt feuilles ne pourra paraître sans autorisation. Celle-ci, toujours révocable, devra être renouvelée tous les trois mois.

2° Le Roi, « étant informé des manœuvres pratiquées

sur plusieurs points du royaume pour tromper et égarer les électeurs pendant les dernières opération des collèges électoraux », prononce la dissolution de la Chambre nouvellement élue.

3° Le nombre des députés est ramené à 258. La Chambre est élue pour cinq ans et renouvelable chaque année par cinquième. Les députés sont élus par les collèges départementaux, composés du quart des électeurs les plus imposés. Quant aux collèges d'arrondissements, leur rôle se bornera, comme en 1815, à présenter des candidats aux votes des électeurs départementaux. Pour le calcul du cens électoral, comme de celui d'éligibilité, seuls compteront les impôts fonciers et la cote personnelle et mobilière ; les patentes et la contribution des portes et fenêtres en seront exclues.

4° Les collèges électoraux sont convoqués pour les 6 et 13 septembre et la session des Chambres s'ouvrira le 28 du même mois.

La troisième des ordonnances appelle seule quelque commentaire. Elle modifiait, en effet, le plus visiblement, le système politique. Elle permet aussi de reconnaître l'esprit — ou plutôt le manque d'esprit — qui présidait aux conseils du roi. Puisque l'on voulait faire échec à la bourgeoisie censitaire qui composait le pays légal, il eût été sans doute de bonne politique d'aller chercher un appui dans les couches plus profondes de la nation ; là, le prestige de la royauté, l'amour de la paix, la force d'inertie, l'influence conjuguée de l'aristocratie terrienne et du clergé, pouvaient peut-être procurer au trône cette confiance et ce soutien qu'une majorité de la classe éclairée semblait lui refuser. Plus un régime est dictatorial, plus il a besoin du consentement des masses incultes : on l'avait vu en 1799 et on devait le revoir en 1851. C'était le point de vue soutenu par Guernon-Ranville, et il était bien dans la tradition de la monarchie absolue, qui n'avait brisé la puissance de l'aristocratie qu'en passant, pour ainsi dire, par-dessus cette classe, pour aller prendre appui sur la bourgeoisie.

Maintenant que celle-ci, à son tour, était devenue l'obstacle, Charles X pouvait tenter de recommencer l'opération en la transposant d'un cran ; ce faisant, il aurait coupé l'herbe sous les pieds aux libéraux ; et il n'était rien que ceux-ci redoutassent autant, comme on peut le voir dans un curieux article du *National*, publié le 22 juillet, où l'auteur accuse le gouvernement de se jeter dans les bras de la « populace » pour briser l'opposition du pays légal. Malheureusement pour la monarchie, Charles X et Polignac avaient choisi la voie contraire : au lieu d'élargir le corps électoral, ils voulaient le rétrécir encore. Les élections dernières avaient donné un léger avantage au gouvernement dans les collèges départementaux : on leur confiait donc le soin exclusif de nommer les députés. D'autre part, dans le corps électoral en général, l'élément industriel et commercial était plus favorable au libéralisme : on cherchait donc à l'éliminer en excluant la patente du calcul des 300 francs du cens électoral et des 1.000 francs du cens d'éligibilité. Dans quelle mesure cette disposition eût-elle atteint l'effet cherché ? M. Jean Vidalenc l'a supputé, pour le département de l'Eure : sur 1.122 électeurs inscrits en 1830, l'ordonnance de Polignac en aurait éliminé 93, parmi lesquels 7 propriétaires fonciers seulement, contre 24 marchands, 28 fabricants, 6 aubergistes, 5 tanneurs, etc.

Le *Moniteur* parut le 26 juillet plus tard que d'habitude, vers 11 heures du matin. La crise s'ouvrait. Essayons maintenant, de reconstituer le film des événements.

Lundi 26 juillet.

— En même temps que les ordonnances royales est publié un arrêté du préfet de police interdisant d'imprimer les journaux qui n'auraient pas obtenu l'autorisation prévue.

Après-midi. — Les rédacteurs des principaux journaux d'opposition se réunissent chez l'avocat Dupin avec d'autres avocats libéraux. Les ordonnances, affirment-ils, sont illégales et l'on n'est pas tenu d'y obéir.

— Les journalistes transportent leur réunion au bureau du *National* et décident qu'ils paraîtront le lendemain, en dépit de l'arrêté préfectoral.

— Sur l'initiative de Thiers, ils rédigent et signent, au nombre de 44, une protestation où l'on peut lire : « Le régime légal est interrompu ; celui de la force est commencé... L'obéissance cesse d'être un devoir... Nous n'avons pas à tracer ses devoirs à la Chambre illégalement dissoute, mais nous pouvons la supplier, au nom de la France, de s'appuyer sur son droit évident et de résister autant qu'il sera en elle, à la violation des lois... » Au cours de l'après-midi et de la soirée, ce manifeste est imprimé et répandu dans les cafés et dans les rues.

— Des industriels et commerçants venus à l'Hôtel de ville pour l'élection au tribunal de commerce, décident qu'ils fermeront le lendemain leurs ateliers. Ainsi les ouvriers seront dans la rue, à la disposition des agitateurs.

— A la Bourse, la rente est tombée de 4 points.

Soir. — Une quinzaine de députés réunis chez Alexandre de Laborde, constatent qu'ils sont en nombre insuffisant pour prendre une initiative quelconque et qu'ils se retrouveront le lendemain, vers 15 heures, chez Casimir Périer.

— Quelques attroupements d'ouvriers imprimeurs et d'étudiants se forment autour de la Bourse et du Palais-Royal. On crie « Vive la Charte ! A bas les ministres ! » Les vitres du ministère des Finances sont lapidées.

— Les théâtres et les bals populaires sont pleins comme à l'ordinaire.

23 *heures. Saint-Cloud.* — Le roi rentre de Rambouillet, où il a passé la journée à chasser avec son fils.

Mardi 27 juillet.

— La nuit a été calme.

— Le *National, le Temps, le Globe,* paraissent sans autorisation et publient la protestation des journalistes. Le *Constitutionnel* et le *Journal des Débats* se sont abstenus. Les journaux royalistes, autorisés, célèbrent en termes lyriques le triomphe du roi sur les factieux.

— Le préfet de police donne l'ordre de saisir les presses des journaux récalcitrants. A l'imprimerie du *Temps,* rue de Richelieu, les portes ont été barricadées, et plusieurs heures s'écoulent avant que le commissaire de police trouve un serrurier qui consente à forcer les serrures et à démonter les presses.

— Des mandats d'arrestation sont lancés contre les journalistes signataires de la protestation. Ils ne seront pas exécutés.

— Dans la rue, l'agitation s'accroît ; les étudiants des sociétés républicaines cherchent à entraîner les ouvriers que la fermeture des ateliers a laissés oisifs. On commence à briser les enseignes portant les armes royales. Quelques boutiques d'armuriers sont pillées.

11 *heures* 1/2. — Le maréchal Marmont, duc de Raguse, dont c'est le trimestre de service comme major général de la garde royale, a été mandé chez le roi. « Monsieur le Marechal, lui a t-il dit, j'apprends qu'il y a des troubles à Paris. Vous allez vous y rendre pour prendre le commandement des troupes. Vous ferez disperser les attroupements, et si, comme je l'espère, tout est tranquille ce soir, vous reviendrez coucher à Saint-Cloud. En arrivant, vous passerez chez M. de Polignac. »

12 *heures* 1/2. — Polignac remet à Marmont l'ordonnance, datée du 25 juillet, qui le charge du commandement supérieur des troupes de la garnison de Paris. On observe que ce choix est de nature à irriter l'opinion qui se souvient de la « trahison » de 1814. Du reste, le maréchal a blâmé les ordonnances et n'accepte la tâche qu'à contre-cœur, avec la préoccupation de ne

pas ajouter au fardeau d'impopularité qui pèse sur lui. Il établit son quartier-général à l'état-major de la garde, place du Carrousel, mais comme rien n'a été prévu par Polignac, il lui faudra plusieurs heures pour rassembler et mettre en mouvement les troupes.

15 *heures*. — Les députés, réunis au nombre d'une trentaine chez Casimir Périer, refusent de soutenir une résistance insurrectionnelle. Ils chargent seulement Guizot de préparer le texte d'une protestation contre les ordonnances.

— La gendarmerie charge des rassemblements autour du Palais-Royal, et devant le ministère des Affaires étrangères, boulevard des Capucines.

Vers 15 *heures*. — Le premier insurgé est tué.

17 *heures*. — Marmont fait occuper les principaux points stratégiques de la capitale. Ce mouvement rencontre peu de résistance. Deux barricades seulement ont été élevées autour du Palais-Royal. Il y a quelques tués et blessés. Le poste de garde de la Bourse est incendié.

— Les ministres décident de mettre Paris en état de siège, ce qui donnera pleins pouvoirs à Marmont.

21 *heures*. — L'agitation se calme et les troupes sont ramenées dans leurs casernes.

— Un groupe d'électeurs d'extrême-gauche constitue douze comités d'arrondissements, chargés d'organiser l'insurrection. La plupart des membres sont d'anciens carbonari.

Mercredi 28 *juillet*.

— Dès l'aurore, l'insurrection prend forme dans les quartiers populaires. Une foule mêlée d'ouvriers, de gardes nationaux, de jeunes gens des écoles, d'anciens militaires, descend dans les rues, force la reddition des corps de garde isolés, abat les arbres, dépave les chaussées, construit des barricades, arbore le drapeau tricolore, crie : *A bas les Bourbons ! Vive la République ! Vive l'Empereur !* S'empare de l'Arsenal, du dépôt de poudres de la Salpêtrière, de la manutention militaire. L'Hôtel de ville et Notre-Dame sont occupés. Le tocsin sonne sans arrêt.

8 *heures.* — Marmont écrit au roi : « Ce n'est plus une émeute, c'est une révolution. Il est urgent que Votre Majesté prenne des moyens de pacification. L'honneur de la couronne peut encore être sauvé. Demain peut-être il serait trop tard... »

12 *heures.* — Le maréchal n'ayant reçu aucune réponse, décide d'exécuter le plan préparé au cours de la matinée par son état-major. Quatre colonnes vont aller occuper les points principaux des quartiers insurgés en déblayant sur leur passage les grandes artères ; les chefs ont l'ordre de ménager leur feu autant que possible. Sous une chaleur accablante, la progression est lente et très pénible. Les soldats enlèvent assez facilement les barricades, mais les insurgés, réfugiés dans les maisons et sur les toits poursuivent une fusillade meurtrière et accablent leurs adversaires de projectiles divers.

Les députés se sont réunis chez Audry de Puyraveau. Pour la première fois sont présents La Fayette et Laffitte, revenus précipitamment de la campagne. Ils refusent encore de sortir de la légalité et adoptent seulement le texte de la protestation préparée par Guizot. Ils décident d'envoyer en délégation auprès de Marmont cinq d'entre eux : Périer, Laffitte, Mauguin, les généraux Gérard et Mouton.

15 *heures.* — Introduits auprès du maréchal, les députés lui demandent de faire cesser l'effusion du sang : qu'il obtienne du roi le retrait des ordonnances et le renvoi des ministres, ils pourront, de leur côté, tenter de mettre fin à l'insurrection populaire. Marmont riposte qu'il ne peut de lui-même arrêter la bataille et qu'il ne lui appartient pas de proposer des mesures politiques tant que les révoltés n'auront pas mis bas les armes. Polignac, qui tient conseil en permanence dans une pièce voisine, refuse de recevoir les commissaires. Quand on

lui a dit que certaines unités de la ligne commençaient à fraterniser avec le peuple, il a répondu : « Eh bien, qu'on tire sur ces troupes ! »

17 *heures*. — Les colonnes lancées par Marmont ont atteint leurs objectifs : la place de la Bastille, l'Hôtel de ville, le marché des Innocents, la place des Victoires, la Madeleine. Mais derrière elles, les barricades ont été relevées ; les corps sont isolés les uns des autres, sans ravitaillement, et ils commencent à manquer de munitions.

— Les députés ont retrouvé leurs collègues dans un autre endroit. Le parti de la conciliation est découragé. On décide d'effacer de la protestation les expressions d'attachement au roi. Casimir Périer s'écrie : « Après ce que le peuple vient de commencer, dussions-nous y jouer dix fois notre tête, nous sommes déshonorés si nous ne restons pas avec lui ! » Laffitte émet l'idée de faire appel au duc d'Orléans ; le prince s'est retiré à Neuilly et il est invisible.

— Marmont, prévenant un ordre du roi, décide de ramener ses troupes dispersées et de les concentrer autour du Louvre et des Tuileries : « Cette position est inexpugnable, dit-il aux ministres, j'y tiendrais contre tout Paris pendant quinze jours, s'il le fallait, et nous aurons le temps de faire venir de nouvelles troupes. » Le mouvement de repli s'opère avec les mêmes difficultés. Des détachements des troupes de ligne mettent bas les armes et se joignent aux insurgés. Lorsque le regroupement est terminé, on constate que les forces royales ont perdu 2.500 hommes, tués, blessés, prisonniers, et surtout déserteurs. On donne seulement alors l'ordre de mettre en marche sur Paris les régiments de la garde royale en garnison à Beauvais, Orléans, Rouen, Caen.

— A Saint-Cloud, d'où l'on peut entendre le bruit des combats, le roi affecte le calme de la confiance et tient, comme à l'ordinaire, son cercle de jeu.

Jeudi 29 juillet.

— La retraite des troupes royales et les défections de la ligne ont donné un grand élan à l'insurrection. La masse de la population semble maintenant y prendre part, et, au matin, six mille barricades ont transformé tous les quartiers du centre et de l'est en un vaste camp retranché.

— Des anciens militaires de l'Empire et des élèves de l'Ecole polytechnique ont organisé des troupes d'insurgés et manœuvrent de façon à déborder le Louvre par la rive gauche de la Seine ; elles donnent l'assaut à des positions importantes : le Palais-Bourbon et la caserne des Suisses de la rue de Babylone.

Marmont persuade aux ministre de se rendre à Saint-Cloud pour conseiller eux-mêmes au roi le retrait des ordonnances et un changement de gouvernement.

— Les régiments des 5e et 53e de ligne qui occupaient la place Vendôme, font défection. Pour les remplacer, Marmont est obligé de prélever des bataillons sur les troupes de la garde et des Suisses qui tenaient les palais royaux. Un malentendu, dans ce mouvement, laisse dégarnie la façade du Louvre qui regarde Saint-Germain-l'Auxerrois ; des insurgés en profitent pour s'introduire par escalade dans les galeries et soudain ouvrent le feu sur les Suisses stationnés dans les cours intérieures ; pris de panique, ils se sauvent et entraînent dans la débandade les troupes de la garde qui attendaient dans le jardin des Tuileries. Marmont ne peut que tenter de les regrouper sur les Champs-Elysées, et, pour éviter l'encerclement, les replie sur la barrière de l'Etoile.

— Talleyrand, de sa fenêtre, au coin de la rue Saint-Florentin, a assisté à la débâcle. Il tire sa montre et dit : « A midi cinq minutes, la branche aînée des Bourbons a cessé de régner. »

— Au début de l'après-midi, la capitale est entièrement aux mains des insurgés et les combats sont terminés. On saura plus tard qu'ils ont coûté environ 200 tués et 800 blessés du côté des troupes royales, 1.800 tués et 4.500 blessés dans l'autre camp.

— Les députés, réunis vers midi chez Laffitte, se décident enfin à prendre la direction du mouvement, pour éviter qu'il ne tombe entre les mains des républicains. La Fayette reçoit le commandement de la garde nationale de Paris et le général Gérard celui des troupes régulières. Une commission municipale est nommée ; elle est ainsi composée : Laffitte, Casimir Périer, le général Mouton, Schonen, Audry de Puyraveau. Elle ira s'installer, vers 16 heures, à l'Hôtel de ville ; La Fayette, conduit en cortège triomphal, l'y a précédée.

Saint-Cloud. — Le roi a reçu, à la fin de la matinée, Sémonville, d'Argout et Vitrolles, pairs de France, qui l'ont supplié de former un ministère de conciliation avec le duc de Mortemart, un pair sympathique aux libéraux.

13 *h.* 30. — Ouverture d'un conseil avec les ministres arrivés de Paris. Pendant la discussion on apprend la prise du Louvre et la déroute des troupes royales. La fidélité de Marmont inspirant des doutes, le commandement supérieur des troupes est donné au duc d'Angoulême. Celui-ci donne l'ordre au duc de Raguse de ramener jusqu'à Saint-Cloud les troupes fidèles.

— Les ministres approuvent l'idée du retrait des ordonnances. Charles X dit enfin : « Me voilà dans la position où était mon malheureux frère en 1792 ; j'aurai seulement sur lui l'avantage d'avoir moins longtemps souffert ; en trois jours tout aura été terminé avec la monarchie ; quant au monarque, sa fin sera la même. Puisqu'il le faut, je vais faire appeler le duc de Mortemart et l'envoyer à Paris. Je le plains de s'être attiré la confiance des mes ennemis. »

— Le roi reçoit Mortemart et accepte qu'il forme un ministère avec Casimir Périer et Gérard.

18 *heures.* — Sémonville, Vitrolles et d'Argout partent porter à Paris la nouvelle des concessions du roi. Ils

arrivent péniblement à l'Hôtel de ville ; la commission municipale les écoute sans sympathie et les renvoie aux députés rassemblés chez Laffitte.

22 *heures.* — D'Argout s'y présente seul, mais comme il n'apporte aucun acte officiel, Laffitte en profite pour faire ajourner toute décision.

— Les journaux parisiens ont reparu, dans la soirée, et célèbrent la victoire du peuple. Dans la nuit, les Messageries font partir de tous côtés des voitures pavoisées aux couleurs tricolores, qui porteront aux départements la nouvelle des événements.

Vendredi 30 *juillet.*

Saint-Cloud. — Le roi s'est couché sans avoir signé les actes donnant une sanction officielle à ses concessions, et Mortemart attend donc dans l'inaction. Vers 2 h. 1/2 du matin, Vitrolles et d'Argout sont de retour et insistent sur l'urgence de la présence de Mortemart à Paris. Le roi, réveillé, consent à faire rédiger et signer les ordonnances. Vers sept heures seulement, Mortemart peut quitter Saint-Cloud.

Paris. — Sur les murs s'étale une proclamation anonyme, œuvre de Thiers et de Mignet :

« Charles X ne peut plus rentrer à Paris : il a fait couler le sang du peuple.

« La République nous exposerait à d'affreuses divisions ; elle nous brouillerait avec l'Europe.

« Le duc d'Orléans est un prince dévoué à la cause de la Révolution.

. . . .

« Le duc d'Orléans a porté au feu les couleurs tricolores ; le duc d'Orléans peut seul les porter encore ; nous n'en voulons pas d'autres.

« Le duc d'Orléans s'est prononcé : il accepte la Charte comme nous l'avons toujours voulue.

« C'est du peuple français qu'il tiendra sa couronne. »

— Mortemart, arrivé à grand-peine dans Paris, se

rend furtivement au Luxembourg. Les quelques pairs qui s'y trouvent le dissuadent d'aller lui-même à l'Hôtel de ville. Un d'eux se charge d'y porter les ordonnances royales à La Fayette. Leur lecture est accueillie par des huées. La commission municipale défend au *Moniteur* de les publier, et Mortemart ne trouve aucun imprimeur qui ose le faire.

— Thiers, envoyé à Neuilly par Laffitte et Sébastiani ne trouve pas le duc d'Orléans qui s'est caché au Raincy. Il expose la situation à la duchesse d'Orléans et à Mme Adélaïde, sœur du prince ; celle-ci se porte garante de l'acceptation de son frère et lui envoie un message pour le faire revenir à Neuilly.

Midi. — Les députés se réunissent au nombre d'une soixantaine au Palais-Bourbon, sous la présidence de Laffitte. Après une longue discussion, ils décident d'inviter le duc d'Orléans à venir à Paris pour y exercer les fonctions de lieutenant-général du royaume, solution qui aurait été inspirée par Talleyrand.

— Les diplomates étrangers se concertent sur l'attitude à prendre. Aller à Rambouillet apporter au souverain l'appui de l'Europe, ou rester à Paris et reconnaître par là le gouvernement de fait ? Malgré les efforts des représentants du Saint-Siège, de la Suède et de Naples, c'est ce dernier parti qui l'emporte.

— La commission municipale qui s'intitule maintenant « gouvernement provisoire », lance une proclamation : « Charles X a cessé de régner sur la France. Ne pouvant oublier l'origine de son autorité, il s'est toujours considéré comme l'ennemi de notre patrie et de ses libertés qu'il ne pouvait comprendre. Après avoir sournoisement attaqué nos institutions par tout ce que l'hypocrisie et la fraude lui prêtaient de moyens..., il avait résolu de les noyer dans le sang des Français. Grâce à votre héroïsme, les crimes de son pouvoir sont finis... Vous aurez un gouvernement qui vous devra ses origines..., toutes les classes ont les mêmes droits, ces droits sont assurés. »

— Les républicains insistent auprès de La Fayette pour obtenir une consultation populaire et faire établir, avant toute décision sur la forme du gouvernement, un programme de garanties et de réformes démocratiques. Ils voudraient proclamer la république, le lendemain, à midi.

Neuilly. 21 heures. — Le duc d'Orléans reçoit les envoyés de la Chambre des députés. Sur le conseil de Talleyrand, il décide de rentrer à Paris.

23 *heures* 1/2. — Le duc d'Orléans arrive au Palais-Royal.

Samedi 31 *juillet.*

Saint-Cloud. 3 *heures du matin.* — Les défections se sont multipliées dans les troupes royales. Marmont, craignant pour la sécurité de la famille royale conseille avec instance de se replier sur Trianon. Le départ a lieu immédiatement.

Paris. — A la même heure, le duc de Mortemart est introduit secrètement auprès du duc d'Orléans qui a exprimé le désir de le voir : « Duc de Mortemart, s'écrie le prince, si vous voyez le roi avant moi, dites-lui qu'ils m'ont amené de force à Paris, mais que je me ferai mettre en pièces plutôt que de me laisser mettre la couronne sur la tête ! »

6 *heures.* — La Fayette refuse la présidence de la république que lui offrent les chefs de l'insurrection et se rallie en principe à la solution orléaniste.

8 *heures.* — Le duc d'Orléans reçoit une députation de la Chambre qui vient lui offrir officiellement la lieutenance-générale du royaume. Un dernier moment de réflexion, et il accepte.

— La Chambre prend acte de cette décision et rédige une proclamation pour l'annoncer au pays. Les députés vont tous en corps au Palais-Royal pour la présenter au prince. Echange de discours.

14 *heures.* — Le duc d'Orléans, escorté par les députés et quelques gardes nationaux se rend à l'Hôtel de ville. Il est reçu avec hostilité par la foule rassemblée sur la place. Mais La Fayette l'accueille cordialement, paraît avec lui au balcon, l'embrasse dans les plis d'un drapeau tricolore ; les acclamations populaires sanctionnent enfin le pouvoir nouveau. La République est écartée.

— La Fayette va rendre sa visite au lieutenant-général, au Palais-Royal : « Ce qu'il faut aujourd'hui au peuple, lui dit-il, c'est un trône populaire, entouré d'institutions républicaines. »

16 *heures.* — L'hostilité de la population de Versailles décide Charles X à ne pas rester à Trianon et à continuer jusqu'à Rambouillet, où il arrivera vers 10 heures du soir.

Dimanche 1er *août.*

Paris. — La commission municipale résigne ses pouvoirs entre les mains du duc d'Orléans. Celui-ci nomme des ministres provisoires et convoque les Chambres pour le 3 août.

— Le peuple vainqueur se repose et se réjouit.

Rambouillet. — La duchesse d'Angoulême, venant de Vichy, rejoint sa famille. Le roi dispose encore de 12.000 hommes de troupes fidèles, avec 40 canons. Certains l'engagent à se diriger avec elles sur les provinces de l'Ouest pour y organiser la résistance à la révolution parisienne.

— Charles X décide de nommer lui-même le duc d'Orléans lieutenant-général. Ainsi le principe monarchique sera sauf.

Lundi 2 août.

1 *heure du matin.* — Cette ordonnance est remise au duc d'Orléans.

6 *heures.* — Le roi reçoit sa réponse : le prince déclare qu'il tient son pouvoir des représentants du pays et qu'il ne peut accepter d'autre investiture.

Midi. — Le roi réunit son conseil de famille. Il décide d'abdiquer en faveur de son petit-fils. Voici la lettre au duc d'Orléans :

« Mon Cousin,

« Je suis trop profondément peiné des maux qui affligent ou pourraient menacer mes peuples pour n'avoir pas cherché un moyen de les prévenir. J'ai donc pris la résolution d'abdiquer la couronne en faveur de mon petit-fils le duc de Bordeaux. Le Dauphin, qui partage mes sentiments, renonce aussi à ses droits. Vous aurez donc, en votre qualité de lieutenant-général du royaume, à faire proclamer l'avènement d'Henri V à la couronne. Vous prendrez d'ailleurs toutes les mesures pour régler les formes du gouvernement pendant la minorité du nouveau roi... »

— La duchesse de Berry voudrait aller à Paris avec son fils pour le faire reconnaître par le lieutenant-général et les autorités. Charles X s'y refuse absolument.

22 *heures.* — Arrivent à Rambouillet quatre commissaires envoyés par le duc d'Orléans avec mission de persuader Charles X de s'éloigner et de lui servir de sauvegarde. « Une sauvegarde ? dit le roi, pour quoi faire ? Je n'en ai pas besoin. Je suis au milieu d'une armée fidèle. J'ai fait connaître mes intentions à mon lieutenant-général et je ne quitterai Rambouillet qu'autant qu'on s'y conformera. »

23 *heures.* — L'acte d'abdication est remis au duc d'Orléans. Il répond que la pièce sera communiquée aux Chambres qui seules ont qualité pour décider de la suite à y donner.

Mardi 3 août.

4 *heures.* — Les commissaires revenant de Rambouil-

let réveillent le duc d'Orléans : « Monseigneur, l'attitude de Charles X paraît hostile. Il est urgent de frapper un coup décisif pour l'effrayer. »

— La Fayette est donc chargé d'organiser un corps de gardes nationaux pour faire une démonstration sur Rambouillet. Au son des tambours qui battent le rappel, une multitude de volontaires se joignent à eux.

Midi. — Brandissant un armement hétéroclite, une cohue inorganisée se met en marche, entassée dans toutes sortes de véhicules réquisitionnés. « Déroute à rebours », a dit un contemporain.

13 *heures.* — Le duc d'Orléans se rend au Palais-Bourbon pour ouvrir la session des Chambres, en présence de 240 députés et de 60 pairs. Son discours annonce l'abdication de Charles X et de son fils, sans faire allusion au duc de Bordeaux. Il fait l'apologie de sa conduite, annonce une modification à la Charte et le programme de son futur gouvernement.

20 *heures.* — « L'armée » parisienne est arrivée à trois lieues de Rambouillet. Odilon Barrot, le général Maison et l'avocat Schonen ont devancé la colonne. Introduits auprès de Charles X, ils le supplient d'éviter un choc sanglant. Le roi paraît d'abord décidé à résister ; il prend à part le général Maison : « Vous êtes militaire, par conséquent incapable de mentir. Combien sont-ils ? — Sire, je ne les ai point comptés. Ils sont bien 60.000 à 80.000. » Et d'insister de nouveau sur le danger de la situation. « Allons, je partirai », dit enfin le roi.

Or, Maison, comblé d'honneurs et d'argent par Charles X, Maison a menti : « ils » ne sont pas plus de 15.000 à 20.000, que quelques coups de canon feraient fuir « comme une volée de moineaux ». Mais cette dernière effusion de sang aurait-elle pu changer quelque chose au sort de la monarchie ?

Dans la nuit, Charles X entouré des restes de sa cour et de ses troupes se dirige sur Maintenon. C'est la fin...

Quand on considère l'ensemble du drame lamentable, on s'émerveille de l'accumulation des fautes commises à chaque étape : après l'adresse des 221, Charles X pouvait changer de ministère sans compromettre la dignité de la couronne ; ayant choisi de porter le différend devant le pays légal, il pouvait s'incliner loyalement devant son verdict et cette attitude lui aurait sans doute rallié la fidélité des opposants de bonne foi ; le coup d'Etat qu'il préféra tenter pouvait réussir s'il avait été accompagné de précautions militaires et policières relativement faciles à prendre ; au premier jour de l'insurrection, il pouvait encore sauver son trône en rapportant les ordonnances et en confiant le pouvoir à un Casimir Périer, par exemple ; enfin, son abdication venant trois jours plus tôt pouvait déjouer l'intrigue orléaniste. Au lieu de cela, en toutes circonstances, Charles X fut mal inspiré, mal conseillé, mal servi ; toutes ses initiatives aggravèrent la situation, toutes ses parades arrivèrent une mesure trop tard.

Il apparaît, en somme, que cette révolution n'était nullement fatale. Le pays légal repoussait sans doute Polignac et l'interprétation que le roi prétendait donner à la Charte, mais il n'en voulait pas à la dynastie ni même à la personne de Charles X ; il n'avait surtout pas envie de faire une nouvelle révolution ; l'attitude des députés, à Paris, au cours des journées de juillet, est significative, et ils se sont ralliés à la solution orléaniste parce qu'elle permettait de limiter autant que possible les conséquences d'un soulèvement qui s'était déclenché et développé en dehors d'eux.

Le duc d'Orléans aurait-il pu faire accepter Henri V ? Peut-être. Il ne semble pas, en tout cas, qu'il l'ait sérieusement envisagé ou tenté, et la preuve n'a pas été faite que cette solution, si souhaitable à bien des points de vue, ait été impraticable. Celle qu'il choisit, malgré sa durée de 18 ans, ne devait pas, en définitive, se révéler plus viable.

Charles X, ayant tout perdu, n'avait qu'à disparaître ; du moins, la lenteur majestueuse de sa retraite devait auréoler le couchant de la vieille monarchie d'un ultime et mélancolique reflet de grandeur.

A Maintenon, on licencia la garde royale et les troupes restées fidèles ; seuls les gardes du corps, un millier d'hommes, devaient accompagner le roi jusqu'à Cherbourg où il s'embarquerait. Par Dreux, Laigle, Argentan, Vire, Saint-Lô, Valognes, « le cortège funèbre de la monarchie » traversa lentement la Normandie épanouie dans la splendeur d'un bel été. Les populations, tantôt hostiles, tantôt sympathiques, le regardaient passer avec respect. Les commissaires du gouvernement nouveau s'employaient avec délicatesse à ménager les sentiments du vieux roi, à éviter toute collision entre gardes du corpe à cocarde blanche et gardes nationaux à cocarde tricolore ; ils devaient prendre aussi des précautions discrètes contre une tentative de dernière heure pour dévier de l'itinéraire arrêté.

A Valognes, le 15 août, eut lieu une dernière cérémonie. Les gardes du corps remirent au roi leurs drapeaux. « Messieurs, leur dit le roi, je prends ces étendards. Vous avez su les conserver sans tache. J'espère qu'un jour mon petit-fils aura le bonheur de vous les rendre. »

Le lendemain, vers 10 heures, le roi, qui avait quitté l'uniforme pour un costume bourgeois, monta en voiture pour la dernière étape. Le cortège évita de traverser la ville de Cherbourg, où l'on craignait des manifestations royalistes, et il arriva vers une heure trois quarts sur le quai où l'attendaient deux bateaux américains loués par le gouvernement : le *Great-Britain* et le *Charles-Caroll* ; le célèbre explorateur Dumont d'Urville avait accepté la tâche de conduire la famille royale en Angleterre. Le port était rempli de navires pavoisés aux trois couleurs, mais le dernier désir du roi avait été respecté, il devait voyager sous son propre pavillon, le drapeau blanc. Les quais, les remparts, les maisons voisines étaient couverts d'une foule immense et silencieuse. Les gardes du corps se rangèrent en bataille face à la mer ; le roi fit ses adieux et remercia courtoisement les commissaires de leurs bons offices. Debout sur le pont, il salua une dernière fois ses fidèles en pleurs. A deux heures un quart le signal du départ fut donné...

De la nation qui se croit, en cette heure, victorieuse, ou du vieillard obstiné qui s'éloigne pour toujours de ses rivages, quel est le véritable perdant ? Celui-ci abandonne le trône le plus glorieux, le plus beau royaume d'Europe ; celle-là se prive d'un principe d'autorité politique, d'unité nationale, et de stabilité sociale dont elle n'a jamais pu depuis retrouver l'équivalent. Après cent trente années de révolutions et de guerres, de gouvernements dictatoriaux ou anarchiques, la France peut mesurer aujourd'hui la gravité irréparable de la blessure qu'elle s'est infligée par l'éviction de Charles X et elle regarde avec une nostalgique envie le grand pays voisin qui a eu la sagesse de concilier la tradition monarchique avec l'inévitable évolution démocratique.

ÉPILOGUE

On est fatalement amené à se demander, en terminant, si la Restauration était un régime viable pour la France. La Révolution de 1830 paraît, à première vue, prouver que non. C'est là un mauvais argument, car cette révolution, on l'a montré, fut un accident parfaitement évitable. La faiblesse congénitale de la Restauration fut d'être sortie d'un compromis, d'avoir été, comme l'écrit Balzac, « un temps de transactions continuelles entre les hommes, entre les choses, entre les faits accomplis et ceux qui se massaient à l'horizon », ou, si l'on veut, entre la société nouvelle, forgée par la Révolution et l'Empire, et la société ancienne, issue des temps féodaux, monarchique, aristocratique, religieuse. Toute transaction pourtant n'est pas forcément vouée à l'échec ; celle qu'offrait le régime de la Charte était raisonnable, acceptable pour le plus grand nombre, conforme aux besoins du moment et au degré d'éducation politique de la nation. Pour se consolider, il ne lui fallait que du temps et aussi une certaine souplesse qui lui permît d'évoluer insensiblement ; or le texte de la Charte, par ses obscurités sur des points importants, offrait cette marge d'incertitude qui permettait les adaptations nécessaires. L'esprit anglo-saxon s'en fût accommodé ; mais l'esprit français, dans sa fureur logique voulut à tout prix, et tout de suite, éclaircir les salutaires équivoques. Charles X, en posant clairement la question de la prérogative royale, mit le doigt sur le point critique, et provoqua la catastrophe.

Il eut tort de croire que la couronne, en abandonnant à la nation une partie de ses pouvoirs ne pouvait plus lui être d'aucune utilité ; il eut tort de renoncer au rôle d'arbitre suprême pour celui de chef de parti ; il eut tort de se laisser aveugler par les souvenirs de la Révolution et de confondre libéralisme et anarchie ; il eut tort de heurter de front l'opinion publique alors qu'il n'y avait pas moyen de lui imposer silence ; il eut tort de faire figure d'ennemi des libertés alors que les traditions de sa famille autant que l'état de la nation répugnaient au despotisme.

Les erreurs et les déficiences du monarque ne sont pas seules responsables de l'échec du régime. Il faut faire entrer en ligne de compte les rancunes et les craintes des survivants de l'ancienne aristocratie, l'imprudence et l'aveuglement d'une partie du clergé, enfin la médiocrité des hommes d'Etat : Talleyrand, intelligent, mais vénal et cynique, Richelieu, généreux, mais instable et inexpérimenté, Decazes, audacieux, mais superficiel et faux, Villèle, solide, mais étroit et rancunier, Martignac, spirituel, mais opportuniste et léger, Polignac, dévoué, mais obtus et utopique ; aucun n'eut l'étoffe du grand ministre qu'il eût fallu pour s'imposer aux princes, entraîner l'adhésion des élites de la nation et donner au régime le dynamisme qui l'eût sauvé.

Ses adversaires ne furent pas eux-mêmes sans reproches. « Il y a deux sagesses indispensables aux peuples libres, a écrit Guizot, l'une de ne pas se confier précipitamment aux premières impressions que la liberté leur apporte et à tous les bruits qu'elle fait à leurs oreilles ; l'autre de savoir accepter et supporter les imperfections et les faiblesses de leurs gouvernants, rois ou ministres, quand les bons principes et les bons résultats dominent essentiellement dans leur gouvernement. » Les Français qui attaquèrent la Restauration et provoquèrent la révolution de 1830 manquèrent de cette double sagesse. S'il y eut, à l'extrême-droite, des gens qui n'acceptèrent point les transactions nécessaires, il n'y en eut pas moins à l'extrême-gauche. La passion obtuse de leurs attaques, la mauvaise foi et l'audace de leurs calomnies étaient bien de nature à jeter Charles X dans la lutte funeste qu'il entreprit. Sur eux, comme sur l'infortuné monarque, repose la responsabilité des malheurs de la France au XIXe siècle.

Les Bourbons ne réussirent donc pas à consolider le régime de la Restauration et à fermer les plaies de la Révolution. Du moins, leurs quinze années de règne ont procuré à la France un répit bien salutaire, qui apparaît même comme une des périodes les plus heureuses de son histoire. « Il faudra peut-être des siècles à la plupart des peuples d'Europe pour atteindre au degré de bonheur dont la France jouit sous Charles X. » Ainsi parlait Stendhal en 1829. Et quand on fait objectivement le bilan de l'époque on peut bien lui donner raison.

Jamais, sans doute, la France n'a été mieux administrée, avec plus d'honnêteté du haut en bas de l'échelle hiérarchique, avec plus de respect pour les lois et règlements, avec plus de ménagements pour les droits des citoyens, avec moins d'abus dans l'usage des deniers publics. A-t-on jamais vu un temps comme celui-là, où l'opposition ne trouvait à dénoncer, comme scandale financier, que le seul fait pour le ministre Peyronnet, d'avoir dépassé de 179.000 francs les crédits alloués pour des aménagements nécessaires dans l'hôtel du ministère ?

Les finances françaises n'ont jamais été si heureusement gérées et les sages règlements élaborés par Villèle les ont soutenues pendant tout le XIXe siècle. L'armée, jusqu'en 1872, a vécu sur les principes posés par Gouvion Saint-Cyr en 1818, et la marine, jusqu'à l'avènement de la vapeur, sur les initiatives techniques de la Restauration. C'est alors aussi que s'est dégagée la fonction actuelle du Conseil d'Etat et que se sont consolidées les traditions d'intégrité et d'indépendance de la magistrature.

Sous la Restauration, la France put faire son apprentissage du régime parlementaire et son éducation politique ; pour la première fois, les partis ont pu confronter librement leurs points de vue et de ce choc pacifique se sont dégagées des théories politiques et des règles de procédure. Alors, on croit encore à la valeur des idées, et, s'il y a de la passion, on ignore du moins les luttes sordides d'intérêts et les tripotages de couloirs.

L'économie pré-machiniste atteint son ultime perfection, et si le progrès ultérieur a pu la faire paraître stagnante, par comparaison, elle offre du moins à l'individu un cadre à l'échelle humaine et une sécurité favorables à l'épanouissement de ses dons spirituels. La société présente aussi un heureux équilibre entre les possibilités d'ascension et la stabilité des stratifications ; elle retrouve son équilibre moral après les convulsions révolutionnaires et l'ivresse conquérante de l'Empire. De tout cela résulte une atmosphère éminemment favorable aux travaux de l'esprit, et la France reprend sa prépondérance dans le domaine des sciences, des lettres et des arts.

Sur le plan de la politique extérieure, le gouvernement des Bourbons n'a guère commis de fautes et il a tiré tout le parti possible de la situation désastreuse léguée par l'Empire. En quelques années, les conséquences humiliantes de la défaite ont été liquidées, et la France a recouvré en Europe le rang auquel pouvait l'appeler ce qui lui restait de puissance réelle. En trois occasions au moins, elle a pu affirmer l'indépendance et l'efficacité de ses armes et de sa diplomatie : lorsqu'elle est intervenue en Espagne en 1823, lorsqu'elle a contribué à l'indépendance hellénique et enfin lorsqu'elle a conquis Alger, en dépit de l'Angleterre, et fondé ainsi un nouvel empire colonial.

Parce que tout cela s'est accompli sous une dynastie qu'on avait chassée, sous un régime qu'on ne voulait plus revoir, il a fallu, pendant longtemps, le minimiser, le passer sous silence, le déformer, il a fallu monter en épingle des erreurs et des petitesses dont aucun régime n'a été exempt et encore moins les régimes postérieurs à celui de Charles X. L'histoire, aujourd'hui, devrait pouvoir se dégager enfin de rancunes et de craintes périmées, et souscrire au jugement que portait, il y a cent ans déjà, Ernest Renan : « La Restauration fonde le vrai développement de la France au XIXe siècle et reste chère à tous ceux qui pensent d'une manière élevée. »

ORIENTATION BIBLIOGRAPHIQUE

Il n'existe pas de bibliographie systématique et satisfaisante de la Restauration. La plus récente et la meilleure orientation est donnée par M. Jean VIDALENC, dans le tome IX de la collection *Clio : l'Epoque contemporaine.* — I. : *Restaurations et Révolutions*, 1953. Ces indications, forcément sommaires, seraient à compléter par les bibliographies données dans quelques-unes des histoires générales de la Restauration mentionnées ci-dessous, surtout celles de CHARLÉTY et de ARTZ. Indications abondantes sur les sources imprimées dans POUTHAS : *Essai critique sur les sources et la bibliographie de Guizot pendant la Restauration*, 1923, et dans BERTIER DE SAUVIGNY : *Le comte Ferdinand de Bertier et l'énigme de la Congrégation*, 1948.

Les titres qu'on trouvera ici ne constituent qu'une bibliographie sommaire et sélective, où l'on a cherché surtout à signaler les ouvrages les plus récents et les plus accessibles. L'auteur a utilisé en outre des sources inédites, recueillies dans les archives françaises et étrangères, et il s'excuse auprès des spécialistes de n'avoir pu, du fait du caractère de la présente collection, préciser l'origine et l'étendue de ces emprunts.

SOURCES IMPRIMÉES

1) *Recueils de textes.* DUVERGIER : *Collection complète des lois, décrets, ordonnances, règlements et avis du Conseil d'Etat* (un volume annuel, généralement.) — *Archives parlementaires... IIe série*, 1800-1860.

2) *Brochures et ouvrages de circonstance.* La Restauration en a produit une très grande quantité. On en trouvera les titres dans le *Catalogue d'Histoire de France* de la Bibliothèque nationale, t. III et XI (supplément).

3) *Journaux et périodiques.* Les principaux sont cités par E. HATIN : *Bibliographie historique et critique de la presse périodique en France*, 1866. Mais ce travail présente de nombreuses inexactitudes et lacunes, surtout en ce qui concerne les publications à périodicité irrégulière.

4) *Mémoires et Correspondances.* Sont extrêmement nombreux pour cette période. Voici quelques-uns des plus utiles : ABRANTES (Duchesse d') : *Mémoires sur la Restauration...* 6 vol. 1835-1836. — AGOULT (Comtesse d') : *Mes Souvenirs, 1806-1833*, 1877. — ANNE (Théodore) : *Mémoires, souvenirs et anecdotes sur l'intérieur du palais de Charles X...*, 1831. — APPONYI (Comte Rodolphe) : *Vingt-cinq ans à Paris*, t. I : *1826-1830*, 1913. — BARANTE : *Souvenirs du baron de Barante...* 8 vol, 1890-1897. — BASSANVILLE (Comtesse de) : *Les Salons d'autrefois, souvenirs intimes...*, 4 vol., 1862-1866. — BERAUD (P.) : *Souvenirs parlementaires*, 1841. — BEUGNOT : *Mémoires du comte Beugnot...*, 2 vol., 1866. — BOIGNE (Comtesse de) : *Récits d'une tante...*, 5 vol., 1921-1923. — BROGLIE (Victor de) : *Souvenirs du feu duc de Broglie...*, 4 vol., 1886. — CASTELLANE (Maréchal de) : *Journal...*, 5 vol., 1895-1897. — CASTLEREAGH (Viscount) : *Correspondance, Dispatches and other Papers. Third series, 1813-1822*, 4 vol., 1848-1853. — CHATEAUBRIAND : *Mémoires d'Outre-Tombe* (l'édition du centenaire, par M. Levaillant, est seule valable désormais). — CHATEAUBRIAND : *Correspondance générale, par* Louis Thomas, 1912-1924 (inachevé et très incomplet). — DELÉCLUZE (Etienne) : *Souvenirs de soixante années*, 1862. — FERRAND (Comte) : *Mémoires...*, 1897. — FRÉNILLY (Baron de) : *Souvenirs...*, 1908. — GUERNON-RANVILLE : *Journal d'un ministre...*, 1873. — GUIZOT : *Mémoires pour servir à l'histoire de mon temps*, t. I, 1858. — HAUSSEZ (Baron d') : *Mémoires...*, 2 vol., 1896-1897. — HAUSSONVILLE (Comte d') : *Ma jeunesse, 1814-1830*, 1885. — HUGO (Victor) : *Choses vues.* — LAMBRUSCHINI (Cardinal) : *La mia nunziatura di Francia*, 1934. — LA ROCHEFOUCAULD (Sosthènes de) : *Mémoires...*, 15 vol., 1860-1864. — LAMENNAIS : *Œuvres posthumes... Correspondance, publiée par E. Forgues*, 1859. — LAMENNAIS : *Œuvres inédites. Correspondance, publiée par A. Blaize*, 2 vol.,

1866. — LAMENNAIS : *Correspondance inédite entre Lamennais et le baron de Vitrolles*, 1866. (En plus de ces recueils, il existe une vingtaine d'autres publications partielles de correspondances de Lamennais. Une édition critique et complète serait une entreprise d'une utilité manifeste.) — LEGOUVÉ (E.) : *Soixante ans de Souvenirs*, s. d. — METTERNICH : *Mémoires, documents et écrits divers...*, 8 vol., 1880-1884. — MOLÉ : *Le comte Molé..., sa vie, ses mémoires*, 6 vol., 1922-1930. — MONTBEL : *Souvenirs...*, 1913. — PASQUIER : *Histoire de mon temps...*, 6 vol., 1893-1896. — PERDIGUIER (Agricol) : *Mémoires d'un compagnon*, 1914. — POLOVTSOV : *Correspondance diplomatique des ambassadeurs et ministres de Russie en France..., de 1814 à 1830*, 3 vol., 1901-1907. — PONTMARTIN (Vicomte de) : *Mes mémoires*, 2 vol., 1885. — E. QUINET : *Histoire de mes idées*, 1858. — RAGUSE (Maréchal Marmont, duc de) : *Mémoires*, 9 vol., 1857. — REISET (Vicomte de) : *Souvenirs*, 3 vol., 1901-1902. — RÉMUSAT : *Correspondance de M. de Rémusat pendant les premières années de la Restauration...*, 6 vol., 1883-1886. — RICHELIEU : *Lettres du duc de Richelieu au marquis d'Osmond, 1816-1818*, 1939. — ROCHECHOUART (Général de) : *Souvenirs sur la Révolution, l'Empire et la Restauration*, 1933. — SAINT-CHAMANS (Général, comte de) : *Mémoires...*, 1896. — SALABERRY (Comte de) : *Souvenirs politiques...*, 1900. — SERRE (Comte de) : *Correspondance...*, 7 vol., 1876-1882. — STENDHAL : *Courrier anglais*, 5 vol., 1935. — VILLÈLE (Comte de) : *Mémoires et correspondance*. 5 vol., 1887-1890. — VITROLLES (Baron de) : *Mémoires et relations politiques*, 3 vol., 1883-1884. — WELLINGTON : *Supplementary Despatches, Correspondence and Memoranda, 1797-1818*, 12 vol., 1858-1865. — WELLINGTON : *Despatches, Correspondence and Memoranda, 1819-1829*, 5 vol., 1867-1873.

OUVRAGES GÉNÉRAUX

Quelques-unes des anciennes histoires de la Restauration sont encore utiles, soit parce que les auteurs ont été personnellement mêlés aux événements, soit parce qu'elles citent des documents difficilement accessibles. Ce sont celles de CAPEFIGUE (1831-1833, 10 vol.), LAMARTINE (1851-1852, 8 vol.), DUVERGIER DE HAURANNE, sous le titre de *Histoire du gouvernement parlementaire en France*, (1857-1872, 10 vol.), VAULA-

BELLE (1857, 8 vol.), NETTEMENT (1860-1872, 8 vol.), VIEL-CASTEL (1860-1878, 20 vol.).

Parmi les plus récentes, on retiendra celles de CHARLETY (1921, t. IV de l'*Histoire de France contemporaine*, dirigée par E. LAVISSE) ; LUCAS-DUBRETON : *La Restauration et la monarchie de juillet*, 1926 ; LA GORCE (Pierre de), 2 vol., 1926-1928 ; ROUX (Marquis de), 1930 ; ARTZ (Frederick B.) : *France under the Bourbon Restoration*, 1931 ; PONTEIL (F.) : *La Monarchie parlementaire*, 1949 ; et surtout les deux cours professés à la Sorbonne par M. POUTHAS, l'un sur l'*Histoire politique de la Restauration* et l'autre sur *la Politique étrangère de la France sous la Monarchie constitutionnelle ;* publiés sous forme de fascicules polycopiés par le Centre de documentation universitaire, ils constituent à eux deux l'histoire la plus solide et la plus impartiale qui soit de la Restauration.

L'histoire de la période a été envisagée sous certains aspects. Ainsi par THUREAU-DANGIN : *Royalistes et républicains*, 1874 ; ID. : *Le parti libéral sous la Restauration*, 1876 ; WEILL (Georges) : *Histoire du parti républicain en France de 1814 à 1870*, 1910 ; MARION (M.) : *Histoire financière de la France...*, t. IV et V, 1925-1928. Pour les questions de politique étrangère, on se reportera surtout à la nouvelle *Histoire des relations internationales*, t. V, *le* XIXe *siècle*. I. *De 1815 à 1871*, par M. Pierre RENOUVIN, (Paris 1954).

Il y a peu de travaux sérieux d'*histoire locale* en dehors des suivants : MOULARD (J.) : *Le comte Camille de Tournon, préfet de la Gironde, 1815-1822*, 1914 ; CONTAMINE (H.) : *Metz et la Moselle, de 1814 à 1870*, 2 vol., 1932 ; VIDALENC (J.) : *Le département de l'Eure sous la monarchie constitutionnelle*, 1952.

Les *biographies* sont très nombreuses, et pourtant on manque encore de travaux valables sur plusieurs personnalités politiques importantes, Richelieu, Blacas, Decazes, par exemple. Voici quelques-unes des plus utiles : GUICHEN (Eugène de) : *Le duc d'Angoulême*, 1909. — TURQUAN (J.) : *La dernière Dauphine. Madame, duchesse d'Angoulême*, 1909. — P. DE JOINVILLE : *L'armateur Balguerie-Stuttenberg et son œuvre*, 1914. — ALMERAS (Ch.) : *Odilon Barrot, avocat et homme politique*, 1950. — BEUGNOT : *Vie de Becquey... directeur général des Ponts et Chaussées*, 1852. — LUCAS-DUBRETON : *Béranger*, 1934. — LUCAS-DUBRETON : *La duchesse de Berry*, 1935. — LACOMBE (Ch. de) : *Vie de Berryer*, t. I, 1894. — BERTIER DE

SAUVIGNY : *Le comte Ferdinand de Bertier et l'énigme de la Congrégation*, 1948. — GAUTHEROT (Gustave) : *Un gentilhomme de grand chemin, le maréchal de Bourmont*, 1926. — BEAU DE LOMÉNIE : *La carrière politique de Chateaubriand de 1814 à 1836*, 1929, 2 vol. — ROUSSET (Camille) : *Un ministre de la Restauration, le marquis de Clermont-Tonnerre*, 1885. — BOTTENHEIM (J.) : *Corvetto et son œuvre...*, 1941. — BASCHET (R.) : *E.-J. Delécluze, témoin de son temps*, 1942. — PERRET (Edouard) : *La dernière favorite des rois de France : la comtesse du Cayla...*, 1937. — DEBIDOUR (A.) : *Le général Fabvier...*, 1904. — MADELIN (L.) : *Fouché*, 1900. — BOMPAR (V.) : *le général Foy...*, 1927. — GARNIER (A.) : *Frayssinous...*, 1925. — POUTHAS (Ch.) : *Guizot pendant la Restauration...*, 1923. — LA FUYE (M. de) et BABEAU (E.-A.) : *La Fayette, soldat de deux patries*, 1954. — PERCEVAL (E. de) : *Un adversaire de Napoléon, le vicomte Lainé...*, 1926. — GIGNOUX (C.-J.) : *La vie du baron Louis*, 1928. — NICOULLAUD (Ch.) : *Casimir Périer, député de l'opposition*, 1894. — PERCEVAL (E. de) : *Un condamné de haute cour, le comte de Peyronnet...*, 1930. — ROBIN-HARMEL (P.) : *Le prince Jules de Polignac*, 2 vol., 1941-1950. — GERVAIN (Mme de) : *Un ministre de la Marine... le baron Portal*, 1888. — ORDIONI (Pierre) : *Pozzo di Borgo...*, 1935. — HERRIOT (Ed.) : *Madame Récamier et ses amis*, 1904. — FOUQUES-DUPARC (J.) : *Le troisième Richelieu, libérateur du territoire*, 1940. — BARANTE (Pr. de) : *Vie politique de Royer-Collard*, 1861. — MESMAY (J.-T. de) : *Horace Sébastiani...*, 1948. — COMBES DE PATRIS : ... *Le comte de Serre*, 1932. — LACOUR-GAYET (G.) : *Talleyrand*, 3 vol., 1928-1931. — FOURCASSIÉ (J.) : *Villèle*, 1954. — ALDINGTON (R.) : *Wellington*, 1948. Voir aussi aux sections de la vie religieuse et de la vie intellectuelle.

QUESTIONS PARTICULIÈRES

La chute de l'Empire (Chapitres I et II).

HOUSSAYE (H.) : *1814*, 1888. — BENAERTS (L.) : *Les commissaires extraordinaires de Napoléon en 1814...*, 1915. — THIRY (J.) : *La chute de Napoléon Ier*, 2 vol., 1938-1939. — L. MADELIN : *Histoire du Consulat et de l'Empire*, t. XIV, 1951. — Voir aussi les biographies précitées de *Talleyrand* et de *F. de Bertier* (chapitres III, IV, V.).

La première Restauration (Chapitres III, IV, V).

Houssaye (H.) : *1815*, t. I : *La première Restauration, le retour de l'île d'Elbe...*, 1893. — Firmin-Didot (G.) : *...La France en 1814 d'après les rapports inédits du comte Anglès*, 1897. — Dupuis (Charles) : *Le ministère de Talleyrand en 1814*, 2 vol., 1920. — Thiry (J.) : *La première Restauration*, 1941. — Madelin (L.) : *Op. cit.*, t. XV, 1952. — Simon (Pierre) : *L'élaboration de la Charte constitutionnelle de 1814*, 1906.

Le congrès de Vienne (Chapitre VI).

Pallain (G.) : *Correspondance inédite du prince de Talleyrand et du roi Louis XVIII pendant le congrès de Vienne...*, 1881. — Lagarde-Chambonas : *Souvenirs du congrès de Vienne...*, 1901. — Webster (sir Charles) : *The foreign policy of Castlereagh*, 1931. — Nicholson (Harold) : *The congress of Vienna...*, 1946. — Webster (sir Charles) : *The congress of Vienna*, 1934.

Les Cent-Jours et la deuxième Restauration (Chapitres VII).

Houssaye : *1815*, t. II et III. — Thiry : *Le vol de l'Aigle*, 1942. — id. : *Les Cent-Jours*, 1943. — id. : *Waterloo*, 1943. — Madelin : *Histoire du Consulat et de l'Empire*, t. XIV, 1954.

Ponteil (F.) : *La chute de Napoléon Ier et la crise françaiɛ de 1814-1815*, 1943. — Le Gallo (E.) : *Les Cent-Jours. Essai su l'histoire intérieure de la France depuis le retour de l'îl d'Elbe jusqu'à la nouvelle de Waterloo*, 1924. — Grand (Roger) *La Chouannerie de 1815*, 1942.

Voir aussi les biographies de *Fouché*, par Madelin (chapitres XXIII à XXVI) et de *F. de Bertier*, par G. de Bertier (chap. VI).

Le règne de Louis XVIII (Chapitres I à VI).

Lucas-Dubreton : *Louis XVIII*, 1925. — Daudet (E.) : *Louis XVIII et le duc Decazes*, 1899. — André (R.) : *L'occupation de la France par les Alliés en 1815*, 1924. — Daudet (E.) : *La Terreur blanche*, 2e éd., 1906. — Welschinger (H.) : *Le maréchal Ney, 1815*, 1935. — Dumolard (Henry) : *La Terreur blanche dans l'Isère. Jean-Paul Didier et la conspiration de*

Grenoble, 1930. — Cisternes (R. de) : *Le duc de Richelieu. Son action aux conférences d'Aix-la-Chapelle. Sa retraite du pouvoir*, 1898. — Lucas-Dubreton : *Louvel le régicide*, 1923. — Guillon (E.) : *Les complots militaires sous la Restauration...*, 1895.

Rain (P.) : *L'Europe et la Restauration des Bourbons, 1814-1818*, 1908. — Pirenne (J.-H.) : *La Sainte-Alliance*, 1949. — Sorel (A.) : *Le traité de Paris du 20 novembre 1815*, 1873. — Nigohosian (V.-A.) : *La libération du territoire français après Waterloo*, 1929. — Bianchi (N.) : *Storia documentata della diplomazia europea in Italia, dall' 1814 al 1861*, 1865-1872. — Temperley (H.) : *The foreign policy of Canning, 1822-1827*, 1925. — Robertson (W.-S.) : *France and Latin-American Independence*, 1939. — Grandmaison : *L'expédition française d'Espagne en 1823*, 1928.

La vie économique.

See (H.) : *Histoire économique de la France*, t. II, 1951. — Clough (Shepard B.) : *France. A history of national economics, 1789-1939*, 1939. — Dunham (Arthur L.) : *La Révolution industrielle en France*, 1953. — Gille (Bertrand) : *Les Origines de la grande industrie métallurgique française*, 1947 — Labrousse (E.) : *Aspects de l'évolution économique et sociale de la France et du Royaume-Uni de 1815 à 1880*. (Cours polycopié, sans date.) — Chabert (A.) : *Essai sur les mouvements des revenus et de l'activité économique en France de 1798 à 1820*, 2 vol., 1945-1949. — Cavaillès (H.) : *La route française...*, 1946.

La vie sociale.

La bibliographie de ce chapitre est particulièrement déficiente et il est impossible de citer ici la multitude des sources diverses auxquelles il a fallu faire appel. Voici quelques ouvrages utiles :

Guerry (André-Michel) : *Essai sur la statistique morale de la France*, 1833. — Angeville (Adolphe d') : *Essai sur la statistique de la population française...*, 1836. — Chevalier (Louis) : *La formation de la population parisienne au* XIXe *siècle*, 1950. — N. Batjin : *Histoire... de la noblesse de France, depuis 1789 jusque vers l'année 1862...*, 1862. — Paillat (P.) : *La vie et la condition ouvrière sous la Restauration*. (Ouvrage encore inédit, dont je dois la communication à l'amabilité de l'auteur.) — Blanchard (Marc) : *La campagne et ses habitants dans l'œuvre d'Honoré de Balzac*, 1931. — Burnand (R.) : *La vie quotidienne en France sous la Restauration*, 1943. — Almeras (H. d') : *La vie parisienne sous la Restauration*, 1910. — Bertaut (Jules) : *Le faubourg Saint-Germain sous l'Empire et la Restauration*, 1949. — Toledano (A.-D.) : *La vie de famille sous la Restauration et la monarchie de juillet*, 1943. — Parent-Duchatelet (Dr.) : *De la prostitution dans la ville de Paris*, 3e éd., 1857. — Weill (G.) : *La France sous la Monarchie constitutionnelle*, 1912.

La vie politique.

Bastid (Paul) : *Les Institutions politiques de la monarchie parlementaire française*, 1954. — Monnet (C.) : *Histoire de l'administration provinciale, départementale et communale en France*, 1885. — Audiffret : *Système financier de la France*, 1840. — Chabrol : *Rapport au Roi sur l'administration des Finances*, 1830. — Monteilhet (J.) : *Les institutions militaires de la France, 1814-1924*, 1926. — Titeux (E.) : *Histoire de la maison militaire du roi de 1814 à 1830*, 1889. — Chevalier (Capitaine de vaisseau) : *Histoire de la marine française de 1815 à 1870*, 1900. — Schefer (Christian) : *La France moderne et le problème colonial, 1815-1830*, 1938.

La vie religieuse.

Pouthas (Ch.) : *L'Eglise de France sous la monarchie constitutionnelle.* Sans date (cours polycopié). — Dansette (Adrien) : *Histoire religieuse de la France contemporaine*, t. I, 1951, 2e éd. — Les biographies d'évêques et de fondateurs de sociétés religieuses sont beaucoup trop nombreuses pour qu'on puisse les citer toutes, de même les histoires de diocèses et de congrégations. On peut regretter toutefois qu'il n'y ait pas plus de travaux comme celui de Genevray (P.) : *L'administration et la vie ecclésiastique dans le grand diocèse de Toulouse... sous la Restauration*, 1941. Sur un problème essentiel E. Sevrin : *Les missions religieuses en France sous la Restauration*, 1948.

Sur les questions d'enseignement, voir, outre la biographie précitée de *Frayssinous* : Grimaud (L.) : *Histoire de la liberté d'enseignement en France*, t. V : *La Restauration*, 1950.

La figure capitale de Lamennais continue de susciter de nombreux travaux, depuis le livre essentiel de Duine (l'abbé F.) : *Lamennais ; sa vie, ses idées, ses ouvrages*, 1922. Pour mettre au point la bibliographie qui l'accompagnait (*Essai de bibliographie de Félicité-Robert de Lamennais*, 1923) on pourra recourir à Le Hir (Y.) : *Lamennais écrivain*, 1948.

Coignet (Mme) : *L'Evolution du protestantisme français au* xixe *siècle*, 1908. — Maury (L.) : *Le réveil religieux dans l'Eglise réformée à Genève et en France, 1810-1850*, 1892. — Lucien-Brun (H.) : *Etude historique sur la condition des Israëlites en France depuis 1789*, 2e éd., 1901.

La vie intellectuelle.

Sur les rapports culturels de la France et des autres pays les indications bibliographiques les plus abondantes dans Baldensperger et Werner (Fr.) : *Bibliography of comparative literature*, 1950. Il faut y ajouter quelques thèses très importantes soutenues récemment ou en voie d'achèvement. Monchoux (André) : *L'Allemagne devant les lettres françaises de 1814 à 1835*, 1951. — Reboul (Pierre) : *Le Mythe anglais dans la littérature française*. — Rémond (R.) : *Les Etats-Unis devant l'opinion française au* xixe *siècle*.

Caullery (M.) : *La science française depuis le* xviie *siècle*, 1948. — Guiart (J.) : *Histoire de la Médecine française*, 1947. — Faivre (J.-P.) : *L'expansion française dans le Pacifique, 1800-1842*, 1953. — Jullian (Camille) : *Extraits des historiens français du* xixe *siècle. Introduction*, 7e éd., 1913.

Omodeo (A.) : *La cultura francese nell'età della Restaurazione*, 1946. — Cresson (A.) : *Les courants de la pensée philosophique française*, 1927. — Boas (G.) : *French philosophies of the romantic period*, 1925. — Leroy (M.) : *Histoire des idées sociales en France*, t. II : *De Babeuf à Tocqueville*, 1950. — Bagge (D.) : *Les idées politiques en France sous la Restauration*, 1952. — Picavet (F.) : *Les idéologues*, 1891. — Caillet (E.) : *La tradition littéraire des idéologues*, 1943. — T. Muret : *French royalist doctrines since the Revolution*, 1933. — Gide (Ch.) et Rist (Ch.) : *Histoire des doctrines économiques*, 7e éd., 1947 — Bouglé (Ch) : *Socialisme français...*, 1933 — Duroselle (J.-B.) : *Les débuts du catholicisme social en France*, 1950. — Gouhier (H.) : *La jeunesse d'Auguste Comte et la formation du positivisme*, 1933-1941. CHARLÉTY (S.) : *Histoire du saint-simonisme*, 1931.

Il faut renoncer à donner ici des indications sur la littérature et renvoyer aux bibliographies spécialisées. LANSON : *Manuel bibliographique de la littérature française moderne*, 1931. — THIEME (Hugo P.) : *Bibliographie de la littérature française de 1800 à 1936*, 1933. — (Voir aussi le supplément de cet ouvrage par DREHER et ROLLI.) — TALVART et PLACE : *Bibliographie des auteurs modernes de langue française*. (En cours de publication.) Pour le point de vue adopté dans notre exposé, le livre le plus important reste MARSAN (Jules) : *La Bataille romantique*, 1912.

HAUTECŒUR (L.) : *L'architecture française de la Renaissance à nos jours*, 1941. — LUC-BENOIST : *La sculpture française*, 1945. — ROSENTHAL (L.) : *La peinture romantique. Essai sur l'évolution de la peinture française de 1815 à 1830*, 1900. — ROBIQUET (J.) : *L'art et le goût sous la Restauration*, 1928. — LAFORET (C.) : *La vie musicale aux temps romantiques*, 1929. — TIERSOT (J.) : *La musique aux temps romantiques*, 1930.

Le règne de Charles X.

LUCAS-DUBRETON : *Charles X*, 1927. — GAIN (A.) : *La Restauration et les biens des émigrés*, 1929. — GARNIER (J.-P.) : *Le sacre de Charles X et l'opinion publique en 1825*, 1927. — LESPAGNON (J.-H.) : *La loi du sacrilège*, 1935. — DAUDET (E.) : *Le ministère de M. de Martignac*, 1875. — GARNIER (A.) : *L[es] ordonnances du 16 juin 1828*, 1929.

DAUDET (E.) : *La révolution de 1830...*, 1907. — GIRARD (G.) : *Les trois glorieuses*, 1929. — WEILL (G.) : *La révolution de Juillet dans les départements*. (Dans *Revue d'Histoire Moderne*, t. VI (1931) pp. 289-294.)

CRAWLEY (C.-W.) : *The question of Greek independence*, 1930. — CANAT (R.) : *L'Hellénisme des romantiques*, 1951. — DOUIN (D.) : *Navarin*, 1927. — PURYEAR (V.) : *France and the Levant, from the Bourbon Restoration to the peace of Kutiah*, 1941.

JULIEN (Ch.-A.) : *Histoire de l'Afrique du Nord*, 1952 (donne bibliographie abondante de la question d'Alger). — ESQUER (G.) : *Les commencements d'un Empire, la prise d'Alger*, 1929.

TABLE DES MATIÈRES

PREMIÈRE PARTIE

LA PREMIÈRE RESTAURATION ET LES CENT-JOURS

DEUXIÈME PARTIE

LE RÈGNE DE LOUIS XVIII

TROISIÈME PARTIE

LA FRANCE SOUS LA RESTAURATION

QUATRIÈME PARTIE

LE RÈGNE DE CHARLES X